D1068802

LES GRANDS PHÉNOMÈNES DE LA NATURE

LES GRANDS PHÉNOMÈNES DE LA NATURE

PARIS • BRUXELLES • MONTRÉAL • ZURICH

LES GRANDS PHÉNOMÈNES DE LA NATURE

est une réalisation de
SÉLECTION DU READER'S DIGEST

Nous remercions tous ceux qui ont contribué à la préparation et à la réalisation de cet ouvrage.

Pour les TEXTES
Rolando ARMIJO, physicien, spécialiste de sismotectonique à l'Institut de physique du Globe de Paris.
Pierre AVÉROUS, docteur en géophysique, océanographe.
Jean-Philippe AVOUAC, géophysicien, détaché au commissariat à l'Énergie atomique.
Michel BAKALOWICZ, chargé de recherches au CNRS.
René BATTISTINI, professeur de géographie physique à l'université d'Orléans.
Gérard BELTRANDO, géographe climatologue, maître de conférences à l'université de Paris-VII.
Nicolas BINARD, géologue volcanologue, IFREMER.
Bernard BOMER, professeur émérite à l'université de Paris-X.
Jacques BONVALLOT, géographe, directeur de recherches à l'ORSTOM.
Jean-Louis CHEMINÉE, directeur de recherches au CNRS, Institut de physique du Globe de Paris.
Brigitte COQUE, professeur à l'université de PARIS-VII.
Roger COQUE, professeur émérite à l'université de PARIS-I.
Jean DEJOU, agronome, docteur ès sciences.
François DURAND-DASTÈS, maître de conférences à l'université de PARIS-VII.
Jean FRANCHETEAU, géophysicien, professeur à l'université de Bretagne occidentale.
Robin LACASSIN, tectonicien, chargé de recherches au CNRS.
Charles LE CŒUR, géographe, maître de conférences à l'université de PARIS-VIII.
Claude LEPVRIER, maître de conférences à l'université de PARIS-VI.
Bertrand MEYER, physicien adjoint, spécialiste de sismotectonique à l'Institut de physique du Globe de Paris.
Alain PERSON, maître de conférences au département de géologie sédimentaire de l'université de PARIS-VI.
Annie REFFAY, professeur à l'université de Limoges.
Josyane RONCHAIL, géographe climatologue, maître de conférences à l'université de PARIS-VII.
Jean-Christophe SABROUX, ingénieur à l'Institut de protection et de sûreté nucléaire du CEA.
Paul TAPPONNIER, physicien, directeur du laboratoire de tectonique à l'Institut de physique du Globe de Paris.
Jacques THIBIÉROZ, géologue, maître de conférences à l'université de PARIS-VI.
Jean-Claude THOURET, géomorphologue, professeur à l'université de Clermont-Ferrand-II.
Pierre VINCENT, volcanologue, professeur émérite à l'université de Clermont-Ferrand-II.
Robert VIVIAN, géographe, professeur à l'université de Cergy-Pontoise.

Pour les DESSINS
Yves GRETENER
Claude LACROIX
Régis MACIOSZCZYK
Jean-Pierre MAGNIER
Jacques TOUTAIN
Jean-Louis VERDIER
Richard VILLORIA

Pour la CARTOGRAPHIE
EDITERRA : Jacques et Philippe SABLAYROLLES
Yves GRETENER
Catherine ROBIN

Nous remercions également pour leur collaboration :
Véronique DUJARDIN-VALDANT et Caroline LOZANO (rédaction), Chantal HANOTEAU (iconographie).

Conseiller de la rédaction :
Marie-Thérèse MÉNAGER, maître en géographie et en sciences naturelles

Équipe éditoriale de SÉLECTION DU READER'S DIGEST
Direction éditoriale : Gérard CHENUET
Responsable du projet : Catherine LAPOUILLE
Direction artistique : Claude RAMADIER
Responsable de la maquette : Dominique THOMAS
Responsable de la cartographie : Claude PERRIN
Lecture-correction : Béatrice OMER, Dominique CARLIER, Catherine DECAYEUX, Emmanuelle DUNOYER
Iconographie : Nicole TESNIÈRE
Index : Claudine LOYAN
Fabrication : Jacques LE MAITRE, Marie-Pierre de SCEY
Couverture : Françoise BOISMAL, Dominique CHARLIAT

Conception du projet : Marie-Thérèse MÉNAGER, Philippe PELLERIN

PREMIÈRE ÉDITION

ISBN 2-7098-0435-2

PRÉFACE

Notre planète n'est pas figée, elle vit et se transforme perpétuellement. Mais si la nature, au cours des âges, a édifié de somptueux monuments, a sculpté des paysages d'une grande diversité, nous ignorons tout, bien souvent, des mécanismes géodynamiques qui ont présidé à leur naissance.
Cet ouvrage a donc pour objet de satisfaire la curiosité bien légitime de nombre de lecteurs. Il leur propose un voyage à travers l'espace et les temps géologiques, guidés par d'éminents spécialistes — géographes, géologues, géophysiciens, volcanologues, climatologues... Ceux-ci racontent, expliquent l'histoire de la planète Terre, c'est-à-dire l'histoire des forces qui ont modelé le visage du monde, et qui continuent de le transformer sous nos yeux.
Une première partie, essentiellement visuelle, donnera au lecteur l'occasion de rêver sur de splendides paysages liés à des milieux particuliers, et l'invitera aussi à entrer plus avant dans l'ouvrage pour comprendre comment se sont formés ces chefs-d'œuvre de la nature qu'il lui est donné d'admirer. Car la Terre est une chose fragile, malléable, prise entre le feu central et les éléments extérieurs qui l'assaillent. En effet, si les lents mouvements des plaques tectoniques, la surrection des montagnes, les tremblements de terre et les éruptions volcaniques témoignent de façon étonnante de l'activité interne de notre planète, les forces plus sournoises de l'érosion affectent elles aussi, inlassablement, la surface du globe.
De l'exubérance de la forêt amazonienne à la désolation du désert du Namib, des icebergs du Groenland au fameux Pain de Sucre de Rio de Janeiro, des grandioses fjords norvégiens à la beauté magique des fonds coralliens, c'est donc à une véritable découverte du monde que le lecteur est convié. Gageons qu'il prendra plaisir à nous accompagner dans ce périple, et qu'il en reviendra ébloui, étonné, déconcerté, et aussi un peu plus savant.

L'Éditeur

TABLE DES MATIÈRES

PAYSAGES DE LA TERRE
modelés
par les forces de la nature

10-41

LE FEU

42-89

LA TERRE
naissance des reliefs

LA TERRE
transformation des reliefs

LA MER

L'AIR

248-297

Les chapitres sont animés par différents types d'encadrés. Les encadrés entourés de vert ont, pour la plupart, été écrits par les auteurs de ces chapitres; les encadrés sur fond jaune ont été écrits par la rédaction de Sélection du Reader's Digest.

Les légendes des photos des pages 10-11, 42-43, 90-91, 136-137, 196-197 et 248-249, ouvrant les six parties de l'ouvrage, se trouvent en page 319.

PAYSAGES DE LA TERRE

modelés
par les forces de la nature

Régions Froides — AUTOUR DES PÔLES

Les régions polaires sont demeurées longtemps inaccessibles et redoutables. Les pionniers de la conquête des pôles décrivent un monde de solitude, balayé par des vents glacés, un désert où la terre et la mer sont recouvertes par les glaces. Quelques peuples du Nord, longtemps isolés, ont su trouver des ressources dans la chasse et dans la pêche. Pour les scientifiques qui étudient ces milieux extrêmes, la vie dans les bases polaires est toujours une aventure. L'hiver, les températures sont souvent inférieures à − 40 °C, et seul un pâle halo de lumière sur l'horizon atténue l'obscurité. L'été est la saison du jour continu et du soleil de minuit.

Les calottes glaciaires qui couvrent les continents — épaisses de près de 4 000 m en Antarctique, de plus de 3 000 m au Groenland — représentent 75 % des réserves d'eau douce de la planète. Sur leurs marges, des icebergs se détachent et fondent au cours de longues dérives sur les océans. La mer gelée forme la banquise. Ainsi, l'Antarctique est cerné par un anneau de glace de mer, déplacé par les courants, brisé par les tempêtes, où s'ouvrent des passages saisonniers. Autour du pôle Nord, la banquise permanente est épaisse de quelques mètres. La vie se concentre sur ces rivages changeants, où les eaux sont riches en plancton et en poissons.

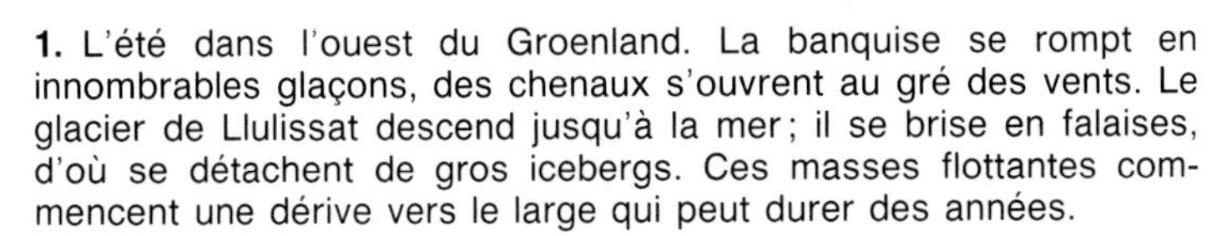

1. L'été dans l'ouest du Groenland. La banquise se rompt en innombrables glaçons, des chenaux s'ouvrent au gré des vents. Le glacier de Llulissat descend jusqu'à la mer; il se brise en falaises, d'où se détachent de gros icebergs. Ces masses flottantes commencent une dérive vers le large qui peut durer des années.

2. Pour atteindre le plateau glaciaire de l'Antarctique, il faut franchir des gradins hauts de 1 500 à 2 000 m. Les premières expéditions ont cherché un passage à travers la barrière montagneuse de la terre Victoria. Mais les langues de glace, hachées de crevasses, et les vallées sèches aux pentes abruptes, figées par le gel, sont difficilement praticables.

3. La neige de l'hiver vient recouvrir l'immensité du Grand Nord canadien. Les lacs gelés et les collines basses sont balayés par le vent, laissant apparaître un paysage raclé par les glaciers du Quaternaire disparus depuis dix mille ans.

Régions Froides — LA TOUNDRA

À la limite du monde polaire s'étend la toundra. Ce mot russe désigne des paysages âpres, ponctués de flaques et de tourbières. Les régions les plus froides ne sont que cailloux envahis de mousses et de lichens; les régions moins rudes ont une végétation rase ou buissonnante, parfois un semis de bouleaux nains ou de saules rampants qui résistent au froid et au vent. Les grandes toundras s'étendent sur la frange arctique du Canada, de la Scandinavie et de la Sibérie. D'autres toundras herbues couvrent les pentes des îles au climat rigoureux comme l'Islande, la Terre de Feu, les Malouines et les Kerguelen.

L'alternance des saisons s'imprime dans le sol. L'hiver peut durer huit mois avec une couverture de neige, un gel profond du sol et des rivières figées en glace. L'été amène le dégel superficiel et la débâcle des rivières. La couche profonde du sol, gelée en permanence, retient l'eau dans les terrains boueux, et provoque de curieuses déformations de la surface. L'été voit aussi l'éclosion de la vie et le retour des migrateurs. Les petits rongeurs sortent des terriers; les rennes viennent brouter les pousses de bouleau et les lichens, suivis par les loups et les renards à la recherche de proies. Mais l'été reste frais, il ne dure guère, et le froid reprend sa rigueur.

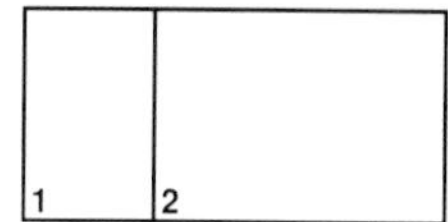

1. Paysage de toundra l'été, dans les montagnes de l'Alaska central. Solitude d'un grand lac aux eaux poissonneuses. Quelques plaques de neige subsistent çà et là sur les hauteurs, au-dessus de longues pentes d'éboulis. Les berges du lac, labourées par les glaces de l'hiver, sont boursouflées par le dégel de poches d'eau emprisonnées dans le sable. Cette surface chaotique se couvre d'une végétation colorée : des mousses et des lichens, quelques herbes arctiques et des pousses de saule nain, où les oiseaux et les petits rongeurs trouvent leur nourriture.

2. La vallée de Landmannalaugar, au cœur du désert d'Islande, regorge d'eau l'été. Au-dessus des éboulis de basalte, les plateaux volcaniques conservent leur carapace de glace ; mais une grosse rivière descendue des glaciers s'étale en bras capricieux ; les pentes boueuses glissent imperceptiblement jusqu'au marécage. Le sol dégelé se couvre d'une végétation rase et détrempée, sur un versant bosselé. Cette toundra, battue par le vent et la pluie, offre néanmoins mille refuges aux oiseaux migrateurs venus y nicher. Puis l'hiver fige le paysage sous une épaisse couverture de neige.

Régions Froides — LA TAÏGA

La grande forêt boréale, désignée par le nom russe de taïga, couvre les deux tiers de la Sibérie, une bonne partie de la Scandinavie, et la moitié du Canada. Des arbres serrés, des pins, sapins ou épicéas, quelques bouleaux et des saules autour de clairières humides ; le sous-bois, tapissé de mousse ou de buissons d'airelles, est encombré de bois mort. La taïga est une forêt sombre, immense, sans horizon, sans repère.
Pendant l'hiver, des températures de − 35 °C sont habituelles. La neige couvre la forêt silencieuse et les rivières sont entièrement gelées. La fonte du printemps déclenche des débâcles formidables qui peuvent arracher les arbres sur les berges des rivières. C'est le temps des inondations sur les plaines mal dégelées. L'été, chaud, plus humide, est la saison des moustiques...
La taïga est le domaine des trappeurs. Pendant l'hiver, la forêt est le refuge des rennes et des élans ; en été, elle héberge renards, visons, martres et zibelines.
Cette forêt fait aussi la richesse des pays qu'elle recouvre. De vastes chantiers ouvrent des clairières, mais les grandes coupes dans la forêt nuisent à sa régénération, car elles provoquent le lent dégel des sols en profondeur et les transforment en marécages à bouleaux.

1. Un affluent de la Lena serpente mollement à travers la taïga claire de Yakoutie, dans l'est de la Sibérie. Le climat étant très rigoureux, les arbres poussent lentement, disposés en lignes sinueuses sur des croupes basses aux contours indécis. La vallée n'est qu'un large marécage, troué de flaques élargies par les glaces de l'hiver.

2. La forêt d'épinettes (les épicéas des Canadiens) serrées couvre le plateau des monts Groulx, dans la province du Québec, au nord de l'estuaire du Saint-Laurent (Canada). Une rivière court au milieu des mousses et des petits bouleaux ; c'est le domaine des castors. Des arbres abattus leur serviront à construire de petits barrages pour maintenir le niveau des eaux.

3. Une haute forêt s'étale dans les vallées du parc national Yoyo, situé sur le versant occidental des montagnes Rocheuses, en Colombie-Britannique (Canada). Sous les parois nues, burinées par les avalanches, les eaux blanches descendues des glaciers forment d'innombrables cascades entre les pins majestueux.

DOMAINE TEMPÉRÉ – LA DOUCEUR OCÉANIQUE

La notion de domaine tempéré évoque un climat sans excès. C'est bien le cas des régions océaniques, fraîches et humides. L'air maritime atténue les contrastes de température, et distribue les pluies sur la majeure partie de l'année. C'est l'ambiance douce et arrosée de la façade atlantique de l'Europe, de la côte nord-ouest des États-Unis ou du sud du Chili central, régulièrement balayées par de violentes tempêtes.
Ces pays de grandes forêts ont été défrichés. Sur les pentes plus ingrates ou plus humides s'étend la lande inculte, mais sur les sols plus riches, l'homme a construit des paysages variés formant une mosaïque de terroirs : bois, prairies, vergers, vignes et grandes cultures. Ces paysages se renouvellent au rythme des saisons : la douceur du printemps est celle des feuillages frais et des prairies en fleurs ; l'été, plus chaud, est moins pluvieux, sans toutefois jaunir la végétation ou dessécher le sol ; l'automne voit fleurir la bruyère sur la lande, et les forêts se parer de couleurs fauves ; les froids de l'hiver durent peu, et la neige est rare.
Selon les années, selon les lieux, d'infinies nuances distinguent un hiver qui s'éternise d'un printemps pourri, un automne radieux d'un été un peu fade.

1. Une belle prairie occupe cette vallée bavaroise (sud de l'Allemagne). C'est une région d'élevage laitier prospère. La forêt gagne les pentes au sol maigre ; entre les grands sapins, les hêtres déploient leur feuillage tendre au printemps.

2. Des replats coupés de haies et de bosquets, quelques fermes dispersées sur les pentes, c'est le paysage vert du Pays basque français, après une averse de printemps : les nuages se dissipent, les prés s'égouttent, la récolte du foin pourra reprendre.

3. Dans la grise lumière hivernale, la paisible Moselle forme de larges méandres encaissés dans les plateaux boisés du Palatinat allemand. Une mince pellicule de neige souligne le dessin des parcelles étroites et pentues du vignoble, qui produit un vin célèbre.

4. Si le bocage irlandais est toujours vert, c'est qu'il est arrosé en toute saison. Au milieu des prairies, les buissons de fougères et de fleurs des marais donnent une touche de couleur aux berges des ruisseaux.

DOMAINE TEMPÉRÉ – DES RÉGIONS À ÉTÉ CHAUD

La chaleur étouffante de l'été est commune aux zones tempérées des façades est des continents. L'air tropical humide envahit ces régions, apportant orages et parfois cyclones. La douceur de l'hiver, son humidité justifient l'appellation tempérées, bien que les vagues de froid ne soient pas exceptionnelles. Ces conditions assurent une prolifération végétale extraordinaire, la croissance des plantes se poursuivant en toute saison.
En Virginie et en Caroline du Nord et du Sud, les intenses défrichements ont permis des cultures demandant humidité et chaleur (coton, tabac, canne à sucre...). Les paysans d'Asie cultivent

les riches sols jaunes depuis des millénaires. En Chine du Sud, la forêt a presque disparu au profit des rizières. Le printemps tiède permet deux récoltes par an. Les paysans de Corée ou du Japon méridional tirent des collines boisées d'importantes ressources (châtaignes, bambou, plantes aromatiques ou médicinales).

Une vallée dans le Guangxi (sud de la Chine). Les rizières occupent toute la plaine alluviale. Les villages s'allongent au pied des collines, à l'abri des inondations. De la forêt primitive, il ne reste que les buissons et les arbres accrochés aux pitons calcaires.

DOMAINE TEMPÉRÉ – LA LUMIÈRE MÉDITERRANÉENNE

Les régions méditerranéennes offrent des paysages radieux, à la fois verdoyants et brûlés de soleil. Elles s'étendent sur la frange du domaine tempéré, c'est-à-dire autour du bassin de la Méditerranée, en Californie et au nord du Chili central, ou encore dans la province du Cap, en Afrique du Sud. Ces régions aux hivers doux reçoivent les pluies océaniques en automne et au printemps; l'été est chaud et sec, c'est une morte saison pour la nature : rivières à sec, feuillages réduits, cultures jaunies ou desséchées.
La végétation méditerranéenne est fragile. C'est une forêt claire de pins et de chênes verts, au sous-bois varié, où les plantes basses enchevêtrées forment un tapis fleuri et odorant. Ici les arbres font place à la garrigue, au maquis, couverture de buissons et d'épineux résistant à la sécheresse de l'été. Les défrichements hasardeux, les incendies répétés peuvent déclencher une érosion vigoureuse qui emporte les sols et ravine les pentes.
Ces régions de contrastes ont aussi des violences. Les vents, comme le mistral de Provence ou le meltem grec, peuvent dessécher les vergers et lever une mer dangereuse. Les orages de l'automne déchaînent parfois des crues brutales. Puis la douceur revient avec ses transparences de lumière, ses couleurs et ses ombres.

1. La transparence de l'eau et le ciel limpide font le charme des rivages de la Méditerranée. En Espagne, les rochers déchiquetés de la Costa Brava sont couverts de pins maritimes qui s'accrochent aux moindres fissures de la falaise.

2. Le paysage neuf du vignoble de la province du Cap, en Afrique du Sud, s'organise sur un plateau vallonné où les grandes parcelles entourent des bâtiments fonctionnels. Les bonnes conditions climatiques et la qualité des sols permettent une production de qualité.

3. En Italie du Sud, l'été sec dure de cinq à six mois. Le maquis de Calabre est envahi par les figuiers de Barbarie, petits cactus originaires du Mexique, qui évoquent les régions arides. Quelques arbres chétifs émergent du fouillis de buissons en fleurs.

4. Au printemps, le maquis corse est une explosion de fleurs : le mélange des couleurs et des odeurs reflète la diversité des plantes. Les buissons inextricables ont recouvert les friches et une bergerie en ruine ; la forêt s'installe dans un vallon plus humide.

MONTAGNES – DES RELIEFS JEUNES

Les montagnes jeunes sont des chaînes dont le soulèvement n'est pas achevé. Elles se situent sur les zones d'affrontement entre les plaques de la croûte terrestre. C'est la cordillère américaine, étirée entre l'Alaska et la Terre de Feu ; ce sont les chaînes disposées en guirlande des Alpes, des croissants montagneux du Moyen-Orient, de l'Himālaya, des arcs insulaires d'Asie du Sud-Est et de la Nouvelle-Zélande. Les séismes et l'activité volcanique traduisent les soubresauts de la croûte terrestre, comprimée, cassée et soulevée depuis des millions d'années. La surrection rapide des montagnes est accompagnée d'une érosion puissante. À mesure de leur surrection, les massifs sont éventrés par de grandes vallées, guidées par les plis et les failles qui découpent la montagne en réseaux de crêtes et de sillons. Entre des sommets d'altitude impressionnante et des vallées profondément entaillées entre des pentes vigoureuses, les contrastes sont grandioses. Les sommets élevés sont le domaine des glaciers, qui sculptent des pyramides, des cirques et de larges couloirs ; plus bas, les versants sont ravinés par les torrents ou remodelés par des glissements de terrain. Ainsi, ces paysages majestueux s'étagent entre la haute montagne presque inaccessible, des contreforts escarpés et des vallées accueillantes.

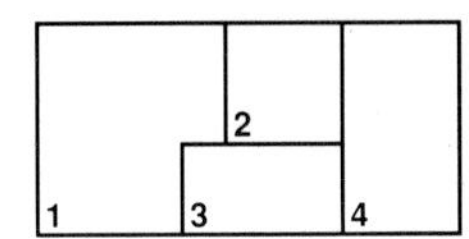

1. Dans les Alpes italiennes, la neige s'accroche aux corniches et aux pitons calcaires des Dolomites. La montagne est tranchée en faces verticales par des couloirs au-dessus de la forêt de mélèzes, dorée par l'hiver.

2. Dans la moiteur de la forêt équatoriale, les montagnes de Papouasie s'étagent entre 3 000 et 4 000 m. Émergeant des nuages, la forêt s'accroche aux pitons calcaires. Ces massifs, découpés par des gorges profondes, sont pratiquement inaccessibles.

3. Point culminant de la chaîne des Cascades (Oregon, États-Unis), le mont Rainier (4 392 m) est un cône volcanique décapité par les explosions. Au-dessus des conifères géants, la majesté des glaciers ne peut effacer la menace d'un grand volcan actif.

4. Dans le nord du Montana (États-Unis), les chaînons des Flathead Range (de 2 800 à 3 000 m) portent de petits glaciers. Les parois abruptes révèlent la disposition des couches, au-dessus de versants d'éboulis. La forêt part à la conquête des pentes.

MONTAGNES – LES MASSIFS ANCIENS

Les massifs anciens correspondent à des parties stables et consolidées de la croûte terrestre dont l'altitude dépasse rarement 3 000 m. Ce sont de hautes terres découpées en échines rigides, dominées par de lourds sommets. Ces paysages âpres de moyenne montagne s'ouvrent sur des cuvettes plus riantes. Si les sommets sont rarement spectaculaires, les vallées encaissées sont souvent grandioses. Les roches anciennes, variées, qui arment ces massifs ont plus ou moins résisté à une érosion lente de plusieurs dizaines de millions d'années. Ainsi, ces vastes espaces usés révèlent des racines de chaînes disparues, des noyaux résistants déchaussés en dômes, pains de sucre ou bastions entourés de barrières abruptes. À la périphérie des continents, ces zones relevées forment une ceinture de hauts plateaux, bordés d'escarpements que les fleuves franchissent en rapides. Dans le cas de la Norvège, du Groenland ou du Labrador, c'est un véritable bourrelet montagneux troué par des fjords profonds. D'autres massifs anciens d'Europe émergent au cœur des plaines sédimentaires, constituant des plateaux austères et boisés. Ailleurs, ce sont de hautes plates-formes, encadrées par des chaînes jeunes, comme les plateaux de l'Ouest américain ou du Tibet, vastes déserts d'altitude dominés par des sommets enneigés.

1. Cette belle cuvette est échancrée dans les plateaux arides du Territoire du Nord (Australie). Les sols sableux retiennent l'eau, assurant la croissance du scrub, le maquis australien. C'est un semis d'acacias et d'eucalyptus dans un fouillis de broussailles et d'herbes coupantes, domaine des chasseurs aborigènes. Cette oasis de verdure est ceinturée par des corniches de roche résistante. Le plateau offre, à perte de vue, une surface de terre rouge, ponctuée de touffes. C'est la steppe monotone de l'Australie centrale, d'où émergent quelques collines aux flancs nus.

2. Ce paysage écossais de moyenne montagne, situé dans les Southern Uplands, près des sources de la Tweed, reflète un monde humide et venté. De longues pentes couvertes de bruyère servent de pâturage aux moutons de montagne. Puis ce sont les hautes échines, souvent couvertes de nuages, battues par le vent et la pluie. Ce décor romantique est animé d'ombres et de lumières selon les caprices du temps, mais figé dans son austérité. À l'abri des bourrasques, une petite ferme est blottie au creux de la vallée du loch Saint Mary. Des murets de pierres marquent la limite de la lande.

MONTAGNES – LES ÉDIFICES VOLCANIQUES

Les volcans sont des montagnes circulaires, construites par une accumulation de cendres et de laves à chaque éruption. Les volcans actifs inspirent crainte ou respect. Les hommes y ont placé la demeure de quelques dieux : les forges de Vulcain sous l'Etna, la maison de Pelé au Kilauea (Hawaii). Au Japon, les volcans ont un caractère sacré, et le Fuji-Yama reçoit des milliers de pèlerins chaque année. Parfois, il s'agit de petits édifices, hauts de quelques centaines de mètres, ou de chapelets de grands cônes alignés sur une fracture de la croûte terrestre. Mais les accumulations de laves et de cendres des grands stratovolcans comme l'Etna ou le Kilimandjaro peuvent dépasser 3 000 m de hauteur et 50 km de diamètre. Quelques grands édifices sont à demi immergés, comme les volcans-boucliers de Hawaii ou de la Réunion, gigantesques montagnes surgies du fond de l'océan. De nouvelles montagnes naissent inopinément : le Paricutín au Mexique en 1943, ou Surtsey en Islande en 1963. Certains reliefs croissent régulièrement par empilement de coulées de lave et de cendres, au rythme d'éruptions successives ; d'autres évoluent par explosions spasmodiques, suivies de longues périodes de sommeil. Les grands volcans sont toujours des montagnes en cours de création.

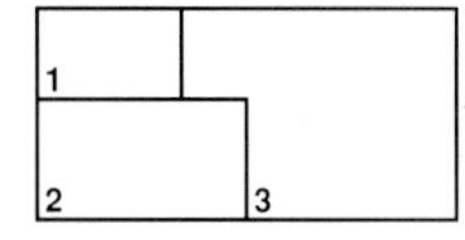

1. Le Kilimandjaro est un volcan gigantesque dressé au-dessus des plateaux de l'Afrique orientale. Son cratère principal, le Kibo (5 895 m), est coiffé par un glacier. En saison sèche, l'air tropical érode la glace sur les pentes supérieures, et les fumerolles la sculptent en dentelle, comme des pénitents blancs posés sur la cendre noire.

2. Silhouette menaçante, au-dessus de Petropavlovsk (Kamtchatka, Russie), le Koryakski (3 456 m) est un volcan explosif. Il est couvert de neige, car le climat de la Sibérie orientale est très rigoureux. Les ravins qui entaillent ses flancs peuvent guider les coulées et les nuées ardentes vers la ville. Il est donc très surveillé.

3. Dans le nord du Chili, le Guallatiri (6 060 m) se dresse sur le haut plateau de l'Atacama. Ce volcan actif est l'un des plus élevés des Andes ; son sommet est couvert par une mince calotte de glace qui se reconstitue lentement entre les éruptions. Il domine la puna, paysage de désert froid ponctué de touffes et de cailloux.

Régions Désertiques — LE SABLE, SYMBOLE DU DÉSERT

« On reconnaît être au désert quand les grains de sable crissent sous les dents au moment du casse-croûte », écrit le géographe Jean Dresch. Le sable symbolise en effet le désert.
Pas de récit d'expédition qui n'évoque quelque péripétie occasionnée par un vent de sable qui soudain obscurcit l'atmosphère, cingle la peau, brûle les yeux et enraye les moteurs. Ce n'est pas que dans le désert l'air soit plus agité qu'ailleurs, mais la rareté de la végétation et la sécheresse de l'atmosphère permettent au vent de mobiliser les débris fins. Si les poussières sont emportées haut et loin, les grains de sable, eux, restent prisonniers du désert. Tantôt, transportés au voisinage du sol, ils font du vent un agent abrasif, ciseleur de rainures, voire sculpteur de sillons et de buttes. Tantôt, fixés dans un repos plus ou moins long, ils s'accumulent en une couverture mouvante d'épaisseur variée : voiles discontinus jetés sur les plateaux rocheux ou accrochés aux plaines de cailloux ; accumulations dunaires évoquant houles figées ou montagnes en miniature. Appelés ergs au Sahara, les champs de dunes n'occuperaient que 12 % de la surface totale des déserts. Ils n'en composent pas moins un paysage fascinant, étendu à des superficies parfois plus vastes que la France.

1. Ces dunes évoquant des croissants posés sur un plateau sont des barkhanes vues d'avion, au-dessus de la province de Sistān (Iran). Offrant leur pente douce au vent, elles tendent à s'assembler en chaînes transversales.

2. Prudente traversée des dunes mouvantes d'Arakao (sud du Ténéré, Niger), à une heure fraîche où les ombres sont allongées.

3. Près de Sossusvlei, dans le désert côtier de Namibie, ce cordon dunaire domine de 150 m un couloir tapissé de sable plus clair.

4. Voile de sable sur champ de pierres, près de la route reliant Assiout à el-Kharga (Égypte). Les cailloux sphériques, appelés «melons du désert», sont des nodules déposés par d'anciennes sources chaudes sous-marines.

5. L'étrange silhouette d'un yucca se profile sur les éblouissants White Sands du Nouveau-Mexique (États-Unis), sables blancs dérivés d'une roche sédimentaire rare, le gypse. Ils constituent le plus grand désert de gypse du monde.

Régions Désertiques – UN RELIEF FAÇONNÉ PAR LE CLIMAT

Paradoxalement, l'eau se joint au vent pour façonner le relief désertique. Plus que les variations de température, elle suscite la fragmentation ou la désagrégation des roches. Les rosées nocturnes soumettent les minéraux à une épreuve répétée d'humectation-dessiccation ; elles élargissent les fissures des roches en gonflant les cristaux de sels qui s'y sont développés. Brouillards et embruns dans les déserts côtiers, gel et dégel dans les montagnes et les déserts à hivers froids viennent à la rescousse. Mais ces processus sont lents. Les eaux courantes ont une activité discontinue, dans l'espace comme dans le temps. À l'occasion de fortes pluies, elles

aménagent des formes créées sous d'anciens climats humides. Alors des flots boueux calibrent les lits de cours d'eau temporaires, les oueds, et des écoulements en nappe ou en filets entretiennent, au pied des montagnes, de grands plans inclinés rocheux, les pédiments.

Culminant à 1 732 m, le piton volcanique de l'Iharen (Hoggar, Algérie) domine de 500 m le fond de l'oued Tamanrasset, où un peu d'humidité entretient des acacias. Les éboulis épars au bas des versants sont alimentés par la fragmentation des orgues de lave.

Régions Désertiques – DES PLANTES ADAPTÉES

Dans un milieu aride, où l'évaporation excède les précipitations, la végétation des régions désertiques doit se contenter d'une eau rare et souvent salée. Il lui faut aussi s'accommoder de variations extrêmes de température et résister au vent, qui mutile et déforme, outre qu'il dessèche.
Satisfaire à toutes ces exigences consiste pour certaines plantes à limiter leur activité. Feuilles petites et durcies des arbrisseaux, port en boule ou en coussin des buissons et touffes d'herbes coriaces, le faible développement des organes subaériens contraste avec la profondeur des racines.

Dédaignant cette existence étriquée, des plantes dites succulentes, telles les cactées, se cantonnent aux semi-déserts et s'y développent pleinement. Elles constituent pour cela d'énormes réserves d'eau dans les tissus spongieux de leurs tiges et de leurs feuilles, et un réseau étendu de racines superficielles leur permet de pomper la rosée et de tirer parti de la moindre averse. Parfois, le végétal fabrique lui-même une eau de synthèse.
Patientes, opportunistes et éphémères, de petites plantes herbacées aux fleurs éclatantes attendent à l'état de graines la pluie qui leur permettra d'accomplir leur développement en quelques jours.

1. Cet énorme cactus du semi-désert d'Arizona (États-Unis) est une éponge gorgée d'eau. Il vit sur des réserves prélevées à la surface du sol et peut ainsi coexister avec de petites plantes coriaces aux racines profondes.

2. Dans les oasis sahariennes du Souf (Algérie), les palmiers-dattiers poussent «le pied dans l'eau», grâce aux entonnoirs profonds de 20 m creusés par l'homme jusqu'à la nappe phréatique d'un massif dunaire.

3. Les grands cordons dunaires du désert de Simpson, la région la plus aride d'Australie, peuvent être piquetés par la végétation : il pleut tous les ans, et le sable rétrocède volontiers aux racines l'eau qu'il a emmagasinée.

4. Une oasis naturelle dans le désert de Gobi (nord-ouest de la Chine), torride en été et glacial en hiver. Peupliers tortueux et plantes basses semblent s'accrocher à une butte épargnée par l'invasion des dunes.

PAYS CHAUDS – LA FORÊT ÉQUATORIALE

*La forêt équatoriale, c'est l'enfer vert, où d'épaisses frondaisons superposées entretiennent une moite et étouffante pénombre.
À cause de la chaleur et de l'humidité permanentes, la chute des feuilles n'obéit pas à un rythme saisonnier. Bien que toujours verte, cette forêt vit sur ses propres déchets : toute la richesse du sol, due à la décomposition des débris végétaux, se concentre en surface.
Enracinés superficiellement, les grands arbres sont instables. Point de sous-bois dans l'oppressante obscurité qui règne sous leur couvert, mais des troncs revêtus de mousse qui, gisant çà et là, entravent la marche. Fourmis et mygales s'affairent sous le tapis de feuilles mortes. Mouches et moustiques sont les vecteurs potentiels de redoutables maladies. Des serpents pendent des branches, se confondant avec les énormes lianes qui s'enroulent autour des hauts troncs pour s'élancer vers la lumière.
Avec ses 2 500 à 3 000 espèces d'arbres (de 60 à 70 fois plus que les forêts tempérées), l'enfer vert est aussi le paradis de la vie.
De véritables jardins suspendus poussent sur les hautes branches, égayés par les somptueuses couleurs des corolles et des papillons.
Écureuils, lézards et batraciens volants se mêlent à tout un peuple de singes et d'oiseaux vivant de feuilles et de fruits.*

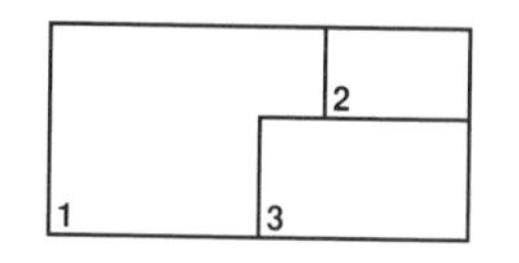

1. À Kalimantan (partie indonésienne de Bornéo), le vert sombre de la forêt équatoriale revêt des plaines côtières au drainage indécis. Ses voûtes basses et continues signalent les marécages. À l'écart des cours d'eau ou sur leurs berges, des sols plus secs portent de plus grands arbres.

2. Autre étonnante forêt : la mangrove qui couvre les vasières littorales de toute la zone chaude. N'ayant pas à lutter contre le froid, ses arbres, les palétuviers, s'accommodent de sols instables gorgés d'eau salée. Ces palétuviers de l'estuaire de la Casamance (Sénégal) résistent à l'asphyxie grâce à leurs racines-échasses.

3. Sur la lisière d'une forêt équatoriale, au Costa Rica, la lumière fait proliférer un sous-bois exceptionnellement dense de végétaux aux larges feuilles. Les troncs d'arbres morts se transforment en jardinières, à l'égal des plus hautes branches qui, elles, bénéficient de la lumière. Beaucoup de plantes vertes d'appartement sont originaires des sous-bois équatoriaux.

PAYS CHAUDS – DE FORÊTS EN SAVANES

La forêt dense équatoriale n'occupe pas la totalité des pays chauds. Vers les tropiques, les pluies faiblissent et font défaut pendant plusieurs mois. Alternent alors des forêts relativement claires, basses, pauvres en espèces, privées de leurs feuilles par la saison sèche, et des savanes, végétation de grandes herbes coriaces hautes en moyenne de 1 à 2 m, mais atteignant parfois 5 m. Verdoyant ou jaunissant au fil des saisons, les savanes sont fréquemment piquetées d'arbres résistant à la sécheresse. Si certaines ne sont que des formations végétales secondaires, résultat de défrichements forestiers entretenus par l'incendie, la plupart n'en constituaient pas moins de vastes zoos naturels parcourus par de grands herbivores, suivis de leurs prédateurs, les grands carnivores. « Constituaient », car seules quelques réserves naturelles ont été soustraites à l'extension des cultures et à l'urbanisation, devenant ainsi un élément majeur d'attraction touristique.
La forêt dense, quant à elle, peut se reconstituer à partir des clairières ouvertes par l'exploitation du bois ou par les plantations d'hévéas, de cacaoyers ou de palmiers à huile, à condition que l'homme abandonne le terrain et que des pentes modérées aient permis aux sols de résister à l'érosion.

1. Aux chutes Victoria (Zambie-Zimbabwe), le Zambèze, large de plus de 2 km, s'engouffre dans une gorge basaltique profonde de 108 m. Charriant peu de cailloux, les cours d'eau des pays chauds, mal armés pour creuser leur lit, sont souvent coupés de cascades et de rapides.

2. Dans le parc national de Serengeti (Tanzanie), gnous, gazelles et zèbres parcourent la savane en grands troupeaux. Perchés dans les acacias, les marabouts se repaîtront de leurs charognes.

3. Au cœur de Bohol, l'une des îles Philippines, 1 268 mamelons ont résisté à l'active dissolution des calcaires. Ces « collines de chocolat » doivent leur nom à la teinte marron que donne la courte saison sèche aux grandes herbes qui remplacent sur leurs versants une forêt détruite par l'homme.

4. À Bali (Indonésie), les rizières en terrasses se substituent sur les pentes des volcans aux savanes et aux forêts claires. Leurs sols sont périodiquement fertilisés par les cendres des éruptions.

Pays Chauds – LES ÎLES TROPICALES

Senteurs d'épices, fruits exotiques, fleurs délicates d'espèces rares, plantes et animaux d'un autre âge, transparence des eaux et splendeurs des fonds marins, plages sableuses où le souffle léger de l'alizé et des brises littorales agite les cocotiers : les îles tropicales ont de tout temps fait rêver les hommes. Elles ont inspiré peintres et poètes et fasciné les naturalistes. L'avion en a fait des paradis touristiques. Ces îles sont particulièrement nombreuses dans la zone chaude : aux continents en miniature et aux sommets émergés de volcans sous-marins (également présents sous d'autres latitudes) s'ajoutent les îles coralliennes, anciens récifs soulevés ou îlots sableux couronnant les récifs vivants dont la partie supérieure affleure à peine à marée basse.
En vérité, ces îles sont des paradis factices. Nombre d'entre elles sont périodiquement dévastées par les cyclones tropicaux. Montagneuses, elles sont souvent, au moins en partie, constituées par des volcans actifs aux éruptions catastrophiques ; leur versant au vent, copieusement arrosé, est exposé aux ravinements et aux glissements de terrain, alors que le versant sous le vent peut rivaliser de sécheresse avec les îles basses. Ces dernières risquent la submersion lors des tempêtes et des raz de marée.

1. L'archipel des Grenadines, situé dans le sud de l'arc insulaire des Petites Antilles, compte 600 îlots, dont les plus grands abritent des villages de pêcheurs et quelques hôtels. Union, le plus peuplé et le plus touristique, découpe sur le ciel la silhouette caractéristique d'un ancien volcan érodé.
Au premier plan, la petite île de Palm Island est ourlée d'un récif corallien dit frangeant, car proche du rivage. Affleurant à peine à marée basse, il correspond à des hauts-fonds où viennent se briser des vagues déferlantes.

2. À 10 km à l'est de la Nouvelle-Calédonie s'allonge un récif-barrière. Ce type de construction corallienne témoigne d'une submersion partielle de la grande île, tout récif étant frangeant à son origine, car les coraux requièrent pour se développer un soubassement à faible profondeur. Ce récif-barrière est célèbre pour ses cayes, îlots sableux émergés qu'ont édifiés les fortes vagues poussées par l'alizé. Ces cayes peuvent être colonisées par les cocotiers. Elles constituent la partie habitable des atolls, autres récifs coralliens, de forme annulaire.

LE FEU

DES FLOTS JAILLIT LE FEU

Naissance d'une île volcanique

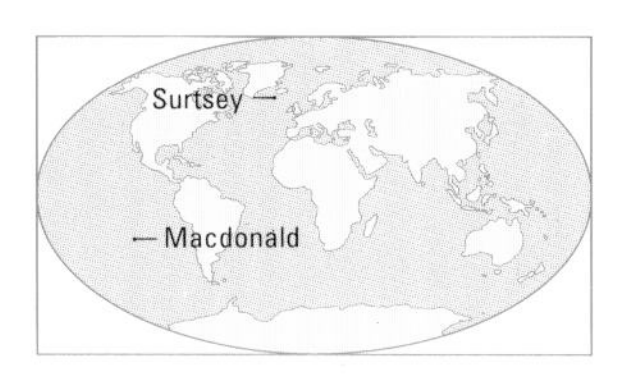

L'océan, vaste étendue d'eau avec pour seul relief la crête des vagues. Rien ne semble pouvoir troubler la quiétude de cet horizon, et pourtant, à quelques mètres de profondeur sous la surface de cette immensité, un volcan peut, en quelques heures seulement, émerger et donner naissance à une île dominant l'étendue océanique.
La création d'une île volcanique est un phénomène fréquent qui a débuté il y a plus de 3,5 milliards d'années, au moment où les premières terres ont émergé de l'océan primitif.

Surtsey, une île surgie au large de l'Islande

Le 14 novembre 1963, à 7 h 30, au sud-ouest des îles Vestmann, seule une subtile odeur de soufre se dégage de la surface de l'Atlantique quand, tout à coup, des gerbes de vapeur d'eau sont propulsées à 60 m de hauteur. Nous sommes au sud de l'Islande, l'une des régions volcaniques les plus actives du globe. Faisant suite à une activité purement sous-marine et prenant racine à 300 m de profondeur sous le niveau de l'océan, un petit monticule d'une dizaine de mètres émerge de l'eau au matin du 15 novembre. Libéré de l'épaisseur d'eau à traverser, le panache explosif monte jusqu'à plus de 8 000 m. Le lendemain, le volcan culmine à 50 m. L'île, de forme oblongue, est une fissure éruptive de 500 m de longueur. Le 30 décembre, elle s'impose du haut de ses 140 m et continue à émettre cendres, bombes et blocs rocheux de tout diamètre. Selon que les vagues pénètrent ou non dans la bouche éruptive, le volcan crache tantôt des panaches noirs et blancs aux allures de cyprès, tantôt de grandes quantités de scories à un rythme plus ou moins régulier. On parle d'activité tantôt hydromagmatique, tantôt magmatique.

Une succession d'événements annexes accompagnera la naissance de Surtsey, comme l'apparition d'un lac de lave de 120 m de diamètre dans le cratère Surtur ou encore des éruptions sous-marines pour lesquelles les cônes volcaniques seront engloutis ou n'émergeront jamais. Toute activité cessa en novembre 1966.

Grâce à Surtsey, l'évolution des phénomènes éruptifs au cours de la naissance d'une île fut observée et décrite scientifiquement pour la première fois. Le nom de cette île est maintenant utilisé pour identifier ce type précis d'éruption volcanique (activité surtseyenne). ■

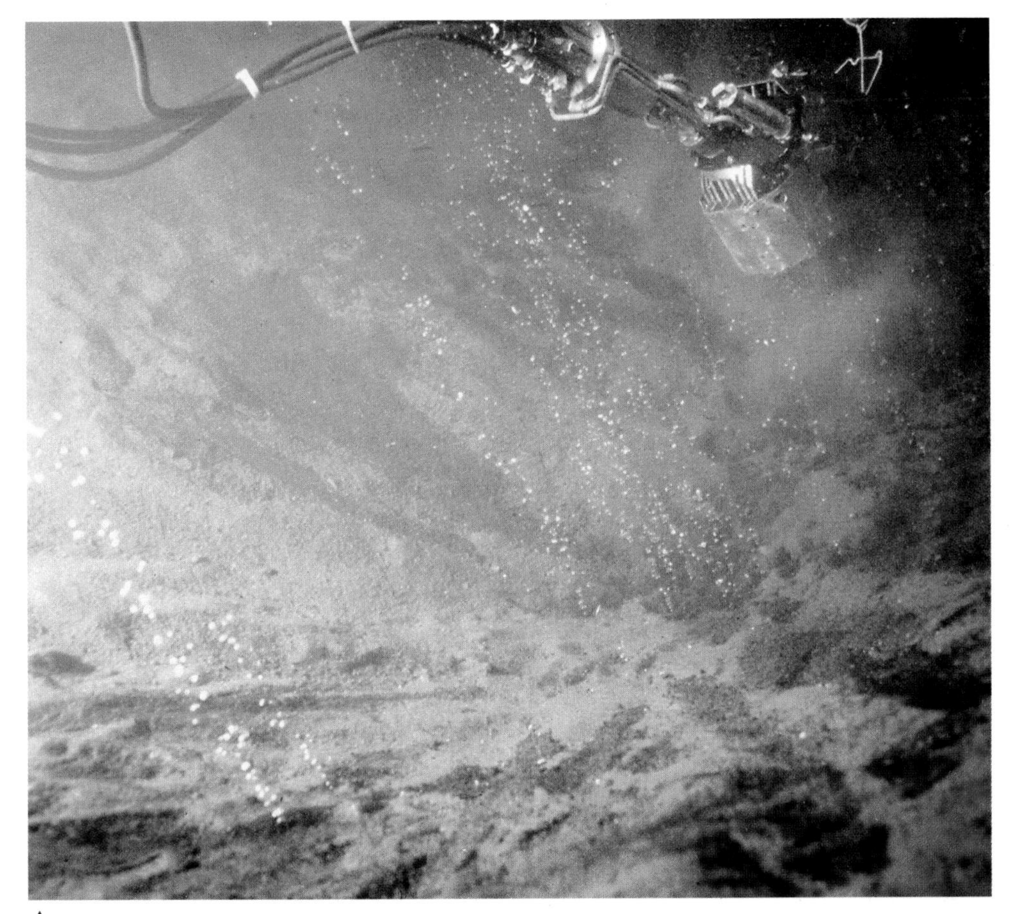

△
L'éruption sous-marine du volcan Macdonald, à l'extrémité orientale de l'archipel des îles Australes (Pacifique Sud), fut observée depuis le fond, le 26 janvier 1989, grâce à la soucoupe plongeante Cyana. *Ce très fort dégagement de gaz volcaniques correspond aux prémices d'une activité volcanique explosive qui sera observée quelques jours plus tard du navire océanographique le* Suroît.

◁ *L'île de Surtsey est née le 14 novembre 1963, au large des côtes islandaises. Cette île prend place dans l'axe même de la dorsale médio-atlantique. Elle représente un sommet proéminent le long d'une fissure éruptive. Lors de son émersion, les panaches de cendres et de vapeur d'eau s'élevèrent avec une puissance colossale à 8 000 m.*

Éruption sous-marine du volcan Macdonald

Le mont sous-marin Macdonald, dans les îles Australes, fut découvert en 1967 grâce aux ondes sismiques provoquées par ses éruptions et enregistrées par les sismographes américains. En 1989, une mission océanographique française fit l'exploration en soucoupe plongeante de ce volcan, dont l'activité était suivie depuis plusieurs années déjà par le réseau de surveillance sismique de Polynésie.

Dès les premières plongées, à plus de 3 000 m de profondeur, les observations géologiques faites sur les flancs du mont Macdonald révélèrent la présence d'une très épaisse couche de cendres recouvrant la totalité des formations volcaniques. Or, ces cendres ne pouvaient être confondues avec les sédiments de fonds marins présents sur ce type de volcan. Les plongées suivantes, menées à plus faible profondeur, s'effectuèrent dans une eau chargée de particules cendreuses en suspension, qui limitaient la visibilité à moins de 2 m au lieu de 10 m. La zone éruptive ne devait plus être loin. Elle fut trouvée le 26 janvier, une semaine après la première plongée. Les émanations gazeuses qui emplissaient l'eau autour du submersible sortaient à une profondeur de 150 m, alors que le sommet principal se trouve à 40 m sous la surface de l'océan. C'est ce dégazage important qui provoquait la mise en suspension des innombrables particules cendreuses.

Quelques jours plus tard, la coque du navire océanographique se mit à résonner sous les coups sourds des explosions sous-marines du mont Macdonald. Un bouillonnement gazeux et des cendres grises apparurent à la surface de l'eau. De nombreux poissons flottaient le ventre en l'air. Le phénomène, qui ne dura que quelques heures, est un fait mineur dans l'activité du volcan. Mais une éruption plus importante pourrait en quelques jours faire naître une île nouvelle à la surface du Pacifique. ■

La naissance d'une île volcanique est l'aboutissement d'un long processus d'édification d'un volcan sous-marin (1). Le premier relief émergé est un cône de cendres issu du mélange explosif de l'eau et du magma (2). L'activité aérienne postérieure engendre la formation d'un volcan-bouclier dont la hauteur atteint plusieurs milliers de mètres (3). Après arrêt de l'activité, l'édifice volcanique subit une érosion intense (4 et 5). ▷

Naissance d'une île volcanique

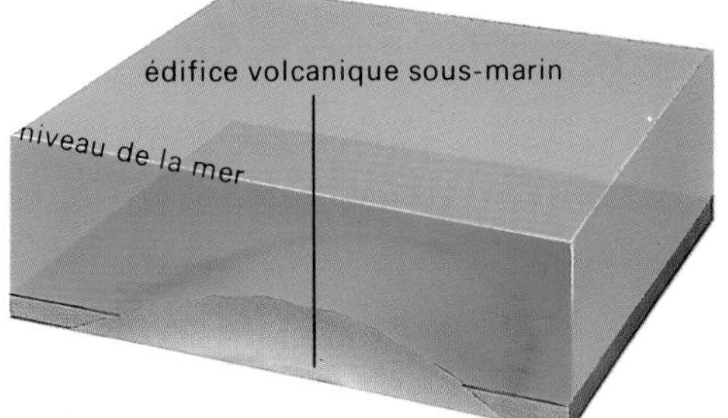

1. – Édification à une grande profondeur d'un volcan-bouclier de type hawaiien

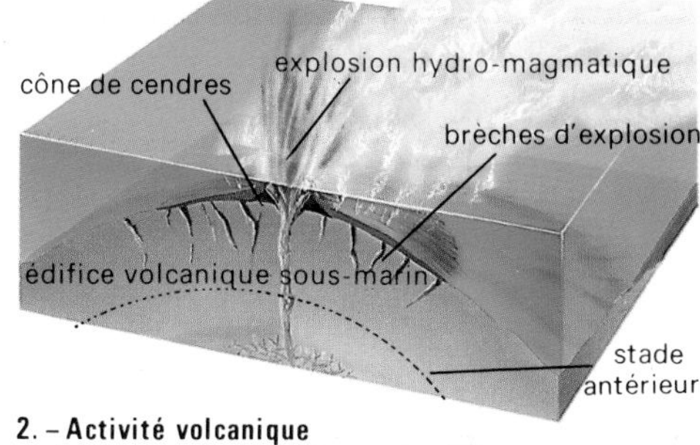

2. – Activité volcanique explosive sous une faible couche d'eau

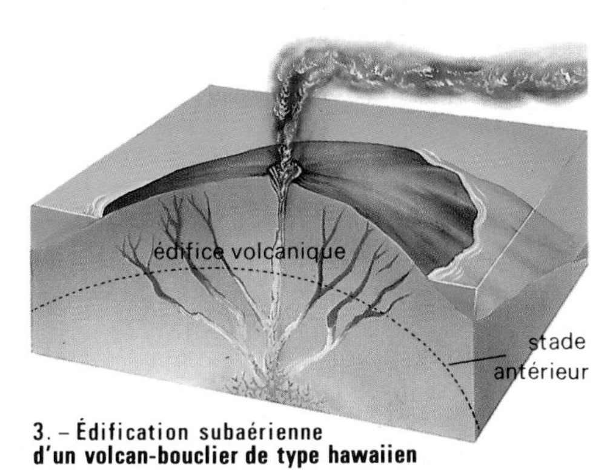

3. – Édification subaérienne d'un volcan-bouclier de type hawaiien

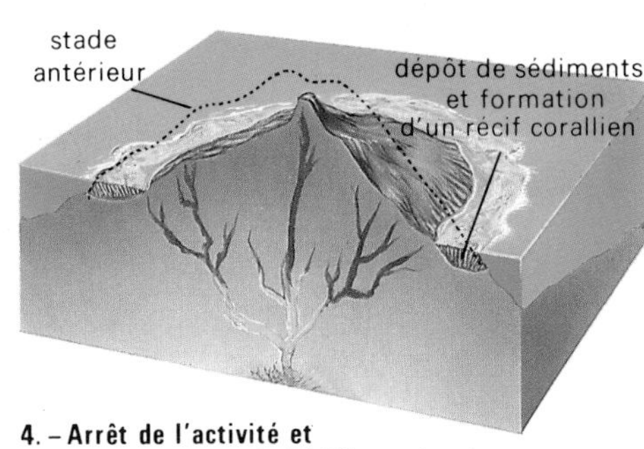

4. – Arrêt de l'activité et début de l'érosion de l'édifice volcanique

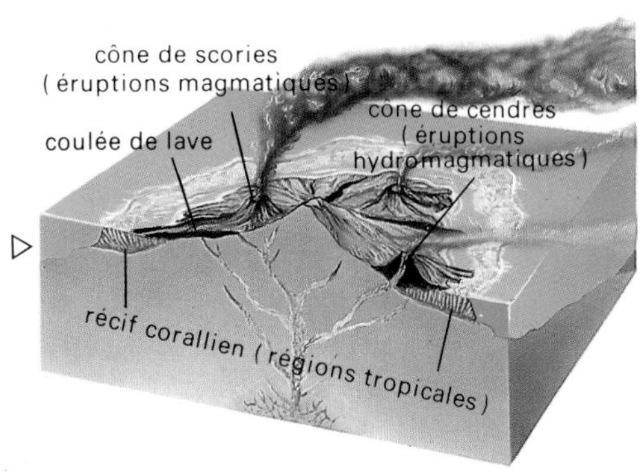

5. – Activité volcanique tardive au cours de l'érosion

La rencontre de l'eau et du magma

Les éruptions volcaniques qui se produisent dans les océans, sous une importante colonne d'eau, donnent naissance à des coulées de lave aux formes arrondies ; ce sont les laves en coussins ou pillow lavas. Lorsque la profondeur de l'éruption n'est que de quelques centaines de mètres, le gaz dissous à l'intérieur du magma peut se libérer. L'éruption devient alors explosive. Le contact entre le magma chaud (1 100 °C environ) et l'eau provoque la formation de vapeur dont le volume vient s'ajouter à celui des gaz magmatiques. L'expansion de tous ces gaz entraîne des explosions particulièrement puissantes qui pulvérisent le magma ainsi que les roches encaissantes, les projetant hors de l'eau à plusieurs centaines de mètres de hauteur. On nomme éruption hydromagmatique ce type d'explosion résultant de la rencontre eau-magma.

L'accumulation des produits volcaniques ainsi libérés édifie peu à peu autour de la bouche éruptive un cône qui, bientôt, émerge de la surface de l'eau : l'île volcanique est née. Les phénomènes explosifs sont généralement accompagnés de coulées de lave « dégazée » qui s'épanchent sur les flancs sous-marins de l'île nouvellement formée. Rapidement, les dépôts cendreux et les coulées de lave ceinturent la bouche éruptive, l'isolant du contact de l'eau. L'éruption se poursuit alors sous forme d'activité volcanique aérienne, conduisant, par exemple, à la formation d'un cône régulier de type strombolien (du nom du volcan le plus connu des îles Éoliennes au nord de la Sicile).

La carte du fond des océans, obtenue grâce à des mesures faites par satellite, permet de repérer la plupart des reliefs immergés du globe. Les points rouges représentent les volcans sous-marins; les traits gris symbolisent les dorsales océaniques, les zones de fractures et les fosses de subduction. La plus forte concentration de volcans sous-marins apparaît dans la partie occidentale de l'océan Pacifique.
▽

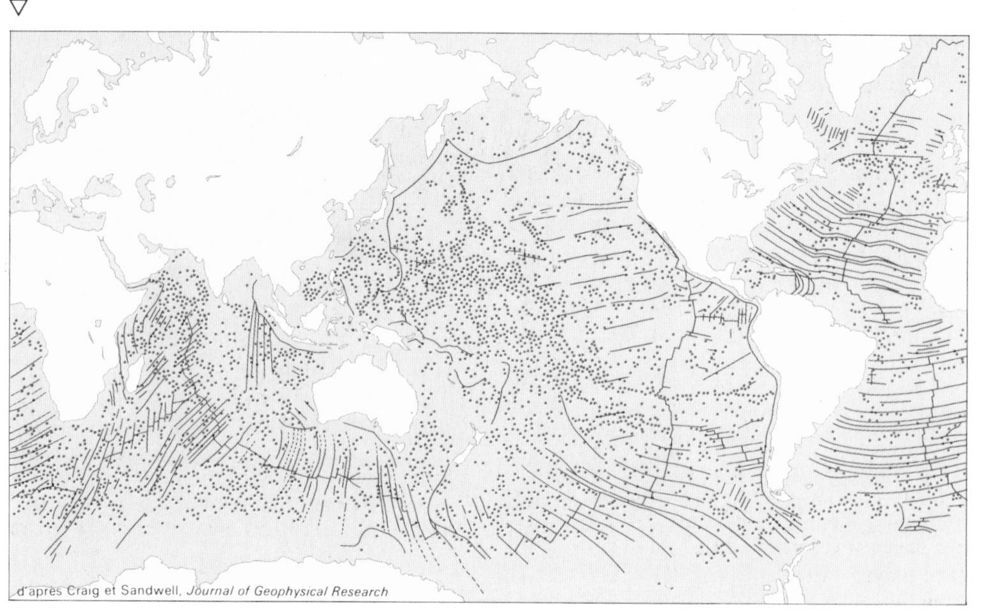

d'après Craig et Sandwell, *Journal of Geophysical Research*

La vie s'installe sur Surtsey

Premières taches vertes dans un monde minéral.

Trente ans après sa naissance, Surtsey fume encore. Le cœur de l'île est resté chaud et les émanations de soufre, de gaz carbonique et de vapeur d'eau percolent toujours abondamment au travers des cendres noires basaltiques. Cependant, dans cet univers inhospitalier, la vie prit ses droits quelques années seulement après l'émersion de l'île. Les scientifiques observèrent avec fébrilité le long processus de colonisation de la vie sur ce laboratoire naturel vierge de toute contamination. Qui arrivera le premier ? Ce fut une plante *(Cakile edentula)*, transportée par le vent ou quelque oiseau, qui s'installa la première sur l'île, bien avant les mousses et lichens habituellement pionniers de la végétation. En 1966, la première araignée débarqua, portée par un bois flotté. Puis les oiseaux y trouvèrent refuge. La vie avait pris possession de Surtsey.

QUAND LA TERRE SE ROMPT

L'ouverture d'un océan

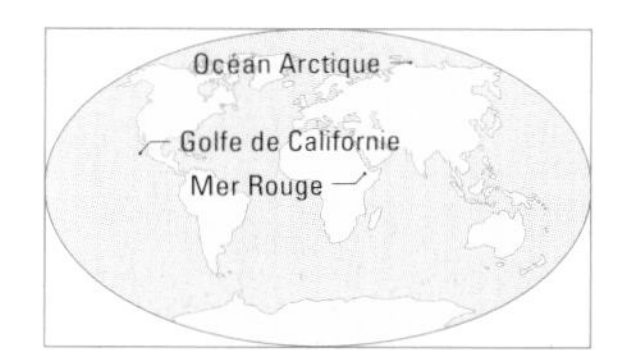

L'existence des océans est intimement liée à la dérive des continents. Leur durée de vie est d'environ 500 millions d'années — soit à peu près un dizième de l'âge de la Terre. Le plus vieux des océans, le Pacifique, qui s'est ouvert il y a 300 millions d'années, est déjà en train de se refermer.

△
Dans le détroit de Bāb al-Mandab, qui relie la mer Rouge au golfe d'Aden, se trouve l'archipel des Sept Frères (îles Sawabi). Nous voyons ici l'île Rasiane, l'une de ces petites îles volcaniques formées de coulées basaltiques récentes.

Un océan en devenir : la mer Rouge

Gardiennes de l'entrée de la mer Rouge, les îles des Sept Frères sont situées dans le détroit de Bāb al-Mandab, la « porte des Lamentations », qui doit son nom aux dangereux courants qui y sévissent. L'explorateur et écrivain Henry de Monfreid eut tout le loisir de les éprouver lors d'un périple qui l'emmena jusqu'à ces îles. Celles-ci, qu'il prit d'ailleurs pour les sommets d'une montagne engloutie, sont en fait les témoins du volcanisme qui accompagne la naissance d'un océan.

La mer Rouge est caractérisée par l'existence de deux zones larges et peu profondes bordant une étroite zone axiale.

Les géologues ont montré depuis longtemps que l'apparition d'un rift dans un continent est souvent précédée par une phase de soulèvement de la croûte. Ce phénomène doit son origine à l'existence d'un point chaud dans le manteau, qui amincit la lithosphère (croûte et manteau supérieur de la Terre). Une série de points chauds alignés peut aboutir à la création d'une ligne de rupture qui va se propager à travers tout le continent. Chaque point chaud crée une jonction de trois rifts. Ainsi, il y a environ trente millions d'années, un point chaud sous l'Afar, à l'est de l'Éthiopie, a pu être à l'origine de deux rifts qui ont évolué en océans, le golfe d'Aden vers l'est et la mer Rouge vers le nord, et un rift qui n'a pas évolué, le rift africain.

La croûte océanique de la mer Rouge a commencé à apparaître il y a seulement cinq millions d'années dans le sud. Elle n'est pas encore formée dans le nord, et il n'est pas certain qu'elle doive couvrir un jour tout le fond de la mer. ■

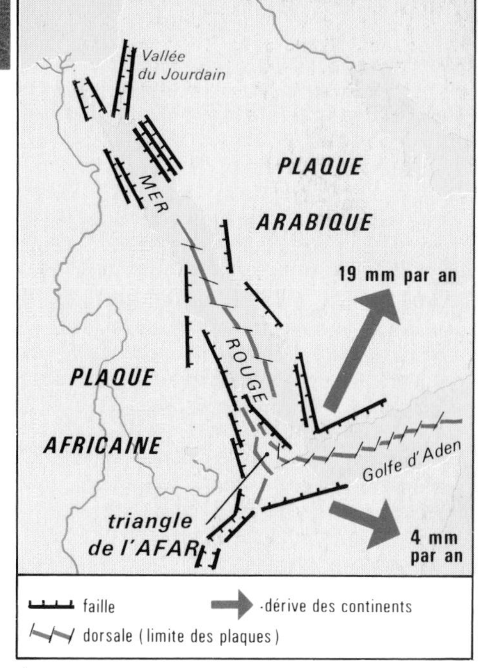

△
Entre l'Afrique et l'Arabie, qui s'écartent peu à peu, la mer Rouge est en train de devenir un océan.

Les abords de la mer Rouge n'ont jamais été aussi bien décrits que par Henry de Monfreid. Cet écrivain français connaissait ces régions par cœur, les ayant parcourues pendant des années, tour à tour explorateur, trafiquant d'armes, vendeur de perles... Le récit de son arrivée par bateau aux îles des Sept Frères témoigne de ses talents de narrateur.
« Devant moi montent de l'horizon de grandes roches, de 200 ou 300 m de base, le sommet tout blanc comme couvert de neige. Ce sont des îles à guano. J'en passe seulement à quelques mètres, tant ces pics plongent droit dans la mer [...] Ces derniers sommets semblent lutter pour se dresser encore dans le soleil et dans le vent. Il y en a sept, séparés par de grandes distances, mais tous visibles en même temps, quand on est au milieu. Les indigènes les appellent les frères. »
Henry de Monfreid (*les Secrets de la mer Rouge*, le Livre de Poche).

Une plongée dans le golfe de Californie

En 1978, lors de l'expédition franco-américano-mexicaine Cyamex, des scientifiques explorèrent pour la première fois l'entrée du golfe de Californie, au large du Mexique, à bord du submersible *Cyana*.

À 2 600 m de profondeur, ils découvrirent à travers le hublot un empilement de roches en forme de tubes et de coussins dont la surface, noire, brillait comme du verre et étincelait de mille feux sous la puissante lumière des projecteurs. L'équipe du *Cyána* était audessus de la crête d'une dorsale océanique où la nouvelle croûte océanique se crée et où les coulées de lave forment l'essentiel du relief sous-marin.

En effet, le golfe de Californie est un jeune bassin océanique formé par la séparation de deux plaques, la plaque nord-américaine et la plaque pacifique. Il a commencé à s'ouvrir il y a quatre millions d'années environ et croît en moyenne de 6 cm par an à peu près. Comme la mer Rouge, le golfe de Californie représente le prototype d'un océan jeune. C'est en effet une mer étroite, aux côtes remarquablement parallèles. En bordure des côtes, la pente continentale est très abrupte — supérieure à 20° —, contrairement à celle de l'océan Atlantique — 4° en moyenne —, qui est adoucie par l'érosion et la sédimentation depuis plus de cent millions d'années.

Presque tous les sédiments observés à travers le hublot du *Cyana* sont constitués de fins débris de plancton, ces êtres microscopiques qui, après leur mort, tombent en pluie au fond de la mer. On a découvert que ces sédiments étaient très riches en métaux : zinc, cuivre, mais aussi cadmium, argent, or et platine... Les océans cachent bien des trésors. ■

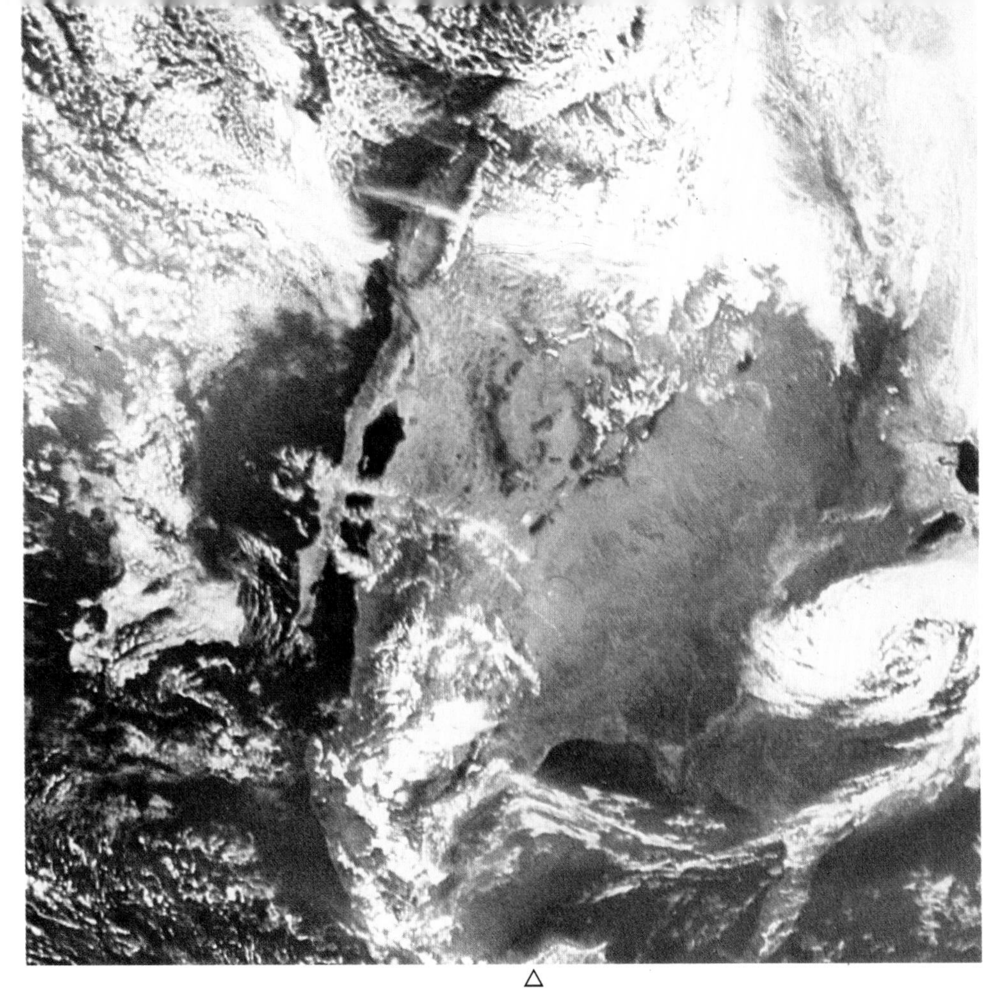

△
Le golfe de Californie, qui borde le Mexique, est un jeune océan né de l'arrachement de la péninsule de la Basse-Californie à la terre mexicaine. Le golfe constitue le prolongement méridional du système de failles de San Andreas qui lacère toute la Californie et qui est responsable d'importants séismes dans la région.
La photo satellite permet de noter la similarité entre les deux bords du golfe.

Le schéma supérieur montre le golfe de Californie à un stade précoce de son ouverture. La Basse-Californie n'était séparée du continent que d'une centaine de kilomètres, en grande partie grâce au coulissage sur des failles, d'orientation nord-ouest-sud-est, parallèles aux failles plus anciennes, qui affectaient la marge pacifique de la péninsule.
Le schéma inférieur montre le golfe tel qu'il est aujourd'hui, après un mouvement d'environ 300 km.
▽

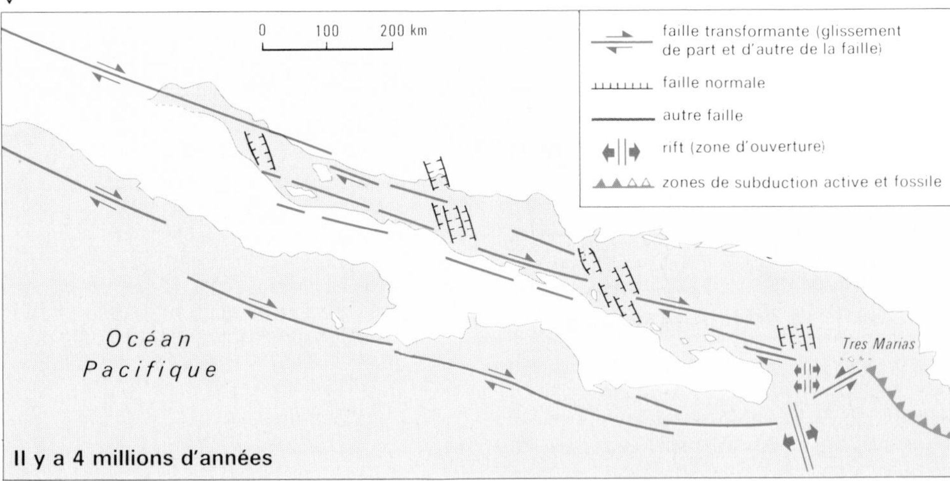

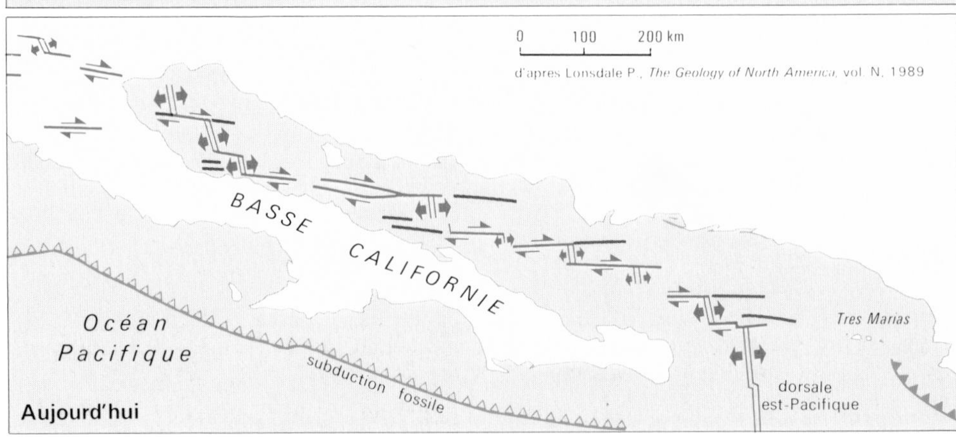

Le corail en mer Rouge

L'extrême variété des coraux de la mer Rouge.

Le plongeur qui s'aventure dans les fonds tièdes de la mer Rouge découvre avec émerveillement un magnifique jardin sous-marin animé d'étranges créatures. À quelques mètres de profondeur se déploient diverses espèces de corail aux couleurs chatoyantes. Les amateurs viennent chaque année du monde entier explorer ces eaux calmes. Placés au bord d'un gouffre immense — prolongement d'une gigantesque faille —, les récifs coralliens se sont concentrés en une fine bande côtière et forment ainsi un récif frangeant. Ces formations, qui abritent plus de 1 000 espèces animales, comptent parmi les plus admirables du monde.

Comment naît un océan

C'est l'émergence d'une dorsale océanique — relief à la frontière de deux plaques qui s'écartent — qui conditionne l'ouverture d'un océan. Ces dorsales, où se forme la nouvelle croûte océanique, constituent des chaînes sous-marines de plus de 60 000 km de longueur pour une largeur de 1 000 à 4 000 km. Leur crête surplombe de 2 à 3 km les bassins océaniques adjacents. Une ceinture de séismes superficiels souligne la présence de segments de dorsales et de failles qui les décalent (failles transformantes).

Les premiers stades de la naissance des dorsales sont plus faciles à observer lorsque celles-ci apparaissent sur un continent plutôt qu'au milieu d'une plaque océanique, par exemple au sein de l'océan Pacifique. Les rifts continentaux sont donc des lieux privilégiés d'étude des premières étapes de l'ouverture des océans. Deux conditions doivent être remplies pour aboutir à la rupture continentale et à la genèse d'un océan : l'existence d'un champ de contraintes en extension suffisante pour créer une rupture dans la lithosphère continentale (croûte et manteau supérieur de la Terre) et l'apport de magma basaltique en provenance du manteau supérieur. L'énergie responsable de la formation de la croûte océanique est d'origine interne : la chaleur due à la radioactivité engendrée dans le noyau et le manteau, et apportée à la surface par transport de matière (convection) dans le manteau.

Du feu sous la glace

L'Arctique est l'océan le moins connu du globe en raison de sa couverture de glaces. Pourtant, en 320 avant J.-C., Pythéas, explorateur de la colonie grecque de Massilia, l'antique Marseille, s'était déjà lancé hardiment vers le nord dans sa quête de l'étain. À six jours de mer au nord des îles Britanniques, il découvrit Thulé : était-ce l'Islande, le nord de la Norvège ? Après lui, d'autres recherchèrent le passage du nord-est vers l'Extrême-Orient ; malgré plusieurs siècles d'explorations, une grande partie de l'océan Arctique reste à découvrir.

La topographie est cependant aujourd'hui connue en partie, grâce aux observations des sous-marins nucléaires américains. Les études des anomalies magnétiques enregistrées par les survols américains et soviétiques fournissent un guide précieux sur l'âge de la croûte océanique dans le bassin d'Eurasie, entre la ride de Lomonossov et la marge du Spitzberg et de la Terre du Nord.

L'ouverture de l'océan a commencé par celle du bassin d'Amérasie, entre la ride de Lomonossov et la marge de l'Alaska, il y a 130 à 80 millions d'années. Ensuite, il y a environ 60 millions d'années, le bassin d'Eurasie a commencé à s'ouvrir extrêmement lentement (moins de 2 cm par an), en même temps que la mer de Norvège et la mer du Groenland. L'ouverture initiale de ce bassin a détaché la ride de Lomonossov, fragment continental, du reste de l'Eurasie.

L'étude des séismes de Sibérie septentrionale, dans la région du delta de la Lena et des monts Tcherski, à l'est des monts de Verkhoïansk, tend à montrer que la dorsale se prolonge jusqu'à ces derniers. ■

La carte montre les plaques dans les régions boréales. La dorsale médio-arctique, ou dorsale de Nansen, qui prolonge la dorsale médio-atlantique vers le nord, a ouvert le bassin d'Eurasie entre les plaques eurasiatique et nord-américaine. Son extension en mer de Laptev est confirmée par les données aéromagnétiques et la sismicité. ▽

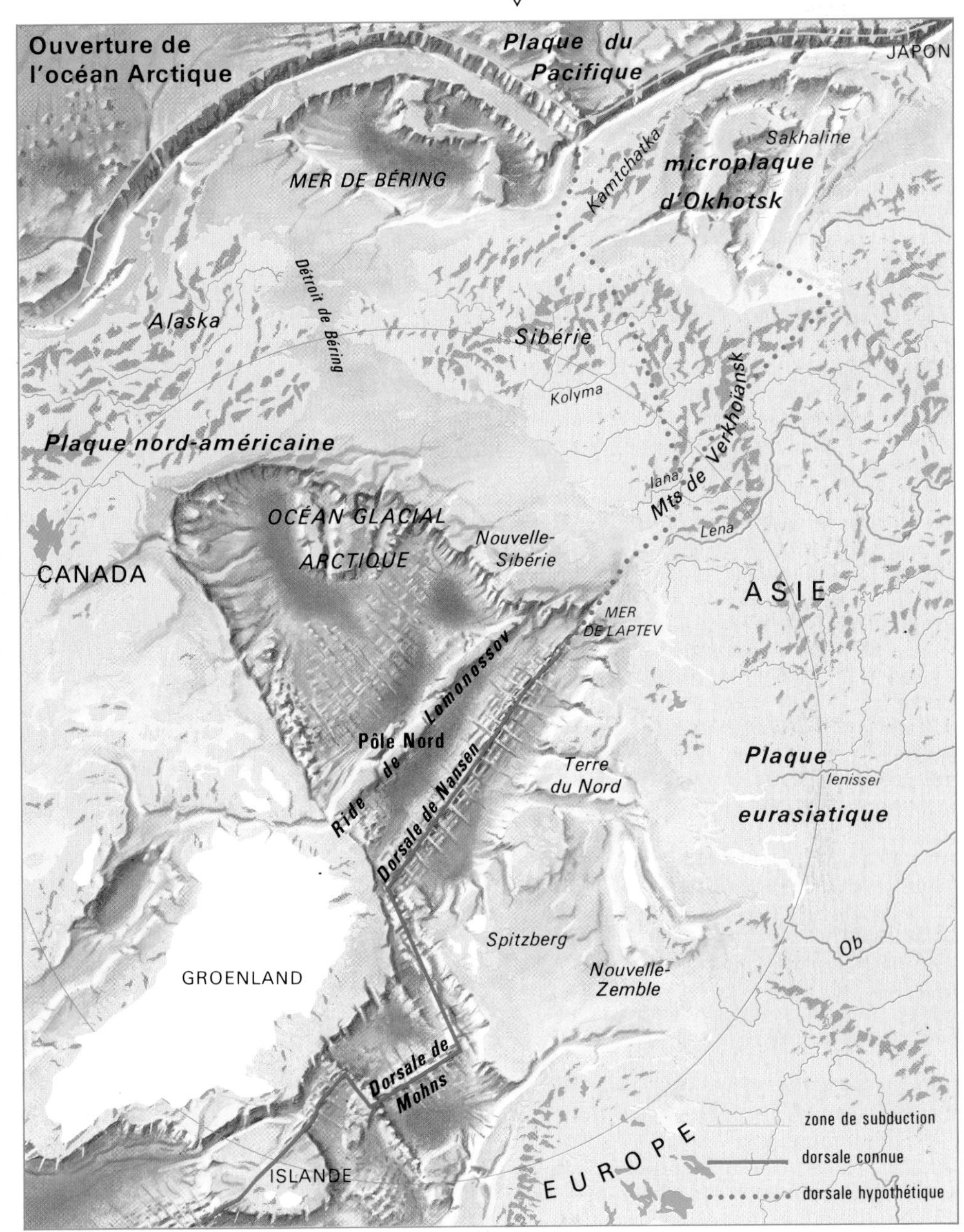

COLÈRES INASSOUVIES

Les volcans en activité persistante

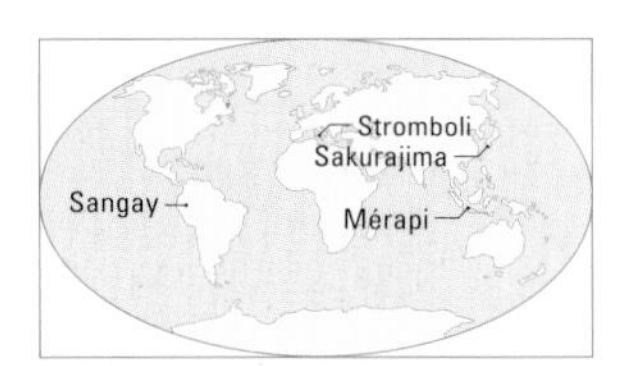

Les volcans se caractérisent par le rythme de leur activité. D'une façon générale, ce sont de gros dormeurs. Une activité persistante suppose que le volume des produits émis est compensé par celui de l'alimentation profonde — un équilibre qui peut rarement se maintenir longtemps. Les exceptions sont rares, et d'autant plus intéressantes qu'elles offrent — outre un spectacle grandiose — la possibilité d'étudier en continu les mécanismes éruptifs.

Le Stromboli : un insomniaque notoire

C'est le plus bel exemple de volcan à activité persistante, et cela depuis l'Antiquité. Trois siècles avant notre ère, Aristote le mentionne déjà dans ses écrits. Plus étonnante encore est la dominance d'un style éruptif qui porte à juste titre son nom. La description qu'en fit Pline l'Ancien, au Ier siècle de notre ère, reste valable actuellement. Le style strombolien est caractérisé par l'émission rythmique de jets de gaz entraînant des paquets de magma qui vont retomber sous forme de bombes, de lambeaux de scories et d'un peu de cendre grossière. Ces projections de scories, accompagnées d'un panache gazeux blanchâtre, se produisent assez régulièrement à quelques minutes ou quelques dizaines de minutes d'intervalle. De nuit, elles produisent un clignotement rougeoyant visible de loin qui justifie pleinement le nom de «phare de la Méditerranée» qu'ont donné les marins de la mer Tyrrhénienne à ce volcan.

Stromboli est la plus septentrionale des îles Éoliennes. Situées au nord de la Sicile, celles-ci sont toutes volcaniques. Pour les Romains, elles étaient la résidence d'Éole, dieu du vent, qui, dit-on, savait prédire le temps d'après la forme du panache du volcan Stromboli. Les Anciens plaçaient le séjour de Vulcain, dieu du feu, non pas à Stromboli, mais à Vulcano, un autre volcan de l'archipel : ses crises brutales, mais rares, laissaient tout loisir au dieu pour accomplir ses travaux de forge.

Le Stromboli culmine à 926 m ; ses deux sommets sont situés sur le rebord d'un ancien cratère, bien visible sur la photographie. Ses pentes sont fortes et régulières. Il repose sur des fonds de plus de 2000 m de profondeur, ce qui lui donne près de 3000 m de hauteur absolue ; c'est en fait le plus haut volcan actif d'Europe (l'Etna, qui repose sur un socle sédimentaire, a une hauteur absolue moindre malgré ses 3295 m d'altitude).

Le cratère actuel est niché en contrebas du sommet (seul son panache est visible ici), dans un amphithéâtre en fer à cheval qui entaille le flanc ouest et se prolonge jusqu'à la mer ; il est bordé de parois abruptes, sauf du côté de la mer, où il débouche sur un

Avec son cône régulier et son cratère au sommet, le Sangay, situé en Équateur, dans la cordillère des Andes, a le profil type du volcan tel qu'on se l'imagine. Il est toujours enneigé (la partie sombre à gauche est recouverte de cendre récente). Cependant, le cratère reste dégagé; la neige qui peut s'y maintenir est responsable d'explosions plus violentes, avec un panache sombre chargé de débris, dont on voit ici un exemple. ▷

La plus forte concentration de volcans actifs au monde se trouve en Indonésie : on en dénombre 129 sur l'ensemble de son territoire. L'île de Java en compte 25 à elle seule, dont le plus dangereux, le Merapi, menace la ville de Jogjakarta, peuplée de plus d'un million d'habitants.

◁ *Le Stromboli domine la plus septentrionale des îles Éoliennes. Vu ici du sud, son sommet est sur le bord d'un ancien cratère. Le cratère actif est 300 m en contrebas, au nord-ouest. Depuis l'Antiquité, le «phare de la Méditerranée» guide les navigateurs par ses éclats rouges la nuit, et son panache leur donne des informations météorologiques. Le village de San Vincenzo, que l'on aperçoit en haut à droite, occupe l'unique petite plaine côtière.*

plan incliné à 35° construit par l'accumulation des matériaux projetés et des rares coulées débordant du cratère : c'est la Sciara del Fuoco, le «chemin du feu».

Il arrive que le régime habituel de projection rythmique de scories soit perturbé. L'éboulement des parois du cratère peut faire cesser momentanément l'activité et préluder à une réouverture explosive brutale. Quand le magma s'élève suffisamment dans la cheminée, il déborde parfois en donnant des coulées qui dévalent dans la Sciara del Fuoco et atteignent éventuellement la mer, sans dommage pour la population. Un court temps de repos peut suivre la vidange des conduits.

L'histoire a connu quelques éruptions nettement plus violentes, où des bombes et des blocs ont été projetés suffisamment loin pour faire des victimes dans les zones habitées; elles ont souvent été suivies d'un temps de repos significatif. Ainsi, le Stromboli n'est pas toujours «strombolien» : il lui arrive, à lui aussi, de somnoler... ■

Un géant débonnaire, le Sangay

Situé au centre de l'Équateur, à 200 km au sud de Quito, le Sangay (5 230 m) fait partie de ces géants de la cordillère des Andes toujours couverts de neige et de glace. Quand il émerge des nuages — ce qui n'est pas souvent le cas —, on peut admirer son profil régulier aux pentes fortes. C'est le stratovolcan typique : il est formé d'une alternance de coulées de laves andésitiques — donc très visqueuses — et de matériaux projetés par les explosions.

Depuis soixante ans, le Sangay est en activité quasi permanente : il projette, à un rythme relativement lent, des paquets de scories incandescentes. Parfois ses explosions se font plus violentes, et son panache se charge de débris variés qui lui donnent une teinte sombre, telle qu'elle a été saisie ici par l'objectif. Cette accentuation du caractère explosif est due à la vaporisation de la neige du cratère au contact du magma.

Le risque majeur lié aux éruptions des volcans englacés est la formation de lahars : ces coulées de boue cendreuse dévalent les pentes des volcans en se chargeant de débris variés, y compris des blocs énormes, et peuvent parcourir jusqu'à 100 km pour les plus volumineuses d'entre elles. L'exemple tragique du Nevado del Ruiz, en Colombie, qui en 1985 coûta la vie à près de 23 000 personnes, est présent dans toutes les mémoires. Le Cotopaxi, autre géant équatorien, a connu une trentaine d'éruptions génératrices de lahars, souvent meurtriers. Curieusement, le Sangay n'a pratiquement plus produit de lahars depuis qu'il est en activité persistante : il semble que celle-ci empêche l'accumulation d'une quantité de neige suffisante dans son cratère pour permettre leur déclenchement. Paradoxalement, ce volcan, sans doute le plus régulièrement actif de la cordillère des Andes depuis des décennies, semble n'avoir fait aucune victime jusqu'en 1976. Cette année-là, une équipe anglaise de six alpinistes tenta son ascension ; mais à 300 m du sommet, elle fut surprise par une explosion qui fit deux morts et trois blessés. Ce drame devait ternir la bonne réputation du volcan. ■

Du magma en permanence

Dans un volcan à activité persistante, le conduit reliant le réservoir à la surface reste toujours fonctionnel, permettant ainsi une alimentation permanente en magma, à la manière d'une source. Mais, contrairement à l'eau, le magma doit rester à haute température pour pouvoir s'écouler, ce qui est d'autant plus improbable que le débit est faible dans ce type d'activité. Ce sont les bulles de gaz à haute température, formées de façon continue dans le réservoir, qui, en s'élevant dans le conduit plus vite que le magma, vont le réchauffer et compenser ainsi les pertes de chaleur.

Dans les cas les plus célèbres, les bulles se rassemblent en poches de gaz, produisant les faibles explosions rythmiques typiques de l'activité strombolienne. Avec le Stromboli, c'est aussi le cas du Yasur (dans l'île de Tana, Vanuatu), que James Cook découvrit déjà en activité en 1774.

Dans son principe, ce mécanisme est peu différent de celui d'un lac de lave permanent, où le lien direct avec le réservoir magmatique est plus évident : les oscillations de niveau du lac traduisent directement les variations de volume du réservoir, comme dans un vaste thermomètre. C'est un cas limite d'activité persistante à magma très fluide, qui peut éventuellement se borner à un dégazage continu.

Activité persistante et magma visqueux sont en général incompatibles. L'exemple du Merapi, à Java, montre cependant qu'un volcan andésitique peut présenter dans certaines conditions une activité de longue durée.

Une surveillance constante pour le Sakurajima

Le Japon abrite 67 des 700 volcans actifs de notre planète. Le Sakurajima (1 118 m), dans l'île de Kyūshū, est un des plus célèbres. Sa situation est particulière : il forme une presqu'île qui ferme presque totalement la baie de Kagoshima. Cette ville de plus de 500 000 habitants est juste séparée du volcan par un chenal de quelques kilomètres de large. La baie, de 22 km de diamètre, correspond à une immense caldera, effondrée il y a 22 000 ans à la suite d'une puissante éruption. Le volcan actuel s'est installé sur la faille circulaire limitant au sud la caldera envahie par la mer. C'est un volcan jeune, de moins de 20 000 ans. Il est caractérisé par des longues périodes d'activité explosive persistante, séparées par des éruptions violentes produisant des coulées de lave de grand volume.

L'activité persistante actuelle dure depuis 37 ans. Les explosions se suivent au rythme moyen de 150 à 400 par an : c'est beaucoup moins qu'au Stromboli, mais leur intensité est nettement supérieure, le magma andésitique étant plus visqueux. Elles expulsent des panaches chargés de cendres, qui peuvent retomber sur Kagoshima quand le vent souffle de l'est.

Depuis 1 700 ans, l'histoire a retenu le souvenir de cinq grosses éruptions, accompagnées de coulées de lave qui agrandissent la presqu'île. La plus importante éruption récente date de 1914. Elle a produit, outre des cendres retombées jusqu'à Tōkyō, à 1 000 km de là, 2 km^3 de lave scoriacée. Un volcanologue japonais a calculé que cela correspond au poids que transporteraient 340 millions de camions de 10 t!

Après l'éruption de 1914, le fond de la baie et ses rives se sont affaissés de près de 1 m sur un réservoir partiellement vidé. En temps normal, le volcan se gonfle lentement, car l'émission de cendres est inférieure à l'alimentation en magma. Cette « inspiration » lente du volcan, suivie d'une brusque « expiration », a depuis été reconnue sur plusieurs autres volcans équipés d'observatoires, où elle joue un rôle dans la prévision des éruptions.

Kagoshima s'est adapté à la présence de cet inquiétant voisin. Les toits ont été conçus pour résister aux chutes de cendres. Des plantes, particulièrement des légumes, ont été sélectionnées pour leur adaptation à ce milieu. La population, dûment informée, attend sans angoisse excessive l'annonce de la prochaine catastrophe, faisant confiance à l'observatoire et à ses scientifiques. En attendant, les touristes affluent pour profiter du spectacle des explosions, de la beauté des paysages et des eaux thermales fort bien exploitées. ■

Le Sakurajima, dans l'île de Kyūshū, au Japon, est un volcan jeune, dont le sommet est échancré par trois profonds cratères dont seul le plus méridional est actif actuellement. L'activité permanente se manifeste par des explosions, parfois violentes, au rythme moyen d'une par jour ces dernières années. Les flancs du volcan ont été profondément incisés par des avalanches de cendres et par les eaux de ruissellement. ▷

Le Merapi culmine à 2 950 m sur l'île de Java, en Indonésie. Il est ici vu du sud, avec son panache persistant. La régularité de sa silhouette n'est qu'apparente : son cratère actif est ouvert vers l'ouest; le dôme qui y croît en permanence (partie sombre, à gauche du sommet) s'autodétruit à intervalles irréguliers par l'émission de nuées ardentes explosives. Ces matériaux fragmentés peuvent être repris par des lahars qui les entraînent beaucoup plus loin à l'ouest. ▽

Le Merapi : un danger permanent

Le Merapi, « la montagne de feu », tient une place particulière parmi les 25 volcans actifs de Java. Depuis deux cents ans, on y a dénombré soixante-quatre éruptions, dont la moitié a produit des nuées ardentes — un record mondial. Une douzaine d'entre elles ont fait des victimes : c'est le volcan le plus fréquemment meurtrier d'Indonésie.

Le Merapi domine de ses 2 950 m une des plaines les plus densément peuplées du monde, et la ville de Jogjakarta continue de s'étendre au pied de son flanc sud. C'est indiscutablement une situation à risques.

La grande originalité de ce volcan andésitique à magma visqueux est d'avoir une activité quasi permanente. En régime normal, la lave s'accumule sous la forme d'un dôme dans un cratère ébréché d'un côté ; audelà d'un certain volume, le dôme déborde par la brèche, et un équilibre s'instaure entre son alimentation et son autodestruction. Celle-ci se fait soit par de simples éboulements (avalanches incandescentes), soit par la détente explosive des gaz sous pression (nuées ardentes). La fréquence de ces mani-

festations — parfois plusieurs dizaines par jour — montre bien que la croissance est continue, même si elle reste imperceptible à l'œil. On ne parle d'éruption que pour les périodes de crise où le processus s'accélère, menant à la destruction partielle ou totale du dôme, comme en 1984 et en 1992. Un nouveau dôme se reforme alors dans le même cratère dans les heures ou les jours qui suivent, sans véritable interruption. Le cratère actuel s'est ouvert en 1961, au cours d'une de ces éruptions cataclysmiques qui se produisent quelques fois par siècle. La précédente avait eu lieu en 1930-1931 : elle avait fait 1 370 victimes.

Malgré leur caractère spectaculaire, ces éruptions peuvent être considérées comme des à-coups dans un processus quasi continu, paradoxal pour un volcan andésitique. Les données sismiques recueillies au cours des deux dernières éruptions fournissent un début d'explication. Vers 2 km de profondeur, le conduit central présente un élargissement où s'accumule le magma ; ce serait cette réserve qui régulariserait le débit en surface, en atténuant les irrégularités de l'alimentation profonde. ■

Les moyens actuels pour lutter contre la lave sont bien différents de ceux d'hier!

La lutte contre les coulées de l'Etna ne date pas d'hier ! C'est au cours de la terrible éruption de mars à juillet 1669 que des hommes tentèrent pour la première fois d'arrêter la lave qui dévalait les flancs du volcan.
Après avoir noyé en une vingtaine d'heures la ville de Malpasso et détruit une douzaine de localités, la lave menace dangereusement Catane. Une cinquantaine d'habitants décident alors de sauver la ville. Avec pour vêtements de protection quelques peaux de bêtes et pour seules armes des pioches et des piques, ils s'attaquent courageusement au mur latéral solidifié de la coulée, parvenant, à force de ténacité, à y percer une ouverture. La lave s'engouffre aussitôt dans cette brèche, stoppant par là même sa progression vers Catane. Mais le succès de l'opération n'est que de courte durée ! La lave refroidie bouche bientôt la brèche, et la coulée reprend sa direction première, submergeant toute la partie ouest de Catane.

DES VOLCANS NOMADES

Les points chauds

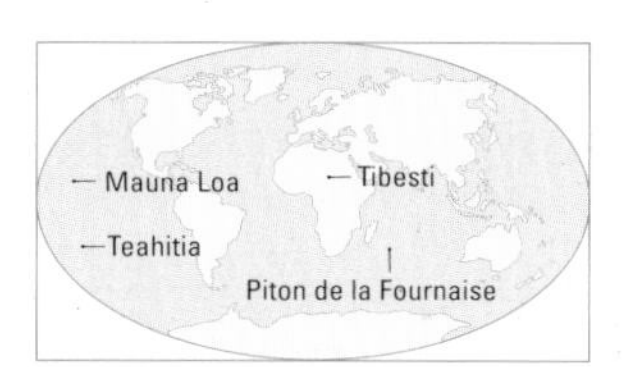

La théorie de la tectonique des plaques a expliqué la formation des volcans situés à leurs frontières. Mais elle ne convient pas pour ceux de l'intérieur des plaques. C'est pour ceux-ci que fut proposée l'hypothèse des points chauds, anomalies thermiques profondes, fixes, capables de produire du magma par fusion partielle du manteau. Au départ, ces points chauds étaient bien mystérieux, et certains ne se privèrent pas de les classer dans le chapitre « géopoésie »... Ce n'est plus le cas actuellement.

Hawaii : un point chaud très actif

L'archipel de Hawaii est, selon Mark Twain, « la plus merveilleuse flotte d'îles jamais ancrée dans un océan », un point de vue partagé par les volcanologues. Géologiquement, l'archipel se prolonge sur 2 500 km au nord-ouest jusqu'à Midway, par des dizaines de volcans — atolls, récifs ou reliefs sous-marins très érodés. Seule Hawaii, la Grande Île, à l'extrémité sud-est de cette chaîne linéaire, possède des volcans actifs.

En plein cœur de l'île se trouve le Mauna Loa, qui culmine à 4 171 m. Comme il repose sur des fonds de 5 000 m, sa hauteur absolue dépasse 9 000 m : c'est le plus grand volcan actif de notre planète. Depuis quelques décennies, ses éruptions semblent moins fréquentes, annonçant peut-être déjà le début d'un inévitable déclin. Installé sur son flanc sud-est, le Kilauea n'a que 1 247 m d'altitude, mais il croît rapidement : c'est le volcan le plus actif sur terre. Il a toujours eu des éruptions fréquentes, parfois de longue durée, mais, actuellement, il pulvérise son propre record. L'éruption commencée en 1983 se poursuit, sans signes de faiblesse, après avoir émis plus de 1 km^3 de lave !

À 28 km au large de la côte sud-est de l'île, le Loihi, un volcan sous-marin situé à 1 000 m de profondeur, est en train de naître. Son caractère actif n'a été pressenti qu'en 1971, et confirmé par la suite grâce à l'observation directe en submersible. Cette découverte montre que la migration apparente des volcans vers le sud-est — en fait, c'est la plaque qui se déplace vers le nord-ouest — se poursuit de nos jours. Fidèle à son poste depuis plusieurs millions d'années, le point chaud de Hawaii n'a rien perdu de sa vigueur.

L'éruption de 1984 du Mauna Loa est survenue après neuf ans de repos. Cependant, le réveil du géant n'a pas surpris : depuis plusieurs années, il avait un sommeil agité et, depuis le début de 1983, il manifestait une activité sismique telle que l'équipe de l'observatoire avait envisagé la possibilité d'une éruption pour fin 1983 ou début 1984. Elle se produisit le 25 mars 1984 et dura jusqu'au 14 avril. À Hawaii comme ailleurs, l'augmentation de l'activité sismique est l'information la plus précoce et la plus fiable annonçant le réveil d'un volcan. Mais elle ne suffit pas. Dans le cas présent, la prévision avait été confirmée par le gonflement du sommet et par son extension horizontale.

L'éruption de 1984 a été représentative d'une belle éruption hawaiienne. Son déclenchement avait été précédé pendant vingt-quatre heures d'une forte baisse du nombre des microséismes : ce « calme avant la tempête » est un fait souvent observé, et assez mal expliqué. En revanche, un essaim de séismes, dont certains ressentis par l'homme, précéda l'arrivée du magma en surface ; les observations au grand télescope de Hawaii, à 42 km de là, en furent rendues impossibles pendant plusieurs heures. Commencée dans la caldera du sommet, l'activité migra latéralement en suivant l'ouverture d'une fissure discontinue de 25 km de long. Elle fut marquée par la formation de fontaines de lave spectaculaires. Ces fontaines sont typiques des éruptions hawaiiennes. Leur magma basaltique à haute température — jusqu'à 1 200 °C — est assez fluide pour permettre aux bulles de gaz de s'élever dans le conduit plus vite que lui. Les bulles entretiennent en surface un jet de gaz continu qui entraîne des particules liquides incandescentes. Ce mécanisme n'est

pas explosif à proprement parler : il s'apparente plutôt à celui d'un geyser. C'est en début d'éruption que les fontaines sont les plus vigoureuses. Leur rapprochement le long des fissures produit des «rideaux de feu»; celui que l'on voit ici est exceptionnel par sa longueur, 2 km pour une hauteur de 60 à 100 m : un spectacle d'une rare grandeur... La plus haute fontaine de lave connue s'est produite au Kilauea, en 1959 : elle a atteint 580 m de haut. ■

Un volcan de point chaud bien discret, Teahitia

Teahitia est un mont sous-marin de forme conique situé à 40 km à l'est de Tahiti dans les îles de la Société. Son sommet est à 2 000 m de la surface de l'eau. Ce n'est qu'en 1982 qu'il a été reconnu comme un volcan actif. À ces profondeurs, un volcan ne se signale par aucune manifestation visible de la surface. La pression ne permet pas à l'eau de se vaporiser et il n'y a pas d'explosion possible; les gaz sont dissous bien avant de parvenir à la surface. Seule une activité effusive tranquille produit des laves le plus souvent «en coussins» (pillow lavas), le liquide basaltique formant des boules à la manière du vinaigre dans l'huile.

En 1982, le réseau sismique de la Polynésie française a détecté une forte crise à l'aplomb de Teahitia, accompagnée de trémors — une vibration quasi continue caractéristique de la montée du magma. Cela s'est reproduit plusieurs fois et, en 1985, les séismes ont même été ressentis par toute la population de Tahiti. L'exploration directe du mont sous-marin a confirmé cette interprétation par la découverte de coulées très jeunes et de sources chaudes.

On savait déjà que la traînée de reliefs sous-marins et les îles de l'archipel de la Société dessinaient un alignement parallèle à celui de Hawaii, et représentaient comme lui la trace d'un point chaud. En revanche, on pensait que le point chaud était éteint : les dernières éruptions de Tahiti datent d'environ 200 000 ans. L'exemple d'autres régions montre qu'un volcan nouvellement formé sur le plancher océanique mettra plusieurs centaines de milliers d'années, voire plusieurs millions, à émerger.

Le mont Macdonald, également dans le Pacifique Sud, est dans la même situation que Teahitia, au sud-est de la chaîne des Australes. Reconnu comme volcan actif en 1967 par des enregistrements sismiques et acoustiques, il a eu treize crises entre cette date et 1989, interprétées comme résultant d'éruptions sous-marines. La justesse de cette analyse fut vérifiée à ses dépens par le navire de recherche *Melville* en 1987 : il évita de justesse le naufrage lors de l'éruption, qui se manifestait à l'air libre pour la première fois. Le volcan, qui se trouvait à 50 m sous la surface de la mer en 1973, n'en était plus qu'à 27 m à cette date, et sa présence se signalait par une coloration anormale des eaux. ■

En 1984, l'éruption du Mauna Loa (Hawaii) a produit de spectaculaires «rideaux de feu» qui ont atteint 2 km de long. Ils sont formés par la juxtaposition de fontaines de lave le long de fissures ouvertes. Les jets de gaz entraînent du magma liquide, ici jusqu'à une centaine de mètres de hauteur. Quand la teneur en gaz diminue, l'activité se concentre en quelques points, et l'effusion de coulées devient alors prépondérante.
▽

△
La circulation de l'eau de mer à l'intérieur du volcan Teahitia (situé dans l'océan Pacifique, à 40 km à l'est de Tahiti) engendre l'apparition d'une activité hydrothermale caractérisée par des fluides à 30 °C et des dépôts d'hydroxydes de fer.

Le plus gros volcan actif du monde est un point chaud. Il s'agit du Mauna Loa, à Hawaii. Il a plus de 9 000 m de haut à partir du fond de l'océan Pacifique et frise les 250 km de diamètre à sa base. Son volume de lave est de 40 000 km^3. Depuis moins d'un million d'années, son émission moyenne annuelle est de 40 millions de m^3 de basalte, de quoi recouvrir tout Paris de 50 cm de roche en fusion !

Au-dessus d'un panache fixe s'édifie un volcan de point chaud. Ses éruptions, alimentées par un réservoir superficiel, sont fréquentes. Entraîné comme sur un tapis roulant par le mouvement de la plaque, le volcan s'éloigne du panache jusqu'à en être coupé; il n'est plus alors alimenté que par le réservoir situé à sa base, et s'éteindra une fois celui-ci épuisé.
▽

Création d'une chaîne volcanique par un point chaud

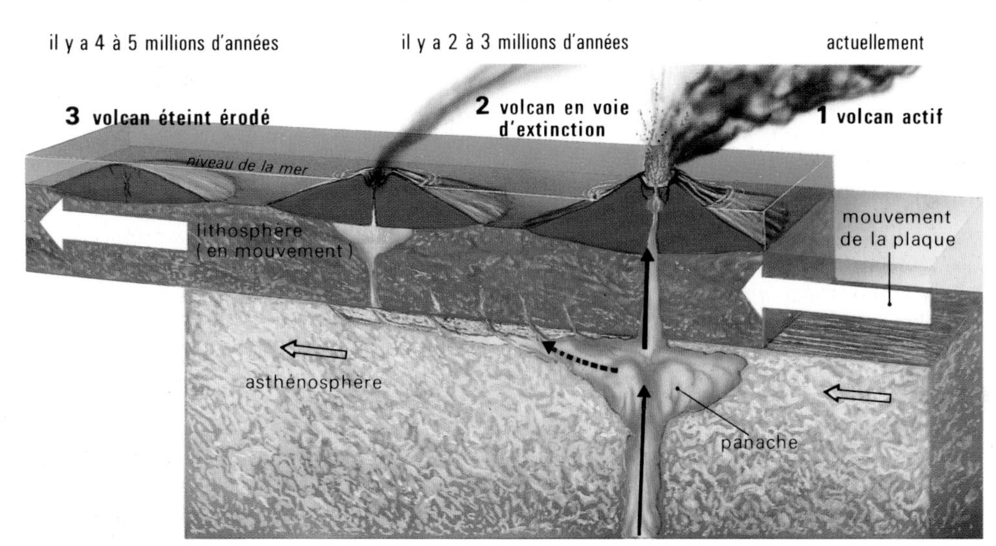

△
Sur l'île de la Réunion, le piton de la Fournaise connaît des éruptions débutant par des fontaines de lave, mais aussi un dégazage plus irrégulier donnant des projections rythmiques qui offrent un spectacle d'une beauté saisissante. La couleur, du jaune clair au rouge sombre, permet d'évaluer grossièrement la température.

Le piton de la Fournaise : un volcan-laboratoire

Située à 700 km à l'est de Madagascar, l'île de la Réunion est l'un des plus beaux ensembles volcaniques qui soient. Elle est formée de deux volcans accolés.

Le piton des Neiges, qui culmine à 3 069 m, est un volcan de plus de 7 000 m de hauteur absolue au-dessus du plancher océanique. Sa dernière éruption remonte à douze mille ans. La partie centrale est creusée par trois cirques dominés par des falaises atteignant 1 200 m de haut, qui permettent de constater l'extrême complexité interne d'un volcan-bouclier de ce type.

Le massif du piton de la Fournaise est aussi un volcan-bouclier de type hawaiien né d'un point chaud. Il est entaillé par trois grandes calderas. À l'est, la plus récente — l'Enclos — est ouverte vers la mer; elle y aboutit entre deux remparts rectilignes par un plan anormalement raide, les Grandes Pentes. C'est dans cette caldera qu'est installé le cône terminal creusé de deux larges cratères; son sommet est à 2 631 m.

Le piton de la Fournaise est un des volcans les plus actifs du monde par le nombre des éruptions : en dix ans, il en a connu plus de vingt. La plupart ont lieu dans la caldera. Les coulées les plus importantes dévalent les Grandes Pentes pour parvenir à la mer dans une profusion de vapeur d'eau, agrémentée de quelques explosions. Cette zone étant inhabitée, les éruptions n'y font ni victimes ni dégâts matériels; elles attirent des foules enthousiastes qui ne se lassent pas de ce spectacle grandiose.

Une à deux fois par siècle, le scénario est bien différent. C'est ce qui s'est passé en mars-avril 1977. Commencée dans l'Enclos à 2 000 m d'altitude, l'éruption s'est poursuivie en dehors sur le flanc nord-est. La coulée principale jaillit d'une bouche à 600 m d'altitude; elle atteignit la mer après avoir recouvert, sans faire de victimes, le bourg de Piton-Sainte-Rose, dont n'émergeaient plus guère que l'église et la gendarmerie. Cette grosse éruption a vomi plus de 100 millions de m^3 d'une lave particulière — l'océanite — contenant jusqu'à 30 % de grands cristaux d'olivine.

L'éruption hors Enclos de 1977 était la première de ce type depuis cent soixante-dix ans. Elle venait rappeler que le piton de la Fournaise n'offrait pas seulement de merveilleux spectacles « son et lumière ». Elle a mené à la décision de construire un observatoire volcanologique, réalisé en 1979. Développé au fil des années, il est maintenant l'un des meilleurs du monde, et de nombreux spécialistes ont pu s'y former grâce à la fréquence des éruptions. La Fournaise s'est révélée un laboratoire naturel remarquable pour la compréhension des mécanismes éruptifs. Les scientifiques peuvent suivre la montée du magma dans le conduit central et, éventuellement, sa migration le long d'une fracture, ce qui donne une éruption latérale — comme cela s'est produit en 1986 avec la deuxième éruption hors Enclos du siècle. ■

Le Trou au Natron du Tibesti

Le massif montagneux du Tibesti s'étend sur 100 000 km^2 dans les confins septentrionaux du Tchad jusqu'à la frontière contestée de la Libye. On y trouve tous les sommets du Sahara, dont plusieurs dépassent 3 000 m d'altitude (Emi Koussi : 3 415 m). Ce puissant relief émergeant des plaines sahariennes est dû à un bombement du socle ancien recouvert d'épaisses formations volcaniques. C'est une région volcanique remarquable à tous points de vue. Ses paysages sont grandioses et peuvent, mieux que n'importe où ailleurs, être qualifiés de lunaires.

Le volcanisme du Tibesti est un exemple typique de l'activité d'un point chaud continental. Celle-ci n'est probablement pas terminée : un volcan comme le Toussidé, avec ses formes très fraîches et ses fumerolles, n'a sans doute manqué que de témoins pour pouvoir être qualifié d'actif. Le site de Soborom (« l'eau qui guérit »), avec ses solfatares, ses eaux bouillantes et ses marmites de boue, est connu des rares habitants du massif, qui font de longues méharées pour venir s'y soigner.

Le Trou au Natron est le site le plus célèbre du Tibesti. C'est une caldera entièrement fermée de 6 à 8 km de large, limitée par des parois qui vont de 700 m de haut (aux pieds du personnage que l'on voit ici) à 1 000 m (au fond). Son volume avoisine 30 km^3. Il doit son nom au dépôt de carbonate de soude qui tapisse son plancher. Tranchant sur sa blancheur éblouissante — qui le rend bien visible sur les images satellite —, trois petits volcans aux formes très fraîches en émergent; une coulée de lave est sortie sur la droite du plus éloigné.

Dans le fond du trou, vers 1 450 m, on trouve des dépôts lacustres riches en fossiles, attestant qu'un lac s'était installé là au cours d'une période plus humide.

La falaise est entièrement constituée de rhyolite. Cette roche, l'équivalent volcanique du granite, s'est vraisemblablement formée par fusion de la croûte continentale; c'est pourquoi on ne la trouve pas associée aux points chauds océaniques. ■

Le Trou au Natron est le site le plus célèbre du Tibesti (Sahara du Tchad). C'est une caldera de 6 à 8 km de diamètre, entourée d'un rempart continu atteignant 1 000 m de haut. Les trois petits volcans installés au fond tranchent sur la blancheur éclatante du natron (carbonate de soude) provenant du lessivage, au cours d'une période plus humide, des laves alcalines formant ses parois. ▷

Incursion dans un jardin

Coulée de lave du Kilauea (Hawaii) en mai 1990.

L'éruption qui a débuté le 3 janvier 1983 au Kilauea, dans l'île Hawaii, se poursuit actuellement : c'est de loin la plus longue éruption connue sur ce volcan, et celle qui a produit le plus grand volume de lave — plus de 1 km^3 ! Les coulées ont couvert environ 50 km^2, et plusieurs ont atteint la mer. Des dizaines de maisons ont été détruites, en particulier dans la zone résidentielle côtière de Kalapana.

La mince coulée que l'on voit ici progressant dans un jardin, plus de sept ans après le début de l'éruption, est du type connu sous le nom hawaiien de *pahoe-hoe ;* c'est une lave très fluide, à surface lisse, formée d'une peau vitreuse due au refroidissement superficiel. Cette enveloppe est suffisamment isolante pour empêcher la végétation de brûler complètement lorsqu'elle n'est pas au contact direct de la coulée.

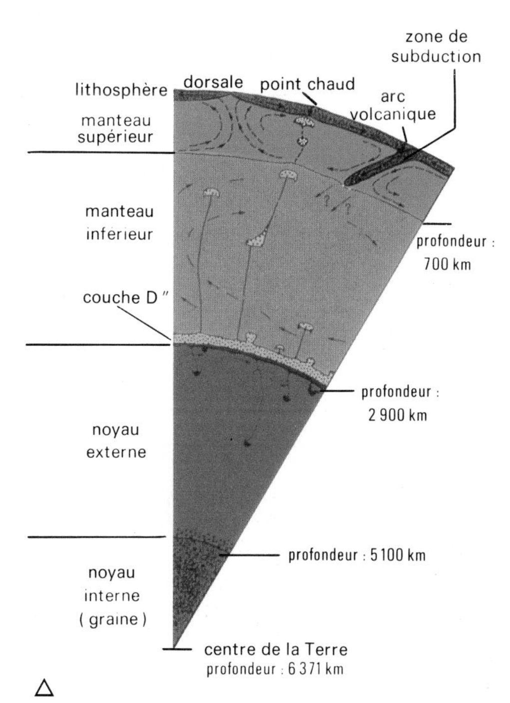

△
Chauffée par la chaleur issue du noyau, une couche instable se forme à la base du manteau (couche D"). Plus légère et moins visqueuse que celui-ci, elle émet des panaches qui s'élèvent lentement jusqu'à venir se bloquer sous la plaque rigide (lithosphère), où ils s'étalent en champignon. C'est l'origine des points chauds.

Alignement de volcans

Un point chaud résulte de la montée d'un «panache» de matériel profond, à plus haute température que le manteau qu'il traverse. Il s'étale en un vaste champignon sous la plaque rigide, avant de la perforer à la manière d'un chalumeau, alimentant ainsi un volcan en surface. Le panache est fixe, alors que le volcan dérive avec la plaque qui le porte. Quand le volcan est trop éloigné du panache, il est coupé de sa source profonde, mais continue à fonctionner avec ses propres réserves avant de s'éteindre. Entre-temps, un autre volcan est né à l'aplomb du point chaud : il se forme ainsi une traînée rectiligne de volcans.

Sur un continent, la plaque est plus épaisse, et le «chalumeau» d'un panache mettra longtemps à la perforer. Il y parviendra si la plaque se déplace très lentement : au Tertiaire, c'était la situation des plaques africaine et eurasiatique après leur collision. Cela a permis la formation des volcans du Hoggar, du Tibesti et du Massif central entre autres.

On sait maintenant que l'origine des panaches se situe à 2900 km de profondeur, à la base du manteau. La chaleur du noyau y produit une couche plus chaude, donc plus légère et instable, mise en évidence par la sismologie. Après une lente ascension, le panache se décompresse et sa fusion engendre un magma basaltique.

Ainsi, les volcans des points chauds tirent leur substance des grandes profondeurs de la Terre, grâce à l'énergie thermique du noyau : c'est un peu le retour, sous des habits nouveaux, de la vieille idée du «feu central»...

DES MONTAGNES CANONS

Les volcans explosifs

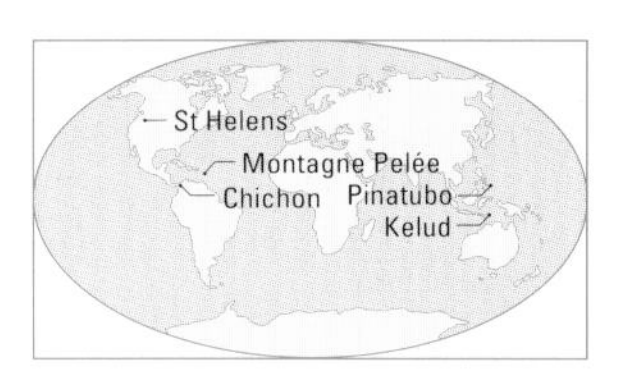

L'effusion de coulées de lave, popularisée par les médias, peut faire oublier que les volcans sont majoritairement explosifs. Les statistiques du volcanisme historique montrent que, sur les continents, environ trois éruptions sur quatre ont été explosives. Les volcans des fonds océaniques — tous effusifs et de loin les plus nombreux — sont trop mal connus pour être pris en compte. Ce sont les volcans explosifs, par nature les plus dangereux, qui provoquent, directement ou indirectement, presque toutes les pertes humaines.

◁ *Ancienne capitale prestigieuse bordant l'une des plus belles baies de la Martinique, Saint-Pierre n'est plus qu'un gros bourg au milieu de ruines incomplètement relevées. Le sommet de la montagne Pelée, sortant des nuages, est formé par le dôme de 1929, qui masque les restes de celui de 1902.*

La destruction de Saint-Pierre par la montagne Pelée

C'est avec stupeur que le monde apprit le 8 mai 1902 la destruction totale de Saint-Pierre de la Martinique, à la suite d'une terrible éruption de la montagne Pelée. De la plus grande et plus belle ville des Antilles il ne restait que des ruines calcinées, et 28 000 cadavres sous une mince couche de cendres brûlantes. Ce drame s'était déroulé en quelques minutes, et l'on comprit vite qu'aucun phénomène volcanique connu ne pouvait l'expliquer.

Avant 1902, la montagne Pelée n'avait eu, de mémoire d'homme, que deux éruptions phréatiques, c'est-à-dire engendrées par la vaporisation des eaux souterraines. Ces éruptions mineures n'avaient guère perturbé la vie locale, et cela avait accrédité l'idée que ce volcan n'était plus vraiment dangereux. Commencée fin avril, l'éruption de 1902 était restée phréatique lorsque, le 6 mai, apparurent les premières lueurs d'un dôme embryonnaire dans le cratère.

Ce type de dôme — nommé depuis lors dôme péléen — est formé par l'accumulation sur place d'une lave trop visqueuse pour s'étaler en coulée ; il s'agrandit par poussée interne du magma sortant de la cheminée. Si la lave est riche en gaz, ceux-ci peuvent se détendre brutalement en une explosion latérale à l'origine d'une nuée ardente, qui dévale les pentes à une vitesse d'ouragan, détruisant tout sur son passage. La nuée ardente est constituée de particules de toutes tailles en suspension dans des gaz en expansion. Il s'agit d'un véritable écoulement, qui se canalise dans les vallées ; les gaz qui s'en échappent en entraînant des particules fines forment un nuage ardent déferlant dont l'extension horizontale, non prévisible, peut, elle, être beaucoup plus large. Dans les nuées ardentes de haute énergie, ce nuage déferlant dévaste parfois des surfaces de plus de 100 km^2. Le cas est heureusement peu fréquent. Pendant l'éruption de 1902-1903, il y eut quatre nuées de ce type extrême — dont celle du 8 mai 1902 — pour des dizaines de nuées « normales ». En 1929-1932, la formation d'un nouveau dôme sur le même volcan ne produisit que des nuées « normales », qui ne firent aucune victime.

Les exemples de nuées ardentes se sont multipliés ailleurs depuis lors, et il est clair maintenant qu'elles sont l'accompagnement logique de la croissance d'un dôme péléen. Par contre, l'ampleur inégalée qu'elles ont atteinte à la montagne Pelée suppose des conditions particulières, encore mal comprises par les volcanologues. ■

Pinatubo 1991 : une des grandes éruptions du siècle

Il faut remonter à près de quatre-vingts ans en arrière pour trouver une éruption plus importante que celle du Pinatubo. La catastrophe des Philippines eut un impact humain important. Elle mena à l'évacuation de 200 000 personnes — un record absolu en la matière. Le nombre des victimes fut élevé — au moins 400 morts —, mais le bilan aurait été plus lourd si la catastrophe n'avait été d'abord prévue, puis bien gérée par les volcanologues locaux, rapidement épaulés par une forte équipe américaine.

Le mont Pinatubo n'avait eu aucune activité historique : c'est un fait remarquable que les éruptions majeures se produisent le plus souvent sur des volcans dormants, voire considérés comme éteints. Il n'était pas surveillé, les Philippins ayant déjà fort à faire avec leurs volcans actifs, souvent dangereux — comme le Mayon ou le Taal, également situés dans l'île de Luçon.

L'éruption débuta discrètement le 2 avril par l'émission de vapeur et de cendres ; elle monta en puissance par à-coups, accompagnée d'une forte activité sismique, jusqu'au paroxysme des 14 et 15 juin. Cette pro-

△
En 1982, l'éruption du Chichon, volcan situé au sud-est du Mexique, produisit une grande quantité de cendres. Celles qui furent injectées dans la stratosphère furent rapidement dispersées tout autour de la Terre. Les épaisses retombées autour du volcan détruisirent la végétation, condamnant à une mort lente le bétail qui n'avait pu être récupéré par les survivants.

◁ *Au cours du paroxysme de son éruption, les 14 et 15 juin 1991, le Pinatubo, dans l'île de Luçon, aux Philippines, développa un panache qui finit par atteindre l'altitude exceptionnelle de 40 km. Ces sombres volutes bourgeonnantes sont chargées de cendres, mais aussi de gaz soufrés qui donneront des aérosols d'acide sulfurique dans la stratosphère. La température au sol devrait s'en trouver diminuée pendant deux ou trois ans.*

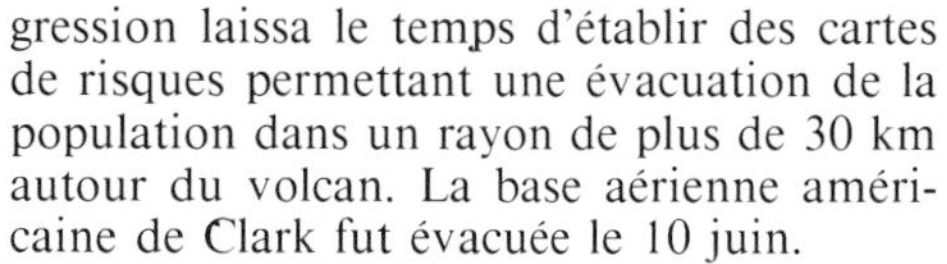

gression laissa le temps d'établir des cartes de risques permettant une évacuation de la population dans un rayon de plus de 30 km autour du volcan. La base aérienne américaine de Clark fut évacuée le 10 juin.

Le paroxysme aboutit à la formation d'un impressionnant panache qui, le 15 juin, atteignit l'altitude de 40 km. Des coulées de ponces dévalèrent tous les flancs du volcan, comblant parfois de profondes rivières. Les retombées de cendres affectèrent une vaste région, et l'aéroport de Manille, à 100 km de là, dut être fermé plusieurs jours. Par malchance, le cyclone Yunya passa par là le 15 juin ; les pluies torrentielles, en alourdissant les cendres, provoquèrent l'effondrement de toits, responsable de la plupart des victimes recensées. Des coulées de boue cendreuse (lahars) se déclenchèrent, et se multiplièrent avec l'arrivée de la saison des pluies en juillet, aggravant encore le bilan.

Le paroxysme se termina par l'effondrement d'une caldera qui décapita le volcan. ■

L'éruption du Chichon en 1982, et ses effets atmosphériques

C'est Benjamin Franklin qui eut le premier l'idée que les éruptions volcaniques pouvaient avoir un effet sur le climat. Il attribua les rigueurs de l'hiver de 1784 à la puissante émission de coulées qui eut lieu en 1783 au Laki, en Islande. Il ne fut guère suivi, et certains l'accusèrent même d'être responsable de ce froid inhabituel, dû selon eux à la multiplication des paratonnerres ! L'éruption du Krakatoa, en 1883, remit la question à l'ordre du jour. On vit dans le monde entier d'étonnants levers et couchers de soleil, pendant plus de deux ans, et l'idée que les poussières injectées dans la stratosphère, à l'origine du phénomène, pouvaient aussi filtrer le rayonnement solaire gagna du terrain. L'éruption du Chichon confirma cette thèse en la nuançant. Situé au sud du Mexique, le Chichon est un volcan auquel on ne connaissait aucune activité historique.

Avec un volume de 0,5 km^3 de matériaux éjectés, cette éruption est plutôt modeste, bien qu'environ 2 000 personnes y aient péri. En revanche, elle est remarquable par la quantité de cendres et surtout de gaz injectés dans la stratosphère. Entraînés par le panache jusqu'à 26 km d'altitude, puis poussés vers l'ouest par les jet-streams, ils ont en trois semaines encerclé la Terre d'un ruban continu ; en moins d'un an, ils formaient un voile sur tout l'hémisphère Nord. Grâce aux nouvelles techniques de la physique atmosphérique, la composition et les effets de ce voile ont pu être étudiés comme jamais auparavant.

Les résultats montrent que les poussières volcaniques ne jouent qu'un rôle accessoire. Le voile est formé surtout d'un aérosol de très fines gouttelettes d'acide sulfurique, résultant de la réaction des gaz soufrés avec la vapeur d'eau atmosphérique. Par absorption du rayonnement solaire, elles réchauffent la stratosphère et diminuent la température moyenne au sol. La réalité du phénomène est bien établie, mais, quantitativement, il reste difficile à évaluer. L'impact de l'éruption du Pinatubo, en juin 1991, sera à coup sûr nettement plus important que celui du Chichon : il s'agit aussi d'un magma riche en soufre, et le volume des produits émis est vingt fois supérieur. ■

Le Kelud et son lac de cratère : une association dangereuse

Le volcan Kelud (1 731 m) est situé dans l'est de Java. Ses éruptions historiques se sont succédé au rythme moyen d'une tous les vingt ans; elles ont en commun un caractère très explosif, une durée brève et un volume de produits émis relativement faible. Cependant, ce volcan est l'un des plus régulièrement meurtriers d'Indonésie. Il doit cette triste notoriété à la présence d'un lac dans son profond cratère. Dès la première explosion, l'eau du lac mélangée à de la cendre est projetée hors du cratère et dévale les rivières en canyons, en entraînant des débris de toutes tailles. Ces coulées de boue cendreuse à blocs sont connues sous le nom javanais de lahars. En débouchant en plaine, elles débordent les rives basses et noient les plantations et les villages de cette région très peuplée. Ces lahars initiaux chauds (ou primaires) sont de loin les plus dangereux, car ils surviennent dès le début d'une éruption.

La distance parcourue par les lahars ainsi que leur volume sont directement liés au volume initial du lac. Il avait près de 40 millions de m^3 avant la tragique éruption de 1919, où des lahars parcoururent environ 40 km, faisant plus de 5 000 morts. Dès 1920, les autorités firent creuser un tunnel pour abaisser le niveau du lac — une première mondiale. Les éruptions suivantes furent moins meurtrières. Après celle de 1966, où l'on compta encore 120 morts, un nouveau tunnel ramena le volume du lac à 2,5 millions de m^3 et, pour la première fois, celle du 10 février 1990 ne produisit aucun lahar primaire. S'il y eut 32 victimes à déplorer, malgré une évacuation menée à temps, ce fut à cause de l'effondrement de toits sous la charge des cendres : une forte pluie avait contribué à leur maintien en place et les avait fait doubler de poids.

Une originalité de l'éruption de 1990 fut l'éjection latérale explosive d'une nuée de cendres et de gaz (un blast) avant l'installation du panache. Son souffle affecta la forêt tropicale jusqu'à 5 km du cratère. Il déracina les arbres les plus proches et ne fit qu'effeuiller les plus lointains. Ce qu'on voit au centre de la photographie se trouve à 2 km du rebord du cratère. ■

Le réveil du mont Saint Helens

Il est 8 h 32 le 18 mai 1980 quand parvient à l'observatoire du mont Saint Helens, aux États-Unis, le dernier message du volcanologue David Johnston, en mission à 8 km au nord du volcan. Quelques minutes plus tard, le paysage et le volcan lui-même sont méconnaissables : 700 km^2 ont été entièrement dévastés, ne laissant aucun survivant parmi les 56 personnes qui s'y trouvaient avec Johnston bien que l'accès en ait été sévèrement interdit.

Par un heureux hasard, plusieurs séries de photographies ont pu être prises de terre et d'avion qui, avec les observations visuelles et les enregistrements, permettent de suivre cet événement exceptionnel.

Le mont Saint Helens (2 975 m avant le 8 mai) est situé dans l'État de Washington, au nord de la chaîne des Cascades. On ne lui connaissait qu'une éruption mineure, en 1857, mais son étude géologique avait révélé un passé agité. C'est pourquoi dès la première explosion phréatique, le 27 mars, commencèrent l'installation d'un observatoire très performant et la mobilisation de nombreux scientifiques.

Une activité explosive modérée se poursuivit jusqu'au paroxysme, sans émission de magma juvénile. Le fait notable de cette période est la croissance d'un bombement en amont du flanc nord du volcan, atteignant un maximum de 100 m de haut; correctement interprété comme le résultat de l'intrusion de magma à faible profondeur, il laissait présager des éboulements, mais pas la catastrophe qui allait suivre...

Le 8 mai, tout le flanc nord se déstabilise : une immense avalanche de débris de 3 km^3 s'écoule jusqu'à 27 km de là, à une vitesse atteignant 250 km/h. Cette décompression brutale entraîne la vaporisation de l'eau surchauffée et la détente explosive des gaz de l'intrusion. Un blast — ou mégasouffle composé de fins débris et de gaz — déferle alors à 1 000 km/h, déracinant tous les arbres d'une forêt centenaire. Le volcan est maintenant entaillé par une profonde dépression en fer à cheval ouverte vers le nord, et son sommet a été abaissé de 350 m.

Aucune autre éruption n'a été étudiée comme celle-ci. Elle marque une date dans l'histoire de la volcanologie. Son impact a été considérable, en particulier par la découverte d'un nouveau mécanisme éruptif qui permet de réinterpréter nombre d'éruptions antérieures. ■

△
Ce paysage que l'on pourrait croire hivernal est situé sur le flanc ouest du Kelud après l'éruption de ce volcan javanais en 1990. Les cendres — blanches ou sombres suivant qu'elles sont sèches ou humides — sont ravinées par les pluies. Les arbres abattus sont les restes d'une forêt tropicale après le passage du souffle d'une explosion rasante.

Les thermes d'Herculanum

Herculanum, ville de 5 000 habitants, à 15 km du Vésuve, est devenue mondialement célèbre à cause de l'éruption de ce volcan explosif, survenue le 24 août 79 après J.-C. Aujourd'hui encore, contrairement à Pompéi, une grande partie de la cité antique sommeille sous le sol. Mais certains bâtiments ont été exhumés de leur linceul minéral; c'est le cas des thermes de la ville. Les bains publics étaient essentiels à une communauté urbaine de cette importance. Un système de canalisations chauffait l'eau et certaines salles. Le baigneur se rendait tour à tour au bain chaud *(caldarium)*, dans l'étuve tiède *(tepidarium)*, et au bain froid *(frigidarium)*. Libre à lui ensuite de se faire masser ou de se reposer. Car aller aux thermes était moins une question de propreté que de loisir et d'oisiveté.

Un décor raffiné qui invitait à la détente.

Les gaz, moteur du volcanisme

Le magma est un liquide contenant des gaz dissous. Si sa pression baisse — par ascension, par exemple —, il finira par être sursaturé, c'est-à-dire que l'excès de gaz devra se séparer du liquide sous forme de bulles, ce qui entraîne une forte augmentation de volume. La pression que le magma exerce sur les parois devient telle qu'elle les fracture. Il se produit alors une brutale chute de pression et une détente explosive des gaz — comme cela arrive avec une bouteille de champagne débouchée brusquement. L'intensité des explosions dépend surtout de la teneur en gaz des magmas et de leur viscosité.

Le magma basaltique est le plus fluide et le plus pauvre en gaz; l'expansion des bulles n'étant guère freinée en cours d'ascension, leur détente en surface produit peu d'énergie. La manifestation éruptive caractéristique sera l'effusion de coulées bulleuses — la projection spectaculaire de lambeaux de lave ne concernant qu'une petite partie du volume total.

À l'opposé, le magma andésitique, visqueux et riche en gaz, sera pulvérisé en surface par une expansion brutale de ses gaz confinés sous de fortes pressions. Dans les grandes éruptions, comme celles décrites ici, les gaz libérés forment un jet continu qui peut entraîner des particules par sa propre énergie puis, par des convections thermiques, jusqu'à plusieurs dizaines de kilomètres d'altitude.

Le mont Saint Helens, dans l'État de Washington, était un volcan régulier au sommet conique. Le 18 mai 1980, après l'énorme avalanche de débris qui emporta son flanc nord, il se retrouva entaillé par une dépression ouverte en fer à cheval. On le voit ici du sud-ouest, le 20 juillet, au cours de la troisième phase explosive suivant le cataclysme; elle détruisit un premier dôme qui se reforma plus tard et continue à s'accroître actuellement. ◁

Coupe d'un volcan explosif au-dessus d'une zone de subduction

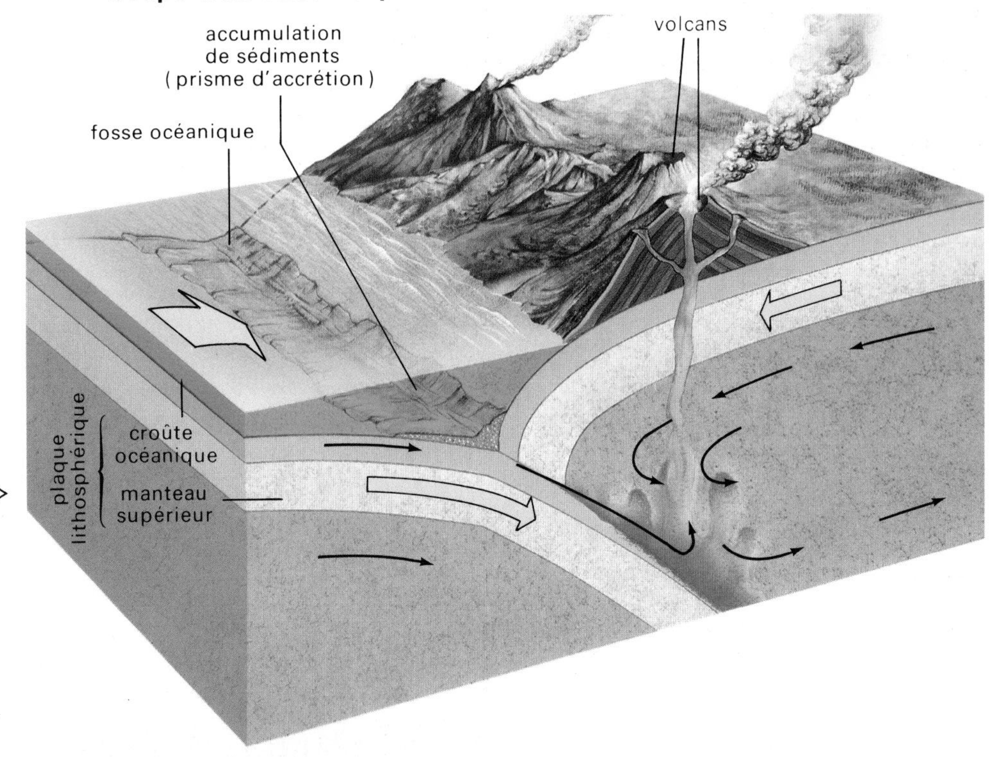

Quand une plaque plonge sous une autre (subduction), elle s'échauffe jusqu'à la fusion partielle de la croûte basaltique du fond de l'océan. L'eau provenant de la déshydratation de la croûte et des sédiments entraînés contribue à la fusion du manteau situé au-dessus de la plaque plongeante. Les magmas ainsi formés alimentent les volcans explosifs des arcs insulaires et des cordillères. ▷

LA TECTONIQUE DES PLAQUES

Depuis la fin des années 1970, la pensée géologique s'organise autour de la théorie de la tectonique des plaques, véritable théorie globale des mouvements qui affectent la Terre. Elle permet de comprendre la relation entre séismes et volcans, le mécanisme d'ouverture des océans, ainsi que la collision des continents. Elle permet aussi de relier les déplacements des plaques à la surface de la Terre aux grands mouvements de matière agitant l'intérieur du globe, et d'esquisser une histoire de notre planète depuis son origine.

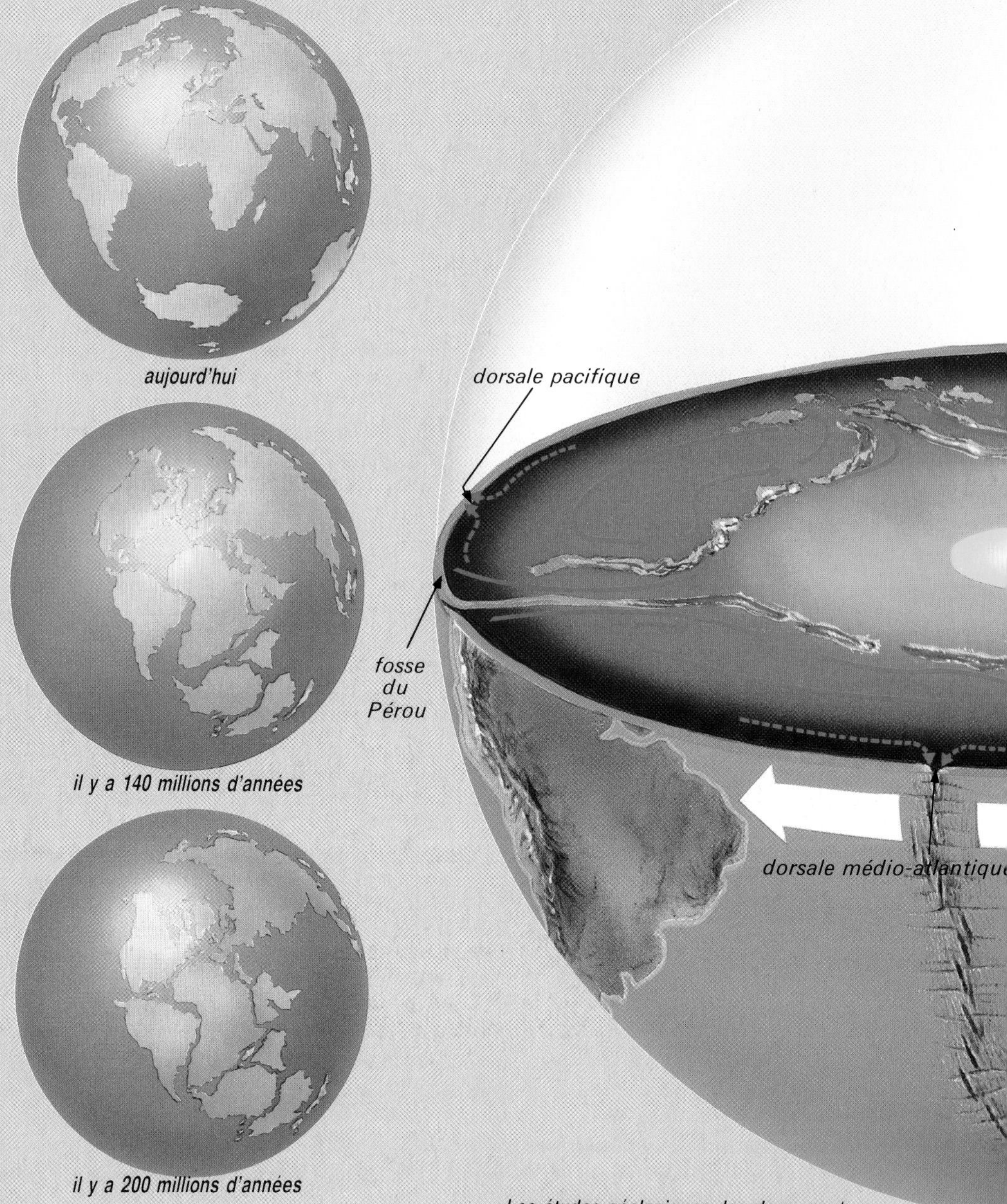

La tectonique des plaques a vu le jour en 1967-1968, grâce à la synthèse des données géophysiques accumulées dans les océans pendant plus de vingt ans de recherche active. L'intuition qu'une organisation simple régissait la structure et l'évolution des océans a conduit les géophysiciens à proposer une théorie de tectonique globale, qui repose sur un postulat essentiel : la surface du globe est pavée d'une mosaïque de plaques rigides délimitées par des frontières où se produisent des mouvements. Mais ces frontières correspondent très rarement à la limite entre continents et océans. Les continents, légers, se déplacent avec les plaques qui les portent, et sont insubmersibles. Lorsque les frontières divergent, des océans s'ouvrent ; lorsqu'elles convergent, les plaques s'enfoncent et retournent dans le manteau (zones de subduction) ou provoquent une collision continentale faisant naître les chaînes de montagnes. Il existe un troisième type de frontière, où le mouvement principal est un coulissage latéral, par exemple la faille de San Andreas, en Californie.

Les études géologiques, les données du magnétisme terrestre fossile et la connaissance des océans nous amènent à reconstituer la position des continents quand ils formaient un mégacontinent, la Pangée, au début du Secondaire. Il y a 140 millions d'années, l'océan Atlantique central est déjà largement ouvert entre Afrique et Amérique du Nord. Certaines parties du Gondwana (Inde, Australie, Antarctique, Amérique du Sud) ont commencé à se séparer de l'Afrique-Arabie.

◁ *La carte montre les principales plaques tectoniques et leurs frontières.*

Les plaques lithosphériques sont constituées de la croûte et d'une partie du manteau supérieur. Elles se déplacent au-dessus d'une partie plus visqueuse du manteau supérieur, l'asthénosphère. Les plaques ainsi définies ont une centaine de kilomètres d'épaisseur et ne tiennent compte ni de la division entre océans et continents, ni de celle entre croûte et manteau. L'élément de base

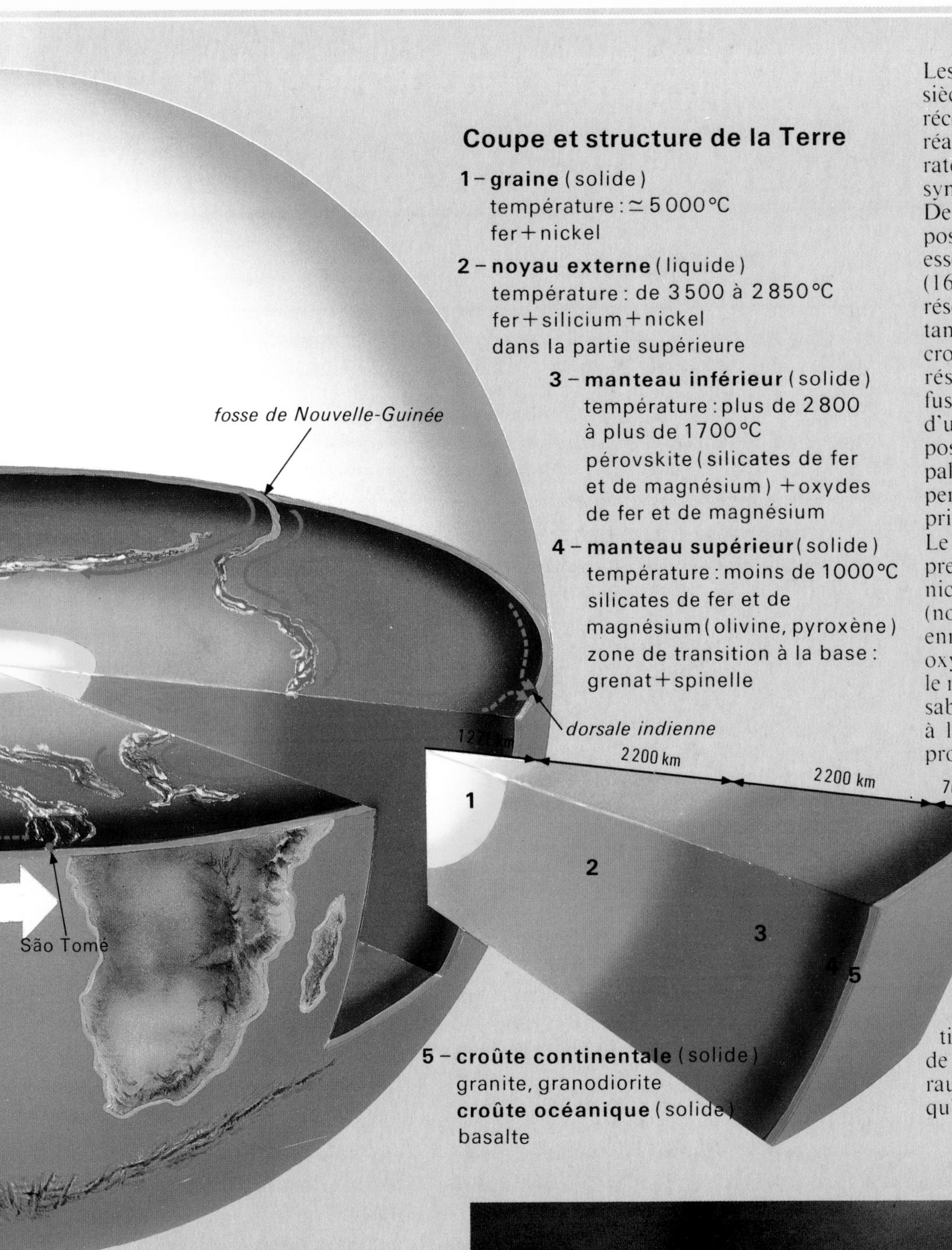

Les observations accumulées depuis un siècle par les sismologues, et les progrès récents dans les études expérimentales réalisées à très haute pression en laboratoire, permettent d'offrir une image synthétique de la structure de la planète. Deux grands réservoirs chimiques composent le globe : un réservoir constitué essentiellement de métaux, le noyau (16 % du volume de la Terre), et un réservoir composé d'oxydes, comportant le manteau (plus de 82 %) et la croûte (à peine 2 %). Ces réservoirs résultent de la différenciation, par fusion, de vastes domaines du globe, d'une Terre primitive qui avait la composition moyenne du Soleil. Les principales limites à l'intérieur de la Terre permettent de distinguer cinq domaines principaux.

Le *noyau solide* (graine) est formé de fer presque pur avec 4 % — en masse — de nickel. Il est entouré d'un *noyau liquide* (noyau externe) où l'alliage fer-nickel est enrichi d'éléments plus légers (soufre et oxygène). Au sein du noyau liquide réside le moteur de la dynamo terrestre, responsable du champ géomagnétique mesuré à la surface du globe. De 2 900 km de profondeur à la base de la croûte s'étend le vaste manteau terrestre, solide. Dans le *manteau inférieur*, de 2 900 à 700 km de profondeur, on trouve un silicate magnésien à structure cristalline très compacte, la structure pérovskite, et un oxyde de magnésium et de fer. Les éruptions volcaniques et les explosions qui nous ont laissé les cheminées diamantifères fournissent des échantillons du *manteau supérieur*, formé de silicates ferromagnésiens et de minéraux alumineux. La *croûte* diffère selon qu'elle est océanique ou continentale.

Fontaine et pluie de scories du Pu'u O'o, cône apparu en 1983 sur le rift est du Kilauea. Ce volcan actif constitue la partie sud-est de l'île de Hawaii. Le volcanisme alcalin, loin de toute frontière de plaque, est dû à la proximité d'un point chaud dans le manteau. ▷

pour la tectonique des plaques est la lithosphère, une couche superficielle sans déformation significative.

On peut établir une relation directe entre l'ouverture des océans, d'une part, et la fermeture d'autres océans ou la collision des continents, d'autre part.

La théorie de la tectonique des plaques permet aussi d'aboutir à une synthèse sur les séismes, dont la majorité, due aux mouvements relatifs entre plaques, se produit dans les régions superficielles du globe, alors que les séismes intermédiaires et profonds résultent du plongement des plaques dans le manteau.

PETIT CRATÈRE DEVIENDRA GRAND

Les calderas

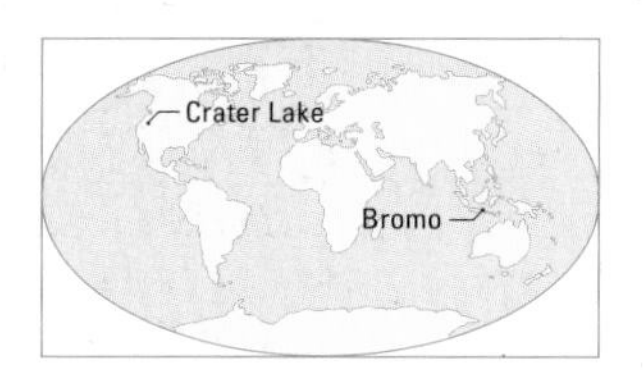

Comment des montagnes peuvent-elles disparaître, quasi instantanément, après un cataclysme volcanique ? C'est la question que se posa le capitaine Boon, le 18 août 1883. Traversant le détroit de la Sonde, à bord de la *Batavia,* il eut la surprise de s'apercevoir que les deux tiers de l'île de Krakatoa s'étaient évanouis sous les eaux. Ce naufrage du Krakatoa, survenu après l'une des plus grandes éruptions volcaniques de l'histoire, soulevait pour la première fois le problème de la formation des calderas.

La caldera de Crater Lake : un modèle exemplaire

La caldera occupée par le Crater Lake — l'une des merveilles des parcs nationaux américains — est située dans l'Oregon et, comme le mont Saint Helens, elle appartient à la chaîne volcanique des Cascades. Elle a été étudiée très en détail et a joué un rôle historique dans la controverse sur l'origine des calderas.

De forme circulaire presque parfaite, elle a un diamètre de 10 km. Elle décapite le mont Mazama, dont les roches andésitiques étaient entaillées par des vallées glaciaires en U, encore bien visibles dans le rempart.

L'éruption responsable de sa formation date de sept mille ans. Elle a recouvert de cendres 1 200 000 km² aux États-Unis et au Canada et ennoyé sous des coulées de cendres et de ponces la région environnante. Les matériaux expulsés représentent environ 60 km³ de magma, soit à peu près le volume de la dépression : ce fut l'argument principal pour démontrer que celle-ci résulte bien d'un effondrement — argument utilisé ici pour la première fois.

Actuellement, les sommets des remparts dominent de 600 m le niveau du lac, lui-même profond de 600 m. Il avait initialement près du double de profondeur avant d'être partiellement comblé par des éruptions postérieures, dont seul témoigne en surface le cône de scories du Wizard (au deuxième plan, à gauche). Le plus haut relief (sur la rive opposée) est une épaisse coulée canalisée dans une vallée glaciaire, recoupée par la caldera. ■

Un édifice effondré

L'origine des calderas a toujours été un sujet de controverse. Plus personne ne soutient maintenant qu'elles peuvent se former par simple explosion d'un volcan : dans ce cas, on devrait retrouver les débris de l'appareil décapité, ce qui n'a jamais été observé. Il faut bien admettre qu'il s'agit d'un effondrement, et donc qu'un « vide » existait sous le volcan. Il résulte du soutirage de magma pendant une éruption et l'on comprend qu'il y ait un rapport étroit entre son volume et celui de la dépression formée en surface. Le toit s'effondrera si la chambre n'est pas trop profonde, et si l'éruption est rapide et d'un volume minimal d'environ 1 km³. Ces conditions ne sont remplies que dans les grandes éruptions explosives.

Après l'installation d'une caldera, l'activité volcanique déclenchera des éruptions plus fréquentes mais de faible volume, les voies d'accès vers la surface étant alors plus aisées.

Formée il y a sept mille ans à la suite d'une puissante éruption, la caldera de Crater Lake (Oregon, États-Unis) a 10 km de large. Le lac, d'un bleu soutenu, est l'un des plus profonds du monde : il atteint 600 m de profondeur. Le cône de scories formant l'île Wizard, à gauche, est le seul témoin émergé des éruptions qui ont eu lieu après la formation de la caldera.
▽

La caldera de Tengger et le Bromo

L'ensemble volcanique de Tengger est sans doute le plus extraordinaire de l'île de Java. Son histoire est complexe et pas encore totalement élucidée. Pour l'essentiel, il s'agit de deux grands volcans formés par de multiples couches de lave et de cendres volcaniques, empilées au cours d'éruptions successives (stratovolcans). Leurs deux calderas se recoupent. La caldera de Ngadisari, à l'horizon, est cernée sur trois côtés par des falaises pouvant atteindre 600 m de haut. Elle est densément habitée et cultivée : les champs de choux y créent une atmosphère inhabituelle sous ces latitudes. Il faut la traverser jusqu'à une falaise pour découvrir à ses pieds le spectacle lunaire de la caldera de Tengger, une cuvette de 9 km de diamètre, couverte de cendres claires que le moindre coup de vent met en mouvement : son nom signifie « mer de sable » en javanais. Au centre émerge un groupe de cinq volcans, dont seul le Bromo est actif.

Le Bromo a connu une cinquantaine d'éruptions depuis 1800. La dernière eut lieu en 1980. Le volcan a toujours été caractérisé par des explosions modérées. Il crache surtout des cendres fines comme du lœss, souvent humides, une caractéristique qui traduit l'influence de l'eau accumulée en profondeur dans ce vaste pluviomètre. Ses cendres ont recouvert tout le paysage, dont le Batok tout proche, célèbre par la régularité des ravinements — ou barrancos — qui creusent ses flancs.

Des études récentes montrent que l'effondrement de la caldera s'est fait en plusieurs étapes, dont la dernière ne date que de deux mille cinq cents ans.

Le Bromo est un volcan sacré, et chaque année s'y déroulent des cérémonies qui attirent des foules importantes. Aussi a-t-on été obligé d'aménager l'accès au cratère. La grandeur du site et son accessibilité en font aussi un haut lieu du tourisme indonésien. ■

△
Le Bromo, à l'est de Java (Indonésie), est un volcan sacré, aménagé pour les pèlerins et les touristes. Ses cendres, fortement ravinées par les eaux, ont recouvert le cône de scories du Batok (à gauche). Ces volcans sont installés dans la caldera de Tengger (au centre), qui recoupe une caldera plus ancienne, dont elle est séparée par une petite falaise.

Formation d'une caldera

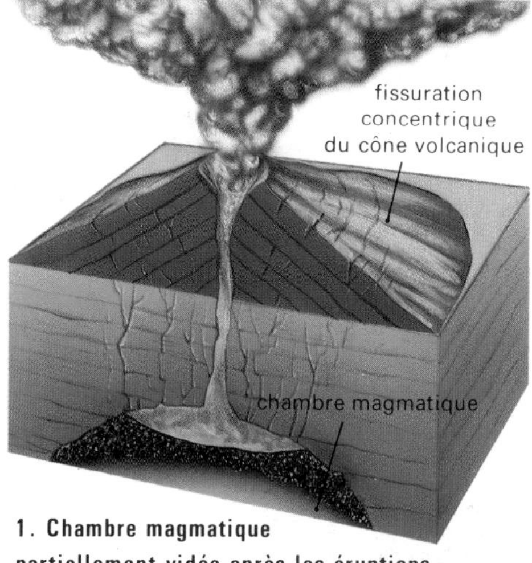

1. Chambre magmatique partiellement vidée après les éruptions

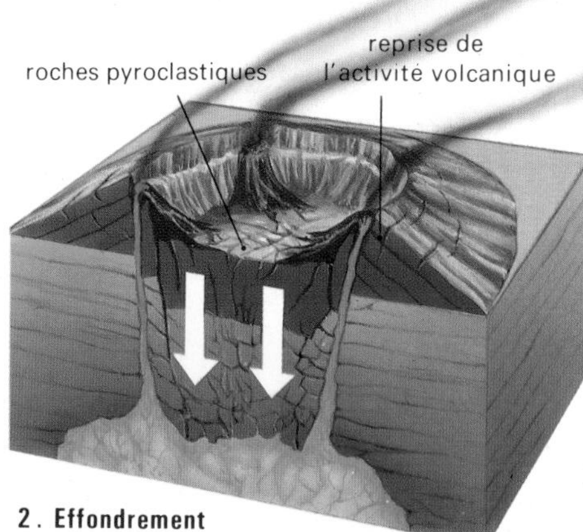

2. Effondrement du toit de la chambre magmatique

△
Lorsque la chambre magmatique d'un volcan a été vidée partiellement par une éruption explosive, son toit, privé de support, s'effondre en donnant en surface une vaste dépression plus ou moins circulaire : une caldera. Les éruptions ultérieures se produisent dans la dépression, souvent le long de la faille circulaire qui limite le bloc effondré.

Le village d'Oïa, à Santorin

L'archipel de Santorin, en mer Égée, n'était jadis qu'une île au centre de laquelle trônait un volcan. Au XVIe siècle avant J.-C. eut lieu une gigantesque éruption qui donna naissance à cinq petites îles. Le cataclysme débuta vers 1500 avant J.-C. : le volcan explosa, libérant autant d'énergie que plusieurs centaines de bombes à hydrogène. Le bruit de la détonation fut perçu jusqu'en Égypte. Ce qui restait de l'île fut enseveli sous 30 m de pierre ponce. Le vent dispersa les cendres sur près de 200 000 km^2, principalement au sud-est, où elles gisent encore au fond de la mer. Quand le volcan eut craché tout ce qu'il contenait, la montagne évidée s'effondra, à 365 m au-dessous du niveau de la mer, créant une caldera de 83 km^2, dans laquelle la mer s'engouffra, provoquant un raz de marée. Déferlant à 300 km/h, les vagues s'écrasèrent sur les côtes de la Crète. Moins de trois heures après, elles engloutirent le delta du Nil. Cette éruption fut probablement la plus importante de l'histoire.

LE CHAUDRON DE VULCAIN

Les lacs de lave permanents

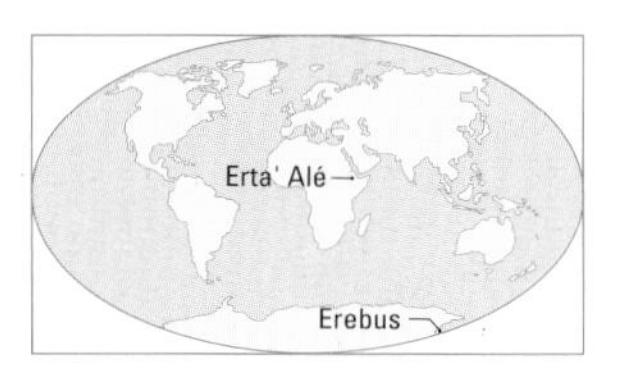

Pendant un siècle à partir de 1823, la principale attraction de la Grande Île de Hawaii a été sans conteste le lac de lave du Halemaumau, « la maison du feu éternel ». Selon la légende, c'était la résidence de Pelé, la déesse du feu et, si elle en sortait, c'est qu'une éruption n'allait pas tarder. En 1924, à la suite d'une explosion, le lac s'est évanoui ; il ne s'est pas reconstitué depuis. Les nombreuses études effectuées sur le Halemaumau avant sa disparition ont été riches d'enseignements pour la volcanologie.

Des lacs de lave passifs ou actifs

On englobe sous la même appellation de lac de lave permanent deux cas bien différents.

Les lacs de lave passifs sont formés par de la lave qui a été piégée dans une dépression et se consolide à partir de la surface, à la manière d'un lac qui gèle. Le plus bel exemple est celui du Kilauea Iki, à l'est du Kilauea (Hawaii), où la consolidation de 120 m de lave a demandé vingt-cinq ans.

Les vrais lacs de lave actifs sont rares : il s'en est formé quatre ou cinq jusqu'à présent — si l'on exclut ceux qui n'ont duré que le temps d'une éruption. Ils sont logés dans des cratères à l'aplomb du conduit d'alimentation principal. La fluctuation de leur niveau traduit les variations de pression dans la chambre magmatique, comme dans un immense manomètre à l'air libre. L'important dégazage produit de petites fontaines de lave. Les courants qui brassent sans cesse le liquide recyclent la peau sombre qui se forme en surface, limitant ainsi la déperdition de chaleur. Celle-ci est néanmoins considérable, et la pérennité d'un tel système suppose que l'équilibre soit assuré par un apport thermique profond équivalent, principalement sous forme de gaz venus de la chambre magmatique.

Un lac de lave inaccessible : l'Erta'Alé

Le Halemaumau, à Hawaii, avait permis de comprendre le fonctionnement d'un lac de lave et son lien avec la chambre magmatique. Ces résultats avaient été rendus possibles par une relative facilité d'accès, mais, par un curieux hasard, les autres lacs de lave permanents sont situés dans des régions aux conditions climatiques ou politiques difficiles. C'est le cas de l'Erta'Alé.

Le volcan de l'Erta'Alé est situé dans l'Afar, cette région particulière du nord de l'Éthiopie dans le prolongement des grandes fractures de la mer Rouge. C'est le seul endroit au monde, avec l'Islande, où l'on a la chance de pouvoir observer une dorsale océanique en formation à l'air libre. L'Erta'Alé est un volcan-bouclier, ainsi nommé à cause de sa forme, qui s'élève à 610 m au-dessus de torrides plaines de sel

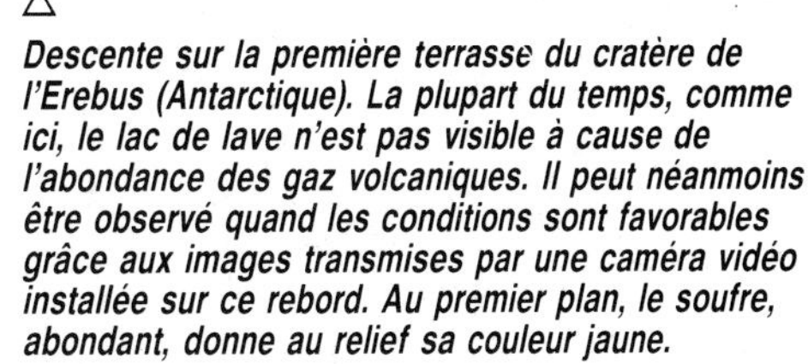

△ *Descente sur la première terrasse du cratère de l'Erebus (Antarctique). La plupart du temps, comme ici, le lac de lave n'est pas visible à cause de l'abondance des gaz volcaniques. Il peut néanmoins être observé quand les conditions sont favorables grâce aux images transmises par une caméra vidéo installée sur ce rebord. Au premier plan, le soufre, abondant, donne au relief sa couleur jaune.*

◁ *Vue aérienne vers l'ouest de l'Erta'Alé (nord de l'Éthiopie). C'est dans la caldera, dont les remparts sont visibles au milieu et à droite, qu'est installé le cratère contenant un lac de lave permanent; la lave rougeoyante visible dans les craquelures de la croûte refroidie est à 1 100 °C. À gauche, on aperçoit des coulées récentes provenant du débordement du lac de lave.*

situées sous le niveau de la mer. Son sommet est éventré par deux calderas elliptiques dont seule la plus petite, de 1 600 m de grand axe, est active. C'est là que sont nichés deux cratères contenant les lacs de lave. Ils n'ont été reconnus qu'en 1960, mais le nom afar Erta'Alé, signifiant « montagne qui fume », semble indiquer qu'ils existaient auparavant. Leur exploration scientifique a commencé en 1967. Comme à Hawaii, le niveau et la largeur des lacs varient. En 1969, le plus grand avait 350 m de large, et son niveau était à 200 m sous le rebord du cratère. En 1972, il a remonté jusqu'à permettre le débordement de la lave, d'abord dans la caldera, puis sur les flancs du volcan. Il est ensuite redescendu. Les mesures de température faites à terre ont donné 1 110 °C pour la lave rougeoyante et 600 °C pour la mince croûte sombre, qui contribue donc efficacement à ralentir le refroidissement.

L'insécurité qui règne dans cette région a empêché de recueillir des données directes depuis 1976, mais les observations par satellite montrent que l'activité se maintient : des températures de 1 150 °C ont même été constatées par enregistrement du rayonnement infrarouge en 1986. ■

L'Erebus : un volcan dans l'Antarctique

On connaît très mal l'Erebus, mais assez pour savoir que c'est un volcan pas comme les autres. Il s'agit du volcan actif le plus méridional de la planète. Ce colosse de 4 000 m (dont 206 m sous l'eau) garde l'entrée de la mer de Ross — la plus profonde échancrure qui s'enfonce dans le continent antarctique. Il porte le nom d'un des bateaux de l'explorateur James Ross, qui le découvrit en 1841. Dès cette époque, le lac de lave devait exister car la base du panache présentait des rougeoiements persistants; malgré plusieurs ascensions antérieures jusqu'au rebord du cratère, ce n'est qu'en 1974 que le lac y fut aperçu pour la première fois. Il faut dire que c'est le lac de lave le mieux protégé du monde. Aux difficultés de l'escalade — avant l'utilisation de l'hélicoptère — et aux rigueurs du climat antarctique, aggravées par l'altitude, s'ajoute une visibilité habituellement très réduite, du fait d'un brouillard malsain produit par l'eau de condensation et les gaz des fumerolles. La descente dans le cratère a pu être réalisée plusieurs fois, mais, à ce jour, le bord du lac n'a toujours pas pu être atteint.

La lave de l'Erebus contient de grands cristaux losangiques de feldspath dont on ne trouve d'équivalents qu'au mont Kenya et au pic Toussidé (dans le Tibesti, au Tchad). Sa composition la rend moins fluide que celle des autres lacs de lave, ce qui explique que le dégazage s'y fasse parfois de façon plus brutale. ■

Les flancs du Nyiragongo sont déchirés par cinq fissures le 10 janvier 1977, à 10 h 1. Aussitôt, le lac de lave permanent de ce volcan du Zaïre se vide. Comme un raz de marée, 22 millions de m³ de lave à 1 100 °C déferlent à 60 km/h, engloutissant sur leur passage forêts, cultures, routes, maisonnettes... Les habitants de Goma, ville située au pied du volcan, fuient en utilisant tous les moyens de transport à leur disposition : les bulldozers du chantier de l'aéroport sont pris d'assaut. Une cinquantaine de personnes n'auront hélas pas le temps d'échapper au flot incandescent, qui recouvre bientôt une surface totale de 22 km².
Quelques heures plus tard, le paysage présente un spectacle de désolation : la lave s'est figée, tout est plat, gris, moiré à des kilomètres à la ronde. Des vagues de basalte s'agglutinent çà et là derrière des troncs d'arbres calcinés encore fumants. Un troupeau d'éléphants a été moulé dans la lave brûlante. On distingue l'abdomen, les pattes, la tête, la trompe de ces pauvres bêtes à qui le volcan a donné un linceul minéral.
Ce ne sera pas la dernière fois que le Nyiragongo fera parler de lui : en 1982, son lac de lave se reforme, à l'occasion d'une nouvelle éruption, avec le risque qu'il se vide à nouveau un jour...

UN FLÉAU NÉ DE L'EAU ET DU FEU

Coulées de boue ou lahars

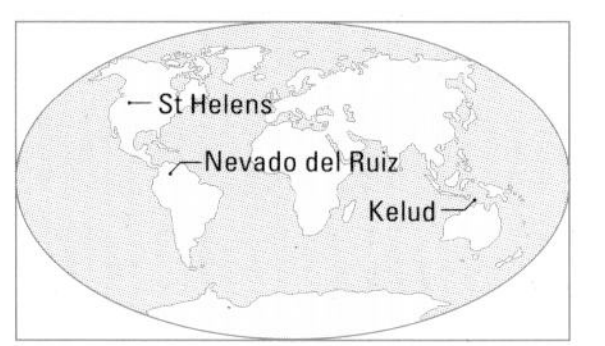

Les coulées de boue, qui portent le nom javanais de lahars, sont les manifestations volcaniques les plus destructrices et les plus meurtrières. L'homme essaie de lutter contre ce fléau qui a provoqué de terribles catastrophes ces dernières décennies, essentiellement sur les volcans de la ceinture de feu du Pacifique.

Le terrible réveil du Nevado del Ruiz

Le 13 novembre 1985, les lahars les plus volumineux et les plus meurtriers du siècle, déclenchés par l'éruption du Nevado del Ruiz, dans les Andes colombiennes, ont détruit la quasi-totalité de la ville d'Armero, située à 72 km du cratère, dans le bassin du Magdalena. Ils ont tué environ 23 000 personnes et en ont blessé 4 400 ; 5 100 maisons ont été détruites et 210 000 ha cultivés ensevelis. Cette éruption volcanique s'est produite sous une calotte de neige et de glace qui, en fondant, a généré des coulées de débris volcaniques.

La coulée de boue la plus importante s'est dirigée vers Armero en empruntant la vallée du río Azufrado, vue ici du volcan après la catastrophe. Elle représentait plusieurs milliers de mètres cubes et se déplaçait à une vitesse de 30 km/h environ.

Le fond de la gorge est bordé d'escarpements taillés dans d'épaisses coulées de lave, et les versants de la vallée sont masqués par la forêt dense d'altitude. Jusqu'à 10 à 30 m de hauteur, le chenal et ses abords sont décapés des sédiments qui les tapissaient, à tel point que l'on aperçoit le substrat rocheux sur une largeur excédant 100 m par endroits.

Sur la rive gauche, 20 cm de retombées cendreuses surmontent des dépôts volcaniques récents formant une terrasse. Le flanc droit du chenal révèle l'extraordinaire pouvoir érosif des lahars, qui sape le pied des versants en pente raide, à la limite de la stabilité. Ce déséquilibre provoque un glissement de terrain, dont les matériaux tombés au fond du chenal pourront à leur tour alimenter une nouvelle coulée de boue.

Ainsi, les lahars canalisés accroissent considérablement leur volume avec la distance parcourue. ■

◁ *Le plus volumineux et meurtrier des lahars déclenchés par l'éruption du Nevado del Ruiz (Colombie) en 1985 a emprunté cette puissante gorge du río Azufrado pour déboucher sur Armero. Non seulement ces lahars ont érodé le chenal de la vallée jusqu'au substrat rocheux sur plus de 100 m de large et 20 m de profondeur, mais ils ont aussi sapé le pied des versants forestiers très raides, entraînant des glissements de terrain (à droite).*

Un sauveteur de la ville d'Armero.

*« **La cendre a commencé à tomber** à 22 h 45. Nous avons allumé la radio pour prendre les nouvelles : le maire disait qu'il ne fallait pas s'inquiéter. Soudain, la radio s'est tue. L'électricité a été coupée au moment où nous avons commencé à entendre des bruits de roulement et de chute. Effrayés, nous sommes sortis dans la rue.*
Une inondation fit irruption. La plupart d'entre nous revinrent vers l'hôtel, un édifice de trois étages avec une terrasse. Soudain, j'ai senti des coups sourds. C'était la boue qui arrivait sur l'hôtel.
La dalle du plafond s'est fracturée et nous avons senti le plancher céder sous notre poids. Je ne savais pas où j'étais. J'étais couvert de boue, elle était chaude ; soudain, nous avons senti que la boue nous poussait à une vitesse incroyable et nous avons commencé à flotter : nous étions sur le toit d'un réservoir d'eau en ciment. Des tuyaux de gaz explosaient et des débris flottaient tout autour de nous. À plusieurs reprises, nous avons failli nous écraser contre un objet quelconque. Soudain, la coulée de boue a commencé à freiner. Puis le réservoir n'a pas avancé plus loin. Il était presque minuit... » (Extrait d'une interview du 12 décembre 1985 de J.-L. Restrepo, étudiant, l'un des 3 000 survivants de la tragédie d'Armero. D'après l'article de Pierson T., Janda R., Thouret J.C. et Borrero C., 1990.)

Les fureurs du Kelud

Le volcan Kelud, dans l'est de Java, est connu pour ses lahars fréquents, déclenchés soit par les pluies suivant une éruption, soit lorsque le lac de cratère se vide brusquement. En 1990, les lahars les plus violents se sont produits cinq à sept jours après l'éruption du 10 février. Ils ont été déclenchés par des pluies soutenues qui ont entraîné les dépôts meubles et épais de nuées ardentes. Celles-ci, mélangées aux eaux du cratère, furent d'autant plus dévastatrices qu'elles avaient auparavant été canalisées dans les vallées en amont.

On voit ici une coulée boueuse ravager des terrasses de plantations de bananiers et de caféiers dans la région de Mangli (flanc nord-est du Kelud). C'est un lahar dilué, de quelques décimètres à 2 m seulement, mais quelques blocs épars sur la terrasse de droite traduisent le débordement de lahars plus épais et davantage chargés en sédiments. La turbulence de l'écoulement est trahie par des vagues obliques, à gauche.

L'éruption de 1919 eut, elle aussi, de terribles conséquences : les 38 millions de m^3 d'eau du lac de cratère se mélangèrent aux produits de l'éruption pour former des lahars parcourant 38 km à une vitesse moyenne de 64 km/h. On dénombra 5 110 victimes et 104 villages détruits ; 131 km^2 furent recouverts de 40 à 100 millions de m^3 de dépôts. Malgré les nombreux tunnels creusés par les Hollandais après cette catastrophe, entre le cratère et la vallée qui draine le volcan vers le sud-ouest, des éruptions modérées, comme celle du 10 février 1990, déclenchent encore des lahars, parce que les fortes pluies de mousson remettent en mouvement toutes les projections. ■

△
Les lahars du volcan Kelud (est de Java) ont ravagé les terrasses plantées de bananiers et de caféiers une semaine après l'éruption du 10 février 1990. Dans la région de Mangli, ces coulées de boue portent des blocs en surface (terrasse de droite). Des vagues (terrasse de gauche) trahissent la forte concentration en sédiments, la turbulence et la vitesse de ces écoulements.

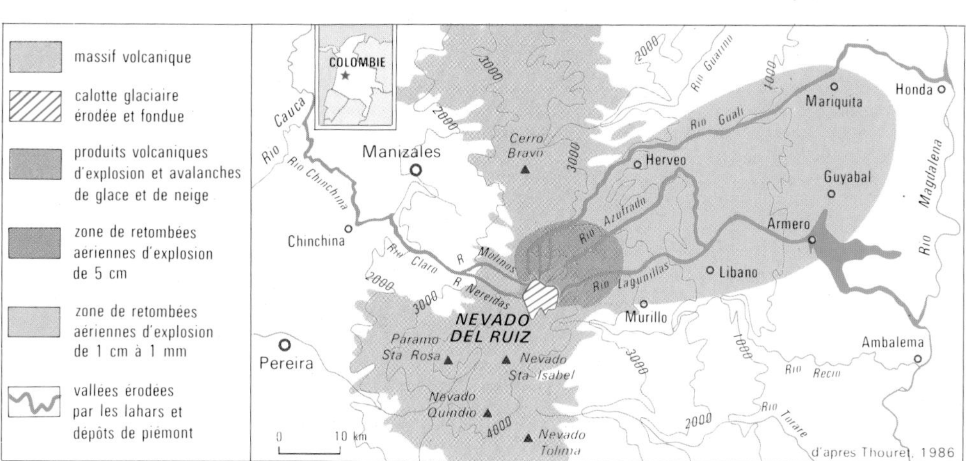

◁ ***Cette carte présente les effets directs de l'éruption du Nevado del Ruiz le 13 novembre 1985 : émulsions de gaz brûlants et de roches volcaniques pulvérisées (nuées ardentes), retombées aériennes et lahars, en particulier ceux des ríos Azufrado et Lagunillas, débouchant sur la ville d'Armero. Un mois auparavant, les scientifiques avaient délimité ces zones menacées.***

△
Ce vaste cône s'étend en amont de la rivière South Fork Toutle (État de Washington), au pied du mont Saint Helens. Il a été construit par des lahars qui, remaniant des projections volcaniques et des ponces blanches, ont nivelé le terrain sur plusieurs dizaines de mètres d'épaisseur. Un chevelu de rigoles est encore ciselé par des coulées boueuses diluées après l'éruption. Au fond, des dépôts épais de lahars saturés d'eau tapissent tout le chenal de la vallée et, au centre, la forêt apparaît endommagée par l'explosion initiale.

Le mont Saint Helens, un générateur de lahars

Le 18 mai 1980, quelques heures après l'éruption du mont Saint Helens (État de Washington, États-Unis), des lahars dévalaient les pentes du volcan, ravageaient toutes les vallées radiales jusqu'à 120 km de distance, et provoquaient des inondations jusqu'au Columbia, deuxième fleuve des États-Unis. Que s'était-il passé?

Dans la rivière South Fork Toutle, qui descend du volcan vers l'ouest, des projections volcaniques saturées d'eau et des nuées ardentes se transformèrent en lahars en passant sur la neige qui recouvrait le volcan. À cela s'ajoutèrent l'écroulement du flanc nord du volcan dans la rivière North Fork Toutle et une avalanche de débris, provoquant de nouvelles coulées boueuses.

Cette vue aérienne présente un vaste cône de débris, de cendres et de ponces blanches épaisses. Sa surface est creusée par un enchevêtrement de rigoles parcourues à leur tour par des flots boueux.

On aperçoit à l'arrière-plan les dépôts saturés d'eau qui tapissent le fond et les flancs de la vallée. Ils ont été déposés par les lahars principaux.

Enfin, au centre gauche de la photo, un vallon est partiellement dénudé : la forêt y a été endommagée par l'explosion initiale, et les débris ont été remobilisés sur les versants raides. ■

Des coulées rapides et visqueuses

Les lahars sont des coulées de boue et de débris volcaniques composées de 40 à 85 % de blocs, sables et limons et de 15 à 60 % d'eau et d'air. Ce mélange a la consistance d'un ciment trempé dont l'écoulement, dense et visqueux, lui donne une force d'impact capable d'écraser des édifices.

Les lahars se déplacent rapidement (60 à 100 km/h sur les pentes raides). Une fois canalisés, ils parcourent de très longues distances, burinent les vallées, et infligent de cruels dommages à la végétation.

Les lahars ont des origines multiples :

- Des averses intenses et prolongées, pendant ou après une éruption. Ainsi, aux Philippines, en juin 1991, l'arrivée du typhon Yunya au plus fort de l'éruption spectaculaire du volcan Pinatubo a fait naître des lahars exceptionnels qui ont endommagé terres cultivables, ponts et routes dans un rayon de 60 km autour du volcan.
- Un lac de cratère qui se vide brutalement à cause d'une éruption ou de l'effondrement du barrage de retenue. Ce fut le cas à Java lors des éruptions du mont Kelud en 1919, 1951, 1966 et 1990.
- Des débris saturés d'eau et brutalement mis en place par l'effondrement d'une partie d'un volcan, comme ce fut le cas au mont Saint Helens, aux États-Unis, en mai 1980.
- La mise en mouvement des projections d'une explosion dite phréatique, qui éjecte brutalement gaz, vapeur d'eau, et débris de magma ancien. En témoigne la catastrophe de mai 1792 au mont Unzen, au Japon, qui fit 15 900 victimes.
- Les matériaux chauds et pulvérisés des nuées ardentes se mêlant à l'eau : au mont Asama, au Japon, en août 1783, un lahar atteignant près de 100 °C a parcouru 80 km.
- Mais c'est l'éruption d'un volcan couvert de glace et de neige qui est responsable des lahars les plus meurtriers, que ce soit en Islande ou dans les hautes cordillères, comme en Colombie, en 1985.

La protection contre les coulées de boue au Japon

Voici l'un des moyens de protection les plus efficaces contre les coulées de boue. Il a été mis au point à Hokkaïdo, au Japon, au volcan Usu, volcan actif sous haute surveillance. Appelé *sabo* en japonais, ce barrage spécial comprend une dalle de béton enfoncée dans le lit (non visible ici) et ancrée sur les deux rives par des digues empierrées, recouvertes de végétation. Au milieu du chenal, les barres métalliques de 1,80 m environ (à demi enterrées ici) sont disposées en quinconce sur deux rangées perpendiculaires au flot. La partie supérieure, amovible, peut être remplacée ou doublée en hauteur. Ce dispositif est destiné à arrêter et séparer les blocs et les débris les plus grossiers, et à laver les matériaux plus fins.

Un des barrages du volcan Usu.

DES SOUFFLES FÉTIDES

Mofettes, fumerolles et solfatares

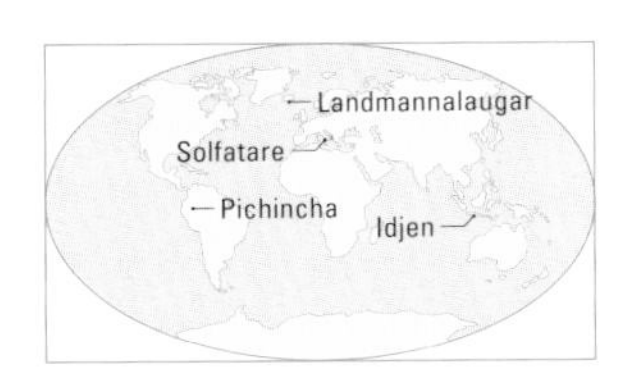

Un volcan est-il pour beaucoup autre chose qu'une montagne qui fume? Il est vrai que la présence de fumerolles sur un volcan exclut celui-ci de la catégorie des volcans éteints : ces gaz délétères qui fusent des profondeurs trahissent en effet la proximité, sous le volcan endormi, d'un magma incomplètement refroidi.
Avec les mofettes et les solfatares, les fumerolles constituent l'une des manifestations superficielles les plus répandues de la chaleur souterraine.

Les fumerolles menaçantes du Pichincha

Le Pichincha, qui domine de 2000 m la capitale de l'Équateur, est l'un des points de repère de la longue «avenue des Volcans» qui, de la Colombie au Chili, n'est autre que la cordillère des Andes, ainsi rebaptisée au début du siècle dernier par Alexander von Humboldt. L'explorateur allemand, considéré par beaucoup comme le second découvreur de l'Amérique, effectua l'ascension du Pichincha soixante ans après que Charles Marie de La Condamine se fut, non sans mal, aventuré au bord de son cratère. En 1742, le climat était plus rude qu'aujourd'hui, et le Pichincha, qui culmine à 4794 m, était alors couvert de neige et de glace.

De nos jours, le sommet du volcan s'atteint facilement, sans qu'on y rencontre la moindre neige. Mais la descente au fond du cratère, que n'avaient pas tentée les explorateurs de jadis, reste une singulière plongée de 800 m vers les entrailles de la Terre. «Triste, lugubre et effrayant», comme l'a décrit Humboldt du haut de son précaire observatoire au sommet du volcan, le cratère du Pichincha l'est resté. Mais son activité fumerollienne a certainement baissé depuis, le volcan n'ayant pas connu d'éruption majeure après celle de 1881.

Parmi les différentes méthodes scientifiques mises en œuvre sur le Pichincha pour prévoir ses futures éruptions figurent la surveillance sismique, bien sûr, mais aussi l'analyse des gaz fumerolliens, dans lesquels on espère découvrir quelques signaux géochimiques précurseurs d'un réveil inopiné du volcan. Le prélèvement de ces gaz s'effectue toujours dans des conditions difficiles : chaleur, gaz délétères et, comme ici, altitude élevée ne facilitent pas les gestes précis et mesurés, bien qu'accomplis avec des gants en amiante, dont la maîtrise concourt pour l'essentiel à la qualité d'un échantillon de gaz volcaniques. ■

Des gaz fusant des profondeurs

Les gaz qui montent des profondeurs de la Terre font surface à des températures très variables. Les plus froids sont à la température moyenne du sol : ils sont alors essentiellement constitués de gaz carbonique, et leur exutoire, lorsqu'il est clairement identifié comme source de gaz asphyxiant, prend le nom de mofette. Dès que la température des gaz approche celle de l'eau bouillante à l'altitude du lieu, l'émanation devient visible parce que la vapeur d'eau qu'elle contient se condense au contact de l'air. On parle alors de fumerolle. La composition du mélange gazeux varie essentiellement en fonction des températures fumerolliennes, qui vont de 100 à 1200 °C, record établi par une fumerolle au-dessus d'un lac de lave. À mesure que la température augmente apparaissent en proportion croissante des constituants tels que l'hydrogène et l'oxyde de carbone, mais aussi des gaz acides qui rendent les fumerolles suffocantes et leur confèrent une odeur caractéristique. L'exutoire des fumerolles est en général tapissé d'incrustations minérales. Un champ de fumerolles associé à un important dépôt de soufre d'origine volcanique est appelé solfatare.

Prélèvement de gaz volcaniques, réalisé par l'auteur, à l'altitude de 4000 m, au fond du cratère du Pichincha, en Équateur. En 1981, une recrudescence de l'activité fumerollienne, associée à quelques émissions de cendres volcaniques, avait fait redouter une éruption de ce grand volcan andin, au pied duquel s'étend la ville de Quito. ▷

D'insolites fumerolles à Landmannalaugar

La vapeur brûlante aux relents méphitiques fusant du sol islandais richement coloré par les sublimés volcaniques offre un spectacle irremplaçable aux amoureux du dépaysement et de l'insolite. Insolite en effet, puisque ici, à Landmannalaugar (dans le sud du pays), comme dans toute l'Islande, la neige et la glace ne sont jamais bien loin du feu souterrain. Mais, à proximité immédiate des fumerolles, le sol est suffisamment chaud pour ne jamais connaître le gel, même dans le froid de l'hiver polaire. Une multitude d'oasis minérales ponctuent ainsi les grandes fractures qui dissèquent l'Islande du nord au sud, et qui ne sont autres que l'expression superficielle, miraculeusement émergée, de la dorsale (ou rift) médio-atlantique qui, normalement, serpente à 3 000 m sous la surface de l'océan. L'Islande, où l'on peut observer à pied sec un fond océanique exondé, constitue incontestablement une zone géologique exceptionnelle.

Tout en faisant la part du feu et du froid, puisque les deux tiers de leur territoire sont considérés comme inhabitables, les Islandais vivent en relative bonne entente avec leurs

Exploitation du soufre en Indonésie

Certains pays, dont l'Indonésie, ont conservé une production artisanale de soufre volcanique. Dans le cratère de l'Idjen, son extraction est réalisée dans des conditions littéralement infernales par des hommes munis d'outils rudimentaires et chaussés de sandales rapiécées, qui isolent bien mal du sol brûlant. L'air, déjà raréfié par l'altitude, est rendu irrespirable par les gaz suffocants et le brouillard acide qui émanent sans cesse des fumerolles à 300 °C et de la surface du lac voisin. Une fois emplis ses deux paniers reliés par un fléau de bambou — méthode traditionnelle de portage chez les Javanais —, le « mineur » achemine sa charge de 50 kg sur la lèvre du cratère, et enfin dévale les 15 km d'un sentier malaisé jusqu'au village, où des camions vétustes se remplissent peu à peu du minerai couleur d'or. Quatre tonnes de soufre sont ainsi arrachées quotidiennement au volcan, au prix de la sueur et de la peine des hommes.

Un porteur de soufre descend du volcan Idjen.

volcans et leurs glaciers. Pourtant, la rencontre inopinée de ces deux éléments naturels — une éruption sous-glaciaire — tourne souvent à la catastrophe : des coulées de boue gigantesques engendrées par l'eau de fonte détruisent tout sur leur passage.

Mais cette chaleur souterraine est aussi une véritable aubaine : les Islandais l'utilisent pour chauffer leur capitale, Reykjavík, ainsi que d'autres villes; pour produire de l'électricité dans les centrales géothermiques de Svartsengi, Krafla et Bjarnarflag; pour faire bénéficier une multitude de serres industrielles d'une température tropicale, propice à la croissance des bananiers; pour le thermalisme et pour le plaisir des touristes qui, par milliers, s'émerveillent devant geysers, fumerolles et solfatares. ■

◁ *Ces fumerolles de Landmannalaugar, en Islande, attestent que le pays est aussi riche en volcans qu'en glaciers. Les champs fumerolliens sont dispersés tout au long d'une fracture majeure de l'écorce terrestre. Les fumerolles se signalent tant par la vapeur d'eau que par les incrustations colorées de sels métalliques qui matérialisent les conduits de gaz fusant des profondeurs.*

Le fond plat du cratère de la Solfatare, dans les champs Phlégréens, situés à quelque 15 km à l'ouest de Naples, est soigneusement balisé pour permettre aux visiteurs d'évoluer en toute sécurité parmi les fumerolles et les mares de boue bouillonnantes. Les lieux n'ont guère changé depuis l'époque romaine, où la Solfatare était connue sous le nom de Forum Vulcani.
▽

Près de Naples, la Solfatare fume et bouillonne

Le volcanisme napolitain ne se limite pas au seul Vésuve. À l'ouest de la célèbre baie qui sert d'écrin à la grande cité campanienne, une autre baie s'ouvre dans la région la plus volcanique de la péninsule italienne : le golfe de Pouzzoles, qui s'étend de la presqu'île de Nisida au très fameux cap Misène. Il est fermé à l'horizon par l'île d'Ischia, tout aussi volcanique, sans parler du Stromboli et des autres îles Éoliennes, situées beaucoup plus au large. Les 80 km^2 des champs Phlégréens (Campi Phlegrei) abritent, outre la ville de Pouzzoles, de nombreuses zones industrielles et plusieurs bases militaires, des dizaines de cônes et de cratères volcaniques, certains étant aujourd'hui occupés par des lacs.

Pourtant, nombre de ces volcans doivent être considérés comme actifs. La dernière éruption aux champs Phlégréens, celle du Monte Nuovo, remonte à 1538. Depuis, le calme n'est qu'apparent puisque, périodiquement depuis l'Antiquité, le sol se soulève ou s'abaisse lentement au gré de la poussée des forces souterraines. L'amplitude cumulée de ces mouvements atteint une dizaine de mètres. Ce phénomène, connu des géologues du monde entier, a reçu le nom de bradysisme, ou séisme lent.

Mais la région est tout aussi célèbre pour ses manifestations thermales. Les plus vigoureuses d'entre elles sont observées au

△
Le cratère de l'Idjen, à l'extrémité orientale de l'île de Java, est sans doute l'un des sites les plus insolites de l'archipel indonésien. Outre une solfatare extrêmement active, puisqu'elle permet depuis des décennies l'extraction artisanale du soufre, ce cratère abrite un lac vert constitué de 36 millions de m³ d'un mélange d'acides sulfurique et chlorhydrique et de soufre colloïdal, à une température supérieure à 50 °C.

fond du grand cratère circulaire de la Solfatare. Deux fumerolles y ont un débit si fort et si permanent, et ce depuis des siècles, qu'elles ont même été baptisées des noms évocateurs de Soffione et Bocca Grande. La température n'y dépasse pas 165 °C, mais la violence des jets de gaz et de vapeur est suffisante pour soulever le sable et les graviers qui recouvrent les évents tout incrustés de soufre.

Le cheminement prudent d'innombrables visiteurs au fond du cratère de la Solfatare est balisé par des barrières qui interdisent l'approche des marmites de boue noirâtre et sulfureuse agitée en permanence par les gaz qui la percolent. En maints endroits, en effet, le sol volcanique, profondément altéré par les circulations souterraines de fluides hydrothermaux corrosifs, céderait sous les pas : descente assurée dans un chaudron d'eau bouillante. Les Anciens ne voyaient-ils pas dans la Solfatare la porte des Enfers? ■

L'inquiétant Kawah Idjen

L'Indonésie n'a pas été épargnée, tant s'en faut, par les catastrophes volcaniques. Au siècle dernier, le Krakatoa et le Tambora y ont fait une centaine de milliers de morts. Plus récemment, au XXe siècle, les victimes du Merapi, du Kelud et de l'Agung se comptent au total par milliers. Mais une catastrophe d'une tout autre ampleur n'est-elle pas en gésine dans les eaux glauques du cratère de l'Idjen?

Une éruption, même modeste, de l'Idjen signifierait en effet l'expulsion du lac de cratère et l'inondation de la région environnante sous ses 36 millions de m³ d'eau acide et brûlante. Il est vrai que les abords de l'Idjen sont beaucoup moins peuplés que bien d'autres régions de Java et de Bali, tout aussi volcaniques. Mais des cinq éruptions qu'a connues l'Idjen depuis le XVIIIe siècle, aucune ne préfigure ce que pourrait être un paroxysme éruptif de ce volcan encore bien mystérieux.

Le sursis qu'accorde l'Idjen depuis son éruption de 1952, la dernière en date, est mis à profit pour en extraire le soufre généreusement dispensé par les innombrables fumerolles de l'une des plus actives solfatares du monde. Dans le cratère de l'Idjen, en effet — et c'est ce qui en fait la singularité —, le soufre est exploité non pas à partir d'un gisement, mais d'une véritable source : le précieux minéral couleur d'or y est prélevé au rythme où le volcan l'extrait des profondeurs de la Terre pour le déposer dans son cratère.

Les hommes qui, chaque jour, montent au volcan pour leur pénible travail d'extraction n'ont pas un regard pour le lac voisin, aux eaux épaisses couleur d'émeraude. Pourtant, il renferme lui aussi, outre le soufre colloïdal, bien des composés chimiques exploitables. Plusieurs projets ont été élaborés, qui visaient à la récupération industrielle de l'aluminium comme des aluns de sodium et de potassium dissous dans les eaux du lac. Le drainage concomitant de ces eaux aurait limité du même coup les conséquences d'une éruption sous-lacustre. Hélas, l'ampleur et la difficulté de la tâche n'ont pas permis de reproduire ici les ambitieux travaux d'hydraulique qui, au Kelud, autre volcan de Java orientale, ont suffisamment abaissé le niveau d'un lac de cratère pour que les coulées de boue qu'il engendre lors des éruptions soient mieux maîtrisées. Le Kawah Idjen — «cratère vert» en langue indonésienne — garde l'initiative. ■

GARE À L'EAU QUI DORT !

Les lacs volcaniques

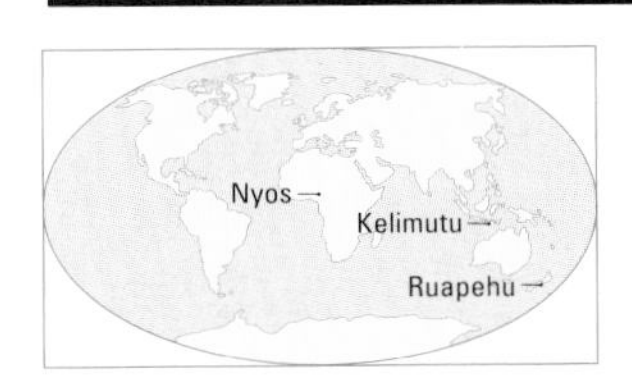

Les scientifiques ou les touristes qui escaladent les volcans actifs n'ont pas toujours rendez-vous avec le feu de la Terre. Au lieu de lave bouillonnante, de solfatares torrides ou d'un chaos aride de roches et de cendres volcaniques, c'est en effet l'eau qui habite parfois les cratères, formant des lacs inhospitaliers aux couleurs étranges. Le spectacle n'en est pas moins saisissant, tant est insolite la persistance d'une eau souvent rafraîchissante dans ces puits ouverts au sommet des volcans.

Les colères du lac Nyos

Avec glissements de terrain, inondations, éruptions volcaniques, tremblements de terre, épidémies et cyclones, l'arsenal offensif que la nature dresse contre l'homme est varié et redoutablement efficace. Ce ne fut donc pas seulement le terrible bilan de la catastrophe de Nyos qui frappa les esprits lorsque l'on découvrit, jusqu'à 25 km en aval du lac, les corps de 1 700 Camerounais surpris dans leur sommeil par un ennemi invisible, mais aussi le fait que les hommes apprenaient ce jour-là que la Terre pouvait en outre déclencher la guerre des gaz.

Malgré sa forme polygonale, et non pas circulaire comme celle de la plupart des lacs de cratère, le lac Nyos occupe un cratère dont l'origine est incontestablement volcanique. La dernière éruption du volcan de Nyos ne remonte sans doute pas à plus de quelques centaines d'années. Il se peut donc qu'une nouvelle éruption volcanique, sous-lacustre cette fois, se soit produite en août 1986, libérant une grande quantité de gaz carbonique, comme cela se produisit à Java en 1979, sur le plateau de Dieng.

Dans le cas de Nyos, il est vraisemblable que le gaz ait été stocké sous forme dissoute dans les eaux du lac bien avant la catastrophe. Pour une raison encore inconnue, les couches inférieures du lac, profond de 200 m, se sont trouvées entraînées vers la surface, et donc dépressurisées. Le gaz carbonique dissous s'est alors échappé sous la forme d'un vigoureux jet d'eau et de bulles, avant de s'écouler au fond des vallées environnantes.

Si la nature et l'origine du gaz responsable du drame de Nyos sont désormais bien connues — il s'agit de gaz carbonique provenant d'une source magmatique profonde —, le mécanisme qui a permis son émission brutale en si grande quantité est encore controversé. En revanche, il est certain que la catastrophe n'a pas suffi à purger le lac de la totalité de son gaz dissous : 600 000 t y sont maintenues en solution par la seule pression des quelques dizaines de mètres d'épaisseur d'eau superficielle exempte de gaz carbonique. Pour éliminer le risque bien réel d'une libération incontrôlée de ce gaz asphyxiant, un projet international, baptisé Orgues de Nyos, a pour ambition de l'extraire à l'aide de plusieurs tuyaux plongés verticalement dans le lac. ■

Tous ceux qui l'ont approché ont souligné l'aspect sinistre et angoissant du lac Nyos, dont le gaz carbonique provoqua la mort par asphyxie de 1 700 Camerounais le 21 août 1986. Il est ici photographié peu après la catastrophe; ses eaux, d'ordinaire limpides, sont encore chargées de matières en suspension remontées des profondeurs du lac avec le gaz carbonique qui s'en est échappé. ▽

Les trois lacs du Kelimutu

Les grands stratovolcans, c'est-à-dire les volcans formés de multiples couches de laves et de cendres volcaniques, empilées au cours d'éruptions successives, sont en général perforés de plusieurs cratères. Chacun de ces cratères a une activité qui lui est propre et fonctionne, pour ainsi dire, en ignorant ce que fait son voisin. Cette observation très courante, qui ne manque pas d'intriguer les volcanologues, n'est nulle part mieux illustrée qu'au volcan indonésien Kelimutu, dont chacun des trois cratères sommitaux est occupé par un lac : l'un est bleu, le plus hospitalier, l'autre vert, le plus profond, et le troisième, le plus sinistre, se singularise par une teinte rouge foncé inhabituelle pour un lac, même volcanique !

Les eaux de ces trois lacs sont acides, et les différences de couleur trahissent les plus ou moins grandes quantités de soufre colloïdal ainsi que les variations du rapport entre les ions ferreux et les ions ferriques qu'elles contiennent. Ces couleurs changent avec le temps et, périodiquement, l'un des lacs est expulsé par une éruption qui, même modeste, est toujours dangereuse. En effet, l'eau du lac se répand alors en coulées boueuses qui mettent en péril les villages établis au pied du volcan.

Chacun des trois lacs du Kelimutu porte un nom qui évoque les âmes des morts. La raideur des parois des cratères, qui d'ailleurs rend fort hasardeux, voire impossible, l'accès aux berges de ces lacs, témoigne de la violence des explosions formidables qui ont présidé à leur naissance. La végétation est rare, le terrain accidenté ; le caractère sinistre des lieux est rehaussé par les nuages bas qui coiffent presque en permanence les reliefs de l'archipel indonésien. Au sommet du Kelimutu, l'eau du ciel et le feu souterrain se rencontrent, composant l'un des plus austères et des plus insolites paysages volcaniques qui soient. ■

L'eau des cratères

Toute dépression superficielle de la croûte terrestre est susceptible de recueillir l'eau de pluie, et donc d'être occupée par un lac. Encore faut-il qu'il pleuve, et que le fond de la dépression soit suffisamment étanche pour que les éventuelles infiltrations, auxquelles s'ajoute l'évaporation en surface, puissent être compensées par les apports d'eau de pluie et de ruissellement.

Lorsqu'un volcan est en sommeil ou éteint, la forme de son cratère est très propice au recueil de l'eau. De plus, ces spectaculaires accidents orographiques que constituent les volcans sont généralement bien arrosés, surtout en région tropicale. Pourtant, rares sont les cratères volcaniques remplis par un lac : bien qu'ils présentent la forme idéale, ils sont beaucoup trop fissurés, et donc perméables, pour retenir la moindre goutte d'eau.

Si, toutefois, le magma sous-jacent dissipe beaucoup de chaleur entre les épisodes éruptifs, la circulation des fluides hydrothermaux dans le cône volcanique dépose assez de minéraux dans les fissures pour qu'elles se colmatent peu à peu. Ces mêmes fluides altèrent les roches des parois et du fond du cratère, et les transforment en argile très imperméable. L'eau de pluie, à laquelle se mélange vite l'eau de condensation des fumerolles, peut dès lors s'accumuler : un lac volcanique est né.

Il en est de même lorsqu'une éruption volcanique perfore des terrains imbibés d'eau. Il n'y a pas formation de cône, mais ouverture d'un véritable puits qui met au jour la nappe phréatique. L'eau et le cratère — ou *maar* — sont alors congénitaux.

Il arrive qu'un lac s'installe dans un cratère dès la fin d'une éruption pour subsister jusqu'aux derniers instants précédant le déclenchement de l'éruption volcanique suivante. Le niveau de l'eau, sa température et sa composition chimique sont alors des indicateurs irremplaçables pour les spécialistes souhaitant prévoir le réveil du volcan qui héberge ce lac dans son cratère.

Le lac de cratère du volcan néo-zélandais Ruapehu est enchâssé dans un écrin de glace et de neiges éternelles. En cas d'éruption majeure, toutefois, l'eau du lac, mêlée à l'eau de fonte, aux cendres et aux roches volcaniques, dévalera — en détruisant tout sur son passage — les pentes de ce grand volcan, qui culmine à 2 497 m. ▷

Au détour du sentier conduisant à son sommet, on découvre simultanément deux des trois cratères groupés qui couronnent, à 1 400 m d'altitude, le volcan actif Kelimutu, dans l'île indonésienne de Flores. Chacun de ces cratères contient un lac dont la couleur particulière traduit un régime différent de l'activité volcanique sous-jacente. ▽

Feu d'artifice sur le lac Ashi.

Un lac flamboyant

Au Japon, le lac Ashi, ou «lac des roseaux», occupe, à 723 m d'altitude, une bonne partie du cratère d'un volcan en sommeil qui a donné son nom à une région touristique : l'Hakone. Ses 690 ha d'eau calme et poissonneuse font la joie des baigneurs, des amateurs de bateau et des pêcheurs. Sur l'une de ses berges, le sanctuaire shintoïste d'Hakone, fondé au VIIIe siècle par le prêtre Mangan, attire de nombreux visiteurs. Tous les ans, le 31 juillet, a lieu une cérémonie au cours de laquelle on remet des offrandes au dragon, dieu du lac. À la tombée de la nuit, le site s'embrase : les eaux ne réfléchissent plus comme dans la journée la silhouette majestueuse du mont Fuji, mais étincellent sous les feux d'artifice et la lumière magique de milliers de lanternes flottantes.

Caprices prévisibles d'un lac sur le Ruapehu

Le massif du Ruapehu, le plus imposant des volcans néo-zélandais, est actif depuis plusieurs centaines de milliers d'années. L'érosion causée par les glaciers qui le coiffent, mais dont la présence est sans cesse remise en question par la chaleur souterraine, a profondément altéré la pureté initiale de ses formes. Quel contraste avec le cône presque parfait du Ngauruhoe voisin, qui, malgré ses 2 500 ans d'âge seulement, atteint déjà 2 300 m d'altitude. Le Ruapehu et le Ngauruhoe constituent, avec les sources chaudes de Ketetahi, les principales attractions du parc national de Tongariro, qui protège depuis un siècle quelques-uns des plus beaux paysages volcaniques du monde.

Les Néo-Zélandais, qui ont installé depuis 1919 des stations de sports d'hiver sur les pentes du Ruapehu, savent bien que ce n'est qu'avec le consentement du volcan que les skieurs peuvent s'adonner aux joies de la descente. Périodiquement, en effet, le lac qui remplit le cratère du Ruapehu est expulsé par des éruptions plus ou moins violentes. Ses eaux, mêlées à l'eau de fonte des glaciers, dévalent le fond des vallées en torrents de boue dévastateurs. C'est sous les coups de boutoir de pareilles laves torrentielles — ou lahars, pour utiliser le terme javanais consacré — que le pont qui enjambe la rivière Wangaehu fut emporté juste avant le passage de l'express Wellington-Auckland. C'était la veille de Noël 1953 ; la catastrophe fit 151 victimes.

De nos jours, la surveillance du Ruapehu s'est considérablement accrue. Les variations de niveau, de température et de composition chimique du lac renseignent sur l'activité du volcan. L'alerte devrait désormais être donnée avant que le lac ne sorte de son cratère, mettant en péril les skieurs et les visiteurs du parc national. ■

DES EAUX PAS COMME LES AUTRES

Sources thermominérales et dépôts minéraux

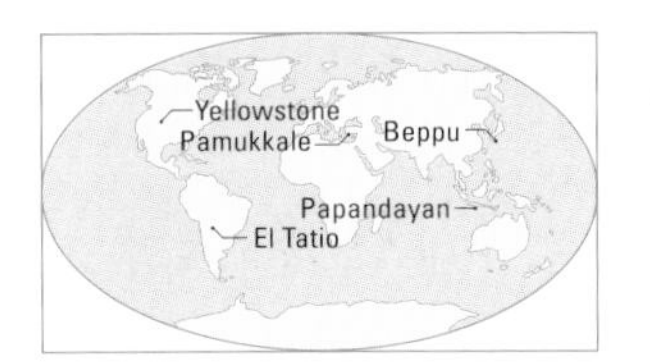

Le touriste qui lance une pièce de monnaie dans le bassin d'une source, surtout si elle est thermale, reproduit inconsciemment l'offrande que ses ancêtres celtes, grecs, chinois ou apaches faisaient à la divinité protectrice de la source. Les sources thermales sont toujours apparues comme des phénomènes mystérieux, magiques, aux propriétés curatives. Au contraire des sources normales, elles sont plus ou moins chaudes et se révèlent insensibles aux variations climatiques saisonnières et séculaires.

Sources chaudes à Beppu

La vieille ville de Beppu, à une heure de vol de Tōkyō, possède à elle seule plus de 3 000 sources chaudes. C'est le grand centre de thermalisme du Japon, où 12 millions de curistes sont accueillis chaque année. La production naturelle d'eau à plus de 37 °C classe ces sources thermales parmi les plus importantes du monde : 80 000 m³ par jour, soit près de 1 000 l par seconde. Les cures thermales sont orientées vers les bains chauds, lorsque la température le permet, car elle approche souvent 100 °C ! La publicité affirme que les bains favoriseraient l'activité hormonale. Malgré leurs bienfaits, ces sources sont considérées comme une manifestation de l'enfer : toutes sont appelées *jigoku*, qui signifie enfer en japonais.

La richesse du Japon en sources thermominérales n'a d'égal que l'abondance des volcans actifs et la fréquence des tremblements de terre. Ces trois phénomènes caractérisent la ceinture de feu du Pacifique. En effet, cet océan est entouré de l'Alaska jusqu'à la Terre de Feu, à l'est, et du Kamtchatka jusqu'en Indonésie, à l'ouest, par des chaînes de montagnes en formation, dans lesquelles volcans et séismes sont très fréquents.

Au Japon, la plaque du Pacifique s'enfonce sous la plaque de l'Asie, en provoquant un enfouissement très profond des roches, responsable d'une activité volcanique remarquable. De ce fait, les eaux souterraines sont efficacement réchauffées. Leur haute température et les gaz dissous abondants les rendent plus légères, ce qui favorise leur remontée rapide.

Les eaux thermominérales révèlent l'importance des énergies qui interviennent dans les déplacements des plaques, à la surface du globe. ■

Parmi toutes les sources thermales de Beppu, au nord-est de l'île de Kyūshū (Japon), le célèbre étang du Diable tient son nom et sa réputation de sa température proche de 100 °C, de sa couleur rouge, due à l'abondance de fer, et aussi des odeurs nauséabondes de gaz riches en soufre qui s'en dégagent. Il ne permet évidemment pas la baignade, mais attire de très nombreux spectateurs.
▽

Les cascades de Pamukkale

Pamukkale, en turc, signifie « château de coton ». Quand le voyageur remonte la vallée du Kara Menderes, dans le sud-ouest de la Turquie, il croit en effet qu'une forteresse blanche domine ce fleuve de plus de 100 m. Mais, de plus près, les tours et les murailles deviennent de larges bassins se déversant en cascades les uns dans les autres. Tout en haut de ces « murailles », les ruines antiques d'un temple et des constructions modernes émergent d'un plateau formé d'une roche légère appelée travertin.

En profondeur, les eaux souterraines se sont enrichies en gaz carbonique et en calcaire, qu'elles ont dissous. Dès leur sortie, les eaux perdent une grande partie de ce calcaire qui, depuis des millénaires, se dépose et recouvre progressivement tout ce qui est en contact avec l'eau. C'est ainsi que toutes sortes de débris végétaux et parfois de petits animaux sont fossilisés. Ce travertin, facile à travailler, a fourni un matériau de choix pour les constructions dans l'Antiquité et au Moyen Âge.

L'eau qui court sur le plateau puis dévale la pente de vasque en vasque est chaude; avec près de 40 °C, elle constitue des piscines naturelles qui accueillent curistes et touristes. Le site était déjà célèbre dans l'Antiquité; c'était la ville sainte Hiérapolis, liée à sa voisine Éphèse. Les thermes et les temples attiraient ici la haute société d'Éphèse, port actif et capitale commerciale et bancaire de l'Asie Mineure. Dans la mythologie grecque et romaine, c'était là que se trouvait l'une des portes du royaume d'Hadès, régnant sur les Enfers, séjour des âmes des morts. Les émanations abondantes de gaz carbonique, responsables de ces dépôts de calcaire, ont évidemment contribué à cette croyance. Mais les tremblements de terre, meurtriers et fréquents, en sont aussi la cause. Ainsi, en l'an 17, Hiérapolis et Éphèse furent totalement détruites par un puissant séisme. Cette activité reste malheureusement d'actualité... ■

Les eaux thermales de Pamukkale, près de Denizli (Turquie), déposent le calcaire qu'elles contiennent sous forme de travertin. Elles construisent ainsi des barrages qui les retiennent dans des piscines naturelles. Ces bassins sont progressivement comblés par les dépôts calcaires, qui enrobent tout. L'eau finit par couler ailleurs : le travertin est alors colonisé par la végétation et perd sa blancheur. ▽

La cuisson des aliments dans les sources thermales

Une utilisation originale des eaux de Beppu.

Il est tentant d'utiliser la chaleur naturelle et gratuite des sources thermales, surtout si l'eau est trop chaude ou trop nauséabonde pour alimenter des bains. Des blanchisseurs ont parfois tenté de faire leur lessive dans ces marmites de l'enfer, mais la cuisson des aliments est un usage plus fréquent. Cette coutume est peut-être un souvenir de temps immémoriaux où, pour s'attirer les faveurs du dieu protecteur de la source, un mouton ou un poulet était jeté en offrande... et ressortait tout cuit.

À Beppu, au Japon, les œufs sont plongés dans l'eau presque bouillante; leur cuisson donne lieu à un spectacle d'autant plus remarquable que les aliments sont alors parés de toutes les propriétés curatives des eaux et des vapeurs qu'elles émettent.

Des eaux minéralisées

Les eaux souterraines circulent dans des roches aquifères (sables, grès, calcaires, roches volcaniques fissurées). En fonction de la géologie, elles s'enfoncent parfois à quelques milliers de mètres, en se réchauffant de 3 °C par 100 m en moyenne. Lorsqu'elles remontent très rapidement, elles émergent chaudes à la source : leur température à la source dépend de la profondeur d'origine et de la vitesse de remontée.

En région volcanique, la présence de magma à faible profondeur augmente considérablement le degré géothermique : les eaux thermales sont alors plus fréquentes.

Les eaux chaudes dissolvent plus vite et en plus grande quantité les sels minéraux. C'est pourquoi, en général, les eaux thermales sont aussi minéralisées : ce sont les eaux thermominérales. En outre, elles sont souvent enrichies en gaz produits en profondeur.

Dès leur sortie, les eaux se refroidissent et perdent leurs gaz dissous. De ce fait, une partie des sels minéraux dissous se dépose autour de la source en formant des concrétions parfois spectaculaires.

L'attrait des villes thermales ne date pas d'hier ! En témoigne la légende de Tbilissi, capitale de la Géorgie.
Un jour, Vakhtang Gorgassali, roi d'Ibérie, traquait une biche (ou un faisan) et blessa sa proie. Alors qu'il perdait son sang, l'animal tomba dans une source chaude et fut cuit sur-le-champ. Selon une autre version, les eaux le guérirent instantanément, et il put échapper au chasseur. Le roi, stupéfait, comprit le parti qu'il pouvait tirer du site et de ses eaux exceptionnelles. Il décida d'y établir sa capitale.
Réputée pour ses sources d'eaux chaudes sulfureuses, Tbilissi leur doit son nom : *tbili* signifie chaud en géorgien. Dès l'époque tsariste, la ville comptait parmi les stations thermales les plus en vogue. Poètes, artistes, hommes du monde affectionnaient cette cité orientale et ses bains, que Pouchkine tenait pour les plus beaux de l'Orient. Une séance complète aux bains consistait en plusieurs douches, massages et raclages avec des morceaux de tapis. Des chiropracteurs offraient également leurs services : ils faisaient craquer les vertèbres du patient et dansaient sur son dos. Mais les bains n'étaient pas uniquement réservés aux soins corporels. Ils étaient un lieu de rencontre. Les entremetteuses se faisaient fort d'y présenter en catimini aux prétendants les candidates au mariage dans le plus simple appareil...

Tbilissi est réputée depuis des siècles pour ses bains.

Circulation hydrothermale

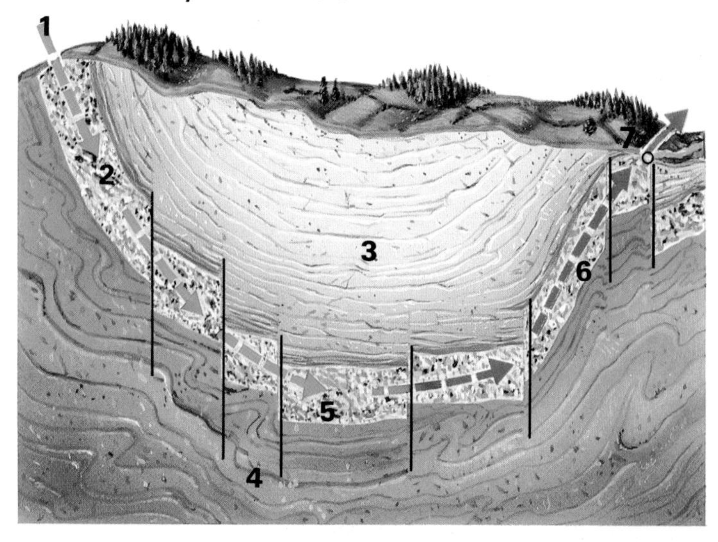

1. – Infiltration dans un terrain perméable
2. – Terrain perméable contenant de l'eau : aquifère
3. – Terrains imperméables au-dessus de l'aquifère
4. – Terrains imperméables sous-jacents
5. – Circulation de l'eau dans l'aquifère
6. – Remontée rapide de l'eau chaude
7. – Source thermale

◁ *Infiltrées dans des terrains perméables (l'aquifère), les eaux thermominérales descendent à grande profondeur en se réchauffant en moyenne de 3 °C tous les 100 m sous l'effet du degré géothermique. Pour conserver jusqu'à la surface leur température élevée et tous leurs sels dissous, ces eaux doivent remonter très rapidement dans une partie verticale et très perméable de l'aquifère.*

△
Dans le parc ae Yellowstone (Wyoming), l'eau souterraine, chargée de gaz carbonique et de calcaire dissous, émerge et ruisselle en cascades sur les pentes de la montagne. L'agitation de l'eau favorise le départ du gaz carbonique; le calcaire dissous se dépose rapidement en masses blanchâtres ou grises qui, de loin, donnent l'illusion de dos d'éléphants ou de mammouths.

△
Les fumerolles du volcan Papandayan, à Java (Indonésie), déversent dans l'atmosphère de l'hydrogène sulfuré, un gaz malodorant. Ce terrible poison réagit très vite avec l'oxygène de l'air pour se transformer en panaches blancs de vapeur d'eau et en dépôts jaunes ou orangés de soufre pur, parfois exploité de manière artisanale.

Les formes arrondies de Mammoth Hot Springs

Au début du XIXe siècle, les premiers explorateurs qui atteignirent la région de Yellowstone, dans l'État du Wyoming, rapportèrent que les Indiens évitaient cette contrée. Ils prétendaient en effet que les grondements semblables à ceux du tonnerre et les tremblements de terre incessants, qui empêchaient leurs enfants de dormir, étaient provoqués par des esprits qui n'appréciaient pas le voisinage de l'homme. Et pourtant, quarante ans plus tard, les Indiens Shoshones et Bannocks y firent des incursions de plus en plus fréquentes pour chasser le bison, qui leur offrait nourriture et monnaie d'échange avec les Blancs. La conquête de l'Ouest s'était déjà fait sentir en réduisant considérablement les immenses troupeaux de bisons qui parcouraient auparavant les prairies.

Pendant plus de soixante ans, la région ne fut sillonnée que par des Indiens chasseurs, des trappeurs faisant le commerce des peaux et des chercheurs d'or se ruant vers l'Idaho et le Montana. Mais, en 1869, une petite équipe entreprit une exploration systématique de Yellowstone. Elle en dressa la carte et inventoria toutes les merveilles qu'avaient laissé soupçonner les récits des pionniers. Les sources chaudes, les geysers et leurs constructions minérales, les lacs aux eaux cristallines, les canyons et les chutes d'eau les convainquirent de l'absolue nécessité de tout mettre en œuvre pour protéger ces paysages nés de la rencontre d'eaux souterraines et de magma volcanique. C'est ainsi qu'en 1872 naquit le premier parc national du monde. Le jeune parc national connut aussitôt la violence des guerres indiennes. L'armée fédérale installa ses quartiers au fort Yellowstone. Là, des sources chaudes avaient construit, au fil du temps, une énorme masse de travertin, dépôt calcaire caverneux et léger commun à toutes les eaux carbonatées riches en gaz carbonique. Fait de grosses masses arrondies et grisâtres, le travertin évoquait des croupes d'éléphants, ou plutôt de leurs ancêtres préhistoriques, les mammouths, tout juste découverts et populaires au point qu'on nomma ce lieu Mammoth Hot Springs, « les sources chaudes du mammouth ».

L'ensemble des vasques, aux noms tirés de la mythologie, est alimenté par un débit constant de près de 3 000 m^3 par jour. À proximité de ces sources en activité, il existe plusieurs massifs de travertin que la végétation commence à coloniser : l'eau les a abandonnés. En effet, les dépôts de travertin se produisent souvent à l'intérieur même des fissures qui conduisent l'eau à la surface; lorsque les fissures sont colmatées, les sources se tarissent ou se déplacent. ■

Dépôt de soufre sur le dôme du Papandayan

Situé dans l'ouest de Java, en Indonésie, le volcan Papandayan, sans être parmi les plus dévastateurs, fait partie des très nombreux volcans de l'île. Java appartient en effet à l'archipel des îles de la Sonde, constitué d'une succession de volcans sur plus de 4 000 km, et l'Indonésie elle-même connaît la plus forte densité de volcans au monde.

L'activité des volcans ne se manifeste pas seulement par des éruptions catastrophiques et par des coulées de lave. Des gaz sont expulsés en permanence par les fissures ouvertes des volcans. Ces «sources» de gaz sont appelées fumerolles. Dans cette région, les laves et les gaz volcaniques sont très riches en soufre, comme on le voit sur le dôme du Papandayan. Certains spécialistes pensent que ce soufre proviendrait du noyau terrestre, à 2 500 km de profondeur, où il est abondant.

Les gaz, riches en hydrogène sulfuré ou en anhydride sulfureux à l'odeur fétide, réagissent avec l'air pour produire de la vapeur d'eau et du soufre, qui se dépose autour des fumerolles. Ces gisements sont appelés solfatares, d'un mot italien signifiant «mine de soufre»; aux Antilles, le mot français soufrière désigne certains volcans particulièrement riches en soufre.

À Java, parfois, les solfatares ont cédé la place à un magnifique lac vert — comme le Kawah Idjen, le «cratère vert» —, contenant des centaines de milliers de mètres cubes d'acide sulfurique, d'acide chlorhydrique et de sulfate de fer : un lac de vitriol! Ces dépôts de soufre, bien plus importants que sur le Papandayan, y sont exploités artisanalement dans des conditions éprouvantes : l'hydrogène sulfuré est un gaz hautement toxique. Mais ces mines inépuisables, où le minerai extrait est sans cesse renouvelé, assurent aux ouvriers indonésiens un revenu intéressant. En effet, le soufre est utilisé pour blanchir le sucre et, surtout, pour vulcaniser le caoutchouc : c'est ainsi que Vulcain, dieu des volcans, contribue à rendre le caoutchouc des pneumatiques résistant au chaud et au froid. ■

Les terrasses de geysérite d'El Tatio

Le plateau d'El Tatio, à l'est du désert d'Atacama, dans le nord du Chili, renferme le plus grand groupe de geysers des Andes. C'est aussi la plus haute région de geysers du monde (4 300 m d'altitude). Dans cette partie du Chili, les volcans en activité sont nombreux. Ils marquent l'extrémité d'une longue chaîne qui, depuis l'Alaska, est secouée par les éruptions et les tremblements de terre. Ici, l'affrontement de la plaque du Pacifique avec celle d'Amérique du Sud a donné naissance à une cordillère, animée par des séismes, des volcans et une spectaculaire activité hydrothermale, comme en témoignent les geysers d'El Tatio.

Sous la pression des gaz et de la vapeur d'eau, l'eau souterraine est expulsée brutalement en jets spectaculaires. Sa dispersion et son refroidissement provoquent immédiatement le dépôt des sels minéraux dissous contenus dans l'eau thermale. À El Tatio, les roches qui ont été au contact des eaux chaudes étaient uniquement des roches siliceuses, et non des calcaires comme à Pamukkale. L'eau, chargée en silice, construit des dépôts minéraux blancs et légers, formés d'une variété hydrothermale de silice riche en eau, l'opale. La geysérite, nom donné à cette roche, est un support très apprécié des algues et des colonies de bactéries, dont le développement est favorisé par la température. Leurs teintes vives placent l'environnement des geysers et des bassins d'eau chaude dans un monde féerique. ■

△
Dans la cordillère d'Antofagasta, non loin du gigantesque gisement de cuivre de Chuquicamata, dans le nord du Chili, les 40 geysers d'El Tatio bouillonnent depuis des dizaines de milliers d'années. Leur jaillissement favorise le refroidissement des eaux thermominérales; celles-ci déposent la silice dissoute en construisant de petits barrages et forment des terrasses de geysérite où se développent algues et bactéries colorées par les sels métalliques.

Thermalisme en Hongrie

Dès la haute antiquité, les sources thermales ont été utilisées médicalement; c'est à cette époque qu'est née en Égypte la légende de la fontaine de Jouvence. Le rôle curatif des eaux thermominérales a toujours et partout été admis : les malades constataient par eux-mêmes de nombreuses guérisons ou croyaient aveuglément au pouvoir du dieu animant la source.
Les bains sont l'usage le plus populaire de ces eaux. Ainsi, à Budapest, des bains furent construits au Ier siècle de notre ère pour remettre en forme les légions romaines de Pannonie. Actuellement, les bains Széchenyi, qui ont succédé à des bains turcs, sont l'un des plus grands établissements thermaux d'Europe, où diverses affections sont soignées dans les nombreux bassins.

Les bains Széchenyi, à Budapest.

JEUX D'EAU

Les geysers

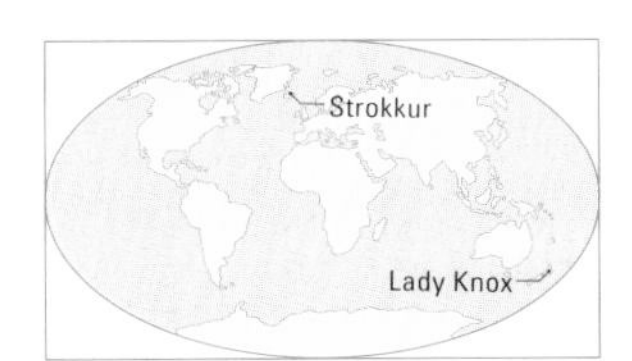

Les geysers ont un comportement fantasque. Ceci en témoigne : en 1880, un émigré chinois, cherchant à tirer profit des eaux chaudes des geysers de Yellowstone, aux États-Unis, installa sa blanchisserie au bord d'une magnifique vasque. Sa première lessive anéantit son commerce naissant et fit de lui l'un des premiers expérimentateurs en matière d'eaux souterraines. Le savon dont il se servait venait de déclencher le mécanisme d'un geyser assoupi, en abaissant la température d'ébullition de l'eau.

Geysers d'Islande

Placée à l'extrémité de la ride médio-atlantique — cette chaîne de volcans sous-marins longue de 20 000 km, à mi-distance de l'Europe et de l'Amérique —, l'Islande est une véritable terre de feu. Il y règne une activité volcanique incessante, alimentant une multitude de sources thermominérales. Contrairement à la plupart des autres peuples, les Islandais ne désignent pas les geysers, les séismes et les éruptions comme des manifestations de l'enfer. Par exemple, deux célèbres geysers portent des noms amusants : Strokkur (la Baratte), que nous voyons ici, et Smidur (le Cuisinier). Tous ces phénomènes font en effet partie de leur vie quotidienne, que le climat sévère rend rude. Ils ont su depuis longtemps domestiquer ces énergies.

Dès le XIVe siècle, les eaux thermales ont alimenté saunas et chauffage domestique. En 1930, des forages, profonds de plus de 3 000 m pour certains, furent réalisés pour capter la vapeur. Le pays dispose ainsi d'une énergie renouvelable, assurant le chauffage collectif et celui de dizaines d'hectares de serres pour la production de fruits et de légumes. La longue expérience acquise en matière de géothermie donne à l'Islande une confortable position mondiale d'assistance technique, même auprès des pays les plus industrialisés.

Phénomènes rares et capricieux, les geysers sont toujours des spectacles grandioses. Certains d'entre eux projettent eau et vapeur à près de 100 m de hauteur. La régularité de leurs éruptions est parfois bien adaptée aux visites des touristes : quelques minutes de jaillissement toutes les heures. Mais, souvent, leur fonctionnement est plus rare ou imprévisible. Alors, lorsque le geyser est somnolent et se fait attendre, certains guides islandais jettent quelques pains de savon pour déclencher son jaillissement, devant des spectateurs émerveillés. ■

Des « jaillisseurs » capricieux

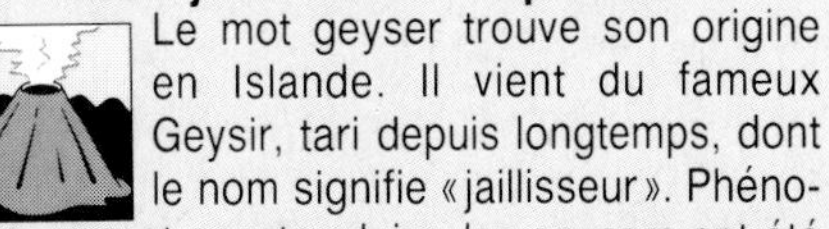

Le mot geyser trouve son origine en Islande. Il vient du fameux Geysir, tari depuis longtemps, dont le nom signifie « jaillisseur ». Phénomène rare et spectaculaire, les geysers ont été étudiés en détail depuis le XIXe siècle. La température de l'eau souterraine atteint en profondeur de 120 à 130 °C, sans bouillir, car la pression est très élevée. Mais la moindre perturbation provoque l'ébullition, suivie de l'expulsion de la colonne d'eau hors de son conduit. En général, cela se produit sous l'effet du mélange avec une eau plus froide à proximité de la surface ; mais l'apport d'un peu de savon ou la remontée de bulles de gaz sont tout aussi efficaces.

Pour qu'un geyser existe, des conditions strictes sont nécessaires : eaux à température très élevée, gaz abondants et eaux plus froides. C'est pourquoi les geysers ne sont connus que dans quelques champs hydrothermaux de régions volcaniques, en Islande et aux États-Unis, mais aussi au Chili, en Nouvelle-Zélande, au Japon, en Éthiopie et au Kamtchatka.

Près de Reykjavik, en Islande, le champ thermal d'Haukadalur possède un grand nombre de sources thermominérales et de geysers. Au siècle dernier, le célèbre Geysir projetait eau bouillante et vapeur pendant dix minutes à 60 m de haut; il a laissé la place à Strokkur, la Baratte. La mare d'eau chaude bouillonne, avant le jaillissement de la vapeur et de l'eau pulvérisée. ▷

Le geyser de Lady Knox

Au siècle dernier, les phénomènes geysériens étaient beaucoup plus intenses en Nouvelle-Zélande qu'en Islande. Du volcan de Tongariro, entre Rotorua et Wellington, à l'île White, dans la baie de Plenty, une ligne de fracture, longue de 250 km, traverse l'île du Nord : elle est jalonnée par des geysers, des «jets de chaleur» (puissantes projections de gaz et de vapeur), des sources chaudes, des solfatares et des volcans de boue. Rien que dans la vallée de Waikato, 76 geysers projetaient régulièrement leur eau bouillante. Les torrents chauds se précipitaient en cascades dans un lac, au milieu des dépôts de geysérite. En 1886, une violente explosion volcanique détruisit totalement ce paysage merveilleux.

Dans la région volcanique proche de la réserve de Waiotapu se trouve le geyser de Lady Knox, baptisé ainsi en 1904 du nom de la fille du gouverneur général de Nouvelle-Zélande. Le jaillissement de ce geyser fut déclenché artificiellement et par hasard. Au début, ce n'était qu'un simple bassin d'eau bouillonnante, jusqu'au jour où les occupants de la ferme-prison voisine vinrent y laver leur linge. Ils eurent la surprise de voir un geyser se former au contact de leur savon. Pour le rendre plus spectaculaire, le gardien-chef de la prison fabriqua un conduit en fonte qui canalisa le jet et en augmenta par là même la hauteur. Il camoufla ensuite son dispositif sous des blocs de pierre ponce. Ceux-ci ont été peu à peu recouverts de silice, et l'aspect du geyser est aujourd'hui tout à fait naturel.

Sur le plateau Central de l'île du Nord, toutes les conditions sont donc réunies pour que des geysers s'expriment : volcanisme, eaux souterraines et fracturation des roches. Perdue aux antipodes de l'Europe, entre l'océan Pacifique et l'Australie, la Nouvelle-Zélande est l'un des jalons qui ceinturent la plaque pacifique et son enfoncement sous les plaques continentale et océanique voisines. Sur les 600 volcans actifs de la Terre, 300 sont répertoriés autour du Pacifique, dont 5 dans l'île du Nord. ■

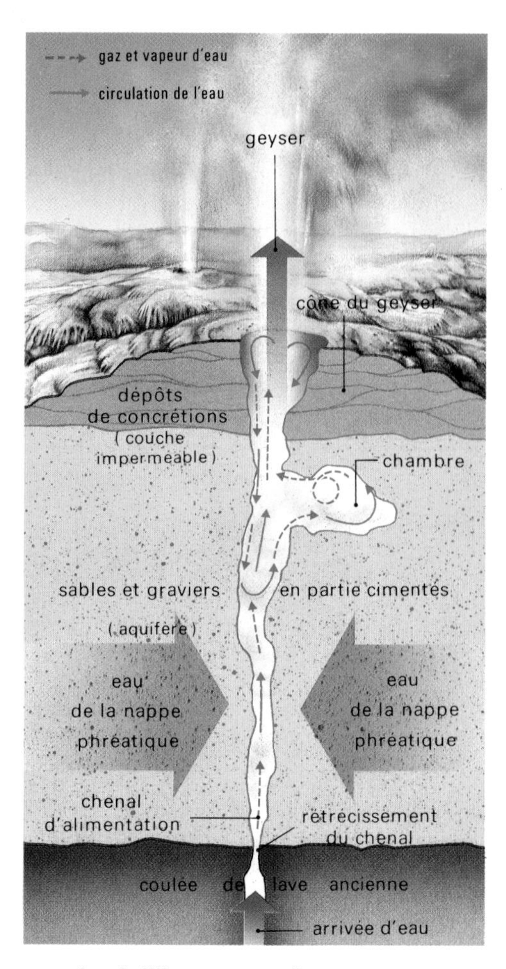

Le jaillissement d'un geyser

△

L'eau souterraine très chaude remonte le long d'une fracture dans une ancienne coulée de lave. À la faveur d'une cavité et de l'arrivée d'eau plus froide, des gaz et de la vapeur d'eau bloquent l'ascension de l'eau. Celle-ci entre alors en ébullition, et la pression s'accroît au point d'expulser eau et gaz en donnant naissance au geyser.

Le plus haut geyser de tous les temps fut le Waimangu (littéralement «les eaux noires» en maori), en Nouvelle-Zélande. Il se forma subitement en janvier 1900 dans un cratère d'explosion, et se mit à expulser régulièrement eau, gaz et vapeur à 500 m de hauteur — un record absolu! Le Waimangu crachait en moyenne 800 t toutes les trente heures. Il cessa brusquement de fonctionner à la fin de l'année 1904.

◁ *Sur le plateau Central de l'île du Nord, en Nouvelle-Zélande, le geyser de Lady Knox est, comme tous les geysers, un dispositif fragile qui peut s'autodétruire. Lady Knox dépose de la geysérite autour de l'évent en formant une cheminée ; lorsqu'elle sera assez haute, la forte pression sur la colonne d'eau empêchera le jaillissement. Alors, comme ses voisins, ce geyser tarira.*

DANS LA CHALEUR DE LA TERRE

Les champs géothermiques

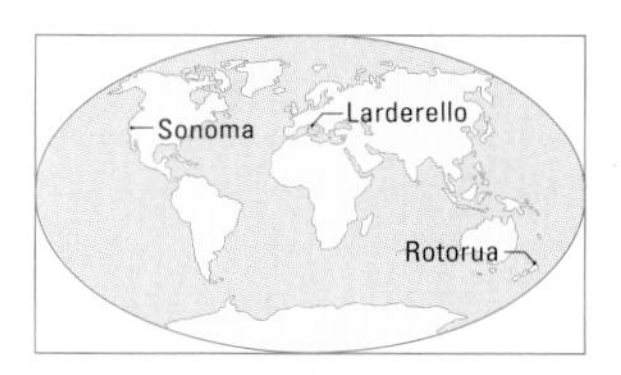

Les volcans, les tremblements de terre, la surrection des montagnes et la dérive des continents témoignent de l'activité interne de notre planète. La géothermie en constitue une manifestation plus discrète, mais trouve, elle aussi, son origine dans la chaleur souterraine. Les régions du globe qui présentent un flux de chaleur anormal, cible potentielle d'une exploitation industrielle de l'énergie géothermique, sont en général aussi les plus exposées aux secousses telluriques et aux éruptions volcaniques.

△
Les gaz fumerolliens se fraient avec difficulté un passage dans la boue argileuse noirâtre résultant de la décomposition des roches volcaniques, comme ici, à Rotorua (Nouvelle-Zélande). De telles manifestations hydrothermales, fréquentes autour des volcans en sommeil, signalent un flux de chaleur anormal et, souvent, constituent l'indice superficiel d'un réservoir géothermique exploitable.

Quand la Terre fait des bulles à Rotorua

Des deux îles principales qui constituent la Nouvelle-Zélande, l'île du Nord est presque entièrement volcanique, ce qu'attestent de multiples manifestations hydrothermales et des éruptions parfois catastrophiques. C'est plus précisément sur la ligne volcanique qui va du Tarawera (près de Rotorua) au Ruapehu (au centre de l'île), tous deux volcans actifs, que se situe l'essentiel des ressources géothermiques néo-zélandaises. Celles-ci se manifestent en surface par de multiples sources chaudes, lacs bouillants et fumerolles. La région est célèbre pour avoir hébergé, durant quelques années au début de ce siècle, le plus puissant geyser du monde : le Waimangu propulsait en effet son jet d'eau jusqu'à 500 m de hauteur.

Les Maoris, premiers occupants de l'île, utilisaient l'eau chaude naturelle pour leurs besoins ménagers bien avant que l'on songe à une exploitation industrielle des ressources géothermiques. Cette exploitation a débuté en 1940 par le chauffage des bâtiments publics et de quelques habitations du village de Rotorua. Point n'était alors besoin d'aller chercher l'eau chaude à une grande profondeur, de nombreuses mares bouillonnantes étant à la température idéale de 100 °C. Les forages profonds sont apparus lorsque le développement industriel de la Nouvelle-Zélande ne pouvait plus se satisfaire de la seule hydroélectricité.

Les installations géothermiques de Wairakei et de Broadlands vont aujourd'hui chercher la vapeur jusqu'à plus de 1 km de profondeur. Les panaches qui sortent des séparateurs et des condenseurs s'ajoutent à ceux qui encapuchonnent depuis des millénaires les zones thermales de Ketetahi, Tauhara, Waiotapu et Kawerau, dont les innombrables marmites de boue semblent indifférentes aux prélèvements que l'homme opère dans le réservoir de chaleur souterrain. ■

La plus petite éruption volcanique eut lieu en 1977 en Islande. On vit jaillir en pleine nuit 1,20 m^3 de basalte en fusion d'un forage géothermique de Namafjall. C'est la seule émission de lave du monde qui ait eu lieu grâce à une cheminée creusée par l'homme.

Réservoirs d'eau à haute température

La chaleur souterraine est, pour une petite part, héritée de la formation même de la Terre, il y a 4,5 milliards d'années ; mais elle provient, pour l'essentiel, de la cristallisation du noyau terrestre et surtout de la désintégration de l'uranium et du potassium radioactif encore contenus à l'intérieur de notre planète. Le flux de chaleur venu des profondeurs ne représente en moyenne, à la surface de la Terre, que la millième partie du flux d'énergie qui nous vient du Soleil.

Ce flux géothermique global correspond tout de même à une puissance de 10 milliards de MW, puissance hélas trop diluée pour être directement utilisable par l'homme. En de rares endroits, cependant, la nature a concentré ce flux et, pour ainsi dire, aménagé le stockage de l'énergie calorifique dans de véritables réservoirs souterrains. Un champ géothermique (comme on dit champ pétrolifère) n'est autre que l'expression superficielle d'un tel réservoir d'eau chaude, souvent matérialisé par des fumerolles accompagnées de diverses manifestations hydrothermales plus courantes.

L'exploitation industrielle des réservoirs géothermiques fournit parfois des composés chimiques valorisables, mais surtout de l'eau chaude à bon marché et, bien sûr, dans les cas les plus favorables, de la vapeur que l'on peut transformer en électricité. En 1990, la puissance électrique d'origine géothermique installée dans le monde s'élevait à 10 000 MW.

D'impressionnantes vapeurs dans le ciel californien

À 150 km au nord de San Francisco, dans le comté californien de Sonoma, une région connue sous l'appellation quelque peu usurpée des Geysers n'offrait jusqu'en 1921 en matière de géothermie que de banales sources chaudes, agrémentées de fumerolles fort discrètes. Au siècle dernier, la région était connue tout autant pour ses ressources en mercure industriellement exploitables que pour son thermalisme, qui attirait déjà de nombreux curistes.

En 1921, le premier forage fut réalisé, dans l'espoir de trouver en profondeur un gisement de vapeur de qualité suffisante pour produire de l'électricité. Un réservoir aux caractéristiques prometteuses fut atteint dès 100 m de profondeur. Mais, faute d'une grande demande locale pour cette forme d'énergie nouvelle que constituait alors l'électricité, le champ géothermique des Geysers ne connut pas de développement en accord avec son potentiel avant la fin de la Seconde Guerre mondiale. Aujourd'hui, on a réalisé près de 200 forages — le plus long atteignant 3 000 m de profondeur, où la température approche de 250 °C. On est donc là très au-dessus du degré géothermique (mesure de l'élévation moyenne de température en fonction de la profondeur) normal, qui vaut environ 3 °C/100 m.

Avec 1 000 MW de puissance installée, les Geysers constituent le plus important champ géothermique du monde. Il préfigure les gisements géothermiques du futur, qui restent à découvrir en l'absence de toute manifestation thermale de surface. Un degré géothermique anormal associé à une forte instabilité de la lithosphère — qui se matérialise en Californie par la faille de San Andreas — représente bien sûr le critère déterminant de la prospection de ces réservoirs d'énergie géothermique. ■

Au-dessous de couches imperméables, une roche perméable emmagasine l'eau et la vapeur d'eau, dont la migration a été favorisée par la structure géologique du terrain. Ces conditions, propices à la formation d'un champ pétrolifère, favorisent la constitution d'un champ géothermique. Les techniques de forage sont d'ailleurs très voisines. Reste le flux de chaleur anormal, qui est une caractéristique propre aux seuls champs géothermiques.
▽

Tuyaux insolites sur le sol de Toscane

Quelque peu à l'écart du triangle enchanteur Pise-Sienne-Florence, mais non loin des vestiges étrusques et romains ou des splendeurs architecturales de la Renaissance italienne, la Toscane offre au visiteur incrédule un spectacle inattendu. Enchâssée dans des collines couronnées de rares pins, chênes ou cyprès, une vallée que l'on s'imaginerait vouée, comme ses voisines, à une activité agricole ancestrale abrite aujourd'hui l'une des plus importantes exploitations géothermiques du monde.

Et de surcroît certainement la plus ancienne, puisque les tout premiers kilo-

Champ géothermique

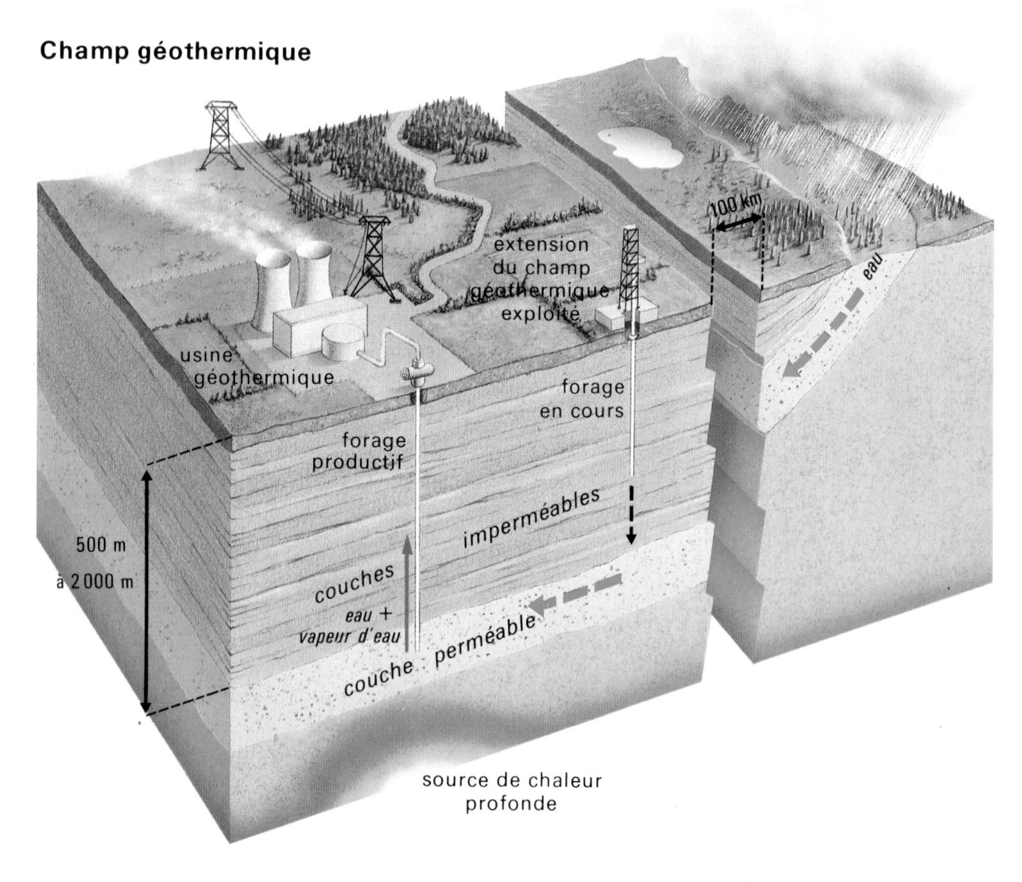

wattheures électriques y furent produits dès 1904, à l'aide d'une turbine rudimentaire utilisant la vapeur souterraine. Aujourd'hui, le champ géothermique de Larderello comporte plusieurs centaines de forages et offre une puissance installée de 650 MW. Des centaines de kilomètres de conduites, dont aucune n'est rectiligne afin de permettre les dilatations thermiques, acheminent le précieux fluide « endogène » — c'est-à-dire venu des profondeurs — jusqu'aux groupes turboalternateurs des centrales électriques pourtant installées le plus possible à proximité immédiate des forages.

De façon artisanale dès la fin du XVIIIe siècle, puis industriellement au siècle suivant, l'acide borique était extrait des *lagoni* de Toscane. Ces mares d'eau boueuse, bouillonnant sous l'effet des émanations gazeuses, ont aujourd'hui disparu tant est intensive l'exploitation de la vapeur, extraite à raison de plusieurs milliers de tonnes par heure sur l'ensemble du champ géothermique. Rares sont également les fumerolles — ou soffionis — qui subsistent, alors qu'elles avaient fait la renommée de la région dès l'époque romaine. La vapeur d'eau, accompagnée ou non de gaz délétères et nauséabonds, règne pourtant toujours sur le paysage : qu'elle provienne de fuites en tête de puits ou le long des conduites aériennes, des aérocondenseurs en aval des centrales électriques ou des derniers soffionis, cette vapeur témoigne des forces souterraines inlassablement à l'œuvre dans les profondeurs de la Terre. ■

◁ *Un entrelacs de tuyaux, telle est la caractéristique la plus visible d'un champ géothermique exploité. La partie la plus complexe de l'installation est invisible : il s'agit des multiples forages — plus de 600 ici, à Larderello, en Toscane (Italie) — allant chercher la vapeur souterraine jusqu'à 1 000 m de profondeur.*

◁ *La vapeur qui s'élève dans le ciel de Californie, au nord de San Francisco, est la preuve irréfutable de l'existence d'un flux de chaleur interne, particulièrement important dans cette région du globe également très exposée aux tremblements de terre. Mais la Californie sait très bien tirer parti de cette situation singulière : la puissance géothermoélectrique installée y approche 4 000 MW.*

Les bains de boue à Vulcano

Alors que les vertus thérapeutiques des eaux thermales restent controversées, le succès des bains chauds de Vulcano ne se dément pas depuis que les volcans qui les surplombent sont entrés en sommeil. Ce répit, qui dure depuis plus d'un siècle, autorise aujourd'hui les touristes fervents de balnéothérapie à se tremper dans les marigots nauséabonds de la plus méridionale des îles de l'archipel italien des Éoliennes.

La température de ces bains chauds naturels est au minimum de 50 °C, mais certains curistes supportent jusqu'à 70 °C. Argile ultrafine, émanations sulfureuses, pH acide et même radon — gaz radioactif —, le cocktail est complet pour, selon certains, combattre rhumatismes, maladies de peau et insuffisances respiratoires. Quoi qu'il en soit, l'expérience est inoubliable !

Des curistes prêts à tout.

LA SURVEILLANCE DES VOLCANS

Les méthodes de surveillance des volcans sont fondées sur l'étude des phénomènes accompagnant la montée du magma. Les pressions importantes qu'elle engendre entraînent des fissurations, donc des séismes, des déformations de l'édifice, donc des variations géométriques mesurables, et des variations du champ magnétique terrestre. Les gaz qui s'échappent du magma au cours de sa montée, plus mobiles, le précèdent à la surface. Enfin, la reconstitution de l'histoire éruptive d'un volcan permet de prévoir le déroulement des éruptions futures.

△
Lorsque la pression dans une chambre magmatique est suffisante pour fracturer le massif, les gaz entraînent le magma vers la surface. Le début d'une éruption au piton de la Fournaise est caractérisé par des fontaines de lave en action tout au long d'une fissure, des coulées et une forte émission de gaz. Rapidement, les fontaines cessent et l'éruption se fixe en un point. Un cône se construit pendant qu'une coulée continue de s'épancher.

Les éruptions volcaniques sont en général précédées et accompagnées de séismes. Ces signaux précurseurs sont détectés d'une semaine à un mois avant une éruption pour des volcans dont l'activité est fréquente, de plusieurs mois à un an pour ceux dont les éruptions sont séparées par des dizaines d'années ou des siècles.

Un réseau de surveillance comporte un nombre de stations sismiques variable selon la forme et la taille des volcans. Grâce aux signaux détectés par ces stations, on enregistre l'évolution de l'activité sismique et on peut suivre le déplacement des foyers successifs. Dans les observatoires modernes, cela est réalisé en temps réel, de sorte que l'alerte peut être donnée si la crise devient importante et se rapproche de la surface.

D'autre part, l'augmentation de la pression dans la chambre magmatique entraîne un gonflement de l'édifice volcanique, accompagné de fissurations avant et pendant l'éruption, et enregistré par un réseau d'inclinomètres. L'analyse de la direction et de l'intensité

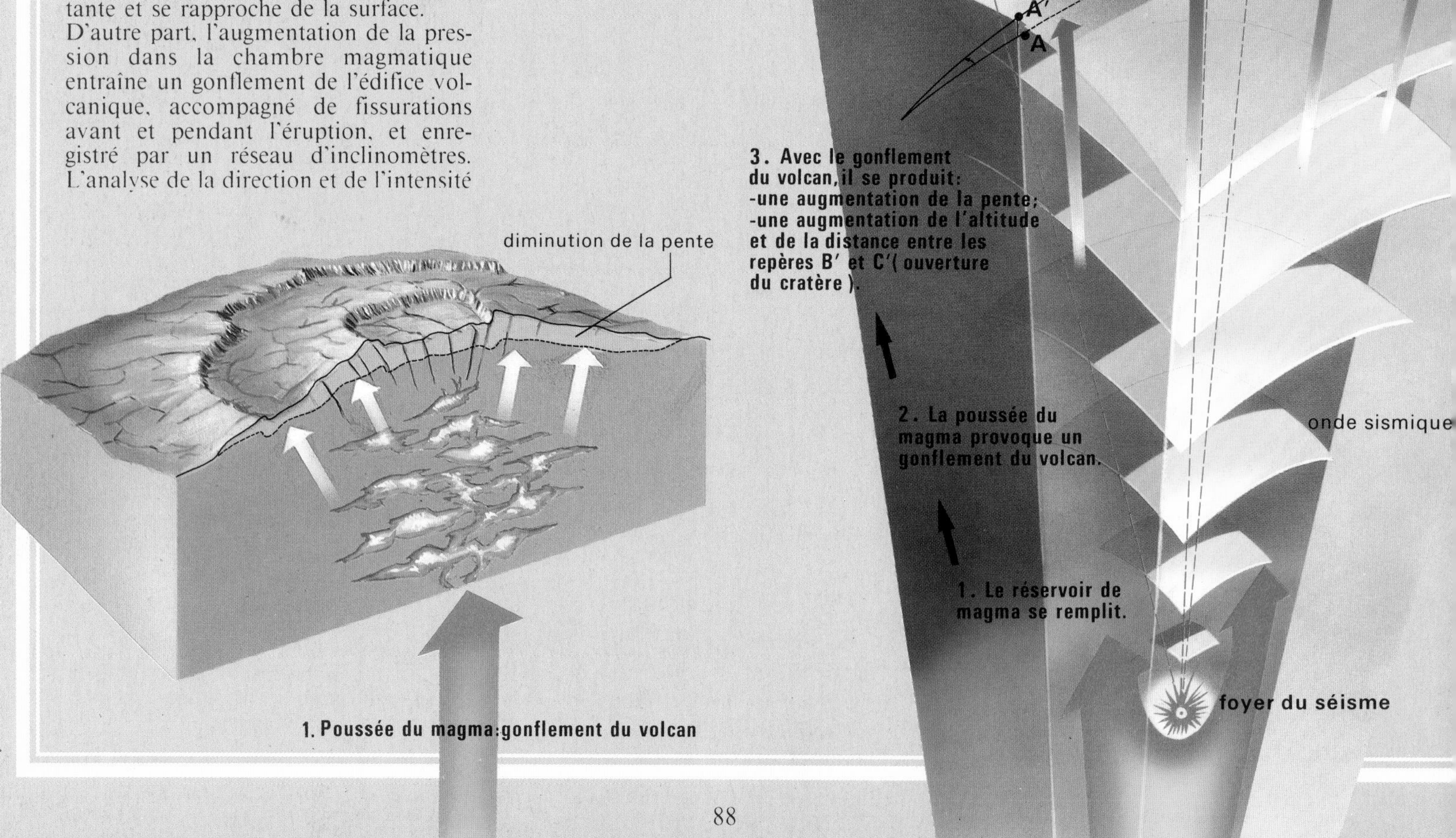

Prélèvement de gaz magmatique dans une fumerolle à 940 °C sur le volcan Poas (Costa Rica).

Le réseau de surveillance d'un volcan comprend un certain nombre de stations : sismiques, inclinométriques, magnétiques, géochimiques.

— Stations sismiques avec sismomètre mesurant les déplacements du sol produits par les ondes sismiques.

— Stations inclinométriques comportant deux inclinomètres, soudés à la roche et disposés perpendiculairement : un radial et un tangentiel, qui enregistrent des variations de pente, même très faibles.

— Stations magnétiques avec magnétomètre à protons interrogé toutes les minutes par un microcalculateur qui numérise les données.

— Stations radon possédant une sonde munie d'une diode sensible aux rayons α du radon ; un microcalculateur qui commande les temps de comptage numérise les données.

Des capteurs mesurent la température des fumerolles, et des extensomètres la largeur des fissures ; des distancemètres électro-optiques calculent en permanence la distance précise séparant un certain nombre de points grâce à un rayon laser entre un appareil et un réflecteur.

Les données de chaque station sont transmises par un émetteur radio à l'observatoire, où les variations des différents paramètres sont décrites en temps réel et en clair. L'énergie électrique est fournie par des batteries rechargées par panneaux solaires.

Extensomètre sur une des fissures du cratère Dolomieu, au piton de la Fournaise.

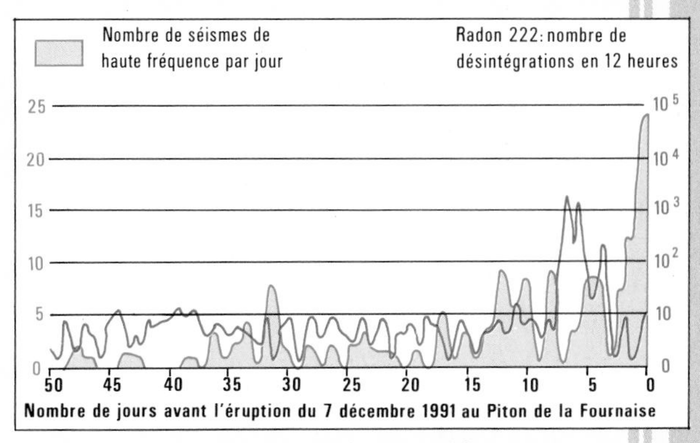

Au piton de la Fournaise, le 7 décembre 1991, relation entre la montée du radon enregistrée en surface et une intrusion magmatique annonçant une crise sismique : l'arrivée du radon précède la crise sismique.

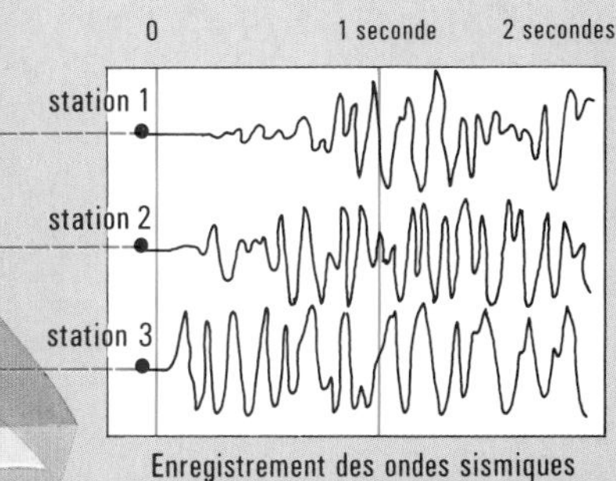

Enregistrement des ondes sismiques aux stations: la station la plus proche du foyer enregistre le signal en premier.

Avant une éruption, la poussée du magma provoque le gonflement du volcan, qui se fissure (dessin 1). Après l'éruption, la pente diminue et le volcan peut reprendre sa forme d'origine (dessin 2).
Les différents temps de parcours des ondes engendrées par les séismes sont analysés dans les stations sismiques, ce qui permet de déterminer l'emplacement du foyer (dessin du centre).

augmentation de la pente

2. Éruption : disparition de la déformation

des déformations permet de localiser la déformation maximale. Lors de l'injection de magma dans une fissure, par exemple, on peut suivre son déplacement et prévoir avec précision dans quelle direction va se produire l'éruption. On mesure également le gonflement du volcan à l'aide d'appareils électro-optiques. De plus, si le délai est suffisant, on procède à des mesures topographiques renseignant sur les variations d'altitude de certains points. Ainsi, avant l'éruption de mai 1980, on a enregistré au mont Saint Helens une déformation du sommet allant jusqu'à 200 m, alors que l'amplitude des mouvements est de l'ordre du décimètre au piton de la Fournaise.

En outre, l'injection du magma et son dégazage dans la chambre magmatique entraînent des réchauffements et des variations dans la circulation des fluides, qui modifient notablement le champ magnétique terrestre à la surface du volcan. On évalue ces modifications en faisant des comparaisons entre les stations installées sur le volcan et une station de référence sur un site extérieur.

Les fumerolles et les sources, dont la composition chimique est altérée par les gaz magmatiques échappés vers la surface, sont d'autres indicateurs importants. Mais, leur analyse n'étant que ponctuelle, on la complète par celle du radon, gaz inerte entraîné par ces gaz magmatiques vers la surface et mesuré en continu. En effet, des variations importantes de sa concentration précèdent de quelques jours une éruption.

L'étude de l'ensemble de ces paramètres conduit à prévoir le déclenchement d'une éruption : cette prévision s'améliore avec les résultats des recherches fondamentales entreprises sur les mécanismes éruptifs des volcans.

LA TERRE

naissance des reliefs

SECOUSSES MEURTRIÈRES

Les séismes

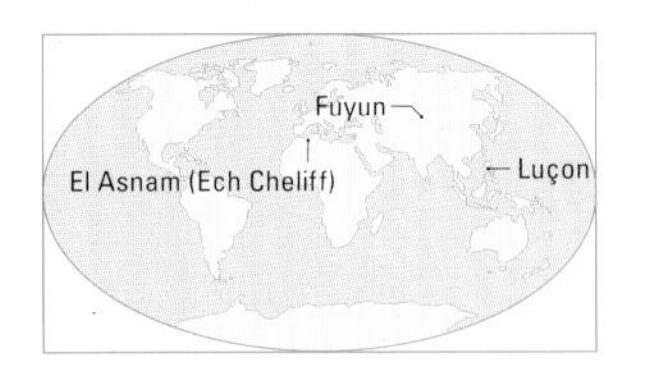

Les séismes sont une manifestation essentielle de la vie de la planète. Sans séismes, pas de mouvement, pas de bouleversement de la géographie, pas de montagnes, pas d'océans : la surface de la Terre serait à jamais une morne plaine triste et figée. Dû au glissement soudain de deux massifs rocheux sur une surface de faille, chaque séisme engendre des ondes qui sèment destruction et panique. Ces glissements relâchent les forces que la tectonique des plaques, inexorable, exerce sur les roches de la croûte terrestre, qui, pour bouger, doit casser.

△ *L'escarpement nu qui coupe le tapis végétal au pied du flanc sud-ouest de l'Altaï, à la frontière entre Chine et Mongolie, est le plus grand que l'on puisse actuellement attribuer à un seul tremblement de terre. Photographié soixante ans après le séisme de Fuyun, de magnitude 8, qui l'a créé le 11 août 1931, il traduit un glissement de 14 m!*

La steppe de Dzoungarie déchirée par un escarpement

Le 11 août 1931, le séisme de Fuyun a dévasté le nord de la province chinoise du Xinjiang, au cœur de l'Asie centrale. La rupture, qui tranche la steppe dzoungare sur quelque 200 km de long, reflète surtout un glissement horizontal. Vu le nombre restreint des sismographes à l'époque, les escarpements gigantesques qui la jalonnent sont notre meilleure source d'information. En recollant mentalement les bords haut et bas de celui de la photographie, on voit qu'ici la catastrophe a fait coulisser vers la gauche et descendre le bloc du bas par rapport au bloc du haut. Cette faille traduit une extension locale. La longueur et l'ampleur de la dislocation, ici exceptionnelles, sont les signes d'un séisme important. Le tremblement de terre s'est produit en plein milieu d'une plaque lithosphérique. Il n'est que l'un des six grands séismes de magnitude supérieure ou égale à 8 qui ont frappé le Turkestan et la Mongolie entre 1900 et 1935, preuve incontournable que certaines plaques peuvent se déformer! Ici, c'est la poussée extraordinaire issue de la collision de l'Inde avec l'Asie le long de l'Himalaya, environ 2 500 km plus au sud, qui commence à disloquer le cœur même du continent. ■

Une faille disloque les rizières de Luçon

La plupart des séismes se produisent sur les frontières de plaques, ceintures longues et étroites qui limitent des radeaux lithosphériques stables, en mouvement constant les uns par rapport aux autres. Le séisme qui, le 16 juillet 1990, dévasta Luçon, l'île principale de l'archipel philippin, fit 1 621 morts et 90 000 sans-abri, et causa des dégâts matériels considérables. C'est un séisme de frontière de plaque typique. Il a fait jouer la faille des Philippines, l'une des plus grandes failles décrochantes du Pacifique Ouest, sur près de 100 km de long. Cette faille d'une longueur de 1 200 km permet, avec les zones de subduction adjacentes, le mouvement rapide vers le nord-ouest (environ 7 cm par an) de la plaque philippine par rapport à la plaque asiatique. Le glissement du séisme (pouvant atteindre 5,10 m), que l'on mesure ici précisément avec un instrument aussi peu coûteux que le mètre-ruban, parce que la dislocation a atteint la surface, illustre le fonctionnement simple, en coulissage horizontal pur, de la faille. Bien que l'humanité s'interroge sur les séismes depuis toujours, il a fallu attendre le grand séisme de 1906 à San Francisco pour que l'on comprenne enfin la liaison étroite entre séisme et faille active. L'un n'existe pas sans l'autre. Déchiffrer le fonctionnement d'une faille active permet de connaître le mécanisme, la taille et le temps de retour des séismes qu'elle peut engendrer. ■

△
La dislocation qui déchire les carrés de rizières au nord de Manille, dans l'île de Luçon (Philippines), marque la trace de la rupture du séisme de magnitude 7,7 qui s'est produit le 16 juillet 1990. Cette trace de faille rectiligne et les décalages horizontaux des bords de rizières (d'environ 3,50 m, tous dans le même sens) fournissent un parfait exemple de décrochement sénestre.

Les constructions antisismiques sont désormais courantes au Japon, mais le premier bâtiment antisismique célèbre est l'Imperial Hotel de Tōkyō, œuvre de l'architecte américain Frank Lloyd Wright. Il l'édifia de 1916 à 1922, adaptant à ses propres conceptions les recherches du Japonais Riki Sano. Le sous-sol étant meuble, Wright posa l'hôtel sur des fondations susceptibles de suivre les accélérations du sol, maximales en cas de séisme. Écrasant son immeuble au sol, pour que le centre de gravité fût le plus bas possible, il utilisa du béton en blocs moulés et couvrit les toits de feuilles de cuivre légères. Il imposa un grand plan d'eau devant l'hôtel, car il savait que lors d'un séisme violent toute la ville brûlerait et que les conduites d'eau seraient coupées.
Le 1er septembre 1923, on devait fêter vers midi l'ouverture de l'hôtel, terminé en août 1922. Soudain, deux minutes avant midi, un choc extraordinaire se produisit. Aussitôt, ce fut le désastre. Raz de marée, grondements, incendies, des centaines de milliers de maisons écroulées et 100 000 personnes tuées à Tōkyō et Yokohama furent les conséquences dramatiques de ce séisme dont l'épicentre se trouvait dans la baie de Tōkyō. Plus tard, des travaux révélèrent que, ce 1er septembre, toute la côte de la baie de Sagami, au sud-ouest de Tōkyō, s'était élevée de 1 à 2 m, et que les fonds de la baie s'étaient relevés par endroits de 260 m.
À l'hôtel, pendant ce temps, régnait une panique indescriptible : le personnel était accroupi sous les tables, de petits incendies se déclaraient ici et là ; mais il y eut peu de dommages, car, comme un bateau, l'hôtel avait flotté sur les ondes du sol, et la pièce d'eau fut d'un secours inestimable pour combattre le feu.
Wright, de retour aux États-Unis, apprit par les journaux la destruction de Tōkyō, y compris celle de l'Impérial Hotel. Mais, bien vite, un câble du directeur de l'hôtel vint démentir cette information : « Hôtel intact grâce à votre génie. Félicitations. » Seuls quelques bâtiments avaient résisté au séisme !

Bel exemple actuel d'architecture antisismique.

Séismes majeurs (magnitude supérieure à 7,5) de la seconde moitié du XXe siècle

année	lieu	magnitude	victimes
1950	Inde	8,6	1 526
1951	Tibet	8,0	?
1952	Japon	8,3	?
1957	Mongolie	8,3	30
1958	Îles Kouriles	8,7	?
1958	Alaska	7,9	?
1960	Chili	8,3	5 000
1964	Alaska	8,6	130
1968	Japon	7,9	48
1970	Pérou	7,8	66 794

année	lieu	magnitude	victimes
1976	Chine	8,0	240 000 à 650 000
1976	Philippines	7,8	6 000
1979	Équateur	7,9	600
1985	Chili	8,0	180
1985	Mexique	8,1	25 000 à 35 000
1986	Taiwan	7,8	15
1990	Iran	7,7	50 000
1990	Philippines	7,7	1 621

Le sol raccourci par le séisme d'El-Asnam

10 octobre 1980 : un séisme de magnitude 7,4 détruit El-Asnam, ville d'Algérie déjà ravagée par un tremblement de terre vingt-six ans plus tôt, à l'époque où elle s'appelait encore Orléansville. Pauvre El-Asnam ! À l'origine de son nom, le mot ruines, souvenir de catastrophes plus anciennes. De nouveau rebaptisée, la ville s'appelle désormais Ech-Cheliff, comme le fleuve où l'escarpement du dernier séisme a créé un petit lac de barrage . Cet escarpement est dû au chevauchement, résultant de la compression, d'un bloc par un autre, le long d'une faille appelée faille inverse. De tels escarpements sont rares, car les failles de ce type n'arrivent pas toujours en surface. Elles restent plutôt cachées sous des plis qui reflètent, eux aussi, le raccourcissement de la croûte. À El Asnam, la dislocation inverse atteint la surface au front du pli, car l'inclinaison de la faille est forte. Pour connaître la géométrie profonde de telles failles, il faut localiser les petits séismes (répliques) qui suivent le choc principal. On les localise d'autant plus précisément qu'un plus grand nombre de sismographes, disposés en réseau local, enregistrent les ondes qu'ils émettent. Le temps d'arrivée d'une onde de vitesse connue en une station du réseau permet de déterminer la distance de la réplique. En utilisant les données fournies par au moins trois stations, on peut théoriquement localiser les répliques à l'intersection des trois distances obtenues. ■

◁ *Encore frais fin octobre 1980, l'escarpement du séisme d'El-Asnam montre les stries qui matérialisent la direction du glissement. Il s'agit d'une faille inverse. Conséquence du rapprochement nord-sud entre l'Afrique et l'Europe (environ 1 cm par an), le séisme a raccourci le sol, faisant monter le bloc de droite sur celui de gauche (chevauchement).*

Simulation de séisme

Situé sur la ceinture de feu du Pacifique, l'une des lignes les plus instables de l'écorce terrestre, le Japon est soumis à des séismes très fréquents. Ainsi, pour ne pas céder à la panique en cas de tremblement de terre important, les Japonais effectuent des entraînements dès leur plus jeune âge. Les pompiers disposent d'un matériel sophistiqué pour enseigner aux écoliers la conduite à tenir lors d'un séisme. Les petits Japonais apprennent ainsi — en regardant des sketches de simulation joués dans un camion spécial — qu'il faut d'abord éteindre tout ce qui pourrait provoquer un incendie (radiateur, gaz, appareils électriques...), puis se réfugier sous un meuble, la tête protégée par un tissu.

Ce camion fait la tournée des écoles de Tōkyō. ▷

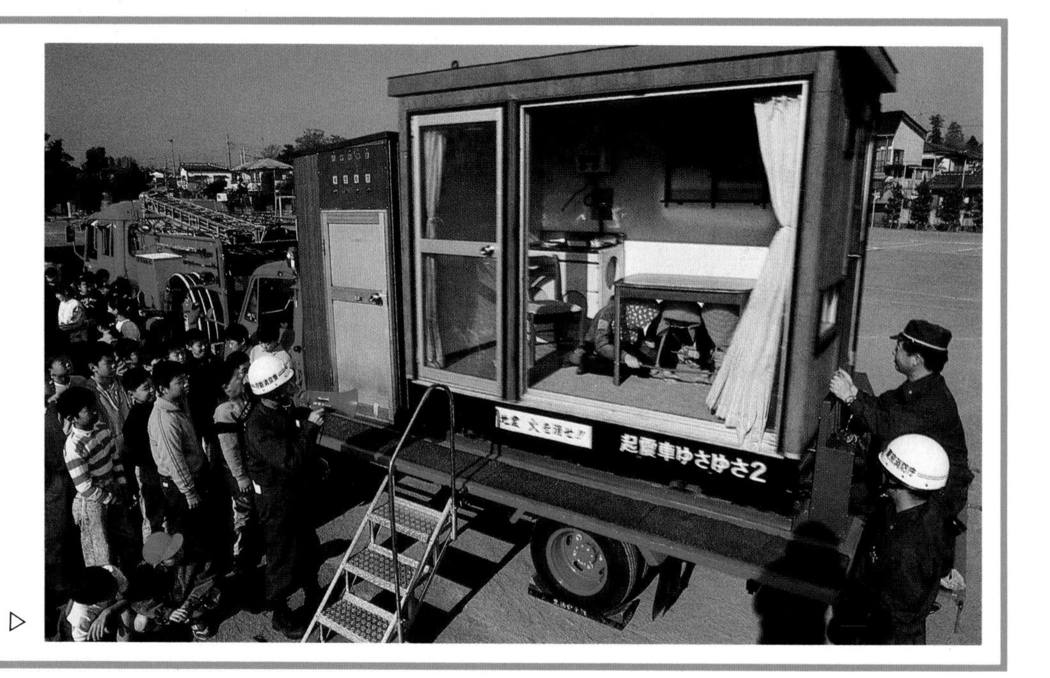

Ce bloc-diagramme montre le foyer, à environ 20 km de profondeur, et les courbes d'égale intensité (isoséistes) du séisme de Loma Prieta («la colline noire»), de magnitude 7,1, qui, le 17 octobre 1989, a brisé un segment de près de 50 km de long de la faille de San Andreas, au sud de San Francisco. La cassure n'a pas atteint la surface, mais une vision précise du séisme a pu être déduite des enregistrements sismographiques et des mesures géodésiques répétées avant et après le séisme. Née sous Loma Prieta, site d'un petit choc précurseur quatre mois plus tôt, la cassure s'est propagée en quelque huit secondes à une aire de l'ordre de 1 000 km² de la faille de San Andreas. Le glissement correspond au coulissage vers le nord de la plaque pacifique par rapport à la plaque nord-américaine, et à un petit soulèvement des montagnes de Santa Cruz où la trace de la faille fait un coude, et où la surface de faille est légèrement inclinée vers le Pacifique.
▽

Une cassure de l'écorce terrestre

Un séisme, ou tremblement de terre, naît en profondeur dans la croûte terrestre. Le point où s'initie la cassure sur le plan de faille est le foyer, ou hypocentre. Le point de la surface à la verticale du foyer est l'épicentre. La cassure se propage rapidement (à environ 2,5 km/s) sur une aire plus ou moins grande de la faille. La taille de cette aire (en kilomètres carrés) et du glissement des deux lèvres de la cassure (en mètres) définissent la force du séisme (magnitude). Un séisme est donc caractérisé par une seule magnitude, mesurée le plus souvent à l'aide de l'échelle de Richter. Les magnitudes des plus gros séismes enregistrés ne dépassent pas le degré 9 de cette échelle. Chaque degré correspond à une augmentation considérable de la force du séisme : un séisme de magnitude 7 est 33 fois plus fort qu'un séisme de magnitude 6. La rupture et sa propagation engendrent des ondes (vibrations) élastiques de deux types : ondes de volume (entraînant pression et cisaillement) et ondes de surface. Ces dernières, dont l'amplitude est grande et dont la période (plusieurs secondes) fait vibrer les bâtiments, produisent l'essentiel des destructions, qui sont beaucoup plus importantes au voisinage de l'épicentre que lorsqu'on s'en éloigne. On peut donc définir des zones, en général concentriques, où les destructions sont d'égale intensité, séparées par des courbes que l'on appelle isoséistes. L'évaluation des destructions a longtemps été le seul moyen de localiser et de mesurer la force des séismes. L'échelle d'intensité habituelle (échelle de Mercalli) atteint le degré XII. Les séismes produisent des effets très divers suivant leur profondeur, leur taille et l'orientation du glissement sur la faille.

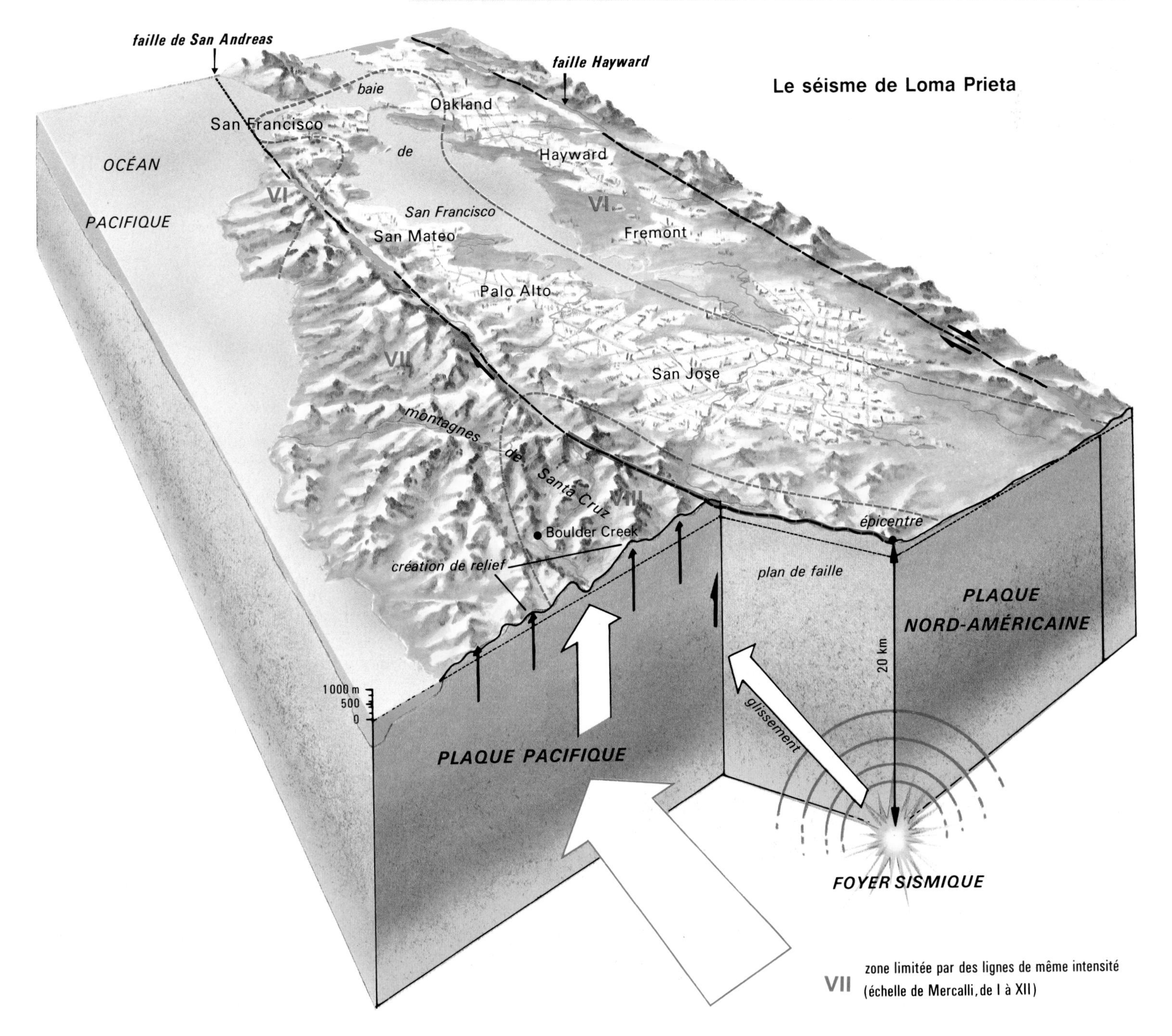

LA TERRE DISLOQUÉE

Failles d'extension et décrochements

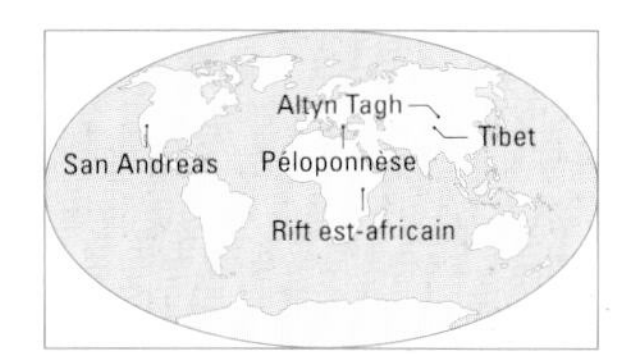

Le lent ballet des plaques tectoniques à la surface de la planète produit des raccourcissements, des étirements et des coulissages. Ces zones de frottement, lieu privilégié des failles, engendrent la plupart des tremblements de terre. Séisme après séisme, trois types de failles forment les reliefs : les failles inverses, ou chevauchements, qui créent des chaînes de montagnes; les failles normales, qui créent des fossés d'effondrement (rifts ou grabens); les failles de coulissage horizontal, ou décrochements, qui déplacent des reliefs existants.

Le rift est-africain entaille le paysage kenyan

L'une des surprises des voyageurs venus au Kenya pour en admirer les vastes paysages est de se trouver soudain au pied d'une sorte d'immense mur vertical, une gigantesque rupture de terrain, entre les hauts plateaux couverts de savane ou surmontés de volcans et le fond d'une large vallée plate. Cet escarpement d'une centaine de mètres, ici au centre de la photo, est une faille bordant l'un des accidents les plus spectaculaires de la planète, le rift est-africain.

Il y a environ quarante millions d'années, une grande cassure orientée approximativement nord-sud commençait à se propager à travers l'Afrique orientale. Cet immense système de fractures zigzague maintenant sur plus de 4000 km de l'Éthiopie au Mozambique, en se séparant en deux segments de part et d'autre du lac Victoria. La plupart des lacs africains sont situés dans les dépressions délimitées par ces failles, et les plus grandes montagnes du continent sont des volcans nés dans la cassure, comme le Kilimandjaro (5 895 m). Le segment oriental, qu'on voit ici, traverse le Kenya.

Plus au nord, un rift s'est élargi et approfondi entre l'Afrique et l'Arabie pour donner naissance à la mer Rouge. De la même façon, un bras de mer s'est ouvert entre l'Afrique et Madagascar; un autre, entre l'Afrique et l'Inde, a formé une bonne moitié de l'océan Indien et causé la dérive de l'Inde vers l'Asie. En comparaison, l'ensemble des rifts est-africains apparaît comme la branche la plus modeste, peut-être avortée, du système beaucoup plus vaste qui est à l'origine de l'éclatement de l'ancien grand continent sud appelé Gondwana. Celui-ci comprenait, il y a environ 130 millions d'années, l'Amérique du Sud, l'Afrique-Arabie, Madagascar, l'Inde, l'Australie et l'Antarctique. ■

Cette vue aérienne montre un aspect de la Rift Valley, dans l'Est africain, au Kenya. On voit, à gauche, la savane et, au centre, l'épaule montagneuse qui dominent le plancher du rift (fossé d'effondrement), situé au centre et à droite sur la photo. L'ombre matinale souligne l'escarpement d'environ 100 m de hauteur entre ces deux domaines, et cache la trace de la grande faille qui forme ce côté oriental du rift. ▽

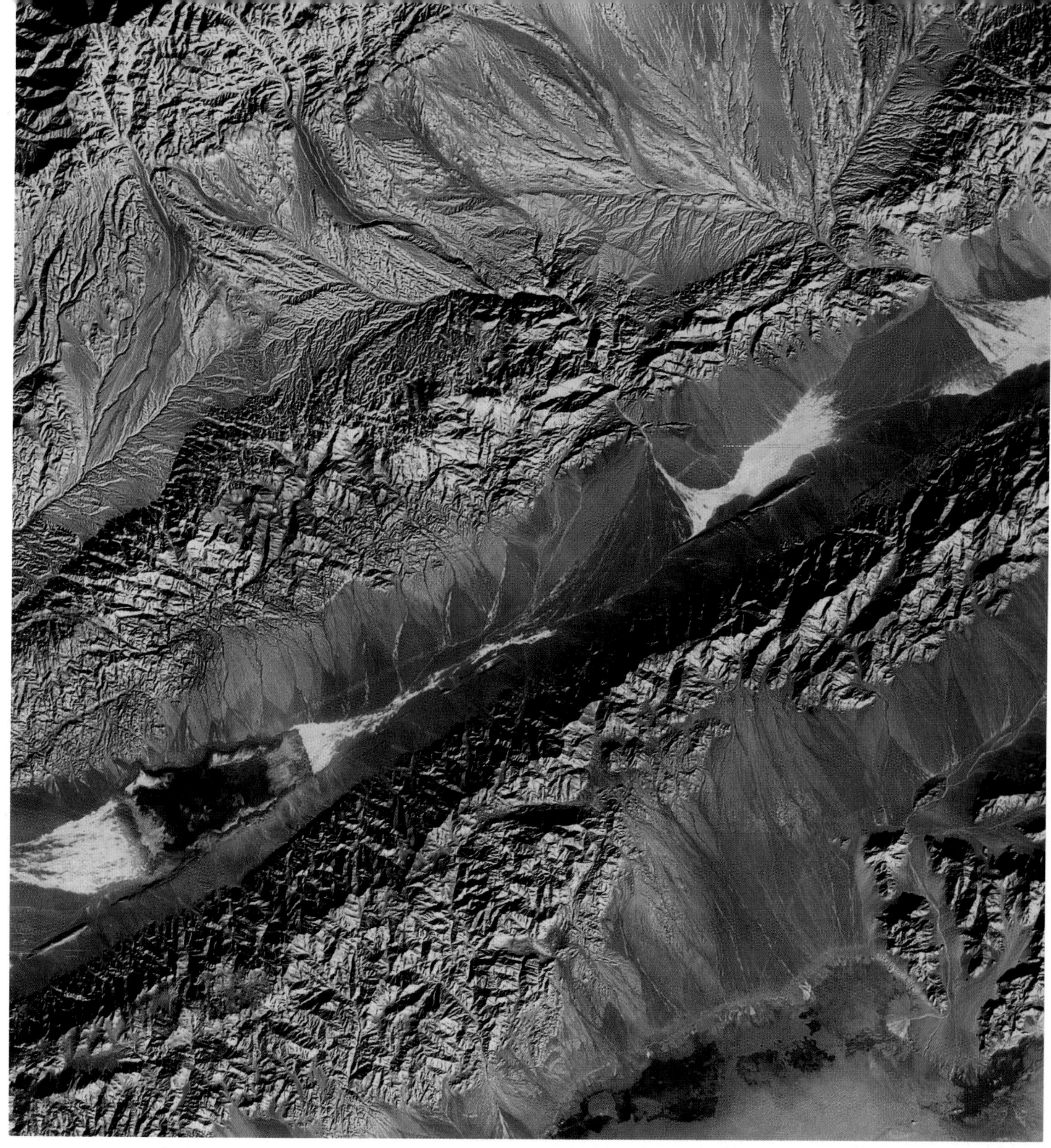

△
Cette faille, vue par le satellite Spot, déchire l'Altyn Tagh, massif montagneux de la bordure nord du Tibet. Elle longe la dépression topographique sur la diagonale de l'image, du bas à gauche vers le haut à droite. En surface, on voit deux traces parallèles, l'une à la base des reliefs et l'autre dans les sédiments qui remplissent la dépression. Cette dernière est jalonnée de petites bosses et cuvettes qui reflètent les légères sinuosités du tracé.

Un décrochement dans l'Altyn Tagh

Dans l'ouest de la Chine, à la frontière entre le Qinghai et le Xinjiang, le massif de l'Altyn Tagh limite au sud-est le désert du Taklamakan. Il fait partie du rebord septentrional du Tibet et doit son origine aux contrecoups de la formation de l'Himalaya. C'est une région très peu peuplée, à l'exception des quelques oasis qui jalonnent ses bordures, arrosées par des cours d'eau temporaires.

L'image satellitaire nous montre un accident qui a accompagné la formation de ces montagnes : c'est une fracture le long de laquelle deux blocs ont coulissé horizontalement, appelée faille décrochante ou décrochement. Celle-ci, longue de 1 800 km, est dite sénestre, car le déplacement d'un bloc s'est fait vers la gauche par rapport à l'autre. Le coulissage horizontal (décalage des deux lèvres de la faille) fait au total plusieurs centaines de kilomètres; c'est le résultat de plusieurs séismes, l'un d'entre eux pouvant provoquer à lui seul un déplacement de 8 à 10 m.

Mais comme le mouvement n'est pas toujours parfaitement horizontal, et que la faille n'a pas alors une trace rectiligne, il peut aussi créer des reliefs comme on le voit ici. En plus du coulissage horizontal, des déformations secondaires, détectées très précisément par les images des satellites Spot, ont fait naître des petits reliefs, ou bosses, dus au plissement des couches superficielles dans une zone comprimée; on peut en distinguer aux endroits où la trace de la faille est un peu déviée vers la droite. En revanche, lorsqu'elle est déviée vers la gauche, on trouve des cuvettes en forme de losange, délimitées par des petites fractures dues à une extension locale (failles normales). Dans ces cuvettes, l'eau restée piégée s'évapore et laisse des sédiments salins très pâles, nettement visibles sur les images satellitaires. ■

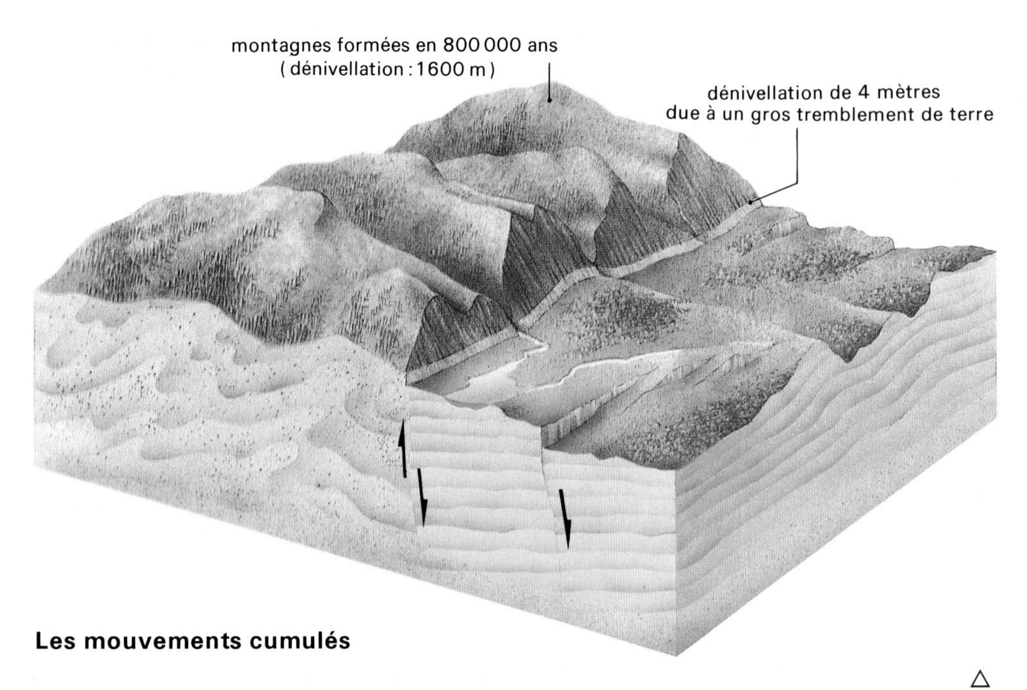

Les mouvements cumulés

La répétition de tremblements de terre identiques sur la même faille (ici normale) finit par créer un dénivelé topographique important. Seule la partie la plus jeune de l'escarpement, située à la base du front montagneux (partie en général âgée de moins de dix mille ans et correspondant à un petit nombre de séismes) présente une morphologie continue, en forme de marche. La partie la plus ancienne, en amont, est en général profondément entaillée par des rivières et entrecoupée de vallées, de sorte que la façade du front montagneux (qui résulte d'un très grand nombre de glissements sismiques pendant plusieurs centaines de milliers d'années) présente des facettes dont la forme est souvent triangulaire.

△

△
Dans le sud du Péloponnèse (Grèce), un escarpement de 80 m domine le petit port de pêche de Gerolíménas, à une quinzaine de kilomètres au nord-ouest du cap Ténare (ou cap Matapan). Cet escarpement représente le mouvement cumulé sur la faille pendant plusieurs centaines de milliers d'années. À sa base, on voit nettement une trace claire de 3 m de haut qui représente le total des glissements dus à des séismes depuis environ dix mille ans.

Une faille active sur le toit du monde

Est-ce que les montagnes peuvent grandir indéfiniment? Il semblerait que la chaîne de l'Himâlaya et le plateau du Tibet, dit le « toit du monde », aient atteint une altitude limite. En effet, la croûte de cette région, prise en tenaille entre l'Inde et l'Asie, s'est raccourcie et épaissie, pendant les dernières dizaines de millions d'années, jusqu'à pratiquement le double de l'épaisseur d'origine. En même temps, elle a donc été élevée jusqu'à son altitude actuelle, plus de 8 000 m dans l'Himâlaya et près de 5 000 m en moyenne au Tibet. Mais cette chaîne a peut-être atteint son altitude maximale, car, depuis environ deux millions d'années, l'intérieur du Tibet a commencé à se casser, créant de nombreuses grandes failles, comme celle que l'on voit ici. Malgré le relief spectaculaire qu'elles produisent localement (de l'ordre de 2 000 m), ces failles traduisent dans leur ensemble un étirement, et donc un amincissement de la croûte — ce sont des failles normales. Cela signifie que l'on assiste à la phase initiale de l'effondrement du plateau. Il faudra toutefois sûrement une dizaine de millions d'années au moins pour que le Tibet soit submergé par les eaux marines, comme ce fut le cas en mer Égée, où un plateau et une chaîne de montagnes analogues ont été engloutis. De plus, l'Inde continue à s'enfoncer assez rapidement sous le chevauchement — ou faille inverse — de l'Himâlaya (2 cm par an environ), ce qui contribue donc efficacement à limiter et ralentir le processus de vieillissement et de destruction du plateau. ■

Dans le sud du plateau du Tibet, à 80 km au nord-ouest de l'Everest, une faille suit la limite entre les montagnes et la vallée couverte d'herbes au premier plan. Le relief, supérieur à 2 000 m, est entièrement dû à l'activité de la faille pendant les deux derniers millions d'années. Les hautes facettes triangulaires et la vallée glaciaire, perchée à 200 m, témoignent du mouvement cumulé depuis à peu près cent mille ans.
▽

Une faille normale dans le Péloponnèse

Le relief découpé en longues presqu'îles du sud du Péloponnèse, extrémité méridionale de la Grèce continentale, le fait immédiatement reconnaître sur les cartes. Il doit son origine à l'existence de montagnes envahies par la mer ainsi qu'aux failles qui les cisaillent et bordent souvent les golfes profonds. La photo nous montre l'une de ces failles, au-dessus de Geroliménas, sur la côte occidentale du Magne (prolongement de la chaîne du Taygète), qui se termine au cap Ténare (ou cap Matapan).

Il faut, pour comprendre ce relief, connaître l'histoire des chaînes de montagnes et des hauts plateaux qui constituaient ces régions et où la croûte terrestre était particulièrement épaisse. Depuis à peine cinq millions d'années, elles ont été soumises à un étirement et à un amincissement provoqués par des failles normales, comme celle que l'on voit ici. Or, la croûte terrestre, constituée de roches légères, flotte comme un bouchon sur les roches plus fluides et plus denses du manteau. Les océans et les mers, bien entendu, nappent l'ensemble comme un coulis. Si le bouchon de croûte est épais, il émergera beaucoup et formera de grandes montagnes ; s'il est moins épais, il émergera à peine, et s'il est trop mince, il sera ennoyé. C'est ce que les scientifiques appellent la compensation isostatique. Ce phénomène s'est produit en Grèce, dans la mer Égée, en particulier entre le Péloponnèse et la Crète, où les montagnes se sont affaissées et ont été englouties par la mer. ■

Des cassures qui forment les reliefs

Les failles sont des fractures accompagnées d'un déplacement des terrains qu'elles séparent. Elles font partie des agents les plus importants de la création des reliefs de la Terre. Mais seules les failles qui engendrent un déplacement vertical créent directement ces reliefs. Elles sont appelées failles normales ou failles inverses, selon qu'elles sont dues à une extension ou à une compression. Les plus grands reliefs créés par le déplacement des terrains le long d'une faille normale peuvent atteindre 4 000 m ; c'est le cas sur les flancs du massif du Ruwenzori, dans le rift est-africain. Dans l'Himālaya, les reliefs liés à une faille inverse dépassent 8 000 m au-dessus de la plaine du Gange.

Le processus est relativement simple. En général, quand il y a glissement sur une faille, il se produit un séisme. En surface, celui-ci se traduit par un escarpement en forme de marche dont la hauteur varie selon la taille et la force du tremblement de terre. Ainsi, une faille normale accompagnée d'un séisme de magnitude 5,8 produira une dénivellation de 10 à 20 cm, alors qu'un séisme de magnitude 7 en créera une de 2 à 4 m. La répétition de ce phénomène produira donc un relief cumulé correspondant à l'addition des dénivellations. Par exemple, une faille normale causant un séisme de magnitude 7 avec un glissement de 4 m tous les deux mille ans créera un relief de 2 000 m après un million d'années.

Les reliefs de faille sont l'objet d'une compétition entre la vitesse de croissance du relief et la vitesse d'aplanissement par l'érosion.

Trois types de failles et d'environnements tectoniques

faille inverse

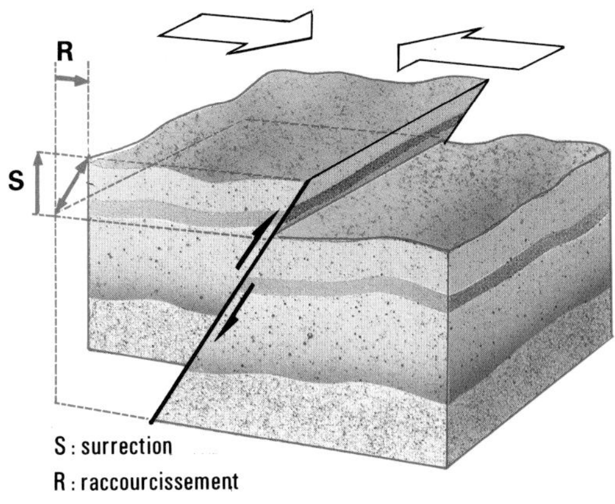

faille normale

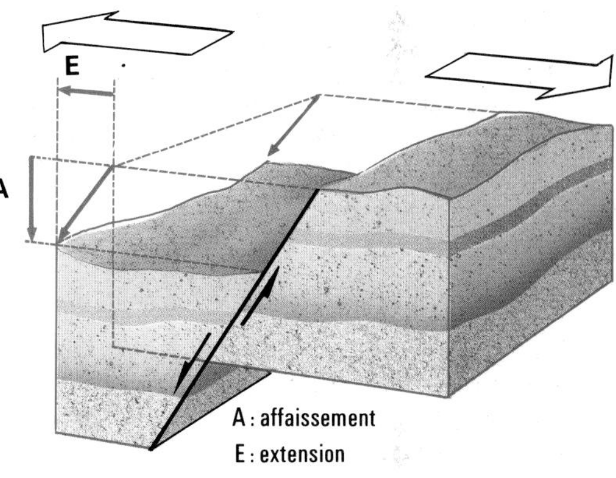

décrochement senestre

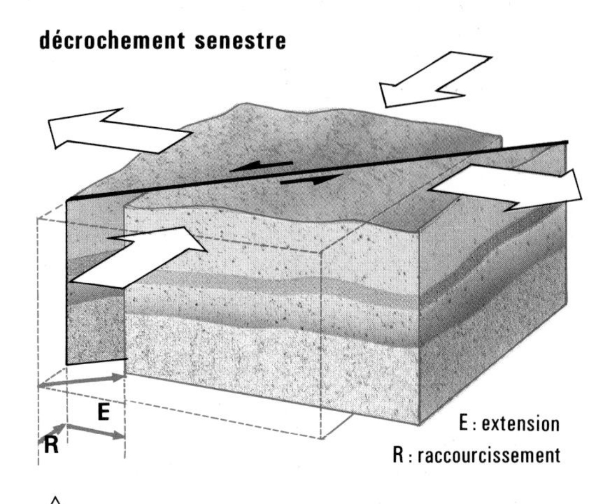

△
Le mouvement relatif entre les blocs (flèches noires) a toujours deux composantes (flèches rouges). Les failles inverses produisent un raccourcissement (R) et une surrection (S). Les failles normales produisent un allongement (ou extension, E) et un affaissement (A). Les failles décrochantes, ou décrochements, ont à la fois raccourcissement (R) et extension (E).
Les failles augmentent, diminuent ou maintiennent l'épaisseur de la croûte terrestre. La convergence entre les plaques conduit au raccourcissement par des failles inverses et à un épaississement de la croûte (Himālaya). L'écartement des plaques provoque l'extension par des failles normales et un amincissement de la croûte (mer Rouge).

△
Vue aérienne oblique de la faille de San Andreas, prise ici à 160 km au nord-ouest de Los Angeles et à 450 km au sud de San Francisco. La trace de la faille coupe les rivières comme un trait de couteau. On voit clairement ici le décalage dextre (130 m) de la vallée de la rivière de Wallace Creek, dû à l'addition du glissement de multiples tremblements de terre analogues à celui de Fort Tejon (sud de la Californie), en 1857 (9 m).

La faille de San Andreas

La faille de San Andreas, que l'on observe ici à 160 km au nord-ouest de Los Angeles, peut se suivre sur plus de 1 000 km, du cap Mendocino (à 330 km au nord-ouest de San Francisco) aux abords du golfe de Californie. C'est ce système de failles, situé à la frontière entre la plaque nord-américaine et la plaque pacifique, qui est responsable des grands tremblements de terre affectant régulièrement la Californie, et dont les plus récents (1857, 1906, 1989, 1992) ont été bien étudiés. Il s'agit, dans le cas présent, d'une faille le long de laquelle les blocs coulissent horizontalement, dite faille décrochante, ou décrochement.

On dit d'un tel mouvement de coulissage horizontal qu'il est dextre lorsqu'il déplace vers la droite un objet situé de l'autre côté de la faille (par exemple, ici, le cours de la rivière de Wallace Creek). Lorsque le mouvement déplace l'objet vers la gauche, on dit qu'il est sénestre.

Il est vrai que certaines rivières n'ont pas la vie facile. C'est le cas de celles dont le cours est traversé, cassé et décalé par un grand décrochement. En effet, un réseau hydrographique doit s'adapter à la déformation qui lui est infligée, séisme après séisme, par une faille active. Si la faille est décrochante, les petites rivières seront obligées d'adopter progressivement un cours dévié en forme de baïonnette. Au fur et à mesure que le déplacement sur la faille augmente, le décalage entre le cours amont et le cours aval augmente aussi, et la baïonnette va s'élargir. Ce processus peut continuer jusqu'au moment où le décalage du réseau sera tel que le cours amont aura face à lui le cours aval d'une rivière voisine, qui le «capturera». Les rivières les plus grandes arrivent toujours à «capturer» davantage que les plus petites. ■

La faille de San Andreas se déplaça brutalement sur une longueur de 470 km, le 18 avril 1906, à 5 h 13, provoquant un séisme sans précédent à San Francisco. Au dire d'un témoin, la terre s'était soulevée à plusieurs reprises, comme une vague dans la tempête, et la ville avait été balayée comme un fétu de paille. La dénivellation entre les deux côtés de la faille atteignait 1 m par endroits et le déplacement horizontal variait entre 0,25 m et 7 m, ce qui provoqua la rupture de toutes les conduites de gaz et des canalisations d'eau de la ville californienne. Un gigantesque incendie se déclara. Il ravagea 1 036 ha en trois jours, détruisant 28 000 habitations, notamment dans le centre-ville commerçant. La majorité de la population parvint heureusement à échapper aux flammes, mais on déplora entre 700 et 1 000 victimes. La plupart des 250 000 sans-abri trouvèrent refuge dans le parc du Golden Gate, transformé en campement.

DES ROCHES SENS DESSUS DESSOUS

Plis et chevauchements

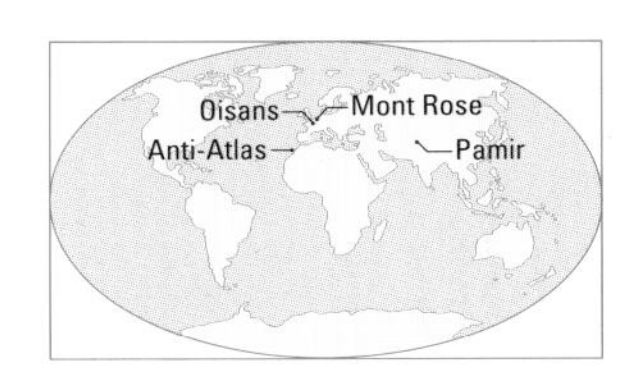

Les plis, faciles à observer à toutes les échelles, comptent parmi les structures géologiques les plus spectaculaires. Très souvent associés à des chevauchements, ils sont dus au raccourcissement des couches de terrain. Leur géométrie trahit les mécanismes et les forces qui les ont engendrés. Ainsi, on comprendra intuitivement la signification de plis en accordéon, dans lesquels les couches, qui ressemblent à de la tôle ondulée, ont subi un serrage horizontal.

Les plis de l'Atlas vus du ciel

Les images venues de l'espace ont donné aux spécialistes des sciences de la Terre une nouvelle vue, parfois révolutionnaire, de notre planète. Elles ont apporté au géologue le recul qu'il n'avait pas. Comme un amateur d'art, il peut maintenant s'éloigner pour mieux admirer le tableau terrestre, et en saisir l'organisation générale. Le satellite français Spot, qui a pris cette image, est ce qui se fait de mieux dans le domaine de l'observation civile de la Terre. En orbite à 832 km d'altitude, il distingue des objets d'une taille de 10 m à la surface du globe.

Vus de l'espace, les terrains plissés de la bordure sud de l'Anti-Atlas — partie méridionale des montagnes marocaines de l'Atlas — évoquent une peinture abstraite faite d'arabesques allongées. Le graphisme dessiné par les couches sédimentaires, qui apparaissent en divers tons de vert, joue avec les tons clairs des alluvions récentes et des sables déposés par les rivières ou amenés par le vent.

Le géologue, qui décrypte cette image abstraite, en tire de nombreux enseignements sur la forme et la géométrie des plis, qu'il peut ensuite cartographier avec précision.

Les plus spectaculaires de ces plis sont ceux qui traversent en oblique les alluvions presque blanches de la partie droite de la photographie. On peut suivre facilement les couches de terrain qui émergent des sables, et l'on distingue les endroits où ces couches repartent en sens inverse. Il s'agit en fait de plis droits très serrés dans lesquels les terrains sédimentaires, qui s'étaient à l'origine déposés horizontalement, sont maintenant presque verticaux. L'érosion a par la suite raboté ce système de plis, comme on couperait horizontalement un gâteau marbré.

Toutes les structures que l'on voit sur cette image sont dues à la poussée vers le sud-est (à droite sur la photo) des parties plus internes de la chaîne de l'Atlas, situées en haut à gauche de l'image. Les terrains sédimentaires, qui forment le front de la chaîne, ont été décollés par cette poussée et plissés au-dessus du socle sous-jacent, lui-même non déformé. Une nappe en tissu que l'on froisserait progressivement tout en la plaquant sur la table illustre assez bien ce mécanisme de plissement. ■

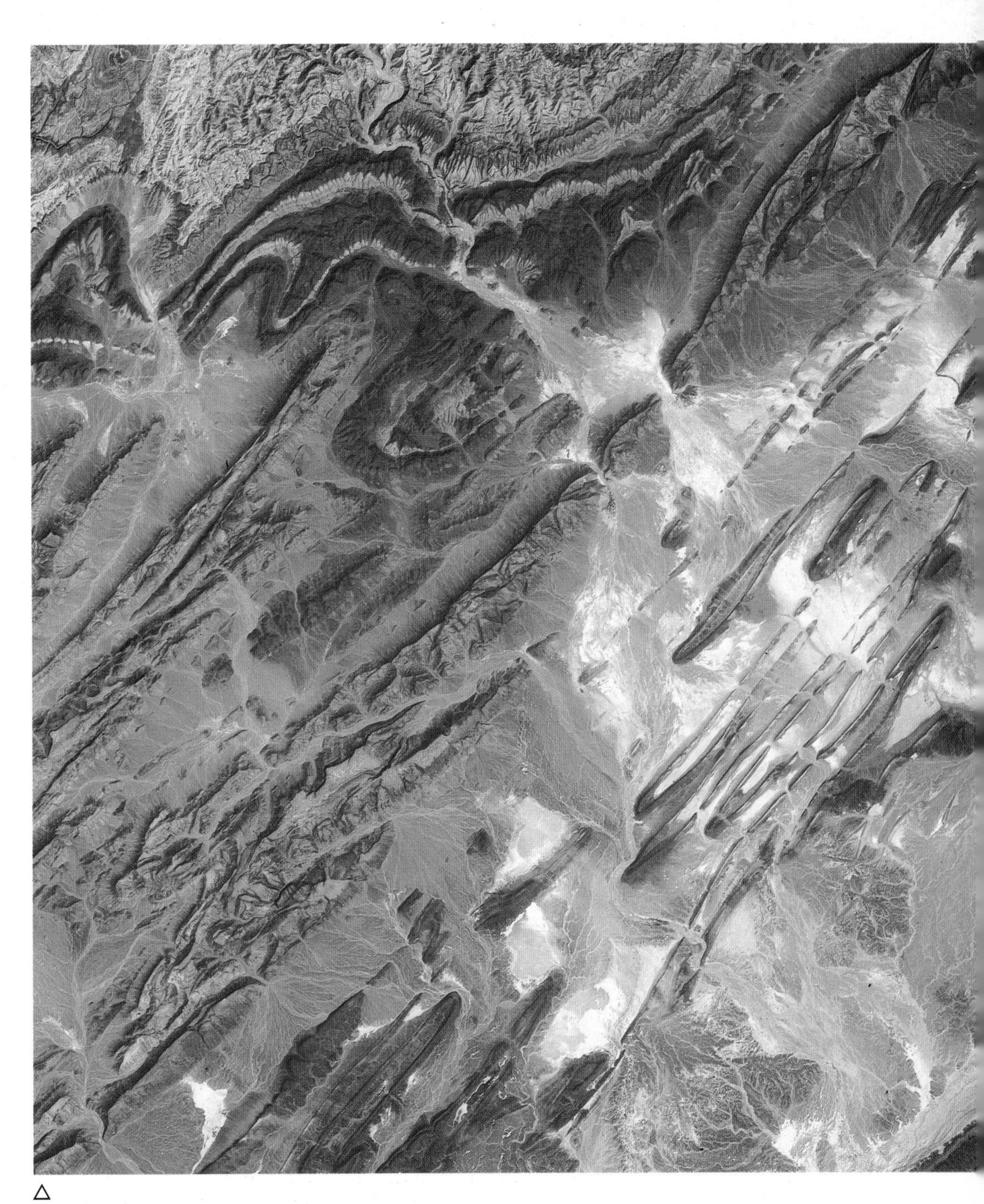

△
Recouverts à certains endroits par des alluvions et le sable blanc du Sahara, les plis très serrés de l'Anti-Atlas, dans le sud du Maroc, sont vus ici par le satellite Spot, à plus de 800 km d'altitude. Les couches sédimentaires, mises en relief par l'érosion, apparaissent nettement en vert. Les oasis situées dans le lit des oueds sont marquées par les taches rouges, qui traduisent la présence de végétaux.

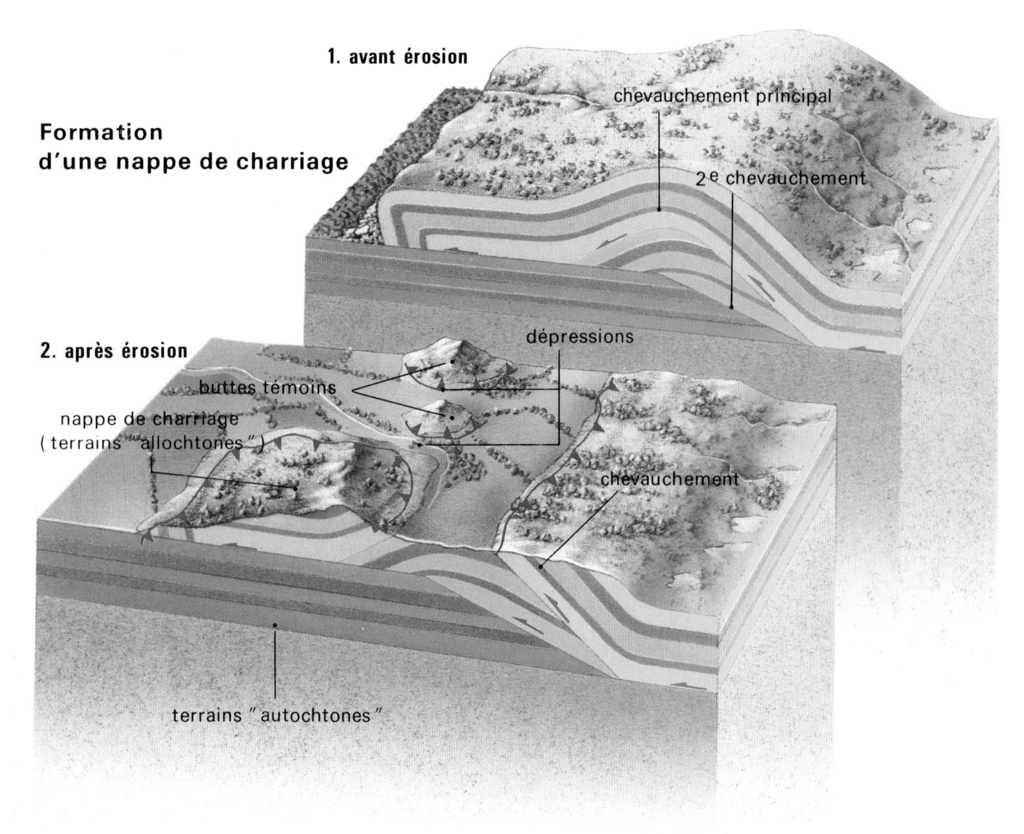

Un chevauchement provoque la formation d'une nappe de charriage lorsque le mouvement de compression devient très important. Ici, la nappe a été replissée par un deuxième chevauchement. L'érosion, qui attaque ce relief, épargne des buttes témoins formées de terrains venus d'ailleurs (allochtones) et fait apparaître les terrains dits autochtones, situés sous la nappe.

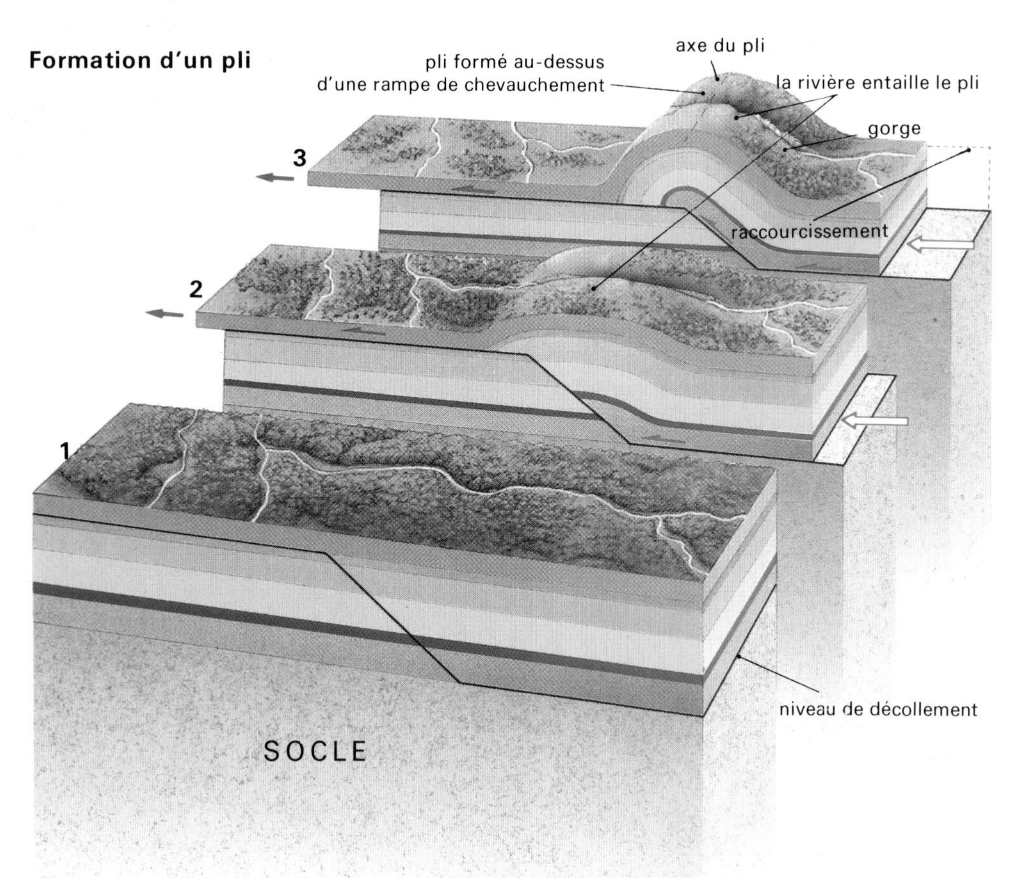

Lorsqu'une région se raccourcit par compression, la pile de couches sédimentaires, décollée par rapport au socle, se plisse. Le chevauchement monte vers la surface en formant une rampe. Ces trois stades illustrent la formation progressive d'un pli.

△
Dans la falaise de Pré-Gentil, qui domine Le Bourg-d'Oisans (Alpes françaises), les couches sédimentaires ont été fortement plissées lors de la formation des Alpes. On distingue un chevauchement qui tranche le pli déversé vers la droite.

Des plis dans l'Oisans

Les courbes tracées par les skieurs sur les pentes de l'Alpe-d'Huez atteignent-elles l'esthétique de celles que dessinent les plis dans la falaise de Pré-Gentil? Cette montagne au nom étonnant, qui domine la ville du Bourg-d'Oisans, fait en effet face, à travers la vallée de la Romanche, à la célèbre station française de sports d'hiver.

Tout autour du Bourg-d'Oisans, les regards curieux sont frappés par l'intense déformation des roches grises ou presque noires. Ce sont des schistes et des calcaires vieux de 180 à 190 millions d'années; ils se sont déposés horizontalement sur une

grande épaisseur, dans un petit bassin d'effondrement du sud de l'Europe.

À une période géologique beaucoup plus récente, il y a une vingtaine de millions d'années, la convergence progressive de l'Italie et du reste de l'Europe a rétréci l'espace occupé par les terrains déposés précédemment. Des plis et des chevauchements en ont résulté, ce qui a fait surgir les Alpes.

On distingue ici un chevauchement plongeant vers la gauche, qui traverse le bosquet d'arbres au centre. Ce chevauchement est situé dans un pli déversé vers la droite, comme l'indiquent les variations d'inclinaison des couches. Dans ce pli, les couches du dessus (en haut à gauche) ont tendance à recouvrir celles qui sont situées sous la ligne de chevauchement (à droite).

Tout le front ouest et nord de la chaîne des Alpes est constitué de terrains sédimentaires, déposés pendant l'ère secondaire, et affectés par de nombreux plis et chevauchements de ce type. ■

Des forces en compression

Les plis et les chevauchements se forment dans les régions affectées par des forces en compression. C'est typiquement le cas des chaînes de montagnes, dans lesquelles l'ensemble de l'écorce terrestre est raccourci.

Au front de ces chaînes, les couches de roches sédimentaires, qui forment les premiers kilomètres de la croûte continentale, sont décollées du socle sous-jacent. Leur raccourcissement provoque la formation de chevauchements et de plis qui sont souvent intimement liés (voir le dessin de la formation d'un pli). À proximité de la surface, les terrains sont assez cassants et le plissement des couches se fait par flexion, comme un paquet de cartes que l'on plie.

Dans les profondeurs de la croûte continentale, à plus de 10 km, les roches, qui subissent des températures de plusieurs centaines de degrés et de fortes pressions, se déforment comme de la pâte à modeler ou comme un métal passé au laminoir. Les chevauchements deviennent alors des zones de cisaillement, comme celles qui affectent toute l'épaisseur de la croûte dans les parties internes des chaînes de montagnes. Dans ces zones, les roches sont fortement étirées et microplissées. (On appelle microplis les plis qui ne dépassent pas quelques centimètres ou quelques mètres.)

Dans le cas d'un chevauchement extrême, le déplacement des couches de terrain peut être très important. Il se forme alors des nappes de charriage : des terrains très éloignés, à l'origine, du lieu considéré (allochtones) viennent recouvrir les terrains dits autochtones sur plusieurs centaines de kilomètres carrés (voir le dessin de la nappe de charriage). C'est sous de telles nappes que l'on trouve les roches le plus spectaculairement déformées.

Une oasis dans l'Himālaya

Lamayuru, une tache verte au milieu du désert du Ladakh.

Lamayuru est une étape obligée des amateurs de trekking en expédition dans l'ouest de l'Himālaya. Ce petit village, situé à l'est de Leh, «capitale» du Ladakh, se niche dans un paysage désertique d'une beauté extraordinaire. Il est encaissé entre d'immenses parois rocheuses.

L'homme a fait naître cet îlot de verdure à 3 800 m d'altitude en canalisant l'eau provenant de la fonte des neiges des sommets. Dans l'oasis, un système de rigoles assure la distribution du précieux liquide et permet l'irrigation. Le monastère qui surplombe le village ajoute à l'intérêt exceptionnel du site.

Le Pamir : des plis en forme de dôme

Dans le Pamir chinois, comme tout au long de la zone de collision entre l'Inde et l'Asie, la croûte continentale asiatique subit des forces de compression titanesques. Ces forces ont fait ployer l'ensemble de la croûte continentale, en créant de formidables montagnes qui sont en fait de grands plis en forme de dôme. Ces plis sont d'ailleurs encore en train de se former, ce qui provoque un soulèvement rapide du sommet de ces montagnes.

Le Mustagh Ata (7 546 m) et son voisin le Kongur (7 719 m) se sont ainsi élevés tous deux à plus de 7 500 m en se plissant progressivement. Ils dominent l'une des rares voies de passage, utilisée de tous temps, à travers la chaîne himalayenne. Ces sommets ont autrefois vu passer les caravanes de la route de la soie. Dans les steppes, au pied des glaciers, à une altitude proche de 4 000 m, paissent les troupeaux de moutons et les chameaux des nomades tadjiks et kirghizes. La route du Karakorum, qui relie la Chine au Pakistan par le col de Khunjerab, à plus de 4 700 m, et l'intrusion d'expéditions scientifiques ou montagnardes n'arrivent pas à détruire la paix et la sérénité de ces hauts lieux.

Les gigantesques plis du Mustagh Ata et du Kongur ont récemment vu leurs flancs cartographiés et mesurés par une expédition de géologues et de géographes français. Les échantillons arrachés à ces montagnes ont

livré des indications précieuses sur leur vitesse de surrection. Pour les géologues, ces plis seraient dus à un gigantesque chevauchement de la croûte continentale et s'élèveraient de plus de 1 cm par an.

En raison de cette surrection très rapide, ces montagnes sont fortement attaquées par l'érosion, ce qui maintient leur altitude plus ou moins stable. L'altitude à laquelle culmine une montagne fait l'objet d'une compétition entre la vitesse de remontée des roches et la vitesse à laquelle l'érosion les déblaie. Dans ces massifs couverts par une calotte glaciaire et profondément entaillés par des fleuves de glace, l'érosion se fait principalement par l'action du gel et de l'écoulement de la glace. Épisodiquement, des glissements de terrain catastrophiques se produisent sur les flancs de ces montagnes, jusqu'à barrer les vallées et former des lacs. Les spécialistes des terrains du Quaternaire ont ainsi pu reconstruire l'évolution de tels lacs au cours de la préhistoire, grâce à l'étude et à la datation des sédiments qui s'y sont déposés. Ces sédiments sont eux-mêmes tranchés par des failles actives dues au soulèvement des massifs. ■

Le Mustagh Ata, situé dans l'extrême ouest de la Chine, est l'un des plus beaux sommets du Pamir. Ce massif, qui atteint 7546 m, est un gigantesque pli qui affecte pratiquement toute l'épaisseur de la croûte terrestre. Dans un tel pli, les couches forment un dôme, souligné ici par la forme générale de la montagne.
▽

Une caravane d'aujourd'hui dans le Pamir.

La route de la soie, la plus légendaire des grandes routes commerciales, qui traversait l'Asie des rives de la Méditerranée jusqu'au cœur de la Chine ancienne, passait par le redoutable Pamir. Cette région de hauts plateaux culminant à 5 000 m d'altitude possède les plus vastes glaciers du monde. Comme s'ajoute au relief tourmenté un climat excessivement rude, c'était une étape difficile à franchir pour les caravanes qui s'y risquaient. Le Vénitien Marco Polo, dans son récit de voyage jusqu'à l'empire de Kūbīlāy Khān, se rappelle avoir affronté les vents glacés des défilés du Pamir. Par temps de neige, raconte-t-il, il fallait, pour s'orienter, repérer les cornes de moutons sauvages dont les indigènes jalonnaient les routes. C'est dans ce massif montagneux que s'effectuaient certains échanges entre caravaniers de l'Est et de l'Ouest, en un lieu appelé la Tour de pierre.

◁ ***Près du mont Rose, dans les Alpes du Valais (Suisse), des marbres, déformés à température élevée, forment de petits plis en cascade. De telles structures donnent des informations précieuses sur les forces qui agissent dans les parties profondes des chaînes de montagnes.***

Plis en cascade au mont Rose

Plusieurs heures de marche en haute montagne sont nécessaires pour atteindre les roches fortement cisaillées que l'on trouve près du mont Rose, au fond de la vallée suisse de Saas Fee. Ce sont les grands chevauchements des zones internes des Alpes qui ont produit les spectaculaires déformations que l'on observe maintenant dans ces montagnes.

L'intense cisaillement des roches et des fossiles ou galets qu'elles contenaient les a très fortement étirés en formant des linéations parallèles parfaitement visibles sur le terrain. Il y a quelques années, nous avons été plusieurs géologues à parcourir en tous sens cette région, ainsi qu'une bonne partie des Alpes, pour mesurer les directions de ces lignes et par là même déterminer dans quel sens s'étaient faits les grands chevauchements observés là.

Nous avons aussi trouvé dans ces roches de très nombreux microplis (plis de quelques centimètres à quelques mètres). D'une beauté souvent particulière, ils nous arrachaient des exclamations d'étonnement. Ces plis sont tellement cisaillés et étirés que leurs axes sont très fréquemment courbes et forment des sortes de doigts. Partout ailleurs, les axes des plis sont des droites.

Des plis en cascade de ce type ne se trouvent que dans des roches déformées « à chaud » dans les profondeurs de la croûte. Lorsque la température est suffisante, généralement plus de 300 °C, les roches deviennent malléables et se déforment. Les plis ne se forment plus par flexion de couches qui glissent les unes sur les autres, comme dans un paquet de cartes, mais par cisaillement et déformation interne des minéraux qui constituent les roches.

Dans les chaînes de montagnes, non seulement les Alpes, mais aussi l'Himalaya et les chaînes anciennes maintenant érodées comme le Massif central, l'étude des microstructures a donné aux géologues un outil très précieux pour connaître les forces tectoniques, telles les forces de cisaillement, actives dans le passé. ■

Le sommet du Gornergrat (3 131 m), en Suisse, offre un magnifique panorama sur le mont Rose.

Le tourisme dans le massif du Mont-Rose

Aux confins de la Suisse et de l'Italie se dresse une gigantesque barrière naturelle : les Alpes du Valais ou Alpes Pennines. Nombreux sont les sommets de cette chaîne à dépasser 4 000 m. Parmi eux, le mont Rose, ainsi nommé à cause des reflets qu'il prend sous les rayons du soleil. Au pied de cette montagne, qui culmine à 4 634 m, s'étale un des plus vastes domaines skiables des Alpes. Du côté suisse, certaines stations de sports d'hiver jouissent d'une réputation internationale. C'est le cas de Zermatt, où l'on peut prendre la plus haute ligne téléphérique d'Europe pour admirer le mont Rose. En Italie, les vallées d'Ayas, de Gressoney et d'Alagna offrent aux passionnés de longues descentes un large éventail de parcours de difficulté variable. L'été ne manque pas de charme non plus dans ces régions. Sous les glaciers étincelants du mont Rose, les pâturages sont parsemés de pittoresques villages. Prairies verdoyantes, châtaigneraies, pinèdes permettent de faire de belles randonnées, au hasard desquelles on rencontrera ici un torrent ou une cascade, là une église typique, un vieux pont ou encore un petit château. Les amateurs d'alpinisme pourront entamer de prestigieuses ascensions dans le massif du Mont-Rose en partant du refuge de Mezzalama, perché à 3 050 m.

ARCHIPELS EN GUIRLANDE

Les arcs insulaires

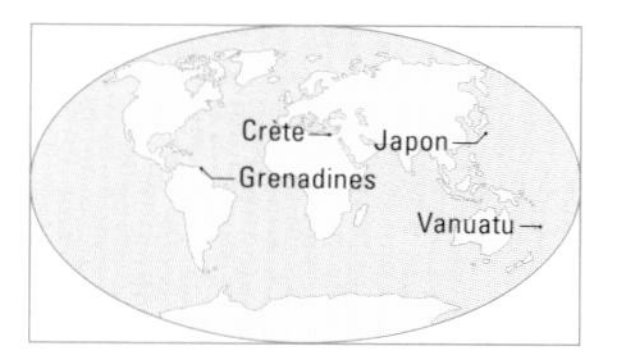

Les îles et les archipels qui constellent les océans n'ont pas tous la même nature et la même origine. Il en est qui, en forme de guirlande ou de feston, longent certaines bordures continentales, séparés de celles-ci par des mers intérieures. Ces arcs insulaires, siège d'un volcanisme explosif, caractérisent surtout le Pacifique Ouest, participant à la fameuse ceinture de feu du Pacifique. Les autres se situent dans l'Atlantique Ouest, au niveau des Caraïbes ou de la Terre de Feu, et aussi en Méditerranée.

◁ Depuis Hagia Triada (Crète) et ses ruines, qui datent d'environ 2000 à 1800 avant J.-C. (minoen moyen), on découvre cette vue somptueuse sur le mont Ida. Le massif, qui culmine à 2 456 m, donne une idée de l'ampleur du bombement qui s'est produit : les terrains normalement situés à la base de l'édifice ressurgissent au niveau du sommet enneigé.

La Crète, une des îles de l'arc égéen

L'arc égéen constitue, avec l'arc éolien (en mer Tyrrhénienne), l'un des deux exemples d'arc insulaire de la Méditerranée.

La Crète, la plus grande île de la partie non volcanique de cet arc, porte les plus hauts reliefs. Le sommet que l'on aperçoit ici, à l'arrière-plan des ruines minoennes d'Hagia Triada, est le célèbre mont Ida, point culminant de l'île. Selon la légende, Zeus aurait grandi dans une grotte de cette montagne, nourri par la chèvre Amalthée.

C'est au niveau de la fosse hellénique, profonde de 5 093 m, que la plaque africaine, portant la mer de Libye, plonge sous la mer Égée. L'arc insulaire est en réalité double.

L'arc externe longe la fosse des îles ioniennes à Karpathos puis à Rhodes, en passant par la Crète. À quelque distance au sud de la Crète, mais toujours au nord de la fosse, Gavdos est l'île la plus méridionale de l'Europe.

L'arc interne, en retrait d'environ 200 km, est lui volcanique et s'étend de la Thessalie jusqu'à la côte turque. Il est essentiellement formé par les plus méridionales des îles des Cyclades. Milos est célèbre pour être le site où fut découverte la belle statue de Vénus aujourd'hui conservée au musée du Louvre. Santorin (ou Thira) est non moins connue et constitue, avec ses petits villages bleu et blanc, un haut lieu touristique. La forme semi-circulaire de l'île est due à l'énorme explosion qui provoqua l'effondrement de la partie centrale du volcan, où renaît un petit cône actif. Ce cataclysme, qui eut lieu vers 1500 avant J.-C., fut en partie à l'origine du déclin de la brillante civilisation minoenne. Dégagée partiellement des cendres volcaniques qui l'ensevelissaient, la cité d'Akrotiri, en bord de mer, au pied du versant sud de l'île, donne une idée de cet événement majeur. ■

△
Au sud de l'arc des Petites Antilles s'étend l'archipel des Grenadines. Les îlots paradisiaques de Petit Saint-Vincent et de Petite-Martinique sont ici photographiés au premier plan de Carriacou, la plus grande des Grenadines.

L'arc des Petites Antilles

Dans la partie sud de l'arc des Petites Antilles, entre Saint-Vincent et Grenade, appelée l'«île aux épices», les Grenadines forment une poussière d'îles, véritable paradis des navigateurs. Carriacou est la plus étendue de ces îles. Le dédale des passes n'y est pas sans danger. En témoigne la carcasse du paquebot de croisière *Antilles,* immobilisée à jamais dans un couloir au nord de l'île Mustique.

L'arc des Petites Antilles, long de 600 km, se situe à la bordure orientale de la plaque caraïbe, sous laquelle s'enfonce la croûte océanique de l'Atlantique.

Il est constitué par tout un chapelet d'îles, qui s'égrènent depuis Porto Rico et les îles Vierges jusqu'à proximité des côtes du Venezuela. Si l'île de la Barbade, un peu en retrait à l'est, est de nature purement sédimentaire, l'arc interne est lui volcanique et compte neuf volcans, considérés comme actifs.

Certaines des manifestations éruptives ont fait date, hélas tragiquement. Ce fut le cas de la montagne Pelée, en Martinique, qui connut plusieurs éruptions historiques, dont celle de 1902, qui détruisit Saint-Pierre et provoqua, par l'émission de nuées ardentes, la mort de la presque totalité de ses 28 000 habitants. Fort heureusement, l'activité de la Soufrière, à la Guadeloupe, resta bénigne. Elle ne fit que provoquer, en 1976, un grand remous dans la communauté géologique, partagée sur la nature et l'imminence d'une éruption et sur l'opportunité d'une évacuation de la population voisine du volcan. ■

△
En bordure de la mer de Corail, l'île de Tana (549 km²) est située à 600 km au nord-est de la Nouvelle-Calédonie. Elle fait partie de l'arc insulaire de Vanuatu. Pur produit de la subduction, le volcan Yasur, dans le sud-est de l'île, donne lieu à des reliefs d'environ 1 000 m d'altitude.

Vanuatu : un archipel volcanique du Pacifique

Dans le sud-ouest du Pacifique, l'île de Tana est l'une des plus méridionales de l'arc insulaire de Vanuatu, situé au nord-est de la Nouvelle-Calédonie. On connaît mieux cet archipel de Mélanésie sous son ancien nom, Nouvelles-Hébrides, que lui donna le navigateur anglais James Cook en 1774.

L'arc, qui représente l'extrémité méridionale de la ceinture de feu du Pacifique, est tout entier de nature volcanique. Il résulte de la plongée de la plaque indo-australienne sous la plaque pacifique (subduction). Ce mouvement est opposé à celui qui est à l'origine de la formation de l'arc des îles Tonga et Kermadec, situées plus à l'est, par-delà les îles Fidji.

Cinq îles, dont Tana, sont dotées de volcans actifs. Sur la côte sud-est de Tana, le Yasur, déjà signalé par Cook comme un volcan actif, est toujours en éveil. Son cratère abrite un lac de lave permanent.

Tana est l'île la plus fertile de l'archipel. Le climat tropical rend possible la culture du cacao, du café, de l'igname, de la banane, du manioc... Grâce aux nombreuses plantations de cocotiers, le coprah est la principale exportation du pays. Les forêts luxuriantes, bruissantes d'oiseaux, s'étendent partout où l'homme ne cultive pas.

La beauté des paysages et l'authenticité des populations donnent à cet alignement d'îles un charme particulier. ■

Il y a 4 000 ans, la Crète fut le berceau d'une brillante civilisation de commerçants et de navigateurs, qui devança de plusieurs siècles l'essor de la Grèce. C'est à l'archéologue anglais Arthur Evans que l'on doit de l'avoir sortie de l'oubli, à l'aube du XXe siècle.

Le 23 mars 1900, il entreprit des fouilles sur la colline de Kefala, près d'Héraklion. En l'espace de quelques jours, on exhuma un vrai trésor : une maison avec des fresques, des objets en argile, des morceaux de jarres, des tablettes couvertes d'une écriture inconnue... Par la suite, les découvertes se succédèrent tant et si bien qu'à la fin de la première campagne de fouilles on avait déblayé 8 000 m^{2} d'un complexe palatial plus grandiose que celui de Mycènes. Le palais de Cnossos se composait d'une multitude de bâtiments à plusieurs niveaux, groupés autour d'une cour intérieure. Certaines des 1 300 salles étaient somptueusement décorées. Un subtil système de canalisations servait à couvrir les besoins en eau des milliers d'habitants.

Le roi Minos, célèbre pour avoir commandé à Dédale la construction du fameux Labyrinthe, dans lequel il fit emprisonner le Minotaure, a-t-il habité ce palais extraordinaire ? Impossible de le certifier mais l'archéologue retint le nom de ce personnage légendaire pour baptiser les hommes de l'antique civilisation : c'est ainsi que les Minoens retrouvèrent dans l'histoire du monde la place qu'ils avaient perdue.

La naissance des archipels

D'après le géophysicien allemand Alfred Wegener, auteur, au début du siècle, de la théorie sur la dérive des continents, les arcs insulaires sont des fragments que les continents ont abandonnés dans leur sillage. En fait, leur existence résulte de la plongée (subduction), au long d'une fosse profonde, d'une plaque océanique sous une autre plaque océanique ou sous la bordure d'un continent, dont ils sont alors séparés par une mer assez profonde et à fond océanique, appelée mer marginale. Un arc volcanique se développe à une distance de la fosse qui dépend de l'angle de plongée. La croûte océanique plongeante doit atteindre une profondeur d'environ 80 à 100 km pour permettre la fusion partielle du manteau et générer des magmas plus légers, qui, telles des bulles, monteront vers la surface et formeront des îles volcaniques.

Il arrive que se crée un autre arc, de nature sédimentaire celui-là, plus proche de la fosse. Les sédiments piégés dans la fosse, au lieu d'être entraînés dans la subduction, sont refoulés. À la manière des feuilles de papier qui s'accumulent au pied d'un escalier mécanique, ils forment une pile d'écailles (appelée prisme d'accrétion) qui peut émerger.

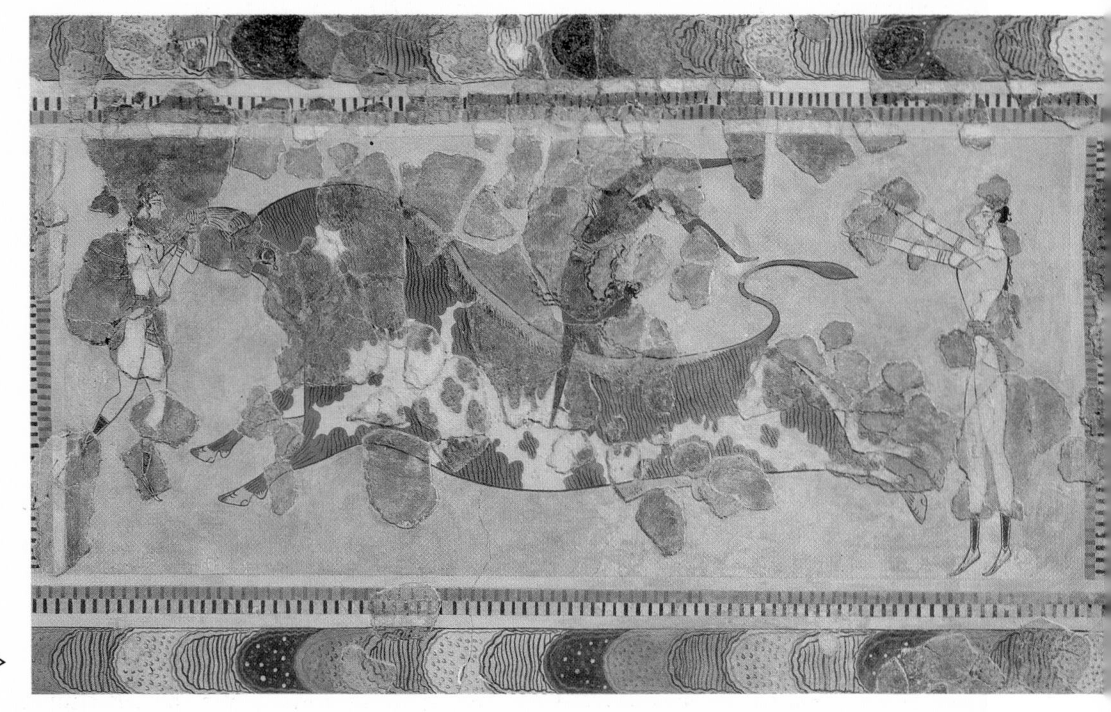

Une des magnifiques fresques découvertes dans le palais de Cnossos. ▷

Le Japon, un arc insulaire complexe

Le croissant de lune de l'archipel japonais nous est aujourd'hui familier. Pourtant le Japon n'a pas toujours eu la forme que nous lui connaissons : il est devenu un arc insulaire il y a seulement vingt millions d'années. Auparavant, il faisait partie de l'Eurasie, dont il est désormais séparé par la mer du Japon.

L'arc oriental, constitué par l'île de Hokkaidō et le nord de Honshū, se nourrit de la plongée, à une vitesse de 9 cm par an, de la plaque pacifique sous la plaque eurasiatique, au niveau de la fosse du Japon. Cette fosse, profonde de 7 000 à 8 000 m, absorbe des monts sous-marins comme le volcan Erimo, qui a effectué un voyage d'environ cent vingt millions d'années sur le dos de la plaque pacifique. Elle digère également des fragments issus de la marge du Japon, qui se trouve ainsi petit à petit grignotée.

L'arc occidental, formé par la partie méridionale de Honshū, fait face à la plaque philippine, âgée seulement de quinze à vingt millions d'années. De ce fait, celle-ci plonge avec difficulté sous la plaque eurasiatique à la vitesse de 4 cm par an. Dans la fosse de Nankai, qui n'atteint que 4 500 m, s'accumulent des sédiments qui ne peuvent être entraînés dans la subduction et qui, refoulés, édifient un prisme d'accrétion où s'observent des oasis de vie comparables à celles existant autour des sources chaudes des rifts océaniques. Pour la même raison, l'arc volcanique des Bonin, produit par la plongée de la plaque pacifique sous la plaque philippine, n'arrive pas à passer dans la fosse et à être absorbé. Le résultat est qu'au nord, dans la région sud-est de Tōkyō, une collision se produit entre la péninsule d'Izu et Honshū, au pied du Fuji-Yama. Elle a pour conséquence un rapide soulèvement de la région dominant la Fossa Magna, appelée Alpes japonaises. Cette collision fait craindre l'imminence d'un séisme de très forte magnitude dans la région de Tōkai.

La rareté des séismes survenus sur une des principales failles actives (en 841 et en 1930), est peut-être rassurante. Cependant, on comprend la nécessité d'étudier un arc aussi complexe. En 1985, il fut l'objet d'étude du programme franco-japonais *Kaïko* — mot japonais signifiant fosse marine —, au cours duquel furent engagés les moyens d'investigation les plus modernes, et où l'on utilisa pour la première fois le submersible *Nautile,* capable d'atteindre 6 000 m de profondeur. ■

Ce bloc-diagramme montre la spécificité de l'arc japonais, marqué par l'interaction de trois plaques, pacifique, philippine et eurasiatique. Exceptionnelle est la rencontre, pareille aux trois branches d'un Y renversé, de trois fosses au large de Honshū. Tout aussi remarquable, mais menaçante, est la collision de la péninsule d'Izu contre Honshū, qui pourrait provoquer un terrible séisme.
▽

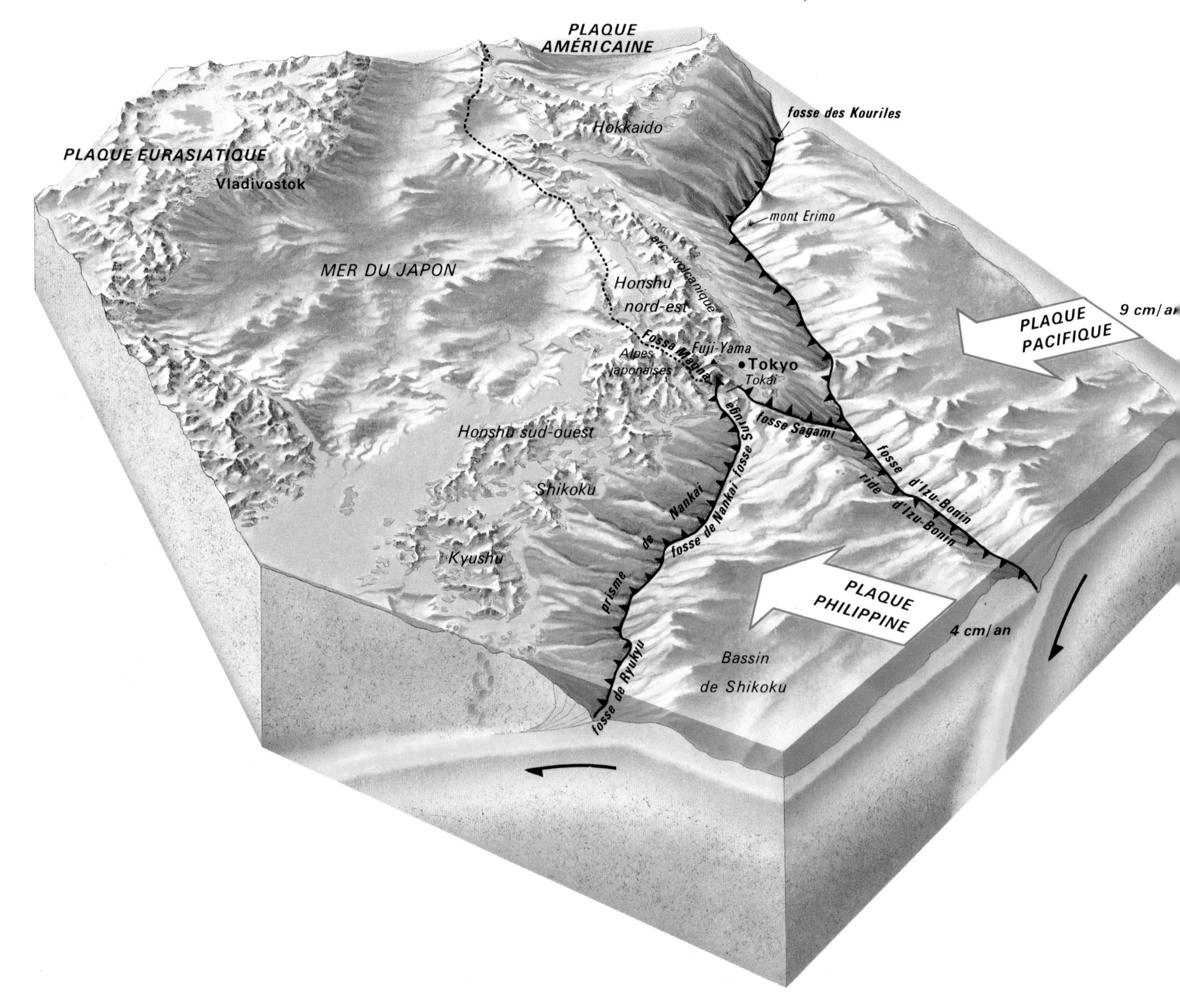

LA NAISSANCE DES CORDILLÈRES

Chaînes de subduction

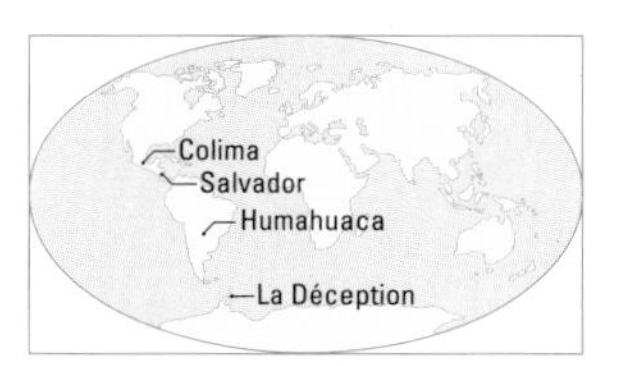

Certaines chaînes de montagnes, contrairement aux Alpes ou à l'Himālaya, naissent en bordure de profondes fosses océaniques. Ce sont les cordillères, dont le meilleur exemple est donné par les Andes. Ce type de relief se forme lorsqu'une plaque océanique s'enfonce sous une plaque continentale. L'histoire d'un grand nombre de chaînes de montagnes a commencé de cette manière.

△
Dans le sud du Salvador, en bordure de la côte pacifique et de ses plages, comme ici la plage el Tamarinda, ces reliefs volcaniques, situés non loin de La Unión, appartiennent au volcan Conchagua.

Le Salvador, un pays volcanique

Le Conchagua (1 250 m) se dresse devant le golfe de Fonseca, telle une sentinelle. Seul pays de l'Amérique centrale à ne s'ouvrir que sur l'océan Pacifique, le Salvador en est aussi le plus petit : à vol d'oiseau, il ne fait guère plus de 300 km d'ouest en est et une centaine du nord au sud.

C'est un pays essentiellement volcanique. Son relief se présente sous la forme de deux chaînes parallèles qui traversent le pays d'ouest en est. La chaîne externe, qui longe la côte puis passe en mer vers La Unión, comprend les plus hauts sommets : elle culmine à 2 386 m (le Santa Ana). De nombreux volcans sont encore en activité. L'histoire du Salvador est d'ailleurs jalonnée de catastrophes : la capitale, San Salvador, a été détruite maintes et maintes fois par de terribles tremblements de terre. La chaîne interne, elle, est formée de volcans plus anciens. Entre ces deux alignements s'étend toute une série de plateaux où les sols, recouverts de cendres volcaniques, sont particulièrement fertiles, propices notamment à la culture du café et à l'élevage bovin. Située sur l'axe volcanique de l'Amérique centrale, cette double chaîne, d'âge quaternaire à tertiaire, est liée à la plongée de la partie méridionale de la plaque Cocos sous la bordure continentale de la plaque caraïbe (subduction). ■

L'oiseau des sommets : le condor des Andes

Le condor des Andes est le plus grand de tous les oiseaux de proie. Son envergure peut dépasser 3 m. Outre sa taille impressionnante, il se distingue par son plumage noir aux reflets métalliques et par ses rémiges blanches. Sa tête dénudée, son cou orné d'un léger collier de duvet et son bec robuste sont adaptés à son régime alimentaire à base de charognes.
Le condor des Andes vit entre 3 000 et 5 000 m d'altitude mais, le long des côtes, il niche dans de hautes falaises surplombant la mer. On le trouve sur toute la longueur des Andes, du nord de la Colombie au sud de la Terre de Feu et, à l'est, le long de la côte atlantique de l'Argentine jusqu'à l'embouchure du río Negro, en Uruguay.

Un condor des Andes, dont l'envergure peut dépasser 3 m, va se poser. ▽

Quand une plaque s'enfonce...

La lithosphère océanique (croûte océanique et manteau supérieur de la Terre) devient, au fur et à mesure de son vieillissement, plus lourde que la lithosphère continentale et s'enfonce inexorablement dans le manteau profond (couche intermédiaire entre le manteau supérieur et le noyau). Ce phénomène s'appelle la subduction.

Cette plongée d'une lithosphère en dessous de l'autre se produit en bordure des continents dans une marge dite active, car affectée par des séismes et des éruptions volcaniques souvent explosives. De telles marges caractérisent la bordure pacifique des Amériques, où voisinent fosses profondes et hauts reliefs, exception faite de la région de San Andreas, où s'opère un mouvement de coulissage.

L'existence de la fosse s'explique bien par la plongée de la lithosphère océanique, mais comment comprendre la formation des reliefs du continent voisin ? Elle résulte du raccourcissement et de l'épaississement de la croûte dus à la convergence des deux plaques. Mais elle provient également des apports de magma du manteau de la plaque chevauchante, dont la fusion est accélérée par la déshydratation de la plaque plongeante. Ce magma est à l'origine des dômes granitiques et des puissants volcans qui forment, en grande partie, ces chaînes de montagnes.

Fascinante cordillère... où se blottit Humahuaca

Le survol des Andes donne, avec ses hauts sommets, une idée de la barrière que constitue cette cordillère ; on la voit ici fermer de ses parois colorées la petite ville argentine de Humahuaca.

La cordillère des Andes — et plus spécialement les Andes centrales, qui dominent, du haut de leurs sommets souvent supérieurs à 6 000 m, la fosse du Pérou et du Chili, de profondeur équivalente — représente l'exemple type d'une chaîne de subduction, générée par la plongée de la plaque océanique Nazca sous la bordure pacifique de l'Amérique du Sud. Une montagne unique en son genre, avec sa croûte continentale épaisse de 60 à 70 km, et qui tire son nom des hauts sommets volcaniques, justement constitués de laves appelées andésites.

Pour l'essentiel, les reliefs andins ont été édifiés au cours des vingt derniers millions d'années. Leur formation est le fait du volcanisme, d'un raccourcissement est-ouest et d'un épaississement de la croûte continentale en bordure de la plaque chevauchante.

Entre ces périodes de compression, génératrices de plis et de chevauchements, se sont intercalées des périodes au cours desquelles la cordillère a subi une extension nord-sud. Tout se passe comme si, sous l'effet de leur propre poids, les Andes s'étiraient et se fragmentaient en blocs, les uns affaissés, les autres exhaussés. Des failles récentes tranchent les vallées, recoupent les moraines glaciaires et produisent des escarpements de plusieurs dizaines de mètres. Elles ne sont pas rares, par exemple, dans la cordillère Blanche, au Pérou, où les sommets culminent à plus de 6 500 m. ■

◁ *La Cordillère des Andes étend ses hauts sommets de plus de 6 000 m sur une distance de plus de 7 000 km.*
Côté argentin, non loin au sud de l'Altiplano bolivien, la cordillère orientale, faite de terrains anciens puissamment rajeunis et soulevés, domine de toute sa splendeur la petite ville de Humahuaca, sur le rio Grande de Jujuy.
▽

Lorsqu'il franchit les Andes en 1532, le conquistador Francisco Pizarro n'en croit pas ses yeux ! Alors qu'en Europe on tombe d'ornières en fossés, il découvre l'inimaginable *Nan Cuna,* « un chemin fait à la main, bien construit, en beaucoup d'endroits pavé ». Il ne sait pas encore que cette chaussée royale inca totalise près de 40 000 km, unissant ce que sont aujourd'hui la Colombie, le Chili et l'Argentine, à travers l'Équateur, le Pérou et la Bolivie. Le réseau routier précolombien, destiné au piéton et au lama, desservait un territoire de 2 600 000 km^2, en défiant partout une géographie surhumaine. Pour le construire, les Incas durent affronter la froidure extrême des cimes. Rien ne les rebuta. Ni les abîmes insondables, ni les cols englacés. Le chemin des Andes dépassait par endroits 6 000 m d'altitude. Il mesurait de 4 à 6 m de large, se réduisant parfois à des dalles « volantes », clouées au-dessus du vide, sur lesquelles on ne pouvait poser qu'un pied à la fois. Des escaliers vertigineux, taillés dans le roc, permettaient de passer les gorges. Çà et là, des paliers et des sièges de pierre invitaient le voyageur à se reposer. Ailleurs, un tunnel entaillé de fentes filtrant l'air et la lumière perçait la montagne. Un caniveau d'eau pure bordait le chemin et des bornes marquaient la distance. On comprend l'étonnement de Pizarro devant une telle merveille d'ingéniosité !

Le* Nan Cuna, *le chemin le plus long du monde.

△ ***Situé au Mexique, le cône volcanique du Colima (au premier plan), qui culmine à 3 820 m, s'est greffé il y a environ 50 000 ans sur le flanc sud du Nevado de Colima, son aîné endormi (à l'arrière-plan), lequel domine au nord le graben de Colima du haut de ses 4 240 m.***

Le Colima : un volcan menaçant

Situés dans le sud-ouest du Mexique, le Colima, dont on voit au premier plan les épaisses coulées de lave, et le Nevado de Colima culminent respectivement à 3 820 m et 4 240 m. La dernière activité connue du Nevado, vieux de 600 000 ans, remonterait à environ 3 000 ans, tandis que le Colima, âgé seulement de 50 000 ans, est toujours actif. Pour l'un comme pour l'autre, les éruptions ont été accompagnées à deux reprises au moins d'énormes avalanches de débris particulièrement dévastatrices. Elles ont dévalé les pentes du volcan, emprunté les vallées et parcouru des distances de plus de 100 km. Issue du Colima, la dernière en date, il y a 4 300 ans, a dépassé l'actuelle cité de Colima. On mesure combien la répétition d'un tel phénomène serait catastrophique pour les populations des alentours.

Ces reliefs sont situés à l'extrémité ouest de la chaîne volcanique transmexicaine, tout près de la bordure pacifique. Ils résultent de la plongée sous le Mexique de la plaque océanique Cocos (subduction). Au nord du Colima, trois fossés formant une étoile préfigurent le détachement possible d'un fragment de la croûte continentale mexicaine. Mais cela n'est pas pour demain... ■

△ *L'île de la Déception se situe vers l'extrémité méridionale de l'archipel des Shetland du Sud, qui borde la péninsule Antarctique. C'est une île volcanique en forme de fer à cheval. Du bord du cratère, on peut voir Telephone Bay, abri naturel pour le navire qui se trouve au mouillage, et, au fond, les reliefs englacés de la péninsule Antarctique.*

La bordure pacifique de l'Amérique centrale

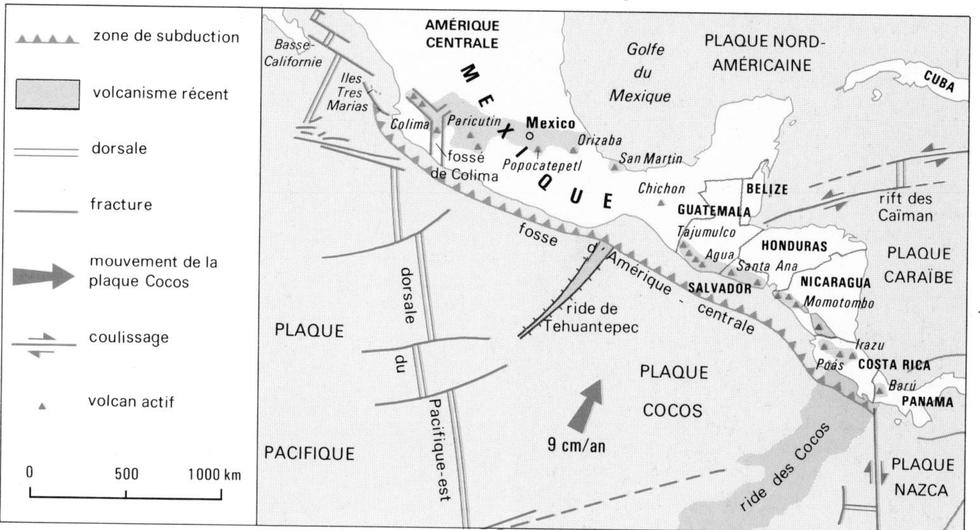

◁ *La fosse d'Amérique centrale, longue de 3 000 km, marque sur la côte pacifique le plongement (subduction) de la plaque océanique Cocos sous le bord continental, lui-même effondré par failles, des plaques nord-américaine et caraïbe. Elle prolonge, à partir du Costa Rica, la fosse du Pérou et du Chili mais se ferme à l'entrée du golfe de Californie.*

Les villes et les villages les plus hauts du monde	altitude
Chacaltaya (Bolivie)	5 131 m
Minasragra (Pérou)	5 100 m
Jiachan (Tibet)	4 837 m
Cerro de Pasco (Mexique)	4 375 m
Potosi (Bolivie)	3 960 m
Lhassa (Tibet)	3 630 m
Cuzco (Pérou)	3 360 m
Quito (Équateur)	2 890 m

Les volcans de la Déception

Volcanique et inhospitalière, l'île de la Déception, qui appartient à l'archipel des Shetland du Sud, se situe au large de la péninsule Antarctique, laquelle s'étire en direction du continent sud-américain. Jadis fréquentée par les chasseurs de baleines, elle est devenue un centre de recherche scientifique.

Bien que le voyage ne soit pas sans difficultés et malgré la rigueur du climat — l'Antarctique détient le record des températures les plus basses —, les rivages australs commencent à attirer, par la splendeur des paysages qu'ils offrent, des visiteurs de plus en plus nombreux.

On augurait l'existence d'une *Terra incognita* au sud du globe depuis des siècles, mais ce n'est qu'au siècle dernier, en 1821, que les reliefs majestueux de l'Antarctique furent découverts, par un marin anglais. Une partie de la péninsule, la terre de Palmer, porte aujourd'hui son nom.

La bordure occidentale de l'Antarctique, de la péninsule Antarctique à la mer de Ross, présente des reliefs ressemblant à ceux des Andes, avec des dômes granitiques et des volcans âgés de moins de dix millions d'années. Certains sont encore en activité. La subduction ouest-antarctique prolongeait la subduction andine avant l'ouverture du détroit de Drake, qui isola le continent et permit la circulation des eaux autour de celui-ci. L'archipel des Shetland du Sud, quant à lui, constitue un arc insulaire, qui est séparé de la péninsule Antarctique par le fossé de Bransfield. ■

LES SÉISMES DANS LE MONDE

La répartition géographique des séismes dessine les zones d'affrontement ou d'écartement entre les plaques tectoniques. Ces régions sont le siège de nombreux petits tremblements de terre, généralement non ressentis par l'homme. À intervalles réguliers, de l'ordre d'une centaine d'années, de grands événements sismiques, souvent dramatiques, libèrent en quelques secondes les tensions accumulées au cours des ans par le lent mouvement des plaques.

Les plaques tectoniques se déplacent à des vitesses de quelques centimètres par an. Ce déplacement, bloqué par des déformations élastiques au voisinage des failles, est libéré à intervalles réguliers par des tremblements de terre. En quelques secondes, lors d'un grand séisme, les terrains situés de part et d'autre d'une faille glissent de plusieurs mètres l'un par rapport à l'autre, et ce déplacement libère les tensions accumulées. Cette rupture se produit sur plusieurs dizaines ou centaines de kilomètres le long de la faille, et dégage une quantité colossale d'énergie. La plupart des séismes sont localisés sur les limites entre les plaques, là où les déplacements sont les plus rapides. Ils sont concentrés dans les zones de subduction, où la croûte océanique s'enfonce dans le manteau; le long des rides médio-océaniques, où s'ouvrent les océans; dans les grandes failles décrochantes, où deux blocs de croûte terrestre coulissent horizontalement; dans les zones de collision, où s'affrontent les continents et se construisent les montagnes. Les plus violents séismes se produisent dans les zones de subduction du pourtour du Pacifique. Les zones de convergence continentale (Caucase, Iran, Himâlaya, Tibet) sont également le siège de séismes très meurtriers.

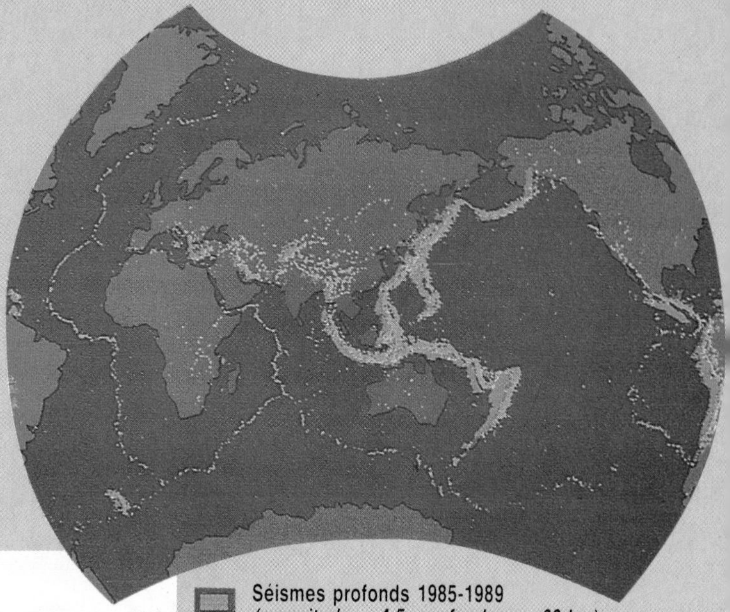

Fissures et effondrement des routes rendent difficile l'acheminement des secours après le séisme du 21 juin 1990 dans les montagnes du nord-ouest de l'Iran. Comme en Arménie en 1988, ce tremblement de terre est dû au rapprochement de l'Arabie et de l'Europe. ▽

Séismes profonds 1985-1989
(magnitude > 4,5; profondeur > 60 km)

Séismes superficiels 1985-1989
(magnitude > 4,5; profondeur < 60 km)

△ *La plupart des séismes se répartissent sur les frontières de plaques. Au Japon, au Chili, au Mexique ou en Alaska, les zones de subduction bordant le Pacifique provoquent des tremblements de terre très meurtriers. Ce sont les seuls endroits sur le globe où se produisent des séismes très profonds, jusqu'à 700 km. En Californie, la plaque pacifique coulisse vers le nord le long de la faille de San Andreas, menaçant ainsi Los Angeles et San Francisco. Les dorsales océaniques, au milieu de l'Atlantique et de l'océan Indien, et au sud-est du Pacifique, zones heureusement éloignées des régions habitées, sont le siège de nombreux séismes. L'intense sismicité que l'on peut suivre de la Méditerranée à la Chine, en passant par l'Arménie et l'Iran, est due à la convergence de l'Afrique et de l'Inde vers l'Eurasie.*

Le séisme de 1906 sur la faille de San Andreas détruisit en grande partie la ville de San Francisco. ▽

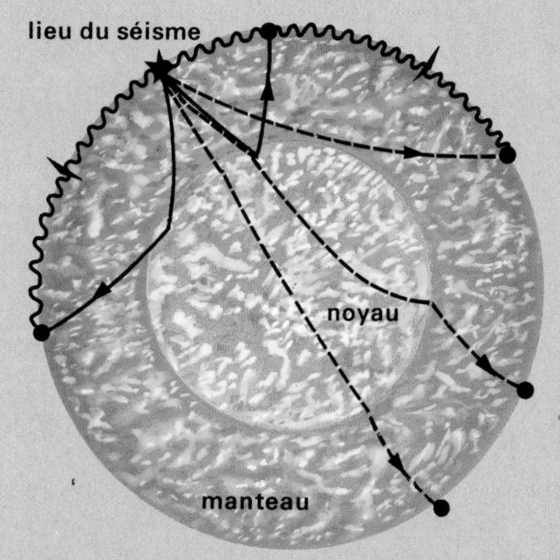

△
La rupture brusque d'une faille produit différentes ondes sismiques : ondes de compression, de cisaillement, de surface. Ces vibrations se propagent dans les roches à plusieurs kilomètres par seconde. Elles traversent la terre et sont détectées dans les stations d'enregistrement. Les géophysiciens mesurent le temps qu'ont mis ces ondes pour arriver aux différentes stations. Ils déterminent leur vitesse de propagation et l'épaisseur des couches qui composent le globe, ainsi que la composition de ces couches, car la vitesse et le type des ondes sismiques changent en fonction des roches traversées.

△
La déformation des rails après un séisme en Nouvelle-Zélande, en mars 1987, traduit de façon visible la déformation des terrains qui supportent la voie de chemin de fer.

Le quai d'embarquement des grands courriers à Yokohama après le séisme du 1er septembre 1923. Ce tremblement de terre et les incendies qui firent rage pendant plusieurs jours détruisirent l'agglomération de Tōkyō, faisant 140 000 morts. L'enfoncement des fonds océaniques du Pacifique et de la mer des Philippines dans les zones de subduction qui plongent sous le Japon menace ainsi toute la bordure est de l'archipel. La succession régulière des séismes au cours de l'histoire fait d'ailleurs partie de la tradition et de la culture japonaises.
▽

Les ondes sismiques, amplifiées dans les soubassements de Mexico, bâti sur un ancien bassin sédimentaire et des marais asséchés, ont ouvert de nombreuses fissures dans le sol, lors du tremblement de terre de 1985. (En haut.)

Un des plus gros tremblements de terre connus, de magnitude 8,6, se produisit en mars 1964 sur la zone de subduction qui plonge sous l'Alaska. En surface, les ondes sismiques de forte énergie ont fracturé le sol gelé, qui s'est brisé comme une plaque de verre. (Ci-dessus.)

LA GUERRE DES PLAQUES

Chaînes de collision

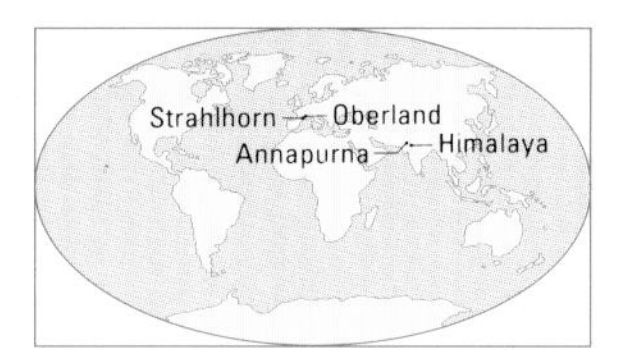

La fermeture des océans et l'affrontement des blocs continentaux dans les zones de collision doublent l'épaisseur de la croûte terrestre et construisent les chaînes de montagnes les plus grandioses et les plus élevées du globe. Les roches océaniques échouées sur les continents permettent de retrouver la trace des océans perdus.

L'Annapūrnā : le premier «8 000 m» conquis

En sanskrit, la mère des langues indiennes, Annapūrnā signifie «la déesse de l'abondance». La face sud de cette imposante montagne ne trahit pas l'étymologie : l'abondance de neige, de glace et de rocs aigus offre au voyageur un spectacle absolument grandiose.

L'Annapūrnā, qui culmine à 8 078 m, fait partie du Haut Himālaya népalais, énorme lame de croûte indienne qui a chevauché le reste de l'Inde vers le sud. Les géologues appellent cette lame chevauchante, qui plonge faiblement vers le nord, la «dalle du Tibet». Ainsi, en traversant cette dalle du sud vers le nord, du pied des grands sommets de plus de 8 000 m au plateau du Tibet, on trouve le socle de l'Inde et sa couverture sédimentaire exposés sur une vingtaine de kilomètres d'épaisseur. Ces roches sédimentaires, témoins d'une mer maintenant disparue, s'étaient déposées sur la bordure nord du continent indien avant sa collision avec l'Asie.

La très haute altitude des montagnes de l'Himālaya est due principalement à la force d'Archimède. La croûte continentale fait ici 80 km d'épaisseur, soit le double de la croûte indienne plus au sud. Légère, elle flotte sur le manteau sous-jacent, qui a la consistance d'un fluide très visqueux. Elle s'élève d'autant plus au-dessus de la surface qu'elle est plus épaisse, comme le ferait un iceberg flottant sur la mer. Ainsi l'Himālaya atteint-il des altitudes inégalées, car la croûte y est beaucoup plus épaissie par les chevauchements que dans toutes les autres chaînes de montagnes.

Ce phénomène fait le bonheur des alpinistes qui ne rêvent que de hauts sommets et de faces raides. L'Annapūrnā a d'ailleurs été la première montagne de plus de 8 000 m conquise par l'homme. Les Français Maurice Herzog et Louis Lachenal en ont en effet atteint le sommet le 3 juin 1950, au prix d'une aventure éprouvante dont les deux hommes reviendront souffrant d'horribles gelures. L'ascension de la redoutable face sud, en 1970, par une équipe anglaise menée par Chris Bonington, a été l'étincelle qui a allumé les feux de l'himalayisme de haut niveau. ■

Les hauts sommets de l'Oberland bernois (Suisse) contrastent de façon étonnante avec les alpages de la vallée de Grindelwald. À droite, la face nord de l'Eiger (3 970 m) dresse un gigantesque mur redouté de tous les alpinistes. ▷

La face sud de l'Annapūrnā, qui culmine à 8 078 m, met à nu sur plusieurs kilomètres d'épaisseur une coupe de la croûte continentale indienne. Dans ce mur de rochers glacés, on distingue la stratification des rochers. L'Annapūrnā, comme la plupart des grands sommets du Haut Himālaya népalais, appartient à une gigantesque lame de croûte qui chevauche le reste de l'Inde.
▽

L'Oberland, une muraille impressionnante

Centre d'alpinisme réputé, baptisé « le village des glaciers », Grindelwald, bourgade du canton suisse de Berne, se niche dans un site inoubliable. De la station, entourée de prairies et de forêts, on est aux premières loges pour admirer la grandiose barrière rocheuse qui s'étend du Wetterhorn à la pyramide de l'Eiger, deux hauts sommets de l'Oberland bernois.

Au pied du versant nord de l'Oberland émerge le chevauchement de croûte continentale le plus externe et le plus récent des Alpes. Ce chevauchement est le même que celui qui s'enfonce sous le massif du Mont-Blanc, dans les Alpes franco-italiennes. C'est une rampe assez raide qui recoupe toute la croûte, et qui a soulevé à leur altitude actuelle les plus beaux 4 000 m des Alpes.

Le front même de l'Oberland est constitué de roches calcaires très fortement plissées et déformées. La face nord de l'Eiger, à droite, ressemble à une sorte de pile d'assiettes plutôt instable, formée par les couches sédimentaires. En plus de la difficulté intrinsèque des voies d'escalade qui la parcourent, elle est donc particulièrement redoutée par les alpinistes pour ses fréquentes chutes de pierres !

Avec les autres faces nord que sont celles du Cervin, dans le Valais (Suisse), et des Grandes Jorasses, dans le massif du Mont-Blanc, cette gigantesque muraille haute de 1 800 m est longtemps demeurée un des grands problèmes des Alpes. Ce sont les Allemands Heckmair et Vörg et les Autrichiens Kasparek et Harrer qui vaincront enfin, en 1938, la « face de l'ogre ». Car tel est le nom que l'on donne désormais à cette paroi, siège de multiples drames. Elle garde gravés en elle les efforts et les angoisses de ses vainqueurs, qui ont nommé de façon suggestive les lieux de leur passage : le « névé de l'araignée », le « bivouac de la mort » ou les « portes du chaos ». ■

Sommets de l'Himālaya dépassant 8 000 m

Everest	8 848 m
K2	8 611 m
Kangchenjunga	8 598 m
Lhotse	8 501 m
Yalung Kang	8 496 m
Makālū	8 481 m
Lhotse Shar	8 400 m
Dhaulāgiri	8 172 m
Manaslu	8 156 m
Cho Oyu	8 153 m
Nānga Parbat	8 126 m
Annapūrnā	8 078 m
Gasherbrum	8 068 m
Broad Peak	8 047 m
Xixabangma	8 012 m

L'équipement de Christine Janin, lors d'une de ses ascensions en octobre 1990.

L'himalayisme

L'Everest a été le témoin privilégié du développement de l'himalayisme. Les grandes parois, sur lesquelles on osait à peine se risquer il y a dix ans, s'escaladent aujourd'hui en simple cordée, voire en solitaire. Les alpinistes se succèdent pour les gravir le plus rapidement possible par des voies de plus en plus délicates. Cette évolution est liée aux progrès du matériel, à une démystification de la haute altitude et à une pratique professionnelle de certains sportifs. L'aventurier moderne bénéficie de vêtements confortables, de tentes ultralégères, d'un matériel d'escalade élaboré et d'aliments adaptés à l'effort. D'autre part, on sait depuis l'ascension de Reinhold Messner en 1978 que l'on peut monter sur l'Everest sans oxygène artificiel et que la « zone de la mort » n'est pas mortelle pourvu que l'on soit bien acclimaté à l'altitude.

◁ *Depuis 100 millions d'années, l'Afrique, l'Arabie et l'Inde se rapprochent inexorablement du continent eurasiatique. L'Inde a ainsi parcouru plusieurs milliers de kilomètres, à une vitesse de 15 cm/an, pour entrer en collision avec l'Asie il y a 50 millions d'années. Ce rapprochement a continué jusqu'à l'époque actuelle à une vitesse de 5 cm/an, formant l'Himālaya. De même, c'est la convergence de l'Afrique et de l'Europe qui a formé les Alpes et les chaînes de montagnes méditerranéennes.*

Déplacement de l'Afrique et de l'Inde vers l'Asie

principales zones déformées par l'affrontement des continents
il y a 20 millions d'années
il y a 40 millions d'années
il y a 60 millions d'années
il y a 100 millions d'années

La navette Challenger dévoile une vue inhabituelle de l'Himālaya enneigé. Cette chaîne, qui s'élève à plus de 8 000 m, est due à la collision entre l'Inde et l'Asie. Elle sépare le haut plateau semi-désertique du Tibet, de plus de 4 000 m (à droite), constellé de lacs, des basses plaines du nord de l'Inde (à gauche), qui ne dépassent pas 100 m d'altitude. ▷

L'Himālaya vu de l'espace

Photographié par les astronautes de la NASA, le panorama de l'Himālaya s'étend vers l'ouest de l'Everest (8 848 m), en bas, aux massifs du Karakorum et du Pamir, visibles à l'horizon. À peu près au centre, l'Annapūrnā (8 078 m) et le Dhaulāgiri (8 172 m) sont situés de part et d'autre de la profonde vallée de la Kali Gandak, qui traverse toute la chaîne. À droite, proche de l'horizon, on distingue le rebord du plateau du Tibet et le bassin du Tarim, occupé par le désert du Taklamakan. Le Tibet est un haut plateau dont l'altitude moyenne est de l'ordre de 5 000 m. À gauche apparaît en bleu la plaine Indo-Gangétique. De nombreuses rivières s'écoulent dans cette région à vocation agricole et vont rejoindre le Gange.

Il y a cinquante millions d'années, l'Inde a affronté l'Asie, après avoir voyagé vers le nord sur des milliers de kilomètres. On peut encore trouver au Tibet, le long des vallées de l'Indus et du Brahmapoutre, les traces de l'océan qui séparait ces deux continents. Ce sont les formes allongées, parallèles à la chaîne himalayenne, que l'on voit courir

depuis le coin droit de la photographie. Après leur collision, l'Inde et l'Asie ont continué à se rapprocher, et depuis, l'Inde tente de s'enfoncer peu à peu sous le Tibet.

La formation de l'Himālaya ressemble à celle des Alpes. Les chaînes de collision sont constituées d'écailles de croûte superposées. Dans l'Himālaya, deux immenses lames de croûte se sont empilées sur le reste de l'Inde. Mais les déplacements des terrains sur ces chevauchements sont gigantesques : plusieurs centaines de kilomètres. La plus haute de ces lames chevauchantes est celle du Haut Himālaya, qui contient tous les sommets élevés du Népal. Au front de la chaîne himalayenne, à sa limite avec la plaine de l'Inde, émerge un chevauchement actif, responsable des très gros séismes qui secouent épisodiquement le nord de l'Inde. ■

Des plaques s'affrontent

Le plus spectaculaire des événements tectoniques affectant l'écorce terrestre est la collision entre deux continents, qui entraîne la formation d'une imposante chaîne de montagnes. Les continents sont de minces pellicules de croûte continentale «flottant» à la surface du manteau visqueux situé à plus de 100 km de profondeur : l'asthénosphère. Ces plaques tectoniques peuvent s'écarter, ouvrant ainsi des océans, ou se rapprocher jusqu'à entrer en collision, cela à des vitesses de plusieurs centimètres par an. Actuellement, l'Afrique se rapproche de l'Europe à une vitesse de 1 cm/an, et l'Inde, depuis sa collision avec l'Asie, continue à monter vers le nord à une vitesse de 5 cm/an.

Lors de la fermeture des bassins océaniques, il arrive très souvent que des portions de croûte océanique — les ophiolites — soient charriées sur le continent.

La collision finale entre les deux continents qui convergent produit des déformations très importantes. De grands chevauchements font ainsi s'empiler des écailles de croûte continentale. En effet, celle-ci, formée de roches granitiques, est trop légère pour s'enfoncer dans le manteau terrestre comme le font les roches océaniques dans les zones de subduction. Elle s'épaissit donc jusqu'à doubler d'épaisseur. La chaîne de montagnes ainsi construite s'élève et s'élargit progressivement.

Formation des Alpes

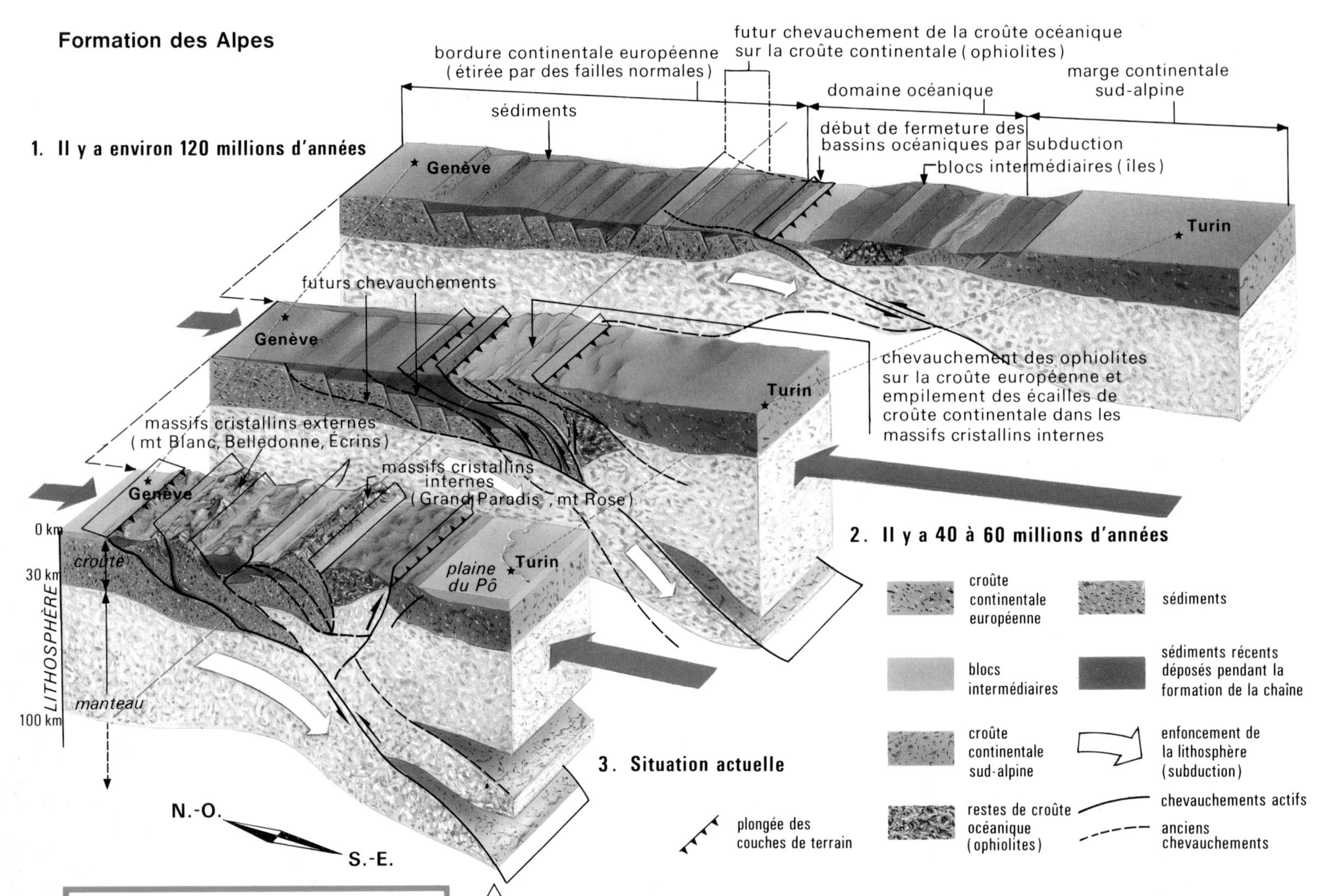

Ce dessin illustre la formation des Alpes au niveau du massif du Mont-Blanc. Il y a 120 millions d'années, l'Italie, promontoire de l'Afrique, était séparée de l'Europe par plusieurs bassins océaniques. Le rapprochement des deux continents a progressivement refermé ces bassins. Des morceaux de croûte océanique — ophiolites — ont été charriés sur la croûte continentale. La marge européenne s'est ensuite raccourcie et épaissie en formant un empilement d'écailles de croûte. Le raccourcissement total, illustré par le rapprochement de Turin et de Genève, est de plusieurs centaines de kilomètres.

Terrasses dans l'Himālaya

Shandrung, devant la face sud de l'Annapūrnā.

Au Népal, des générations de paysans ont ciselé le flanc escarpé des montagnes en d'innombrables courbes de niveau. Sur ces escaliers de géant, ils cultivent, suivant l'altitude, du riz, de l'orge, du maïs, de la pomme de terre, du coton, du millet, du sarrasin... Le village de Shandrung, en contrebas de l'Annapūrnā enneigé, n'a pas échappé à la tradition. Chaque terrasse, maintenue par un étroit muret, est alimentée en eau par un ingénieux système d'irrigation. Les exploitations sont toujours très petites et les terres divisées entre une multitude de métayers.

Les surprises du Strahlhorn

Dans le sud de la Suisse, dans le canton du Valais, le Strahlhorn et l'un de ses voisins, le Fluchthorn, culminent à 4190 et 3790 m. Ces montagnes enneigées dominent une région d'une beauté immuable, celle des grands glaciers à la blancheur éclatante.

Les villages y ont gardé leur authenticité, même s'ils attirent aujourd'hui aussi bien des touristes avides de paysages pittoresques que des amateurs de sports d'hiver et des professionnels de l'escalade. Les bourgades de Zermatt et de Saas Fee sont du nombre. On y a interdit l'accès aux automobilistes, aussi ne peut-on les découvrir qu'à pied, en fiacre ou en traîneau, suivant la saison.

Dans cette région, on a la surprise de s'apercevoir que de nombreux sommets sont constitués par des roches océaniques, qui donnent un aperçu des profondeurs de la Terre. La croûte océanique est beaucoup plus mince que celle des continents, quelques kilomètres contre 30 à 40 km pour la croûte continentale. Elle est formée de produits d'éruptions volcaniques sous-marines : les laves basaltiques en coussins, ou pillow-lavas — dues au brusque refroidissement du magma au contact de l'eau —, et les gabbros, roches grenues de même composition que les basaltes.

Ces roches océaniques ont été prises en sandwich entre l'Italie et le reste de l'Europe lors de leur collision. Il y a une centaine de millions d'années, elles ont été transportées sur la croûte continentale par de grands chevauchements qui ont même charrié des morceaux du manteau supérieur situé à l'origine sous la croûte océanique.

Ainsi, les falaises très sombres situées sous les calottes de glace du Strahlhorn et du Fluchthorn sont faites de roches constituant le manteau terrestre (péridotites, serpentinites). Au-dessous de cette masse sombre, on peut voir des roches plus claires : ce sont les anciens sédiments déposés sur la bordure du continent européen. Ils ont été intensément déformés lorsque les roches océaniques les ont recouverts.

Presque toutes les chaînes de collision nous livrent les traces des océans perdus. Les géologues ont ainsi la chance de pouvoir y étudier à pied sec les fonds océaniques. ■

Le Strahlhorn et le Fluchthorn, près de Saas Fee (Suisse), sont les témoins de l'océan qui séparait l'Italie de l'Europe. Une masse de roches sombres, magma basaltique solidifié et fragments du manteau terrestre, surmonte des sédiments plus clairs.
Au Montgenèvre, près de Briançon, on trouve d'autres basaltes, en coussins (gros plan), qui forment les fonds océaniques.
▽

Au XVIIIe siècle, le mont Blanc est toujours considéré comme inaccessible. On a parcouru ses glaciers, fait le tour du massif, osé quelques reconnaissances sur ses flancs, mais l'immensité du site et le manque de connaissances techniques ont laissé la cime inviolée. Cependant, Horace Bénédict de Saussure, célèbre savant suisse du XVIIIe siècle, a très vite compris que ce sommet est le symbole de la conquête des hautes montagnes ; il est prêt à tout pour relever le défi. Il fait promettre dans toute la vallée une récompense à qui trouvera le chemin du sommet et l'aidera à y arriver. L'émulation est née. Les vaines tentatives se succèdent. Il faut attendre le 8 août 1786 pour que Michel Gabriel Paccard, médecin, et Jacques Balmat, cristallier, parviennent au sommet. L'ascension ne fut pas de tout repos. Ces pionniers ne disposaient pour toute aide que de quelques bâtons. Pas un piolet, pas une corde, pas de carte ! Leur victoire eut un retentissement considérable, et prouva que l'on pouvait survivre en haute montagne, mais qu'il fallait inventer des techniques pour progresser plus facilement sur la neige et la glace. Après cette réussite, H. B. de Saussure n'abandonna pas son idée de se faire conduire au sommet. Il réalisa son rêve le 3 août 1787, guidé entre autres par Jacques Balmat.

QUAND LA TERRE SE HÉRISSE

Les chaînes intracontinentales

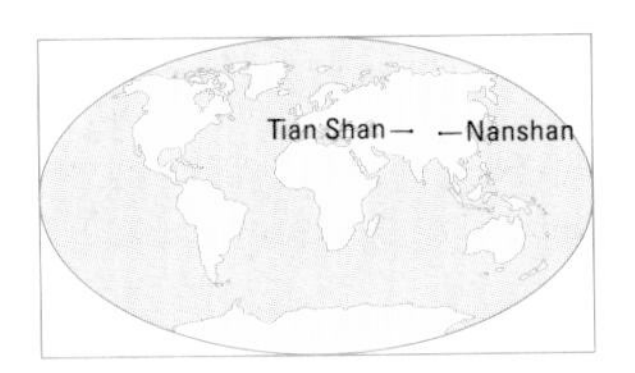

Si la surface de la Terre était une mosaïque de plaques rigides, nos continents ne seraient que de vastes étendues plates et bien monotones. Mais les continents se déforment et, si nous en craignons les manifestations violentes, comme les tremblements de terre, nous devons à ces déformations les reliefs qui, par leur influence sur les circulations atmosphériques et leur rôle dans la distribution des précipitations, font la diversité des paysages et des systèmes écologiques.

△
Le Ta Xue Shan (ce nom chinois évoque l'enneigement perpétuel) est l'un des principaux chaînons du Nanshan, massif qui se dresse au nord-est du Tibet.
Les habitants de l'oasis de Changma, dont nous voyons les peupliers au premier plan, gardent un vif souvenir du tremblement de terre de magnitude 7,6 qui affecta la région en 1932.

Les chaînons du Nanshan aux confins du Tibet

Le Nanshan forme l'ultime ressaut du plateau tibétain sur son bord nord-est, à la limite de la plate-forme du désert de Gobi. Ses reliefs lourds et massifs s'organisent en un faisceau de cinq chaînons parallèles en échelons, culminant en moyenne à plus de 5 500 m, dont le Qilian Shan ou le Ta Xue Shan. C'est le piémont nord de ce dernier que l'on aperçoit ici.

Mongols à l'ouest et Tibétains à l'est nomadisent sur les hauts pâturages que nourrissent de maigres précipitations venues du Pacifique.

Le piémont nord du Ta Xue Shan est plissé et décalé par une faille inverse qui, en 1932, a produit un tremblement de terre de magnitude 7,6. En effet, le Nanshan est, comme le Tian Shan, une chaîne ancienne rajeunie par la collision Inde-Asie et régulièrement secouée par de violents séismes. Quatre tremblements de terre de magnitude 7,5 à 8,5 s'y sont produits entre 1920 et 1954. C'est un séisme semblable qui, en l'an 180, détruisit le système d'irrigation de la ville de Luo To Chen, la «cité des chameaux», provoquant la mort de cette halte prospère sur la route de la soie.

Contrairement au Tian Shan, le Nanshan ne se situe pas directement sur la course de l'Inde vers le nord. Il doit en fait son rajeunissement au mouvement du Tibet vers l'est, qui l'écrase contre le désert de Gobi, et il apparaît ainsi comme une cause quelque peu indirecte de la pénétration de l'Inde à l'intérieur de l'Asie. ■

Un océan, la Téthys, séparait autrefois l'Inde du reste de l'Asie. Il s'est progressivement résorbé par plongée dans le manteau de la Terre (subduction) du plancher océanique, à l'emplacement actuel de la chaîne himalayenne. Les masses continentales de l'Inde et de la Sibérie se rapprochaient alors à près de 10 cm par an. Il y a environ cinquante millions d'années, elles entrèrent en contact. Ce fut une gigantesque collision, qui fit jaillir l'Himālaya et souleva le Tibet. Comme l'Inde et la Sibérie continuaient de converger à 5 cm par an, des déformations intenses s'étendirent à toute l'Asie centrale, provoquant la surrection de hautes chaînes de montagnes et l'expulsion vers l'est du Tibet.
▽

Jeu de failles

De nombreuses chaînes de montagnes se forment aux frontières de plaques tectoniques convergentes dont elles accommodent le mouvement relatif. Cependant, certaines se situent loin de toute limite de plaque et témoignent de la déformation des continents par des reliefs vigoureux associés à de violents séismes. Ces chaînes, dites intracontinentales, se forment par compression de la croûte et se dressent perpendiculairement à la direction de la poussée. La surrection d'une chaîne se fait par le jeu de failles découpant la croûte en écailles qui se chevauchent. Leur empilement induit un épaississement de la croûte qui, suivant le principe d'Archimède, s'enfonce dans le manteau sous-jacent. Ainsi les chaînes intracontinentales sont-elles l'expression de grands raccourcissements horizontaux, compensés par l'épaississement de la croûte. Leur édification se fait par à-coups, lors de grands tremblements de terre qui accompagnent des glissements instantanés sur les failles.

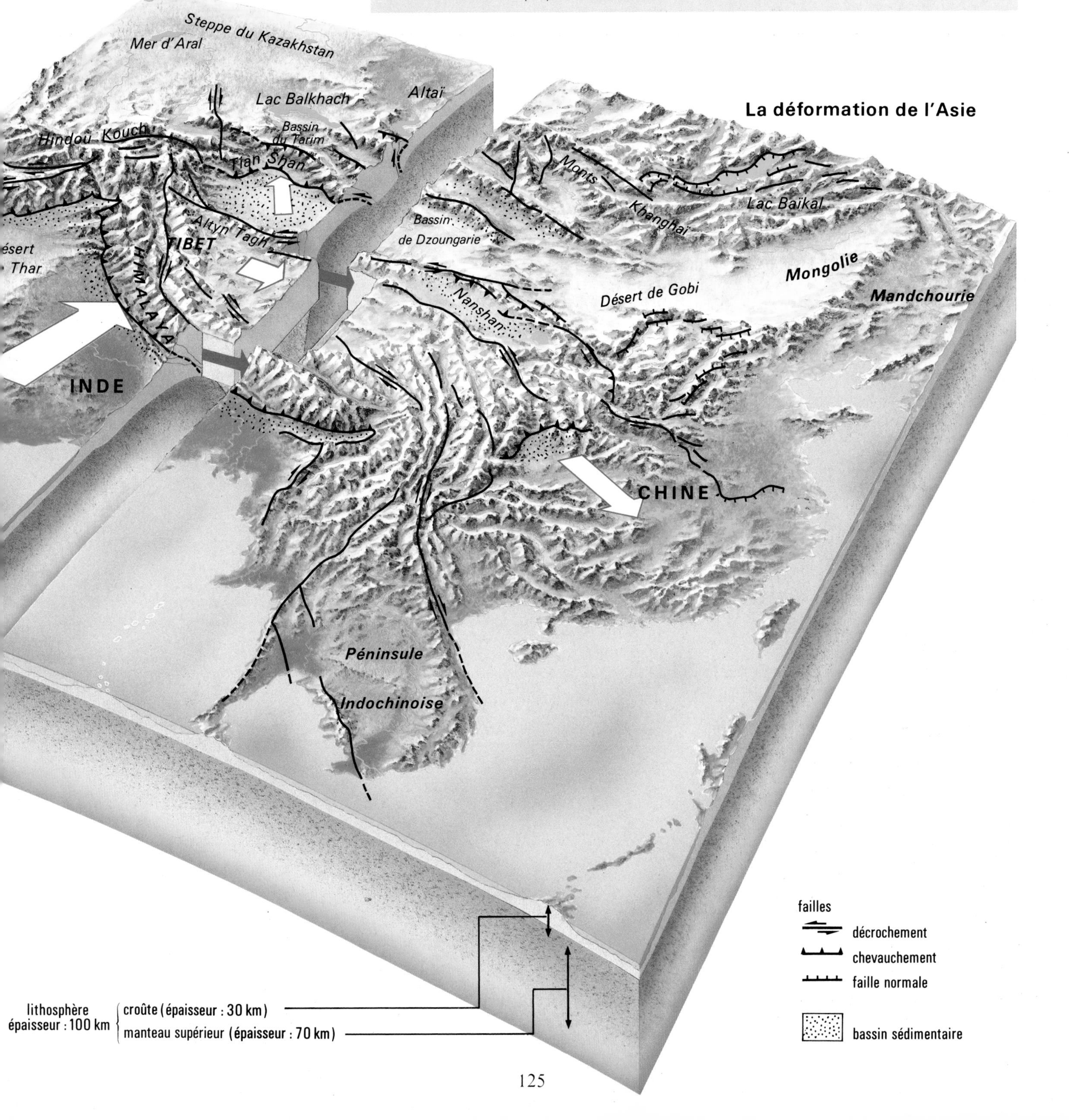

La haute chaîne du Tian Shan

Formidable barrière au cœur de l'Asie centrale, le Tian Shan (ou Tien Chan) étend ses sommets enneigés culminant à plus de 6 000 m sur plus de 2 000 km d'est en ouest. Il se dresse majestueusement au-dessus de plaines et de plateaux désertiques qu'il domine de plus de 5 000 m : le désert dzoungare et le plateau kazakh au nord, le bassin du Tarim, ou désert du Taklamakan, au sud. En été, le Tian Shan recueille d'abondantes précipitations venues de l'ouest ou du nord-ouest, qui entretiennent ses nombreux glaciers (le Tian Shan compte ainsi parmi les chaînes les plus englacées au monde), arrosent les versants et alimentent les oasis verdoyantes qui jalonnent les piémonts. Les versants du Tian Shan étalent de hauts pâturages à la limite des glaciers, et des forêts de conifères puis de feuillus. Ces îlots de verdure offrent un contraste saisissant avec les plaines sableuses et désertiques qui les entourent, et constituent l'étroite passerelle entre les mondes méditerranéen et oriental qu'empruntaient les caravanes sur la route nord de la soie.

Le voyageur qui survole aujourd'hui la région notera sans doute la régularité de l'altitude des sommets, qui évoque une ancienne surface aplanie par l'érosion. Après le soulèvement, les innombrables torrents et rivières ont raviné les flancs montagneux ; ils rejoignent soit les grandes rivières qui drainent les vallées, soit des bassins fermés enserrés entre les chaînons montagneux, soit directement les piémonts, dont ils alimentent les oasis avant de se perdre dans les sables du bassin de la Dzoungarie ou du Tarim.

La géologie du Tian Shan révèle une histoire complexe : une première chaîne s'est formée au contact de deux plaques plongeant l'une au-dessous de l'autre, comme cela se produit aujourd'hui dans les Andes ; puis, il y a environ trois cents millions d'années, eut lieu une collision, lorsque le bassin du Tarim vint se souder à la Dzoungarie, dont il était séparé auparavant par un océan. Ensuite, pendant une longue période d'accalmie mise à profit par l'érosion, la chaîne fut entièrement aplanie. Il y a environ vingt millions d'années, le contrecoup de la collision entre l'Inde et l'Asie provoqua le démantèlement et le soulèvement à l'origine de la nouvelle chaîne. Depuis, son existence a été maintenue par la poussée continue de l'Inde vers le nord, qui se traduit à l'heure actuelle par des tremblements de terre violents. L'un des plus destructeurs fut celui, de magnitude 8,5, qui détruisit les oasis de Kashgar et d'Atushi en 1902. ■

Une maison en kit

Une yourte dans la région du Xinjiang.

Sur les hauts pâturages des massifs montagneux de la région du Xinjiang, dans le nord-ouest de la Chine, des nomades ont dressé leur yourte. L'épaisse couche de feutre qui recouvre l'habitation lui donne l'apparence d'une tente. C'est en réalité une véritable maison démontable. Ses murs sont formés d'un treillis de bois reposant sur un plancher de bois également de forme arrondie. Le toit est constitué de 250 mâts longs de 2 m réunis au sommet et fixés sur une armature circulaire. La structure de bois est ensuite recouverte de nattes de roseau puis de feutre, et l'ensemble est solidement maintenu au sol par des cordes. La porte fait toujours face au sud. La yourte ne pèse pas moins de 200 kg, mais quelques heures suffisent à la monter ou à la démonter.

Dans le nord-ouest de la Chine, le Tian Shan, la « montagne du ciel », se trouve à plus de 2 000 km de toute frontière de plaque. C'est la chaîne de montagnes la plus imposante et la plus active du monde, après l'Himâlaya. Les tombes des Ouïgours, tertres coniques d'environ 1,50 m de hauteur, se trouvent au pied d'un escarpement de faille. ▷

PAYSAGES CHAOTIQUES

Les massifs intrusifs

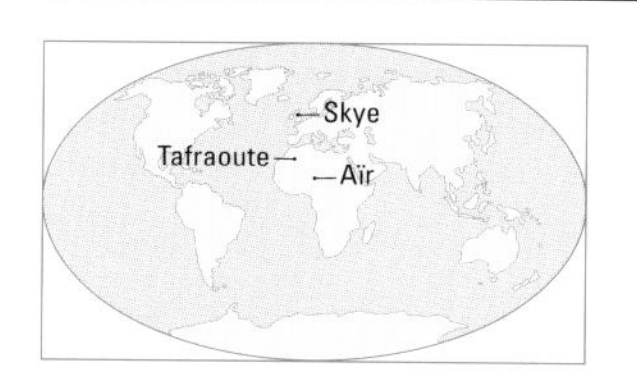

Les massifs intrusifs forment des montagnes originales, sortes de corps étrangers dans les massifs anciens et les chaînes plissées. Sculptés dans des roches variées, ce sont tantôt des formes simples de dômes, d'échines et de cuvettes, tantôt des paysages grandioses, ciselés selon des arrangements complexes.

Tafraoute : une vallée enchâssée dans la montagne marocaine

Au sud d'Agadir, la vallée de Tafraoute est enfermée par des sommets abrupts, entaillés de ravins. Les vergers d'amandiers font sa richesse ; les villages juchés sur des chaos de boules gigantesques lui donnent un charme extraordinaire.

Pour parvenir à Tafraoute, il faut traverser l'Anti-Atlas. C'est un massif aride aux portes du Sahara, dont les montagnes aux crêtes parallèles dépassent 2 000 m.

Au-delà des cols s'ouvre la vallée de Tafraoute, creusée dans une très vieille intrusion granitique, au cœur du massif ancien. Le fond de la vallée est plat, mais il porte quelques collines résiduelles, des bosses de granite désagrégé en boules énormes. C'est la décomposition de la roche qui a permis à l'érosion de déblayer un bassin aussi large alors que le massif se soulevait, d'où cette cuvette verdoyante enchâssée dans des montagnes dénudées.

Le nom de Tafraoute signifie en langue berbère « barrage pour l'irrigation », car la plaine retient l'eau pendant l'été. Les villages, adossés au rempart des montagnes, sont placés au débouché des gorges qui apportent l'eau nécessaire pour irriguer les cultures et les vergers, mais à l'écart des oueds aux crues redoutables. La géométrie des murs et des terrasses se combine aux courbes des rochers empilés ; la couleur des maisons se marie très bien à celle du granite qui les surplombe.

En dépit de son isolement, le village n'est pas un monde fermé : en effet depuis longtemps de nombreux habitants de Tafraoute quittent la vallée pour vendre leurs amandes et tenir les petites épiceries dans toutes les villes du Maroc ; plus tard, ils reviennent et s'empressent d'embellir leurs maisons en signe de prospérité. ■

Du magma venu des profondeurs

Les massifs intrusifs correspondent à de grosses masses rocheuses injectées en fusion, c'est-à-dire à l'état fluide, dans les niveaux moyen et supérieur de la croûte terrestre. L'ascension du magma a provoqué la cuisson des terrains traversés et les a transformés en roches dites métamorphiques.

Les corps intrusifs se distinguent par les conditions de leur mise en place :

- Certains ont été injectés dans de grandes failles de compression, lors de la formation des chaînes plissées. C'est ce qu'on appelle les batholites. On en trouve, entre autres, dans les Andes et les Rocheuses.
- D'autres ont été injectés dans des fractures circulaires qui correspondent à des réservoirs magmatiques développés sous des volcans aujourd'hui disparus. Ces corps intrusifs associent souvent des roches différentes disposées en anneaux concentriques. C'est le cas des massifs du Sahara central (Hoggar, Aïr) et des îles écossaises de Skye et de Mull.

Le paysage des massifs intrusifs est très accidenté : des dômes et des échines apparaissent dans les masses résistant à l'érosion ; des sillons et de larges bassins encombrés de roches décomposées sont creusés dans les roches vulnérables.

- Dans les racines des chaînes plissées, les corps intrusifs forment plutôt de hautes crêtes ou des aiguilles aux parois taillées en dalles gigantesques, ou bien sont évidés en de vastes bassins allongés au cœur des massifs.
- Dans les massifs annulaires, ils se présentent souvent sous la forme de dômes rocheux disposés en croissants autour de cuvettes circulaires ou de sillons étroits.

Le village de Tafraoute est niché au cœur des montagnes de l'Anti-Atlas marocain, dans une large vallée creusée dans les granites intrusifs. Les maisons sont bâties sous un extraordinaire chaos de rochers, au-dessus des basses terrasses inondables ; les vergers d'amandiers et d'oliviers qui occupent le fond de la cuvette font la richesse du village. ▷

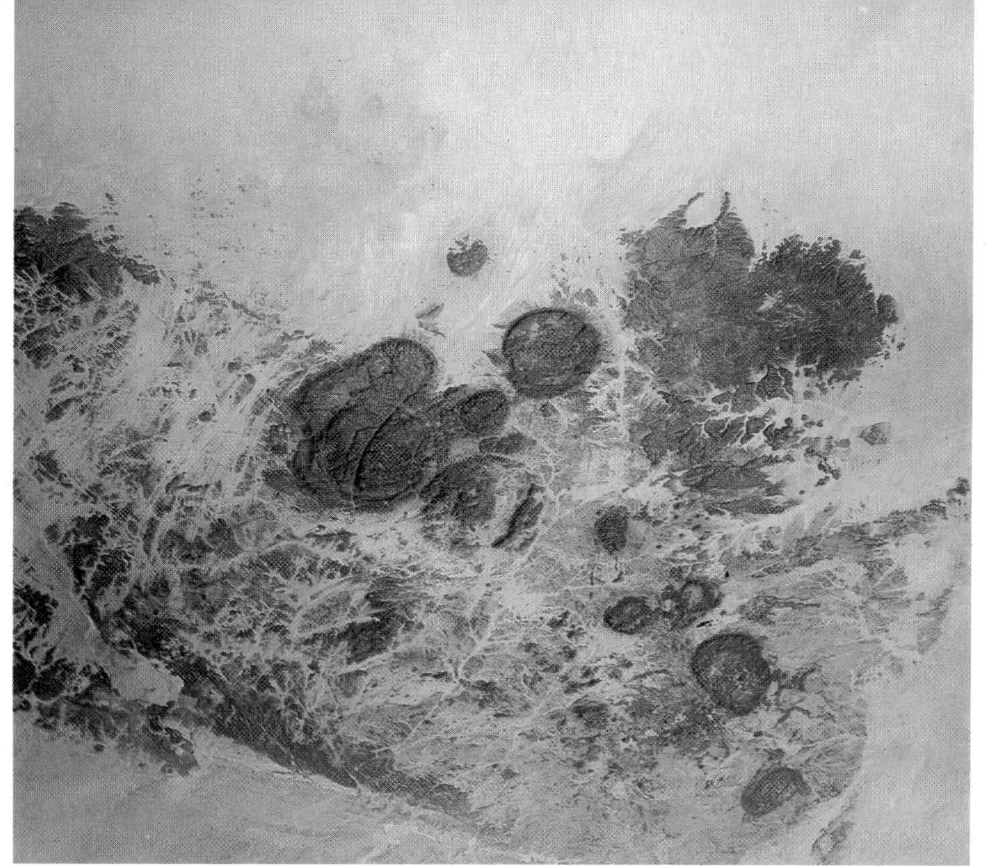

◁ *Cette image prise par le satellite Landsat montre les étendues désertiques du Sahara central. À côté des immenses champs de sable du Ténéré, figurés par les surfaces claires, les plateaux rocheux de l'Aïr forment une bande large de 250 km traversée par des chenaux asséchés; les cercles sombres correspondent à des massifs intrusifs de 10 à 50 km de diamètre : ce sont des anneaux de montagnes dénudées, entaillés de sillons étroits.*

Sur l'île de Skye, à l'ouest de l'Écosse, la crête hérissée de pinacles des Black Cuillins domine directement la mer. Les pentes noires de la montagne, battue par le vent et la pluie, sont striées de ravins étroits. Dans ce monde sans arbres, une pelouse couvre les plages anciennes, situées au fond d'une baie.
▽

L'Aïr : une plate-forme au relief accidenté

Vaste pays de roche et de sable isolé au cœur du Sahara, l'Aïr est le refuge des Touaregs nomades du Niger. Bordé par l'immense champ de dunes du Ténéré, il forme un plateau granitique qui s'étire sur 400 km du nord au sud; les surfaces rocailleuses s'étendent à perte de vue, tranchées par un réseau de grandes vallées au lit sableux. Les campements touaregs sont toujours situés dans les vallées en bordure des *koris* — nom désignant les larges oueds divagants, inondés sur des kilomètres de large après les rares pluies.

Une série de montagnes, culminant entre 1 800 et 2 300 m, émergent de cette plate-forme : ce sont de lourdes coupoles aux parois abruptes, entaillées par des ravins profonds; mais aussi de gigantesques lames rocheuses ou des aiguilles croulantes entourées par des amoncellements de boules; ou encore des chapelets de dômes rocheux, disposés en croissants autour de vallées circulaires. Le relief est ciselé en crêtes et sillons en anneaux, qui correspondent à des massifs intrusifs datés de 450 millions d'années.

Le contraste entre la montagne et les cuvettes sableuses commande la distribution de l'eau : lorsque des orages violents s'abattent sur les massifs, l'eau ruisselle sur les pentes rocailleuses, puis s'étale en nappes dans les vallées. Elle peut s'infiltrer sous les sables des cuvettes, et permet la croissance d'un tapis herbacé semé de buissons épineux, tandis que sur les plateaux ne subsistent que quelques mares, au creux des rochers.

C'est sur les maigres pâturages des plateaux que les pasteurs touaregs dispersent leurs bêtes après les pluies; en période sèche, ils déplacent les troupeaux dans les vallées. Les puits assurent l'irrigation des jardins et des palmeraies entretenus par les *bella,* descendants des esclaves. Ce sont les sites permanents de la vie nomade. ■

La formation des massifs intrusifs

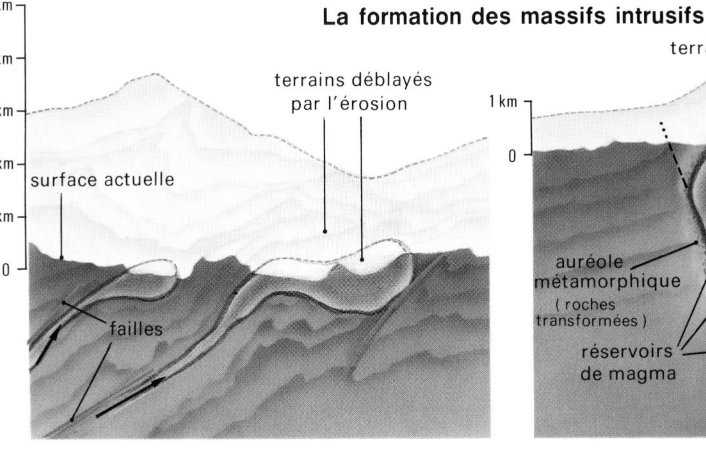

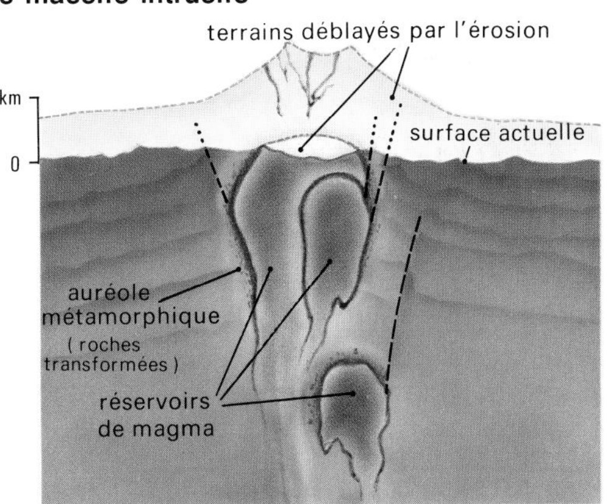

Massif intrusif mis en place dans une chaîne plissée en cours de formation : le magma provenant de la fusion de la croûte est injecté dans des failles jusqu'à de grandes poches déformées; une érosion vigoureuse détruisant partiellement la chaîne entaille ces roches profondes.

Massif intrusif mis en place dans des fractures circulaires au-dessous d'un volcan : après l'arrêt des éruptions, la destruction de l'édifice volcanique fait apparaître les réservoirs, où le magma s'est progressivement refroidi et figé en roches cristallines.

Les Cuillins de l'île de Skye

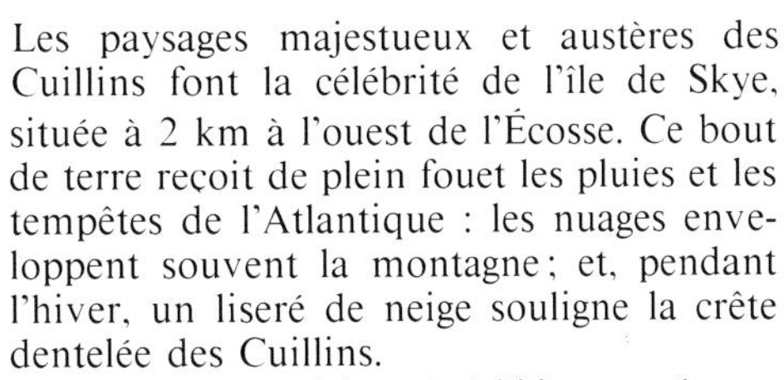

Les paysages majestueux et austères des Cuillins font la célébrité de l'île de Skye, située à 2 km à l'ouest de l'Écosse. Ce bout de terre reçoit de plein fouet les pluies et les tempêtes de l'Atlantique : les nuages enveloppent souvent la montagne; et, pendant l'hiver, un liseré de neige souligne la crête dentelée des Cuillins.

La montagne s'élève à 1 000 m au-dessus de la mer; elle domine les vallées tourbeuses et la lande rase, où paissent librement les moutons. Les habitations sont rares; quelques fermes isolées sont cantonnées aux prairies mieux drainées sur les plages soulevées ou les terrasses de vallées. La crête dessine un croissant de 12 km de diamètre, qui enferme un monde sauvage où se niche le loch Coruisk, un véritable musée de formes glaciaires. Avant de parvenir à ce lac solitaire et romantique, il faut marcher plusieurs heures pour franchir la crête, hérissée de pinacles. Il est aussi possible de traverser la baie en barque, si la mer le permet.

Ce massif correspond aux racines d'un grand volcan qui s'est développé à l'ouest de l'Écosse, lors de l'ouverture de l'Atlantique, il y a cinquante-huit millions d'années. L'édifice est détruit, mais il reste de grandes tables de lave dans la partie nord de l'île qui forment des plateaux couverts de tourbières et des falaises majestueuses. La montagne elle-même est sculptée dans ce qui fut le réservoir de magma : les géologues ont reconnu différentes masses rocheuses, disposées en croissants et fortement érodées. Le relief suit la disposition des intrusions : la crête principale, anneau de roches très résistantes, sépare des cuvettes creusées dans des roches plus altérables, puis aménagées en cirques glaciaires. Car les glaciers quaternaires ont raclé les pentes et creusé des vallées profondes. Ce paysage, constitué de croupes polies, de parois nues striées, de couloirs de pierraille et de sommets déchiquetés, fait le bonheur des alpinistes. ■

La vallée de Yosemite

Séquoias géants du parc de Yosemite.

La vallée de Yosemite est entaillée dans le noyau granitique de la Sierra Nevada de Californie. La région tout entière est un sanctuaire de la nature. Elle fut d'abord défendue par les Indiens Miwoks contre les chercheurs d'or, puis protégée par l'État de Californie, avant de devenir un parc national en 1890.

La forêt de séquoias géants occupe le fond de la vallée; elle est séparée des rivières impétueuses par de belles prairies. Les arbres longilignes forment une cathédrale végétale; les plus anciens peuvent avoir 3 500 ans : leur tronc est énorme, ils s'élèvent d'un seul jet jusqu'à une hauteur de 50 à 60 m. Durement frappée par les tempêtes d'hiver, qui abattent les grands arbres, la forêt se régénère très lentement.

La vallée est encadrée par des faces vertigineuses hautes de 1 000 m : ce sont des dalles lisses de granite, de puissants monolithes comme El Capitan, qui offrent un défi aux alpinistes.

UN REGAIN D'ALTITUDE

Les montagnes anciennes rajeunies

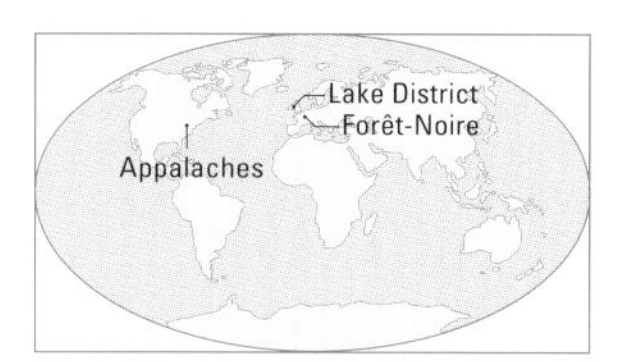

On a tendance à qualifier de montagnes vieilles des reliefs aux sommets aplanis, entamés par de profondes vallées, mais dépourvus du monde minéral des pics, crêtes et glaciers, apanage des montagnes dites jeunes. De fait, toute montagne est jeune par essence, puisqu'elle résulte d'un soulèvement récent de l'écorce terrestre. Beaucoup plus exacte, l'expression «montagnes anciennes rajeunies» évoque l'évolution complexe qui assure deux existences successives à certains ensembles de hautes terres.

Les montagnes et les lacs du Lake District

Le parc national de Lake District (région des lacs) est le joyau touristique de l'Angleterre. Il en possède le plus haut sommet (Seafell Pike, 978 m) et le plus grand lac (Windermere, 16 km de long). Popularisé dès la fin du XVIIIe siècle par les poètes romantiques, sensibles à de remarquables paysages où la douceur des eaux dormantes côtoie les «sublimes horreurs» des précipices, il offre de façon inattendue, pour qui vient du continent européen, des paysages alpins à des altitudes dérisoires.

Cette Suisse en miniature est un dôme de terrain de 20 km de diamètre entaillé par des vallées rayonnantes, où s'allongent quatorze grands lacs dont le fond se situe parfois en dessous du niveau de la mer. Ce paysage a été créé par le soulèvement récent des reliefs érodés de la chaîne calédonienne (ainsi nommée par référence à l'Écosse, *Caledonia* pour les Romains). Il est aussi l'œuvre de glaciers qui, au Quaternaire, sont venus par deux fois au moins recouvrir ces montagnes. Ainsi, sommets dénudés où pointe la roche nue, pics et arêtes, parois verticales de cirques et d'auges glaciaires où se sont entraînés les explorateurs de l'Himalaya, grands talus d'éboulis que les gelées hivernales nourrissent de nouvelles pierres contrastent avec le fond des vallées, où parcs fleuris et verdoyants bocages semés de moutons et de blancs cottages viennent adoucir les rivages des lacs.

Cette superbe région offre à ses visiteurs des attractions multiples. Le navigateur de plaisance préférera les lacs aimables du sud, Coniston et Windermere, nichés parmi les «humbles collines», pour reprendre l'expression des topographes du XVIIIe siècle, où des schistes tendres déroulent leurs pentes douces et boisées. Le pêcheur et le randonneur trouveront en tout lieu leur coin de paradis, alors que l'alpiniste recherchera les rugueux précipices de la partie culminante. Le géologue foulera avec respect les anciennes roches volcaniques, témoins des temps reculés où la chaîne calédonienne ressemblait à la cordillère des Andes. Lorsque règnent pluie et nuages, dans l'attente d'une lumineuse et soudaine éclaircie, on pourra visiter les domaines et les cottages où poètes et romanciers sont si souvent venus rechercher le calme et l'inspiration. Wordsworth (1770-1850), dont c'était le pays natal, est à l'origine de l'engouement des gens de lettres pour le Lake District : il lui a consacré un guide en prose et de nombreux poèmes exprimant la joie éternelle que peut laisser au cœur la contemplation de magnifiques paysages. ■

Le Lake District élève dans le nord-ouest de l'Angleterre ses modestes sommets. Mais il n'est pas rare qu'un éphémère manteau neigeux vienne les recouvrir en hiver, parfois même au printemps. Là où des escarpements rocheux se reflètent dans les superbes lacs nichés au fond des vallées glaciaires — ici le très romantique lac Coniston —, le paysage évoque alors tout particulièrement la haute montagne.
▽

Apprivoiser les montagnes n'est pas toujours un défi insurmontable. Ainsi, les pionniers qui, au XVIe siècle, quittèrent les côtes pour s'aventurer plus avant dans le continent américain eurent la surprise de découvrir que les Indiens Senecas s'y entendaient. Appartenant à la Ligue des Iroquois, ceux-ci avaient établi leurs villages, protégés par de solides palissades et constitués de longues maisons identiques, sur les versants et les hautes prairies de la partie nord des Appalaches. Exploitant les richesses de la région, ces Indiens ne cultivaient pas moins de quinze variétés de maïs. Ils complétaient leur alimentation par du sirop d'érable et les produits de la chasse. Lorsque la froidure et la neige s'abattaient sur le pays des Senecas, les hommes en profitaient pour se réunir et pour pratiquer l'un de leurs sports favoris : le jeu du serpent. La règle en était simple, il leur fallait faire glisser une sorte de javelot le plus loin possible dans une tranchée de neige réalisée à cet effet.

△
Le Belchen, dont le nom signifie petit ballon, se dresse au cœur de la Forêt-Noire, dans le sud-ouest de l'Allemagne. Il n'atteint que 1 414 m d'altitude et cède au Feldberg (1 493 m) l'honneur d'être le point culminant de la Forêt-Noire. Mais ses flancs raides et boisés en font le plus beau belvédère du massif. Par-delà les vallées en berceau, soulignées ici par la mer de nuages, la vue, par temps clair, s'étend jusqu'aux Alpes suisses.

Une deuxième jeunesse

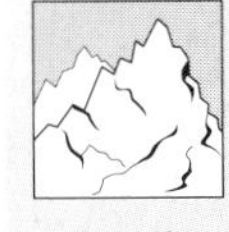

À toute époque de l'histoire de la Terre, l'écorce continentale, comprimée par la tectonique des plaques, a été plissée, charriée et soulevée, donnant ainsi naissance à des chaînes de montagnes.

Ces chaînes de montagnes sont dites récentes si leur formation a pris place voici moins de soixante-cinq millions d'années, à l'ère tertiaire et à l'ère quaternaire.

Mais d'autres montagnes ont vu le jour en des temps autrement reculés, et notamment à deux reprises au cours de l'ère primaire. Ces chaînes calédoniennes et hercyniennes, vieilles respectivement de quatre cents et de trois cents millions d'années, ont été au cours des âges arasées par l'érosion jusqu'à leurs racines, essentiellement constituées de roches cristallines, pour ne plus former que des socles.

Les montagnes anciennes rajeunies sont nées du soulèvement récent de ces socles. Formées au cœur des plaques et épargnées ainsi par les grandes forces de compression qui opposent les plaques entre elles, constituées de terrains rigides se prêtant mal aux déformations, ces montagnes sont dépourvues de la continuité et des plis et charriages caractéristiques des chaînes récentes. Elles s'agencent en massifs isolés ou en bourrelets discontinus d'altitude modérée, soit en bordure des océans, soit au sein des continents — à proximité des chaînes récentes ou le long de grands fossés d'effondrement appelés rifts. Leurs lourds sommets sont les témoins d'anciennes surfaces d'aplanissement plus ou moins déformées et cassées.

Comme toutes les autres montagnes, elles sont entaillées par de profondes vallées, que les cours d'eau ont creusées après le soulèvement de l'écorce.

Forêt-Noire et vertes vallées

La Forêt-Noire doit son nom aux sombres résineux qui la revêtent. Elle offre néanmoins des paysages aimables et humanisés, appréciés des touristes hiver comme été.

C'est dans sa partie nord que la Forêt-Noire est le mieux nommée. Là, peu soulevé, le socle hercynien a conservé sa couverture sédimentaire de grès stériles et les plateaux, dont l'altitude atteint rarement 800 m, déroulent à l'infini leurs horizons forestiers. De charmantes bourgades, dominées par leur château romantique et animées, pour certaines, par de petites stations thermales, s'égrènent le long des vallées.

L'ouest, le centre et le sud, où le relief se fait plus vigoureux, sont plus pittoresques et variés. De nombreuses clairières trouent le manteau forestier : au-dessus de 1 200 m, sommets chauves et prés-bois offrent leurs pâturages d'altitude, et dans les vallées, profondes mais bien ouvertes, champs et prairies sont ponctués d'accueillantes fermes en bois bien encapuchonnées dans leur vaste toit. Un soulèvement récent plus marqué ayant avivé l'érosion, les roches cristallines du socle hercynien ont été dégagées de leur couverture gréseuse et, le long des lignes de cassure, rivières et glaciers ont efficacement travaillé. De petits lacs, comme le célèbre Titisee, aux eaux d'un bleu très foncé, ajoutent à l'attrait de ces riants paysages, qui offrent, au fil des saisons, des eaux calmes ou cascadantes sous de frais ombrages et des pistes de ski qu'entretiennent, malgré des altitudes modestes, des hivers froids et bien enneigés. De splendides belvédères aménagés, facilement accessibles, jalonnent la route des crêtes, qui domine les plaines du Rhin. Dans la haute Forêt-Noire centrale, ils coiffent tous les points culminants.

Comme beaucoup de massifs hercyniens allemands, la Forêt-Noire est une montagne industrielle, mais ce genre d'activité ne dépare pas ses paysages. L'artisanat traditionnel s'est maintenu à côté des scieries. La Forêt-Noire centrale fabrique toujours les coucous, amusantes horloges en bois dont on dit qu'elles imitent la forme des maisons paysannes et, au nord, la ville de Pforzheim demeure la capitale de l'orfèvrerie. ■

La flore des monts des Géants

Les monts des Géants sont de vieilles montagnes granitiques soulevées au Tertiaire, qui marquent la frontière entre la Bohême septentrionale et la Pologne. Après les Alpes et les Carpates, c'est le massif montagneux le plus élevé de l'Europe centrale. (La Snezka culmine à 1 603 m.) La flore des monts des Géants est très riche. Les pentes des montagnes et les vallées sont recouvertes d'immenses forêts de conifères, qui, en altitude, cèdent la place aux prairies fleuries. Les crêtes herbeuses offrent de magnifiques panoramas aux randonneurs. Dans les gorges, on trouve encore des fleurs rares, derniers vestiges de l'époque glaciaire; la faune est également très typique. Pour préserver cette nature intacte, le massif dans lequel l'Elbe prend sa source a été classé parc national.

Viola biflora

Primula minima

Gentiana asclepiadea

Formation des Appalaches

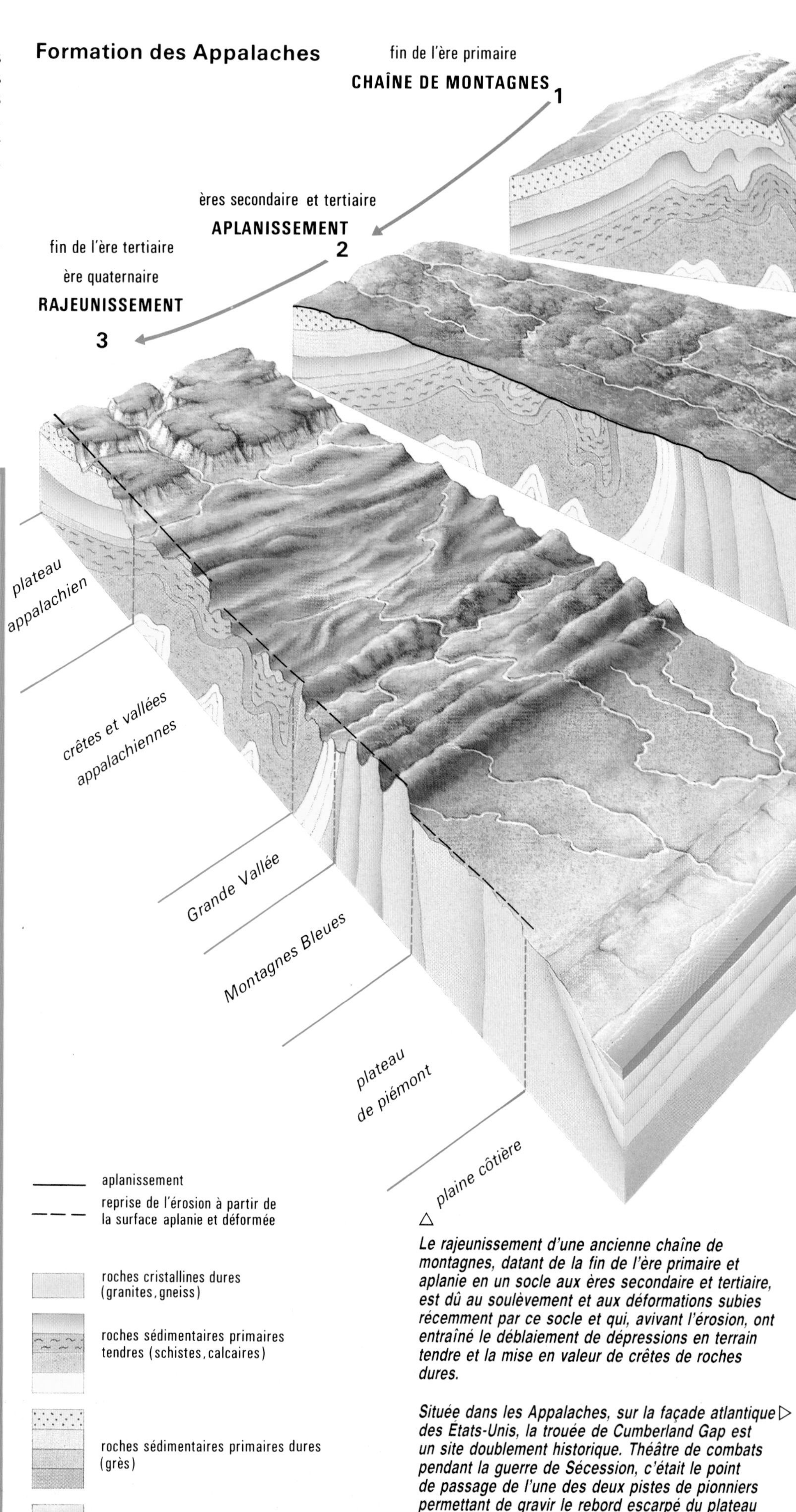

△ *Le rajeunissement d'une ancienne chaîne de montagnes, datant de la fin de l'ère primaire et aplanie en un socle aux ères secondaire et tertiaire, est dû au soulèvement et aux déformations subies récemment par ce socle et qui, avivant l'érosion, ont entraîné le déblaiement de dépressions en terrain tendre et la mise en valeur de crêtes de roches dures.*

Située dans les Appalaches, sur la façade atlantique ▷ des Etats-Unis, la trouée de Cumberland Gap est un site doublement historique. Théâtre de combats pendant la guerre de Sécession, c'était le point de passage de l'une des deux pistes de pionniers permettant de gravir le rebord escarpé du plateau appalachien.

La longue chaîne des Appalaches

De Terre-Neuve à l'Alabama, les Appalaches, au sens large, bordent sur près de 3 000 km la façade atlantique de l'Amérique du Nord. Ils ont donné leur nom à un type particulier d'ancien relief plissé rajeuni, à une luxuriante forêt tempérée et à une région déshéritée, préoccupante pour le gouvernement américain. Des pentes fortes, des cours d'eau impropres à la navigation ont retardé la colonisation de ce bourrelet de moyennes montagnes, qui constitua une sérieuse entrave à la conquête de l'Ouest.

Imaginons la traversée des Appalaches effectuée, autour de 1830, par de hardis pionniers, partis des rives de la baie de Chesapeake. Par-delà la plaine côtière et les bas plateaux du piémont appalachien, ils vont se heurter aux Montagnes Bleues (Blue Ridge). Les roches cristallines qui, sur le piémont, se tenaient entre 300 et 500 m ont été soulevées ici jusqu'à près de 1 000 m. Mais de nombreuses vallées transversales échancrent cette ligne de hauteurs, étroite en cet endroit. Massifs, larges de 150 km, culminant à 2 037 m au mont Mitchell, les monts Great Smoky, prolongement méridional des Montagnes Bleues, auraient été autrement difficiles à franchir! Au sortir de quelques kilomètres de gorges boisées, une surprise attend nos voyageurs : ils débouchent dans la Grande Vallée, vaste dépression à fond plat, dont les sols riches sur roche calcaire ont été soigneusement défrichés. Mais au-delà, vers l'ouest, surgit une succession d'obstacles parallèles, chaînons boisés aux flancs raides séparés par d'étroits sillons. Cette région des crêtes et vallées a été sculptée par l'érosion, à partir d'anciennes surfaces d'aplanissement soulevées, nivelant des plis vieux de 250 millions d'années. Ainsi, schistes et calcaires tendres ont été creusés, alors que grès et calcaires durs ont résisté à l'endroit des crêtes. Gageons que nos pionniers n'ont guère apprécié l'harmonieuse ordonnance du relief appalachien, d'autant qu'à l'horizon se dresse le front d'Allegheny sur plus de 800 km. Seules deux pistes aux fortes déclivités les escaladent, donnant accès au plateau appalachien, dont ils constituent le rebord oriental. Ce plateau est, de fait, une région de collines gréseuses, découpées par l'Ohio et le Tennessee, qui s'abaissent lentement vers les plaines du Mississippi.

De nos jours, le gouvernement fédéral des États-Unis s'emploie à moderniser l'économie en crise de cette région déshéritée, dont les citadins de la côte orientale préféreraient que soit conservé l'environnement naturel. Le touriste aura le choix entre de splendides parcs forestiers, tel celui des monts Great Smoky, riche de plus de mille espèces d'arbres, où l'on peut apercevoir ours bruns, renards rouges et opossums, et les sites historiques, où sont évoquées les tribulations des pionniers et les batailles de la guerre de Sécession. ■

LES PIERRES PRÉCIEUSES

Les pierres précieuses ou semi-précieuses sont en fait, à l'exception de l'opale, des minéraux qui se développent dans des conditions telles qu'ils présentent un aspect translucide. On dit que ces cristaux ont une qualité de gemme. Ils sont peu fréquents, et leur rareté associée à leurs qualités esthétiques en font des objets recherchés depuis toujours. Comme tous les autres minéraux, ces gemmes sont des enregistreurs des conditions physiques et chimiques du milieu dans lequel elles se sont formées. Elles correspondent à un ensemble d'éléments géochimiques qui se sont ordonnés pour constituer un réseau cristallin type, à une pression et une température données. La connaissance de ce mode de formation se fait par l'étude des gisements qui les renferment et par les travaux expérimentaux permettant de les réaliser par synthèse artificielle. On peut ainsi situer ces cristaux dans les principales étapes du cycle géodynamique schématisé par une coupe de la croûte terrestre à une période donnée. Grâce à cela, on établit des guides de prospection pour orienter la recherche dans les régions où ces minéraux ne sont pas connus de façon empirique. La détermination des zones où ils pourraient se rencontrer ne permet cependant pas d'affirmer qu'ils y seront présents à l'état de gemmes, c'est-à-dire avec les critères de pureté recherchés et surtout les dimensions requises pour la joaillerie. La plupart du temps, de taille microscopique, ils ont un aspect terreux, dû aux impuretés. Les cristaux parfaitement limpides et de dimension appréciable à l'œil restent des sortes de monstres naturels. Si leurs faces cristallines ne sont pas apparentes, la taille, par l'utilisation judicieuse des plans de clivage du cristal, y remédiera.

L'érosion puis la sédimentation sont parfois pour ces pierres précieuses un facteur de concentration naturel. L'altération de la gangue les libère comme les autres constituants plus communs. Ces gemmes seront ensuite entraînées par les rivières et conduites vers les plates-formes continentales, où les courants vont les séparer des autres minéraux (quartz, feldspaths ou calcite) moins denses qui les accompagnent. Ces concentrations sédimentaires, appelées placers, furent probablement les premiers gisements utilisés par l'homme, car l'extraction y est plus facile. Le diamant fut ainsi exploité dans les alluvions des rivières dès le VIIe siècle avant notre ère en Inde, dès le Ve siècle de notre ère à Bornéo, puis à partir du XVIIIe siècle au Brésil. Mais c'est au XIXe siècle, avec la découverte des gisements de kimberlites en Afrique australe, que l'on passe à une véritable exploitation industrielle. Elle représente plus de 10 % de la production mondiale.

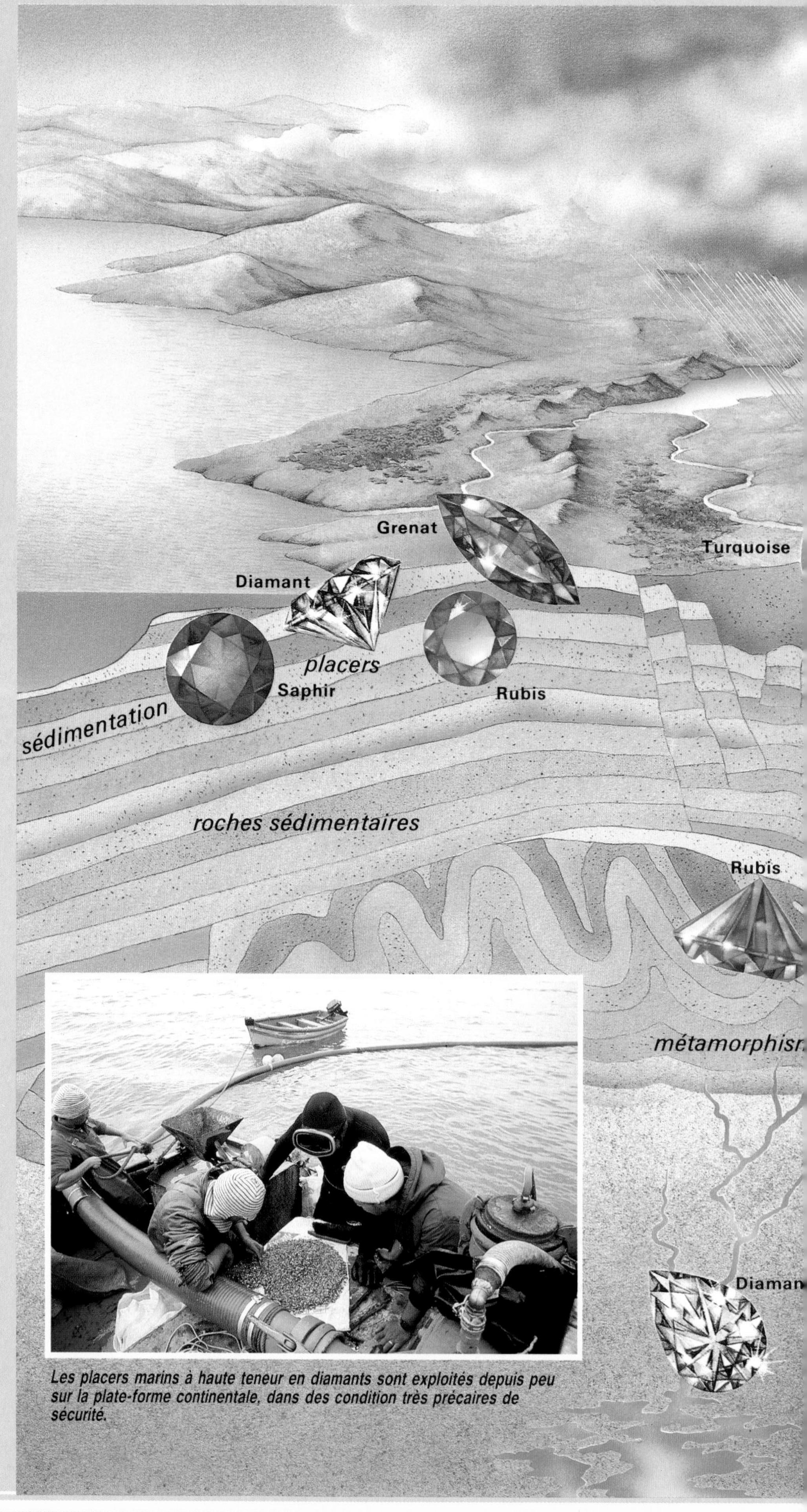

Les placers marins à haute teneur en diamants sont exploités depuis peu sur la plate-forme continentale, dans des condition très précaires de sécurité.

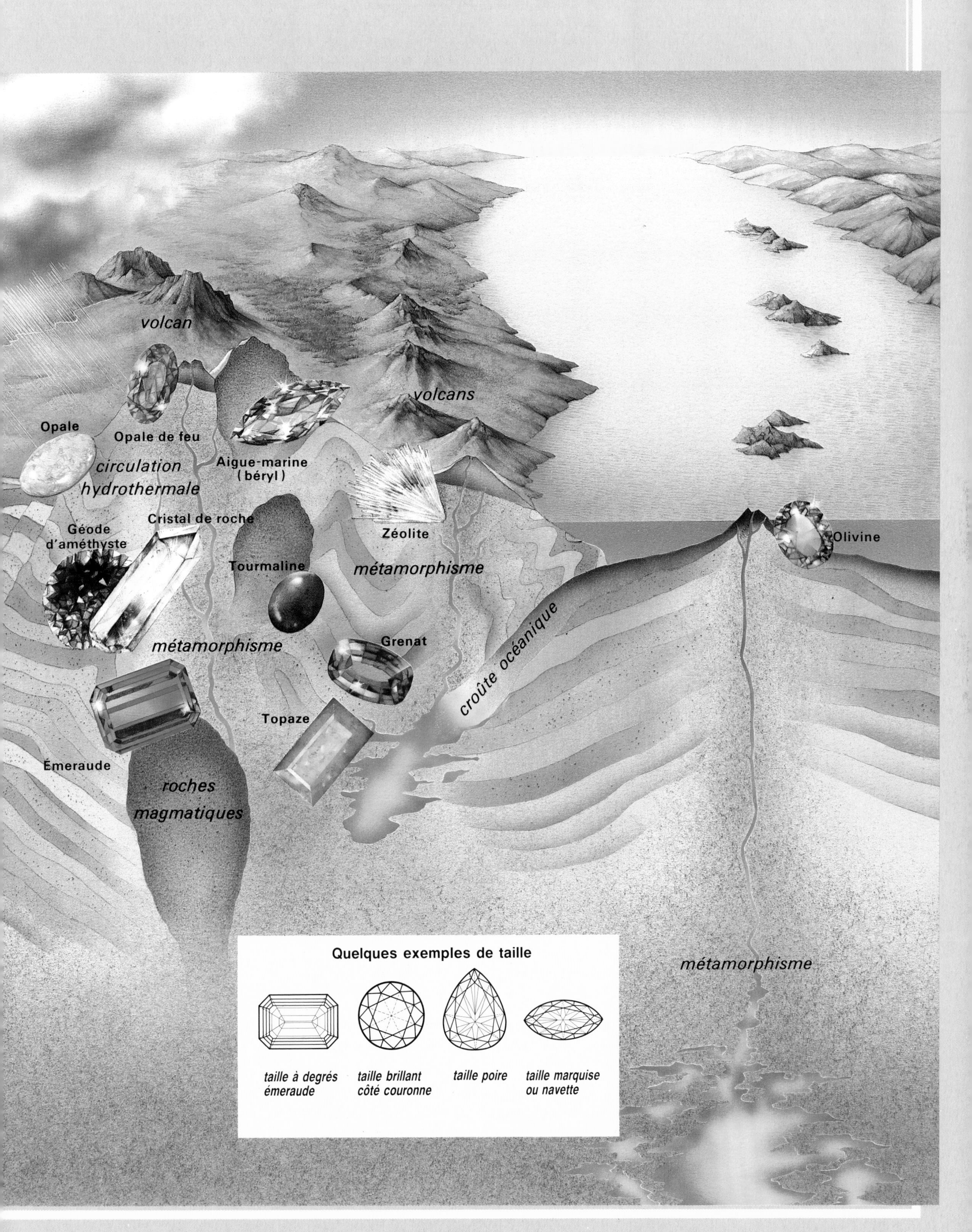
volcan
volcans
Opale
Opale de feu
Aigue-marine
(béryl)
circulation
hydrothermale
Cristal de roche
Géode
d'améthyste
Zéolite
Tourmaline
métamorphisme
Olivine
croûte océanique
métamorphisme
Grenat
Topaze
Émeraude
roches
magmatiques
Quelques exemples de taille
taille à degrés
émeraude
taille brillant
côté couronne
taille poire
taille marquise
ou navette
métamorphisme

LA TERRE

transformation des reliefs

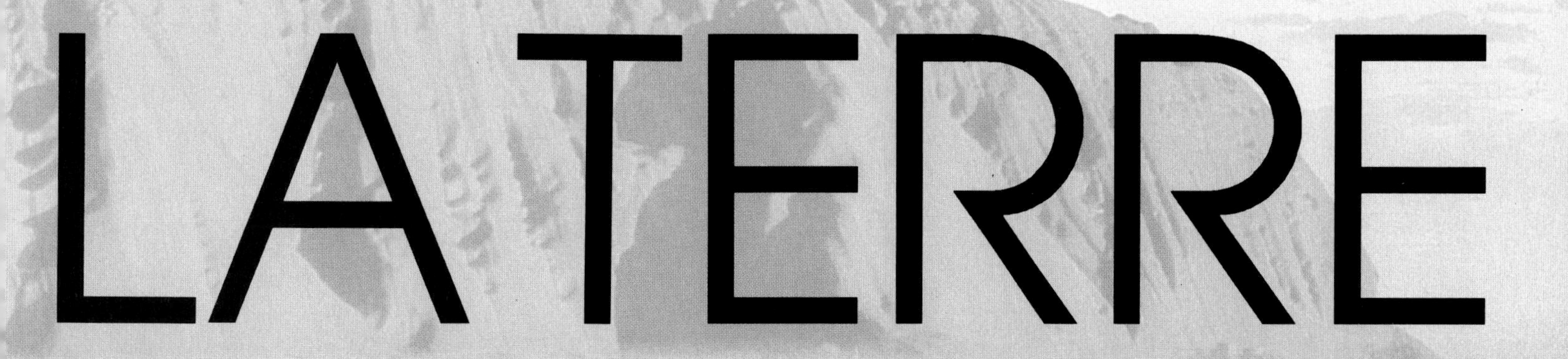

À L'ASSAUT DE LA PIERRE

La désagrégation des roches

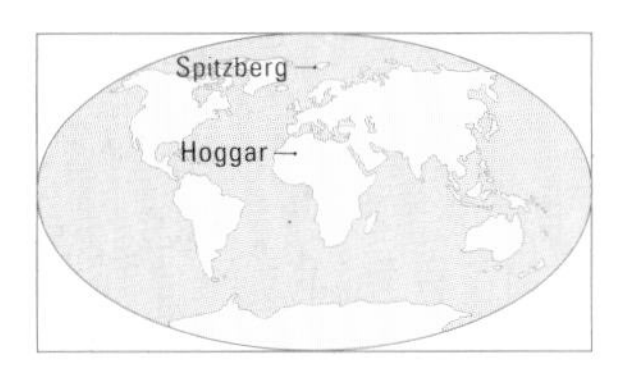

L'attaque des roches par les agents atmosphériques est la démarche initiale de l'érosion. Elle varie selon les roches et les milieux climatiques. Il peut s'agir d'une fragmentation banale, d'une exfoliation, d'un écaillage, ou bien encore d'une désagrégation granulaire dans le cas des roches grenues, tels les granites et les grès. Tous ces processus libèrent des fragments rocheux de tailles variées qui parsèment les paysages.

△
Surprenants cercles de pierres au Spitzberg, dans la péninsule de Brögger. Cette disposition des fragments rocheux tombés de l'escarpement du Schetelingfjellet (à l'arrière-plan) est une des originalités des paysages de l'Arctique. Elle est due à l'alternance du gel et du dégel entre l'hiver et l'été polaires.

Le Spitzberg, une terre façonnée par le gel

L'île norvégienne du Spitzberg est située à l'entrée de l'océan Glacial Arctique, à 500 km à l'est du Groenland et à 1 000 km seulement du pôle Nord. Les glaciers occupent 60 % de ce territoire. Le reste, soumis à l'alternance du gel et du dégel de l'eau provenant de la fusion saisonnière des glaciers et de la neige, est pour une grande partie couvert de pierraille.

On est ici dans le nord-ouest de l'île, dans la péninsule de Brögger, qui borde la baie du Roi, non loin de Ny-Alesund. Le gel a fait éclater les roches calcaires poreuses, sensibles au gel, du mont Schetelingfjellet. Les débris qui se sont accumulés au pied de l'escarpement ont été ensuite entraînés par le ruissellement de fonte estival.

En contrebas de l'escarpement, les débris s'organisent en figures géométriques spectaculaires. Ces figures proviennent du déplacement des pierres de la partie superficielle du sol affectée par le dégel (mollisol), par rapport aux zones plus profondes fixées en permanence par la glace (pergélisol ou permafrost). Elles varient en fonction de la physionomie du paysage. Sur les surfaces horizontales des nappes alluviales, des réseaux de cercles de pierres ayant jusqu'à 2 à 3 m de diamètre cloisonnent la toundra. Sur les pentes, même légères, les pierres sont entraînées vers le bas et les cercles s'ouvrent. Bandes de pierres et bandes de végétation alternent alors : on parle de sols striés.

Il est possible de retrouver ces paysages minéraux sous nos latitudes, mais il faut pour cela se rendre en haute montagne. ■

Les boules de granite du Hoggar

Le massif du Hoggar, en Algérie, au cœur du Sahara, rendez-vous de nombreux voyageurs venus admirer ses paysages spectaculaires à partir de Tamenghest (Tamanrasset), est un musée de formes dues à une longue érosion. On y découvre une forêt de pics et d'aiguilles, déchiquetés lorsque la masse rocheuse a été profondément lacérée, au terme de son action.

Dans l'intérieur, l'érosion a dégagé de la couverture de grès environnante, constituant les tassilis, les roches granitiques surmontées de pitons volcaniques qui forment le massif. C'est dans un des endroits où apparaît le socle de granite que l'on peut voir cet amas de roches en boules.

En raison de l'intensité de l'insolation et de la sécheresse de l'air, les roches des déserts sont soumises à de grands écarts de température favorisant leur fragmentation (thermoclastie). Ceux-ci font se dilater et se rétracter les roches journellement. Dans les roches cristallines, la dislocation s'exprime entre les cristaux. Elle caractérise la désagrégation granulaire affectant les roches grenues comme le granite. Mais la fragmentation peut aussi se produire entre la partie superficielle et la masse rocheuse plus profonde, qui n'est pas affectée par les variations thermiques. Elle se traduit alors par le décollement de lames superficielles (exfoliation) dont on voit les traces sur le gros rocher au premier plan de la photo; la désagrégation granulaire y a aussi creusé une profonde excavation appelée taffoni.

Au Sahara, la fragmentation des roches a sans doute été facilitée par une altération chimique ayant fragilisé la roche lors d'une période moins aride, qui s'est terminée il y a quelque cinq à six mille ans. La teinte ocre du granite témoigne de l'oxydation du fer survenue durant cette période plus humide. ■

△ *Dans le sud du Sahara algérien, ces boules de granite représentent l'un des divers aspects du relief qu'offre le massif du Hoggar. Elles sont l'œuvre de l'érosion, qui les a façonnées et y a creusé de profondes excavations (taffonis). Celles-ci sont le résultat de la désagrégation granulaire des roches due aux importantes variations diurnes de la température.*

Un tapis de fleurs éphémères

Une touffe de saxifrages à feuilles opposées.

Au Spitzberg, la rudesse du climat n'autorise la plupart du temps qu'une végétation rare de toundra, avec son cortège de mousses, de lichens et de saules nains. Cependant, la brève saison chaude, durant laquelle la température dépasse légèrement 0 °C, est marquée par une explosion de fleurs. C'est ainsi que la saxifrage à feuilles opposées *(Saxifraga oppositifolia)* colonise les roches fragmentées par le gel et orne l'intérieur des cercles de pierres caractéristiques des régions froides. Aux alentours s'étalent les tapis roses des silènes acaules *(Silene acaulis)*. Les dryades à huit pétales *(Dryas octopetala)* parsèment le sol de touches blanc crème. Ce festival de couleurs dure trois mois, après lesquels le paysage retrouve son apparence minérale.

La morsure du gel ou le feu du soleil

Les roches subissent les attaques des agents atmosphériques (température, pluie, neige, gel, vent). Certaines de ces agressions se réduisent à des actions mécaniques qui provoquent le débitage des roches en fragments. Toutes impliquent l'intervention de forces capables de disloquer des roches aussi dures que le granite ou le marbre.

Dans le cas de la fragmentation des roches par le gel (gélifraction ou cryoclastie), ces forces découlent de l'augmentation de volume de l'eau contenue dans les pores et les fissures de la roche lors de son passage à l'état de glace. L'expression populaire «il gèle à pierre fendre» prouve l'évidence de ce processus. Il se produit surtout dans les hautes latitudes, lors des changements de saison caractérisés par de fréquentes alternances gel/dégel, mais aussi en haute montagne, où ces variations peuvent être saisonnières ou journalières.

L'efficacité des seules variations de température (thermoclastie) est plus discutée. On l'invoque dans les déserts, où les amplitudes thermiques diurnes atteignent parfois de 20 à 30 °C. L'exfoliation résulterait alors du contraste entre la partie superficielle des roches, soumise à des dilatations et à des contractions répétées, et l'intérieur, hors de portée de l'onde thermique. Lorsque ce phénomène se produit entre les cristaux d'une roche cristalline, il provoque une désagrégation granulaire. En bord de mer, le sel des embruns la facilite (haloclastie).

LES POUVOIRS DE L'EAU

Dissolution et altération chimique des roches

Nouveau-Mexique
Baie d'Along
Amazonie
Ile Maurice

L'eau est l'agent d'altération chimique par excellence. C'est un solvant et un réactif efficaces, à condition que le temps de contact avec les roches soit assez long. C'est pourquoi la dissolution et l'altération chimique des roches résultent surtout des écoulements lents des eaux de surface et des eaux souterraines. Agent chimique ou agent de transport, l'eau paraît beaucoup plus performante sous un climat tropical humide que sous des climats plus froids ou plus secs.

△
Inhabitée lors de sa découverte au XVIe siècle par les Portugais, l'île Maurice a été soumise depuis à une intense exploitation de sa forêt pour l'ébène. Les sols latéritiques, devenus progressivement stériles, offrent ce spectacle chatoyant, mais désolant d'aridité, des Terres de couleurs de Chamarel, dans le sud-ouest de l'île.

Terres de couleurs de Chamarel dans l'île Maurice

L'océan Indien est parsemé d'îles volcaniques qui jalonnent le long déplacement de l'Inde vers le nord ; celle-ci s'est en effet écartée de l'Afrique orientale et de Madagascar en laissant derrière elle bon nombre de volcans, comme l'île de la Réunion ou l'île Maurice. Soumis à un climat tropical humide et à la puissance des forêts luxuriantes, les basaltes qui constituent ces îles ont été profondément altérés et ont donné naissance à des sols rouges latéritiques.

L'île Maurice, ensoleillée et ensorcelante, offre au voyageur, outre ses plages paradisiaques, des paysages étonnants. C'est le cas de la région de Chamarel, dans le sud-ouest de l'île, à une dizaine de kilomètres de Casa Noyale, où les sols présentent des couleurs tout à fait extraordinaires. Ces Terres de couleurs de Chamarel sont d'ailleurs proposées comme but d'excursion.

Mais les teintes des sols de l'île Maurice sont bien différentes de celles des latérites du Brésil ou d'Afrique, bien que leur origine et leur mode de formation soient identiques. En fait, l'abondance et la nature des oxydes de fer dépendent des circulations d'eau dans les sols, et les couleurs peuvent ainsi varier du jaune au rouge et au rose violacé.

Les ocres naturels que renferment certaines formations géologiques — en France, par exemple — sont pour la plupart des restes de sols latéritiques ; ce sont des témoins de temps éloignés où un climat tropical régnait sur le pays. Ces ocres furent utilisés comme pigments ; mêlés à de la graisse et à un liant, ils constituèrent les peintures que nos ancêtres appliquèrent, il y a dix-sept mille ans, sur les parois de la grotte de Lascaux, en Dordogne.

Lorsque le climat est humide ou que la roche d'origine contient en abondance des minéraux riches en aluminium, la latérite est très pauvre en oxydes de fer et très riche en aluminium ; elle peut alors apparaître presque blanche. Transportée par les rivières et accumulée dans les plaines et dans les dépressions des karsts, cette latérite finit par constituer un véritable minerai : la bauxite (découverte aux Baux-de-Provence, dans le sud de la France), formée et accumulée il y a près de cent millions d'années, sous un climat chaud et humide. ■

◁ *Au Brésil, les roches granitiques du vieux socle du continent ont été altérées profondément en latérites par l'action de la forêt tropicale, comme en témoignent ces terres rouges du bassin de l'Amazone, dans l'État d'Acre. Cette forêt, qui existe depuis des temps géologiques très anciens, est à l'origine de la formation de latérites, épaisses parfois de quelques dizaines de mètres.*

Les gouffres les plus profonds

Réseau Jean-Bernard	(France)	1 602 m
Vyaceslav Pantyukhina	(Abkhazie)	1 508 m
Sistema del Trave	(Espagne)	1 441 m
Laminakateak	(Espagne)	1 408 m
Cueva Cheve	(Mexique)	1 386 m
Snejnaïa	(Abkhazie)	1 370 m
Sistema Huautla	(Mexique)	1 353 m
Réseau de la Pierre-Saint-Martin	(France/ Espagne)	1 342 m

Une forêt pétrifiée en Arizona

Dans l'est de l'Arizona, l'érosion a mis à nu des roches bariolées, dont les couleurs sont avivées par la lumière du désert. Mais quel cataclysme récent a bien pu faire de cette région le fameux Painted Desert (le désert coloré) ? Car le sol du plateau est jonché de troncs d'arbres, comme cassés par un séisme dévastateur. Ces restes, âgés de près de 200 millions d'années, ne sont plus de bois, mais de silice. Le climat chaud et humide qui régnait alors a favorisé la dissolution de la silice — qui provenait de cendres volcaniques issues d'édifices autochtones — par les eaux alimentant des marais où macéraient ces arbres. La stagnation et l'évaporation ont ensuite provoqué la précipitation de la silice, qui a ainsi imprégné le bois. Les mouvements tectoniques ont cassé et soulevé les troncs ; l'érosion les a enfin dégagés.

Les étonnantes couleurs des troncs pétrifiés du parc national de Petrified Forest.

Les sols rouges d'Amazonie

Ce paysage de l'État d'Acre, proche de la frontière péruvienne, dans l'ouest du Brésil, est caractéristique des paysages tropicaux. Il offre au voyageur le contraste coloré du vert de la forêt et du rouge des sols. Poussière pendant la saison sèche, boue épaisse lors des pluies, tout est rouge brique : c'est d'ailleurs le nom latin de la brique — *later* — qui est à l'origine du mot latérite, désignant les sols rouges des régions tropicales.

Les latérites sont des sols riches en silice et en oxydes de fer et d'aluminium, et c'est cette forte concentration en oxydes de fer qui leur donne leur couleur. Ce ne sont pas des roches sédimentaires, calcaires ou argiles, qui sont à l'origine de ces sols rouges, mais des roches riches en silice, variées, grenues, comme les granites d'Afrique ou les péridotites de Nouvelle-Calédonie, ou des roches volcaniques, comme les basaltes de l'Inde du Sud. Ces roches sont soumises à une décomposition complète de leurs minéraux d'origine, sous un climat caractérisé par une forte humidité et une température élevée. Une grande partie de la roche, dissoute par les eaux d'infiltration, est éliminée ; les parties les moins solubles (silice et métaux surtout) se concentrent et s'accumulent.

La forêt tropicale joue un rôle déterminant dans l'altération des roches et dans la formation des latérites. Les arbres participent à la désagrégation mécanique de la roche mère par leurs racines, qui s'insinuent profondément dans les fissures et les élargissent. Surtout, ils contribuent aux mouvements de l'eau dans le sol ; en la pompant pour leur consommation, ils provoquent, en alternance avec les pluies, des mouvements de va-et-vient de l'eau sur des profondeurs de 10 à 20 m. Une partie importante de l'eau d'infiltration reste par conséquent longtemps au contact des minéraux qu'elle dissout ou qu'elle transforme, d'autant plus facilement que la température est élevée. L'eau s'enrichit ainsi considérablement en sels qui se dissolvent très lentement.

La disparition de la forêt est rapidement suivie par la formation d'une croûte de latérites, qui se transforme progressivement en cuirasse. Plus aucune végétation ne peut alors se développer : c'est l'évolution inexorable vers un paysage aride.

Contrairement à ce qui se passe sous les climats tempérés et méditerranéens, la disparition de la forêt devient irréversible, à cause de la formation de ces cuirasses de latérites. C'est pourquoi l'exploitation inconsidérée des forêts tropicales de même que certaines pratiques culturales, par exemple les traditionnelles cultures sur brûlis, contribuent fortement à l'extension des territoires désertiques. ■

△
Dans la baie d'Along (Viêt-nam), des milliers d'îlots calcaires, tours et pitons du karst conique, émergent d'une plaine alluviale envahie par la mer. L'eau de mer dissout lentement la roche; c'est ainsi que les variations du niveau marin, sous l'effet des marées, s'inscrivent dans les parois abruptes sous forme d'encoches profondes, qui se distinguent ici très nettement.

Une myriade d'îlots calcaires dans la baie d'Along

Dans le golfe du Tonkin, au Viêt-nam, face au littoral du delta du fleuve Rouge, la baie d'Along constitue un des paysages les plus extraordinaires qui soient au monde. Des milliers d'îlots — pitons et tours de calcaire dressés sur la mer comme les vestiges d'une cité engloutie — dominent de 50 à 300 m la mer, dont la profondeur ne dépasse pas 25 m. Cette architecture fantastique de montagnes naufragées n'est pourtant pas issue d'un cataclysme, mais bien du combat prosaïque et inégal entre le calcaire et l'eau.

Nombre de cônes, de tourelles et de pitons sont percés de grottes, dont les plus basses sont envahies par la mer. De tout temps, elles ont été utilisées par les populations vivant de pêche et de commerce comme refuge contre les invasions et les pirates ou comme abri contre les typhons.

Dans l'une de ces cavités, la grotte de Dau Go ou «grotte des Bouts de Bois», on découvrit en 1958 des milliers de pieux de bois; ils avaient été entassés et cachés là au XIIIe siècle dans le but d'arrêter la flotte mongole. Le 3 avril 1288, des milliers de pieux furent plantés sous l'eau, par des fonds très faibles, afin de couper la retraite aux vaisseaux qui s'étaient avancés imprudemment dans ce labyrinthe d'îles. La technique était bien au point, car elle avait été déjà éprouvée avec succès au Xe siècle pour empêcher la flotte chinoise de dominer la région.

Ce paysage est semblable à celui de la Chine du Sud, et surtout à celui de la région de Guilin, le long de la rivière Li. Mais, ici, les rizières et les bambous ont disparu : les mouvements conjugués du niveau marin et du continent ont provoqué une intrusion de la mer dans les terres. ■

Le double rôle de l'eau

L'eau joue un double rôle à la surface et à l'intérieur de la Terre. C'est d'abord un réactif chimique : elle dissout ou transforme à peu près tous les minéraux existants, si le temps de contact est assez long. C'est aussi un agent de transport efficace : elle entraîne, dans son mouvement perpétuel vers les océans, les fruits de son travail chimique.

Le rôle chimique de l'eau dépend des minéraux qu'elle rencontre. Certains sont très solubles, comme le sel gemme ou le gypse, d'autres quasiment insolubles, comme les quartz des granites. La plupart des minéraux des roches réagissent à l'eau seule; d'autres exigent la présence de substances lui conférant des caractères acides ou basiques. Le climat modifie plus ou moins les règles du jeu. En général, une température élevée favorise les réactions chimiques; l'altération chimique est donc plus forte sous un climat tropical que sous un climat tempéré.

Le rôle d'agent de transport de l'eau est défini par la quantité d'eau qui s'écoule et par l'énergie produite. La quantité d'eau dépend des précipitations, donc du climat; l'énergie est liée aux différences d'altitude, donc au relief. Mais des écoulements trop rapides ne permettent pas aux réactions chimiques très lentes de se réaliser; certains minéraux ne peuvent donc être altérés que par des écoulements lents, comme ceux des eaux souterraines.

La perfection minérale de la grotte de Lechuguilla

À la limite sud-ouest du Nouveau-Mexique, aux États-Unis, la grotte de Lechuguilla, dont on peut admirer ici les concrétions de gypse blanc, est voisine des grottes de Carlsbad, situées dans le parc national du même nom. C'est la plus belle de toutes et, contrairement aux autres grottes de la région, elle n'a jamais été exploitée.

C'est au siècle dernier que, selon la légende, les premiers pionniers qui parcouraient le Nouveau-Mexique, presque désertique, virent au crépuscule une épaisse fumée noire s'élever au-dessus des monts Guadalupe. Ils comprirent bientôt, stupéfaits, que la fumée n'était qu'un gigantesque nuage de chauves-souris sortant de cavernes immenses pour aller chasser les insectes. Les grottes de Carlsbad, l'un des plus vastes domaines souterrains connus, venaient d'être découvertes.

Ce n'était qu'un début. Les premiers explorateurs surent d'abord tirer profit des abondantes colonies de chauves-souris, qui comptent actuellement plus d'un million d'individus. Elles avaient en effet accumulé sous terre pendant des milliers d'années des montagnes de guano, leurs déjections transformées progressivement en un mélange de phosphates et de nitrates. C'était là un merveilleux engrais naturel, mais aussi une matière première, le salpêtre, indispensable à la fabrication de la poudre en ces temps troublés de conquête. En fait, les véritables découvertes datent de moins de quinze ans. Les explorations spéléologiques se sont succédé depuis celle de la National Geographic Society, organisée en 1924. Depuis cette date, les caractères exceptionnels de toutes ces grottes ont intrigué les explorateurs et poussé les scientifiques à échafauder une théorie originale sur leur formation.

La grotte de Lechuguilla n'a été découverte qu'en 1988, et seules quelques équipes de spéléologues l'ont parcourue. Elle réunit toutes les particularités des grottes des monts Guadalupe. Constituée de salles immenses, sortes de vastes bulles assemblées entre elles comme en chapelet, elle est ornée de stalactites et de stalagmites de taille souvent gigantesque et de concrétions en aiguilles. Le plus étonnant est la nature minéralogique de toutes ces concrétions. Normalement, la calcite est le minéral qui constitue les calcaires, roches dans lesquelles se développent la plupart des grottes du monde, dont celles du Nouveau-Mexique. Or, à Lechuguilla, la calcite n'est pas fréquente ; en revanche, le gypse est de loin le plus commun. Le gypse est du sulfate de calcium contenant un peu d'eau ; c'est la pierre à plâtre. Mais le soufre du sulfate est un mystère, car il n'existe ni dans le calcaire, ni dans les roches environnantes. Des analyses chimiques fines et très sophistiquées viennent de montrer que le soufre de ces minéraux, dont certains sont très rares, proviendrait d'un gaz soufré, l'hydrogène sulfuré probablement, qui serait remonté d'un gisement pétrolier profond, en association avec des eaux thermales. Dissous dans l'eau, ce gaz produit de l'acide sulfurique, acide fort qui attaque très activement le calcaire en le transformant, au moins en partie, en gypse. Mais il reste encore bien des mystères à éclaircir, et d'autres grottes à découvrir. ■

◁ *À l'origine, la grotte de Lechuguilla (Nouveau-Mexique) était emplie d'eau que de l'hydrogène sulfuré, venu des profondeurs, transforma en acide sulfurique ; la solution attaqua le calcaire et se chargea en calcium. Lorsque la teneur en sulfate de calcium fut très élevée, du gypse et des minéraux sulfatés rares cristallisèrent en masses pures et fragiles, assemblage exceptionnel de formes et de couleurs merveilleuses.*

Les petites sphères gluantes, qui ressemblent à des œufs, ne sont en réalité que du carbonate de calcium cristallisé.
▽

Un pionnier de la spéléologie, Édouard Alfred Martel (1859-1938), comprit le premier la nécessité d'un matériel adapté à l'exploration souterraine. Avant lui, la descente dans les abîmes s'effectuait à l'aide de treuils ou d'escaliers en bois. Mais il préféra bien vite l'usage de l'échelle de corde. Pour affronter l'humidité, Martel endossa un costume assez résistant pour ne pas se déchirer aux aspérités de la roche. Il emportait avec lui une boussole, un thermomètre, une trompe de chasse, un sifflet, des feux de Bengale et de la peinture blanche pour marquer des repères. Il eut aussi l'idée de s'équiper d'un téléphone de campagne, appareil pourtant tout nouveau. Pour naviguer sur les rivières souterraines, il proscrivit les radeaux de ses prédécesseurs et adopta des bateaux pliants en toile imperméable. Cet attirail était loin cependant d'être idéal. L'échelle de Martel était extrêmement lourde : elle pesait 1 kg par mètre. La coiffure, un chapeau de feutre, et l'éclairage, une simple bougie plantée dans le ruban du chapeau, n'assuraient guère la sécurité de l'explorateur ! De même, ses bottines « percées de trous pour assurer l'écoulement de l'eau » prêtent aujourd'hui à sourire...

ATTENTION, AVALANCHES !

Le transport local des éléments

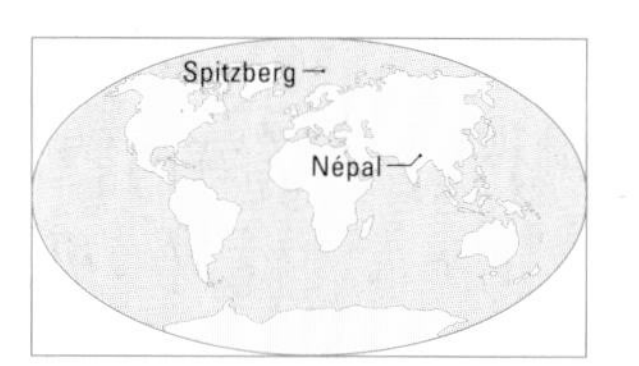

Les débris rocheux produits par la désagrégation mécanique et l'altération des roches sont entraînés par différents processus jusqu'aux fleuves, rivières ou glaciers environnants. Parce qu'ils façonnent le relief en vue d'assurer ce transport dans les meilleures conditions possibles, ces processus sont dits morphogéniques. Tous tirent leur énergie de la pesanteur, souvent assistée par d'autres agents, en particulier l'eau.

△
Les grands cônes de débris accumulés au pied des corniches calcaires sont une des caractéristiques du paysage arctique du Spitzberg (Norvège). On voit ici l'escarpement du plateau de Kjörfjellet, qui domine la côte occidentale de la péninsule de Brögger, à l'ouest de la baie du Roi.

Cônes d'éboulis au Spitzberg

Au large du Groenland, dont il s'est séparé il y a 50 millions d'années, le Spitzberg — la plus grande des iles de l'archipel du Svalbard — fut souvent la dernière halte des explorateurs du pôle Nord. Ce no man's land du bout du monde attira aussi dès le XVIIe siècle Hollandais, Anglais, Espagnols et Français venus massacrer la baleine le long de ses côtes au point de la faire pratiquement disparaître. Aujourd'hui, les chercheurs qui y abordent — généralement pendant le court répit de l'été arctique — ont des visées beaucoup plus pacifiques, qu'ils soient géologues, géographes, paléontologues ou climatologues...

Ceux qui arrivent par l'ouest sont toujours impressionnés par l'aspect déchiqueté des sommets. C'est sur cette côte, dans la péninsule de Brögger, que l'on a pris cette photo de l'escarpement du Kjörfjellet. Au premier plan, l'imposant cône de pierres illustre une des actions de l'érosion : le transport des débris. Ici, aucune végétation n'a entravé par ses racines la mobilisation des éléments.

Les débris rocheux, détachés par le gel dans la corniche calcaire du plateau, sont tombés sous l'action de la gravité, aidée par le ruissellement. Celui-ci est alimenté par la fusion estivale de la neige accumulée dans le ravin, où subsistent encore quelques congères.

Une incision creusée au sommet du cône lors du dégel de la partie superficielle du sol est à l'origine de ce ravinement. Plus bas, le cône est bosselé et sillonné par un lacis de rigoles : le sol, saturé en eau, a glissé sur le pergélisol (ou permafrost) situé à quelques décimètres de profondeur. Ce phénomène, appelé gélifluxion, a pris le relais du ruissellement.

De part et d'autre du cône, on aperçoit des nappes de débris accrochées à la corniche principale, qui sont dues à un ruissellement diffus, local et éphémère. ■

La gravité et l'eau

Divers processus assurent le transport local des débris rocheux. On connaît bien les chutes de pierres souvent signalées le long des routes dominées par des parois rocheuses, ou les éboulements catastrophiques des corniches mises en surplomb.

Mais l'attraction gravitaire est souvent épaulée par l'eau. Son rôle est décisif par temps de pluie ou au moment de la fonte des neiges, que les ruissellements se concentrent dans des ravins ou se diffusent dans de multiples rigoles en éventail.

Infiltrée jusqu'à saturation dans des argiles ou des limons, l'eau crée un matériau plastique fluant sur les pentes. Ce phénomène, appelé solifluxion, se manifeste par des bourrelets qui boursouflent les versants des reliefs.

Dans les régions très froides, lorsque l'eau est due au dégel estival du sol superficiel glissant sur un substrat restant gelé, on parle de gélifluxion. Dans les montagnes très enneigées, les avalanches contribuent aussi au transport des éléments. On distingue les avalanches poudreuses de celles de fond. Les premières font dévaler la neige fraîche sur la couche de neige antérieure durcie. Les secondes entraînent la totalité du manteau neigeux jusqu'au soubassement rocheux. Dans les deux cas, leur déclenchement résulte de la pesanteur annihilant les forces stabilisatrices de frottement.

Avalanche au mont Pumori

Situé au Népal, à la frontière du Tibet, le mont Pumori est à une vingtaine de kilomètres à vol d'oiseau de l'Everest. Ce sommet himalayen de 7 145 m a longtemps été convoité par les alpinistes. Mais sa vertigineuse face sud restera indomptée jusqu'en 1972. Cette année-là, une expédition de Savoyards, dirigée par Yves Pollet-Villard, tente avec succès cette ascension.

Cette aventure était d'autant plus risquée que les avalanches sont fréquentes, spectaculaires — comme celle de la photo — et parfois catastrophiques dans l'Himalaya. Une très forte dénivellation et des chutes de neige fréquentes, surtout lors de la mousson estivale, constituent des conditions favorables aux processus provoquant leur déclenchement. À tout moment, des masses de neige et de glace peuvent se détacher des parois et ensevelir les alpinistes. Ce fléau se produit surtout dans l'étage des prairies intercalées entre la forêt et les glaciers, où il exerce une action érosive non négligeable.

Les avalanches de fond, massives et constituées de neige lourde et durcie, arrachent les arbres et les quartiers rocheux, ramonant les couloirs qu'elles empruntent. À leurs extrémités, des culots chaotiques rassemblant tous ces matériaux témoignent de leur efficacité, malgré leur vitesse, qui n'excède guère quelques dizaines de kilomètres par heure. Les avalanches poudreuses doivent à leur vitesse, de l'ordre de 200 à 300 km/h, un souffle puissant dévastateur, mais sont beaucoup moins actives sur le plan érosif.

Chaque année, les avalanches font des centaines, voire des milliers de victimes à travers le monde, et des dégâts matériels considérables. Aussi essaie-t-on de les prévoir en installant des postes d'observation dans les secteurs les plus menacés. ■

Cette avalanche spectaculaire dévale le flanc de la puissante pyramide dressée par le mont Pumori (7 145 m), à l'ouest de l'Everest (Népal). Le versant enneigé très escarpé, sillonné par un ruissellement torrentiel, a favorisé son déclenchement. ▷

Une plante dans les éboulis

Une plante peut s'épanouir en milieu ingrat.

Certaines plantes sont capables de se développer dans des conditions assez défavorables. *Xatardia scabra*, plante de haute montagne, appelée localement le « persil d'isard », en est un bel exemple. C'est une ombellifère qui ponctue en été les vastes cônes et tabliers d'éboulis des versants très ensoleillés des Pyrénées méditerranéennes, vers 2 500 à 2 600 m. À cette altitude, les roches, soumises de façon saisonnière à des alternances répétées de gel/dégel, se fragmentent. La pierraille que l'on voit ici autour de la plante est le résultat de cette fragmentation des corniches rocheuses surplombantes.
La présence de cette espèce végétale originale permet aux géographes d'apprécier la vitesse de déplacement des débris vers le bas, car cette plante, très fragile, ne résiste pas à l'arrivée des cailloux venant d'amont.

AUTANT EN EMPORTE LA TERRE

Glissements de terrain et solifluxion

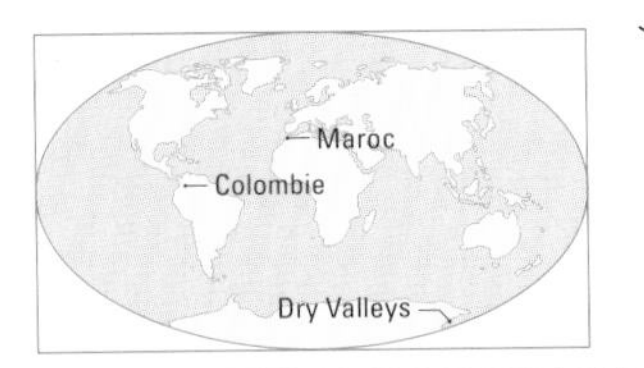

Les matériaux des versants sont parfois entraînés sur les pentes par la pesanteur. Leur déplacement se traduit dans certains secteurs par une ablation, dans d'autres par une accumulation. Ainsi, l'érosion façonne les versants et confère aux reliefs un modelé original. Les éléments se déplacent en fonction des caractéristiques du matériau meuble, de la pente et de la végétation qui, parfois, les retient.

Les collines blessées du Rif

Les collines du bassin de Boudinar, dans le Rif marocain, subissent actuellement une érosion des sols très accélérée. Elle se manifeste par des arrachements et des glissements associés. C'est la solifluxion, qui se matérialise par des niches ouvertes dans les marnes et des langues de boue.

Toutes les conditions se trouvent ici réunies pour favoriser ce mécanisme. D'abord, les marnes sont des roches meubles, aptes à absorber beaucoup d'eau en raison de leur nature argileuse. Par ailleurs, les fortes pentes créées par l'intense dissection qui affecte ce bassin marneux intensifient la gravité. Enfin, un climat très humide fournit toute l'eau nécessaire au phénomène. Mais l'homme a beaucoup contribué à révéler cette instabilité potentielle des versants, par des défrichements inconsidérés en vue d'une culture céréalière qui laisse le sol à nu au moment même de la saison des pluies.

Les marnes sont fortement imbibées d'eau, ce qui intensifie l'attraction de la pesanteur, celle-ci s'exerçant alors sur un matériau devenu plastique. Une surface de cisaillement courbe finit par se développer dans la masse, esquissant la niche d'arrachement qui s'ouvrira lors du déclenchement du mouvement de ce matériau. Les éléments libérés fluent sous la forme d'une langue pâteuse, qui finit par se stabiliser rapidement.

Ainsi, ces terroirs de culture apparaissent voués à une dégradation irréversible, malgré les efforts des fellahs pour l'enrayer par la construction de terrasses rudimentaires, comme celles qu'on peut apercevoir sur la photo. ■

◁ *Les collines entaillées dans les marnes du bassin de Boudinar (Rif, Maroc) sont la proie d'une érosion active, qui se traduit par des niches d'arrachement d'où s'échappent des bourrelets boueux. La raideur des pentes, une pluviosité abondante et un défrichement imprudent au profit de la culture céréalière expliquent son déclenchement.*

D'étonnantes terrassettes en Colombie

Les grands versants de la cordillère centrale des Andes colombiennes offrent de beaux exemples de terrassettes qui accidentent les plus raides d'entre eux. Il s'agit de petits gradins de quelques décimètres de largeur, s'allongeant parfois sur quelques dizaines de mètres selon les courbes de niveau, bien visibles au premier plan de la photographie, prise dans le *cafetero* de Libano, en Colombie. Ici, les terrassettes sont fréquentes et particulièrement remarquables, car plusieurs conditions ont concouru à favoriser ce type de mouvement de terrain. On invoquera, d'abord, les fortes pentes créées par un découpage en collines allongées (serres) des schistes qui constituent la montagne, comparables à celles des Cévennes. Et les sols argileux épais développés à leurs dépens sont un milieu favorable au déclenchement du phénomène. Mais l'homme a aussi contribué à son développement par ses défrichements pour la culture du caféier. En effet, la forêt dense originelle constituait une protection efficace contre les pluies violentes, et la forte densité des racines des arbres dans la partie superficielle des sols assurait à ceux-ci une bonne stabilité. On notera, par ailleurs, que le déplacement des matériaux sur les versants a été encore intensifié par le piétinement du bétail, en raison du développement d'un élevage extensif sur les espaces abandonnés par cette monoculture.

Sous un climat à pluies abondantes, les sols argileux fortement imbibés d'eau sont désormais mobilisés. C'est ce qu'on appelle une solifluxion généralisée, qui affecte le sommet des pentes, où elle n'est entravée que par un tapis de plantes herbacées.

On a là un exemple typique de cette érosion accélérée, déclenchée par des actions inconsidérées des hommes, qui ravage aujourd'hui de nombreux milieux naturels dans toutes les régions du globe. ■

△
Entre Villahermosa et Libano, à une centaine de kilomètres à l'ouest de Bogotá (Colombie), la route traverse la cordillère centrale des Andes, découpée en collines allongées, aux versants en pente forte sillonnés par des escaliers de terrassettes remarquables. Car l'installation de plantations de caféiers puis leur abandon ont livré à une solifluxion généralisée les sols argileux, jadis formés aux dépens des schistes. Le passage des troupeaux contribue aujourd'hui à accentuer le phénomène.

Des matériaux en mouvement

Les modelés du relief sont dus aux déplacements d'éléments sur les versants. Cette forme d'érosion suppose que les forces d'inertie, qui s'opposent à la pesanteur jouant sur les matériaux meubles, soient vaincues par des agents plus puissants. Parmi ces agents, l'eau joue un rôle essentiel car elle favorise la gravité en alourdissant, à l'occasion, les matériaux ; elle a aussi le rôle d'un lubrifiant qui facilite le mouvement. Les tremblements de terre sont une autre cause de déplacements de terrain, parfois catastrophiques dans des régions à forte sismicité, comme la cordillère des Andes. Enfin, l'homme est devenu un agent d'érosion, malheureusement très efficace, par ses défrichements pour les cultures, puis par la multiplication de constructions qui constituent une surcharge pouvant entraîner des mouvements de terrain.

Il existe différents modes de transport des éléments sur les versants. Ils sont déterminés par la nature des éléments meubles, par celle des pentes et par les conditions climatiques. Les glissements de terrain et les déplacements de sols argileux imbibés d'eau (solifluxion) sont parmi les plus importants.

Trois exemples de mouvements de terrain classiques. Le glissement banc sur banc concerne des versants à forte pente, formés de roches sédimentaires bien stratifiées en couches massives (calcaire, grès) facilitant le délogement des blocs rocheux. L'arrachement et la solifluxion se développent sur des versants marneux, imbibés d'eau qui rend le matériau plastique. Dans le cas d'une coulée boueuse, on a affaire à la rupture d'une poche d'argile liquéfiée à la suite de sa saturation en eau, sur le flanc du versant.
▽

Les glissements de terrain

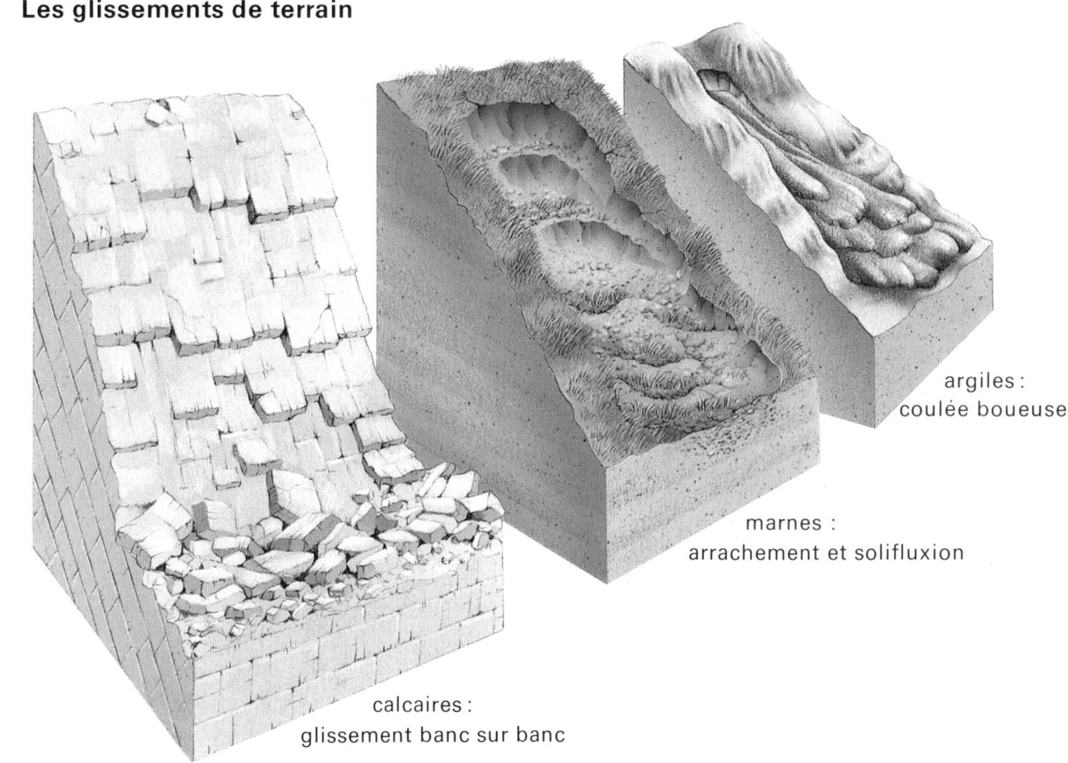

Les glissements de terrain sont parfois catastrophiques. L'histoire en a enregistré de nombreux dans les Alpes suisses. C'est ainsi qu'en 1512 un pan entier du Pizzo Magno, dans le Tessin, s'effondra dans le val Blenio voisin. L'entrée de la vallée du Brenno fut obstruée et les eaux de la rivière la transformèrent en un vaste lac. Quatorze mois plus tard, le barrage ainsi formé se rompit et les eaux en furie se précipitèrent dans la vallée du Tessin. Toute la région fut dévastée jusqu'au lac Majeur, et l'on dénombra des centaines de victimes.
En Suisse encore, aux confins des cantons de Vaud et du Valais, c'est tout un pan des Diablerets qui, en 1749, s'écroula dans la vallée de Derborence, détruisant une quarantaine de chalets et entraînant la formation d'un petit lac.
Enfin, on a répertorié dans le canton de Schwytz une série d'éboulements du Rossberg au cours des XVIIIe et XIXe siècles. Le plus meurtrier fut celui de 1806. À la suite de pluies diluviennes de plusieurs semaines, des blocs entiers commencèrent à se détacher du sommet du Rossberg, dans la journée du 2 septembre. Il devenait plus évident d'heure en heure qu'un énorme cataclysme allait se produire, mais les hommes ignorèrent les signes que leur donnait la montagne. En fin d'après-midi, un craquement épouvantable se fit entendre. Il semblait que toute la montagne s'était mise en mouvement. En quelques minutes, l'une des plus belles vallées de Suisse n'était plus que chaos indescriptible. Quatre villages, des centaines de maisons et 457 habitants étaient ensevelis sous les décombres du Rossberg.

△
Ces glaciers rocheux occupent les vallées d'un escarpement non recouvert par la calotte glaciaire de l'Antarctique (Beacon et Dry Valleys). Les blocs rocheux provenant de grès fractionnés par le gel, qui affleurent sur les versants, forment une langue caractéristique. La convexité des bourrelets transversaux révèle son lent déplacement, favorisé par la glace qui remplit les vides de la masse.

Glaciers rocheux de l'Antarctique

Allongés sur 3 300 km entre les mers de Weddell et de Ross, les monts Transantarctiques se dressent jusqu'à 5 140 m d'altitude, au mont Vinson, au-dessus des glaces. Les vallées qui les échancrent largement abritent de remarquables glaciers rocheux, tels ceux de la Beacon et des Dry Valleys, que nous voyons ici. Organismes de transport originaux, ils se caractérisent par un remblai chaotique, sous forme de langue de pierraille et de blocs anguleux, de plusieurs mètres de hauteur, de centaines de mètres de largeur et de quelques kilomètres de longueur. En pente marquée, ils se terminent par un front abrupt (de 35 à 40°) de quelques mètres de hauteur.

Les glaciers rocheux sont constitués par des matériaux provenant de la fragmentation des roches sous l'action du gel. Ces blocs et pierrailles, concentrés au bas des pentes par la pesanteur, se déplacent à une vitesse de quelques centimètres par an seulement. Pour l'essentiel, ce déplacement résulte du fluage de la masse transformée en un véritable béton par de la glace remplissant ses vides, au rythme de l'alternance du gel et du dégel.

Ce type de glacier est caractéristique des montagnes sèches et très ensoleillées, telles celles de l'Antarctique, dont le centre reçoit moins de 200 mm de précipitations par an. On en observe aussi de très beaux exemples au-dessus de 2 500 à 2 600 m dans les Alpes du sud de la France. ■

Des terrasses pour lutter contre l'érosion

Les terrasses protègent les sols vulnérables de la région de Lanzhou.

Située dans le bassin moyen du Huang He (fleuve Jaune), la région du Plateau des Lœss est au monde celle où ces sols sont les plus étendus (275 000 km²) et les plus épais (jusqu'à 300 m). Issu de l'accumulation des poussières éoliennes amenées des déserts (Gobi, Ordos, Taklamakan) par les vents du nord et du nord-ouest pendant tout le Quaternaire, ce pays très fertile a été mis en culture il y a quelque sept mille ans, ce qui en fait l'un des berceaux de la civilisation rurale de la Chine.

Très tôt, l'homme a su protéger ces sols riches, mais vulnérables, de l'érosion liée aux fortes pluies de la mousson (ravinement, glissement, effondrement) en construisant des terrasses. Dans la région de Lanzhou, capitale du Gansu, elles datent des années 1950 et se caractérisent par une certaine irrégularité et des talus parfois très hauts, comme le montre parfaitement la photographie. Le blé dur, le maïs et le sorgho se partagent les champs, tandis que les maisons troglodytiques creusent les flancs des collines.

DE CASCADES EN MÉANDRES

L'action des eaux courantes

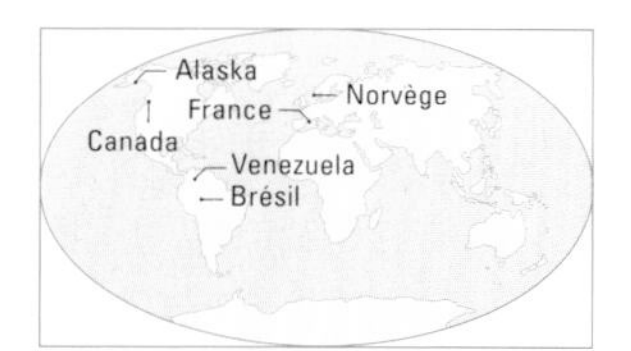

Rien de plus banal qu'une rivière. En dehors des régions de hautes latitudes couvertes par les glaciers, et des mers de sable du domaine aride, l'empreinte des cours d'eau est partout lisible à la surface des terres émergées. Même dans le désert, le chevelu hiérarchisé des réseaux hydrographiques se reconnaît dans les paysages. Dans les régions mieux arrosées, d'innombrables cours d'eau convergent pour constituer les fleuves, qui acheminent les alluvions vers la mer.

Une cascade dans un fjord de Norvège

En Norvège occidentale, la dénivellation est très affirmée entre le sommet de la chaîne scandinave et les fonds océaniques voisins : ce sont des conditions tout particulièrement favorables, avec l'aide d'un fort enneigement, pour que, lors des glaciations du Quaternaire, des glaciers puissants et dynamiques aient creusé profondément les vallées en contrebas de plateaux au relief assez uniforme. Après la déglaciation, la mer a envahi ces immenses vallées, qui sont devenues des fjords. Dans la vallée de la Mabødalen, dans le Hordaland, à une centaine de kilomètres à l'est de Bergen, les versants façonnés par le glacier sont restés presque verticaux ; on observe même parfois des esquisses de surplomb. C'est seulement à la hauteur de fissures exploitées par le gel que s'édifient des cônes d'éboulis depuis que le glacier a disparu.

Le plus spectaculaire reste la cascade. Les eaux font un bond de 180 m depuis les plateaux. Dans la vaste cuvette de pied de chute, l'impact énorme de la masse d'eau brasse et fragmente les blocs rocheux. Plus loin en aval, les sinuosités et le calibrage irrégulier du lit du torrent sont commandés par des apports latéraux tombés des versants. De nombreux blocs, d'une taille démesurée, encombrent ce chenal de 10 à 20 m de large où les eaux se précipitent. Ce contraste extrême entre les hautes vallées évasées et perchées de l'amont et les soudaines entailles de l'aval n'a rien d'exceptionnel en Norvège occidentale. La chute de Vøringfoss, mieux connue que beaucoup d'autres parce que facile à approcher à partir de la route d'Oslo à Bergen, compte de nombreux équivalents en marge des fjords. Partout la glaciation a accusé les dénivellations et les ruptures de pente. ■

◁ *Au fond du Hardangerfjord (Norvège) s'ouvre la vallée de la Måbødalen, dans laquelle se précipitent les eaux venues des hauts plateaux du Hardangervidda, qui portent encore une magnifique calotte glaciaire à 1 860 m d'altitude. Détrempée par les nuages de vapeur qu'émet la chute de Vøringfoss, la végétation s'accroche à toutes les pentes raides, mais laisse à nu les parois rocheuses presque verticales.*

△
Né dans les montagnes Rocheuses canadiennes, le Fraser est l'un des principaux axes fluviaux de la Colombie-Britannique. Il débite en moyenne 2 700 m³/s, trois fois plus à la saison des hautes eaux printanières, et coule en des gorges profondes de 1 000 à 1 500 m. La forêt luxuriante de la façade pacifique ne parvient pas toujours à s'accrocher aux très raides versants de la vallée.

Les profondes gorges d'un fleuve canadien

Dans les montagnes Rocheuses de la marge pacifique de l'Amérique du Nord, toujours en voie de surrection à l'heure actuelle, l'incision des vallées est particulièrement vigoureuse. Elle fut d'abord l'œuvre des glaciers du Quaternaire, qui submergèrent à plusieurs reprises la totalité de la Colombie-Britannique et l'ensevelissaient encore il y a dix-huit mille ans. Dans les intervalles entre les glaciations et depuis la disparition des glaciers, les cours d'eau ont beaucoup travaillé pour réaménager des profils en long bouleversés par les glaciers. Le surcreusement par les glaciers avait ouvert quelques bassins, qui ont été remblayés par de puissantes couches d'alluvions; mais les cours d'eau ont surtout dû mordre dans la masse montagneuse. Né loin de l'océan Pacifique, le Fraser le rejoint à Vancouver, après un parcours contourné qui lui fait emprunter de nombreux défilés. De hauts versants, fort abrupts, dominent le fleuve, où tombent souvent des paquets rocheux détachés en raison du sapement à la base exercé par le cours d'eau, et de la forte humidité ambiante. Dans le chenal, à forte pente, l'eau bouillonne sur les bancs de galets et sur les têtes de roches qui pointent çà et là. La largeur du lit varie dans de vastes proportions, en fonction de l'inégale résistance des roches recoupées ou des apports latéraux d'affluents importants dont les cônes de déjection envahissent la vallée principale.

Au temps des populations indiennes, principalement concentrées dans la région côtière, où elles trouvaient l'essentiel de leur subsistance, les gorges du Fraser n'offraient guère d'intérêt et étaient peu fréquentées. Elles commencèrent à l'être davantage à partir du milieu du XIXe siècle, quand les chercheurs d'or les empruntèrent. Pour rejoindre les gisements prometteurs des monts Cariboo, des caravanes de prospecteurs remontèrent laborieusement la vallée, gonflant temporairement la population de bourgades comme Lytton ou Lillooet, dans une atmosphère de Far West où le juge Matthew Bailie Begbie faisait régner une justice aussi expéditive que rigoureuse. Vint ensuite le souci de rattacher la Colombie-Britannique et Vancouver au reste de la Confédération du Canada. D'énormes travaux permirent au Canadian Pacific Railway de faire passer dans les gorges du Fraser la voie ferrée reliant Vancouver aux Grandes Plaines et à l'est du pays. Plus tard, le même tracé fut retenu pour la route transcanadienne. Les gorges du Fraser n'y ont guère perdu en pittoresque et l'entretien des voies qui les empruntent ne va pas sans difficultés. ■

Les plus hautes chutes d'eau

Salto Angel (Venezuela)	979 m
Tugela (Afrique du Sud)	948 m
Utigård (Norvège)	800 m
Mongefossen (Norvège)	774 m
Yosemite (États-Unis)	739 m
Mardalsfoss (Norvège)	657 m
Tyssestrengane (Norvège)	646 m
Kukenaam (Venezuela/Guyana)	610 m
Sutherland (Nouvelle-Zélande)	580 m

Un important facteur d'érosion

Le travail des eaux courantes est décisif dans le façonnement du relief terrestre, car ce sont les cours d'eau qui approfondissent les vallées et évacuent vers les océans les produits de l'érosion. Tombant sur les reliefs, l'eau des pluies ruisselle ou s'infiltre, pour revenir à la surface en sources qui nourrissent des cours d'eau dont l'écoulement fluctue, de l'étiage à la crue catastrophique.

Une part de l'énergie disponible dans les eaux courantes est dépensée pour approfondir les lits par usure lente des roches, souvent discrètement, mais parfois aussi de façon spectaculaire, comme au pied de nombreuses chutes et cascades, creusé rapidement par l'impact des eaux et des galets qu'elles brassent. Ainsi, les profils en long des cours d'eau évoluent vers un abaissement progressif qui entraîne celui du relief.

Les cours d'eau sont aussi d'immenses tapis roulants qui évacuent vers la mer les produits de l'érosion : galets et sables observables dans les bancs émergés à basses eaux et sur les berges, argiles et limons, matières organiques. N'oublions pas les « exportations invisibles » que constituent les éléments transportés en solution : dans de nombreuses rivières de plaine, les substances dissoutes représentent plus des trois quarts des tonnages acheminés à l'océan.

Les aspects des chenaux, composants majeurs des paysages de fond de vallée, varient selon les pentes et les matériaux transportés. Certains tracés sont assez rectilignes, d'autres sinueux, parfois en méandres réguliers; certains chenaux sont uniques, d'autres se partagent en bras multiples. Au lit fluvial est toujours associée une plaine d'inondation, parfois très large, constituée d'alluvions. Même en amont des cours, une atténuation de pente ou une confluence déclenchent parfois une accumulation d'alluvions en cônes de déjection. L'approfondissement saccadé des vallées peut percher des plaines alluviales anciennes, hors d'eau : on parle alors de terrasses fluviatiles. Peu étendues en montagne, les terrasses occupent d'immenses espaces dans les régions de piémont où les cours d'eau peuvent se déplacer latéralement sans rencontrer d'obstacles. C'est le cas des plaines du Gange et de l'Indus au pied de l'Himālaya, des plaines des gaves et de la Garonne au pied des Pyrénées.

◁ *Les réseaux hydrographiques s'organisent en arbres dont les ramifications convergent de l'amont vers l'aval. Dans les montagnes, mieux arrosées que les plaines, l'eau de la fonte des neiges au printemps et des glaciers en saison chaude s'ajoute à l'eau des pluies pour alimenter les cours d'eau. Les pentes sont fortes, les profils en long irréguliers, les chutes et les cascades fréquentes. Parvenus en plaine, les fleuves ont grossi, leurs vallées s'élargissent. La plaine d'inondation actuelle est souvent dominée par des terrasses alluviales, restes de plaines d'inondation anciennes, aujourd'hui perchées car la vallée, ici aussi, s'est approfondie. La construction d'un delta au débouché du fleuve en mer exprime souvent dans le paysage l'importance du volume de matériaux qu'il achemine d'amont en aval.*

Les chenaux en tresse de la rivière McKinley

Au cours des périodes froides du Quaternaire, la chaîne centrale de l'Alaska était totalement recouverte par les glaces, qui y ont creusé de profondes vallées. Les glaciers d'aujourd'hui sont confinés dans ces vallées, d'où ils émergent à l'occasion dans la zone de piémont, car ils atteignent encore parfois une cinquantaine de kilomètres de longueur sur le versant méridional, une vingtaine sur le versant nord. À l'avant des langues glaciaires, les eaux de fonte ont édifié de vastes plaines alluviales, comme celle que parcourt la rivière McKinley, issue du glacier Muldrow, et que nous fait découvrir une vue aérienne. Les chenaux fluviatiles offrent ici un aspect caractéristique qu'on décrit sous le nom de chenaux en tresse pour évoquer l'incessante fragmentation du lit fluvial en bras multiples, tantôt regroupés localement en nœuds, tantôt de nouveau éclatés. De tailles et de profondeurs inégales, ces chenaux enserrent des bancs caillouteux. En période de basses eaux hivernales, presque tout le chenal est à sec et le vent entraîne les particules les plus fines en tourbillons de poussière. L'été, en période de fonte du glacier, les chenaux se remplissent progressivement. Certains bancs sont assez rarement submergés et portent une végétation maigre. Le reste de la plaine échappe à la submersion annuelle et ne connaît que des inondations exceptionnelles. La forêt boréale est ici en situation extrême : des épicéas sont disséminés dans la plaine. À l'intérieur des chenaux en eau, galets et sables migrent rapidement. Les formes de détail de ces chenaux sont très mobiles ; il suffit de quelques années, parfois d'une seule, pour que leur disposition soit totalement renouvelée. Le dessin tressé des chenaux est dû à plusieurs facteurs : en premier lieu de fortes pentes, puis l'abondance d'alluvions grossières fournies par les glaciers, enfin un écoulement très irrégulier, fort abondant en pleine saison estivale de fonte des glaciers, mais indigent en hiver, quand la neige ensevelit tout le paysage.

Il fallut l'espoir de rencontrer quelques filons aurifères dans les granites du massif pour amener au début de ce siècle quelques chercheurs d'or à escalader le mont McKinley. C'est en 1910 que deux d'entre eux, Peter Anderson et Billy Taylor, conquirent le sommet nord (5 934 m). La création du parc national Denali en 1917 a rendu les espaces naturels aux animaux qui les parcourent : caribous, élans, loups, grizzlis, poissons d'eaux froides. ■

Les plus grands bassins fluviaux

Cours d'eau	Aire du bassin (en km²)
Amazone (Amérique du Sud)	6 200 000
Zaïre (Afrique)	3 607 000
Mississippi (États-Unis)	3 222 000
Nil (Afrique)	2 881 000
Ienisseï (Russie)	2 600 000
Ob (Russie)	2 485 000
Lena (Russie)	2 425 000
Paraná (Amérique du Sud)	2 343 000
Yangtseu-Kiang (Chine)	1 940 000
Amour (Chine-Russie)	1 845 000
Mackenzie (Canada)	1 805 000
Zambèze (Afrique)	1 722 000
Volga (Russie)	1 385 000
Niger (Afrique)	1 091 000
Orénoque (Venezuela)	1 085 000

Fondé en 1917, le parc national Denali englobe le plus haut sommet de la chaîne principale de l'Alaska, le mont McKinley (6 194 m), ses abords orientaux et occidentaux, ainsi qu'une partie de son piémont septentrional. Le massif reçoit des précipitations neigeuses abondantes, notamment sur sa façade sud, alimentant de puissants glaciers, dont les eaux de fonte nourrissent à leur tour de considérables torrents tels que la rivière McKinley, ici vue d'avion. ▷

◁ *À cheval sur le Venezuela oriental, le Brésil septentrional et la Guyana s'étend l'immense plateau de la Gran Sabana, qui atteint 2500 et parfois 3000 m d'altitude. De nombreux cours d'eau en descendent, les uns vers l'Amazone, d'autres, comme le río Carrao, vers l'Orénoque, auquel le río Caroní transmet ses eaux. Des chutes impressionnantes coupent les cours de ces ríos lorsqu'ils quittent le plateau de la Gran Sabana pour gagner les plaines périphériques.*

À la traversée d'une barre rocheuse, la Cèze, affluent du Rhône, s'est profondément encaissée dans les bas plateaux languedociens. Au plus fort de l'été, le soleil donne un extrême éclat au calcaire blanc mis à découvert dans le chenal, au milieu d'un cadre de verdure méditerranéenne : forêt claire de chênes verts et garrigue.
▽

Les eaux limoneuses du río Carrao

Les nuages tropicaux chargés d'eau apportent sur le plateau de la Gran Sabana — qui s'étend sur le sud-est du Venezuela, le nord du Brésil, et la Guyana — de 1 500 à 2 500 mm de pluies chaque année, en faisant ainsi un remarquable château d'eau. Le substrat de la Gran Sabana est constitué d'une énorme dalle de grès et de conglomérats, appartenant à la formation de Roraïma et pouvant atteindre 1 500 m d'épaisseur. Sur la bordure de la dalle gréseuse, le relief se morcelle en colossales forteresses, les tepuys. Sur le plateau, les cours d'eau sont calmes et les eaux s'infiltrent parfois dans les grès; mais, lorsque les rivières parviennent sur les marges de la Gran Sabana, leur cours s'accélère brutalement, elles dévalent les falaises gréseuses, puis les schistes et les gneiss du substrat vers les basses plaines périphériques. Courant à grande vitesse sur la roche, l'eau souligne et exploite les fissures grandes et petites (diaclases), ainsi que les autres plans de faiblesse qui recoupent les roches. Celles-ci se fragmentent peu à peu en blocs dont la taille, progressivement réduite, est à l'origine de galets qui sont évacués vers l'aval en raison de leur petite dimension. Simultanément, le ruissellement de surface et la circulation de l'eau dans la partie superficielle des sols entraînent les matériaux fins, argiles et limons issus de l'altération des roches. Les particules fines parviennent de cette façon aux rivières, dont elles colorent vivement les eaux en ocre brun, comme le montre bien la photo du río Carrao, au Venezuela.

La circulation en un tel milieu est des plus difficiles. Il est hors de question de remonter des rivières coupées de chutes aussi nombreuses et élevées. Les parois des tepuys sont fréquemment infranchissables. La recherche des diamants et de l'or alluviaux provenant des grès du Roraïma et remaniés dans les cours d'eau actuels a attiré de rares mineurs. La forêt est également parcourue par quelques groupes amérindiens, dont certains sont encore mal connus. ■

Marmites de géants pour un cours d'eau languedocien

Issue des Cévennes dans la région de Bessèges, à 50 km au nord de Nîmes, dans le Gard, la Cèze traverse ensuite les bas pays du Languedoc en une vallée tour à tour largement épanouie, dans les bassins excavés parmi les marnes, puis étranglée, dans les plateaux calcaires où la rivière décrit des méandres encaissés. À l'ultime sortie de ces plateaux, le contact entre calcaires résistants et marnes est souligné par la brutale rupture de pente à laquelle correspond, sur une bonne dizaine de mètres de dénivellation, la chute du Sautadet. Dans les calcaires en couches presque horizontales, la Cèze approfondit son lit en façonnant des cuves circulaires, larges de 1 à 2 m, profondes de 5 à 6 m, en un dispositif communément appelé « marmites de géants ». Les eaux tourbillonnantes, entraînant des galets, usent tout à la fois les galets et la roche. Progressivement, les parois de ces cuves reculent et se recoupent, donnant naissance à une gorge aux contours irréguliers. Ce travail s'accomplit principalement à la saison des crues, donc essentiellement en automne ou, plus rarement, en hiver. Alors les eaux remplissent la gorge et débordent sur la dalle calcaire, dont elles mettent en valeur chaque saillie. En été, les basses eaux cascadent d'une cuve à l'autre au fond de la gorge, mais le courant, trop faible, ne suffit pas à mettre en mouvement les galets, et les cuves ne sont plus érodées. C'est alors que le site s'offre aux citadins du voisinage, ainsi qu'aux touristes, très nombreux dans la région. En une saison où la plupart des cours d'eau locaux sont à peu près à sec, les eaux des cuves sont toujours assez profondes pour proposer aux baigneurs de véritables piscines, dans lesquelles les plus audacieux plongent même depuis le bord de la gorge, cependant que d'autres perfectionnent leur bronzage sur la parfaite plaque de cuisson que constituent les surfaces des bancs calcaires... ■

△
Affluent de rive droite de l'Amazone (rio Solimões) avec lequel il conflue à Fonte Boa, le rio Juruá draine un vaste secteur du piémont amazonien sur une longueur d'environ 1 500 km. Des collines de l'amont du bassin, qui ne dépassent pas 500 m, aux plaines de la région de confluence, dont l'altitude est inférieure à 100 m, le passage est très progressif et les pentes restent faibles. La forêt dense équatoriale dissimule les détails des reliefs.

Les méandres paresseux du rio Juruá

Malgré la faiblesse de sa pente, le Juruá, qui traverse les États d'Acre et d'Amazonas, au Brésil, compte comme beaucoup d'autres fleuves tropicaux de nombreux rapides dans la partie amont de son cours. Parvenu en aval au cœur d'une très vaste plaine alluviale, il décrit de spectaculaires méandres. Alors que le bon sens suggérerait qu'en une région de pentes faibles les cours d'eau gagneraient à aller au plus court, leur comportement ordinaire va à l'inverse : ils multiplient les sinuosités et parviennent ainsi à doubler ou tripler le trajet parcouru. Dans ces méandres, le flot s'infléchit alternativement à droite, puis à gauche, puis de nouveau à droite, dessinant des courbes et contrecourbes d'une régularité souvent spectaculaire. Ces courbes se développent progressivement. Elles s'agrandissent et migrent vers l'aval en sapant les berges de rive concave au long desquelles se situent les plus fortes profondeurs. Mais la largeur du chenal ne s'accroît pas pour autant, car les sédiments arrachés aux berges concaves se déposent sur les berges de rive convexe en bancs parallèles, de sable nu pour les plus récents et les moins surhaussés, déjà boisés et soulignés par des rubans forestiers pour les plus anciens.

Les méandres peuvent évoluer jusqu'au recoupement. Un tel épisode est imminent sur la boucle du Jurua, visible au premier plan. Il est déjà acquis pour d'autres boucles dont on entrevoit les restes sous le voile de la grande forêt équatoriale : lacs en croissant que comblent progressivement les matières organiques. Mais ces recoupements ne raccourcissent pas durablement le cours du fleuve, ils sont compensés par le développement de nouveaux méandres qui l'allongent, si bien que sa longueur reste sensiblement constante. Il est encore impossible aujourd'hui de proposer une interprétation scientifiquement satisfaisante qui permette de rendre compte du développement des méandres. On imagine aisément en revanche la lenteur des déplacements sur de tels cours d'eau et les délais supplémentaires qu'ils infligeaient aux relations et aux échanges aux temps encore proches où seule la voie d'eau permettait la circulation. ■

Vaincre l'eau vive

Les joies du rafting dans des eaux tumultueuses.

Les eaux tumultueuses des torrents et des rivières permettent aux amateurs de sensations fortes de pratiquer une multitude de sports. Aux traditionnels canoë et kayak se sont ajoutés ces dernières années descente sur canoë gonflable (hot dog) ou sur grosse bouée (tubing), rafting, hydrospeed et canyoning. Les adeptes du rafting franchissent passes et rapides en pagayant assis à plusieurs sur un dinghy. L'hydrospeed se pratique seul. Il s'agit de s'aventurer dans les flots bouillonnants allongé sur un flotteur caréné en plastique, et de se diriger à l'aide d'une paire de palmes. Le canyoning, tout aussi grisant, consiste à descendre des cascades en rappel. Nombreux sont aujourd'hui les clubs à proposer des stages d'initiation, qui permettent de découvrir ces activités autrefois réservées aux seuls aventuriers !

LA ROCHE RABOTÉE

Les glaciers

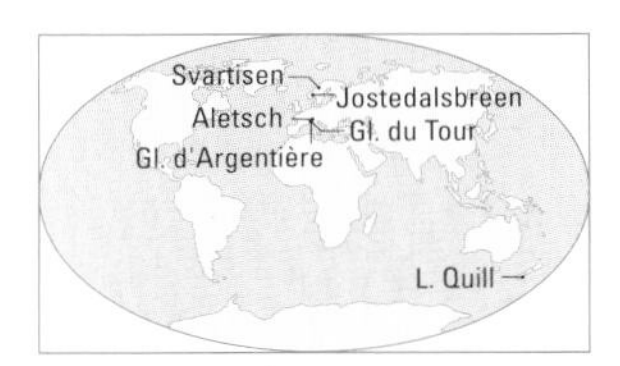

80 % de l'eau douce du monde est stockée sous forme de glace, dont 3 % se trouve dans les glaciers des montagnes : Alaska, Andes, Himālaya, Alpes... Le glacier est un outil prodigieux : sa puissance d'érosion a donné aux hautes montagnes et aux zones polaires aujourd'hui libres de glaces un faciès, une patine, des paysages originaux. C'est aussi un fantastique agent de déblaiement et de transport, l'érosion glaciaire juxtaposant des gorges profondes et des moraines spectaculaires.

△
Le glacier d'Aletsch, dans le Valais (Suisse), vu en amont du vallon de Märjelen, est ici large de près de 2 km. Sur la surface glaciaire zigzaguent de multiples crevasses. On peut voir à l'arrière-plan les glaciers suspendus, aujourd'hui isolés du corps principal du glacier, et au premier plan, à gauche, l'empreinte du niveau atteint par le glacier lors de la dernière crue du XIXe siècle.

Le glacier d'Aletsch

C'est du plateau du Jungfraujoch, en Suisse, que le touriste reçoit l'une des visions les plus grandioses du monde glaciaire alpin. À ses pieds naît le glacier d'Aletsch, le plus grand des Alpes (125 km^2, 24 km de long), dans son cadre de pics granitiques. Son bassin d'alimentation est constitué de trois courants de glace : d'est en ouest, l'Ewigschneefeld, le Jungfraufirn et le Grosser Aletschfirn, qui convergent à Konkordiaplatz. À cet endroit s'écoule annuellement un volume de glace de 115 millions de m^3, à la vitesse de 150 à 200 m par an, qui alimente la langue glaciaire, large de 1,5 km environ. Celle-ci descend en direction de la vallée du Rhône en dessinant une vaste courbe. Les moraines héritées des glaciers qui l'alimentent soulignent son écoulement par leurs lignes sombres.

La langue de glace a longtemps reçu les apports de petits glaciers sur sa rive droite ; mais aujourd'hui, ils restent suspendus et nettement détachés du corps principal, sauf le premier en amont, le Mittelaletschgletscher. Sur sa rive gauche, la masse glaciaire barrant un vallon adjacent a longtemps retenu le fameux lac de Märjelen, redouté pour ses crues brutales et subites. De 1813 à 1913, il s'est vidé huit fois ; aujourd'hui, des travaux d'aménagement assurent une vidange automatique des eaux en voie d'accumulation.

Depuis le début du siècle, en raison d'une fusion intense, le glacier d'Aletsch s'est abaissé sensiblement de 10 à 29 m vers 2 800-3 000 m d'altitude et de 40 à 50 m vers 2 000 m. Aussi, tout au long de la langue glaciaire, deux puissantes moraines latérales ont-elles progressivement été mises en relief par la disparition des glaces ; mais le plus grand changement se situe au niveau du front, dont le recul est estimé à près de 1 000 m depuis 1892. ■

L'érosion glaciaire

L'action érosive du glacier s'exerce selon trois processus.

Les eaux sous-glaciaires constituent l'un des facteurs principaux de l'érosion, surtout pour les grands glaciers de vallée des régions tempérées, où la température de la glace au contact de la roche est proche du point de fusion. Cela tient aux propriétés chimiques des eaux de fusion, très agressives, mais aussi à l'action mécanique de ces eaux très froides (0,3 à 0,6 °C), à l'abondance des sables qu'elles transportent, et enfin aux fortes vitesses du flot. Les arêtes vives des grains de sable rongent les roches, d'autant plus qu'ils sont projetés avec violence. Ce mitraillage intense sur les lits rocheux aboutit à un polissage des roches et au creusement de chenaux et de gorges sous-glaciaires.

L'abrasion peut être considérée comme le processus essentiel de l'érosion due au seul déplacement du glacier. Son intensité dépend de la quantité des débris rocheux, ou moraines, qui atteignent le lit du glacier et se maintiennent à son contact; elle est aussi fonction de la vitesse du glacier, dans la mesure où celui-ci renouvelle le matériel abrasif; elle est enfin conditionnée par la nature même des roches encaissantes. Sur les marges latérales du glacier, le matériel morainique sous-glaciaire est plus abondant, plus grossier et hétérogène : aussi l'abrasion — par striation, polissage et raclage — y est-elle maximale. Il en résulte un sensible élargissement de la vallée à la base des versants.

Le défonçage proglaciaire, à l'avant du glacier, est le troisième processus de l'érosion glaciaire. Il est fondé sur la puissance de transport du glacier, qui pousse devant lui les fragments rocheux encombrant son passage, et aussi sur la fréquence des fluctuations (journalières, saisonnières et annuelles) du front du glacier.

L'homme des glaces découvert en septembre 1991.

Les glaciers ont souvent servi de tombeau aux hommes qui les ont fréquentés. Emportés par des avalanches, disparus dans des crevasses lorsque les ponts de neige cédaient sous leur poids, épuisés par des itinéraires trop audacieux, pris par le mauvais temps, victimes de chutes d'avions ou d'hélicoptères, ceux-ci ont eu de nombreuses occasions de faire, *post mortem,* le voyage du glacier. Les corps en ressortent généralement comprimés, cassés, déchiquetés, broyés. Aussi quelle ne fut pas la surprise de deux alpinistes allemands redescendant le Similaun (Tyrol), puis de toute la communauté scientifique, tour à tour enthousiaste ou sceptique, de retrouver un corps — daté par la suite de plus de quatre mille ans —, pourtant parfaitement conservé, accompagné d'un carquois avec flèches à pointe d'os, d'un poignard en silex et d'une hache à lame de bronze, le parfait arsenal du chasseur préhistorique!

La vallée du Jostedalsbreen

Avec ses 480 km², le Jostedalsbreen est le principal glacier de Norvège. Il s'étale largement sur les croupes moutonnées et désolées du plateau qu'il a érodé (le fjeld). La vallée glaciaire est vue ici d'une des routes touristiques les plus classiques du pays, celle qui mène d'Otta à Måløy en passant par Nordfjordeid. Nous sommes près de Hjelle — petit bourg situé dans un site grandiose et sauvage à l'extrémité du Strynstvan —, entre Stryn et Grotli.

La vallée du Jostedalsbreen symbolise assez bien ce qu'est une vallée glaciaire : fond plutôt plat, dépôts latéraux morainiques, aujourd'hui partiellement fixés et totalement boisés. Il en résulte un façonnement en auge aux formes douces, très évocateur de la forme prise par le glacier au moment où il était le plus étendu.

Le profil longitudinal des vallées glaciaires est le résultat d'un double travail d'érosion : au cours de la glaciation, mais aussi après. Le profil en travers, plus encore que le profil en long, a constitué pendant longtemps le symbole le plus parfait de la vigueur de l'érosion glaciaire.

Le calibrage et l'allure du profil en travers de la vallée glaciaire sont souvent dus aux formes d'accumulation glaciaires. Le glacier conserve les déformations que lui impose le relief encaissant : c'est lui qui, pendant une certaine longueur de son parcours, est parfaitement calibré, la vallée dans laquelle il s'éboule ne l'étant pas forcément. Entre glacier et roche encaissante s'accumulent alors les dépôts morainiques, qui provoquent un véritable moulage du glacier. ■

Bloc erratique sur le glacier Svartisen

Dans le Nordland norvégien, l'énorme bloc de Pikaugen, sur la bordure du glacier Svartisen, au nord de Mo, montre comment un glacier peut transporter des rochers énormes.

◁ ***Au nord du Sognefjord, au sud-est du Nordfjord, le glacier norvégien du Jostedalsbreen culmine à 1725 m. La vallée glaciaire que l'on voit ici, avec, au fond, la partie nord du glacier, a la forme en auge caractéristique des vallées glaciaires.***

Longtemps ces gros blocs rocheux ont étonné par leur présence dans des endroits inattendus, dont la nature des roches était tout à fait différente, faisant naître légendes et interprétations diverses. Le Nordland est d'ailleurs, de par ses paysages tourmentés et les formes capricieuses de son relief, le paradis des contes populaires norvégiens, les *folksagn*.

Les glaciers sont, il est vrai, de puissants agents de transport, capables d'emporter à des distances très éloignées des blocs de 10000 à 15000 m³. L'un des plus célèbres est sans doute celui qui, sur le glacier Unteraar, en Suisse bernoise, porta « l'hôtel des Neuchâtelois ». Cet hôtel était en réalité une habitation créée dans le vide existant sous la saillie d'un bloc de schiste immense de la moraine latérale, fortement fissuré et donc très attaquable par le gel. « Bâti » par le glaciologue Agassiz et ses compagnons, il fonctionna de 1840 à 1845. Mais la fonte et

◁ ***Au niveau du cercle polaire, sur la marge latérale du glacier Svartisen (le deuxième de Norvège), dans le Nordland, le bloc erratique de Pikaugen effectue son voyage à la vitesse lente du glacier. Il est ici perché sur un pied de glace que la fonte, limitée sous le bloc, a transformé en « table des glaciers ».***

Les eaux de fusion sous-glaciaires facilitent le glissement du glacier. Celui-ci, accidenté par des crevasses et des séracs sur de fortes pentes, transporte des débris rocheux tombés des versants : les moraines, grâce auxquelles il rabote le fond de la vallée, laissant des roches moutonnées. À l'avant, les moraines s'accumulent en collines. ▽

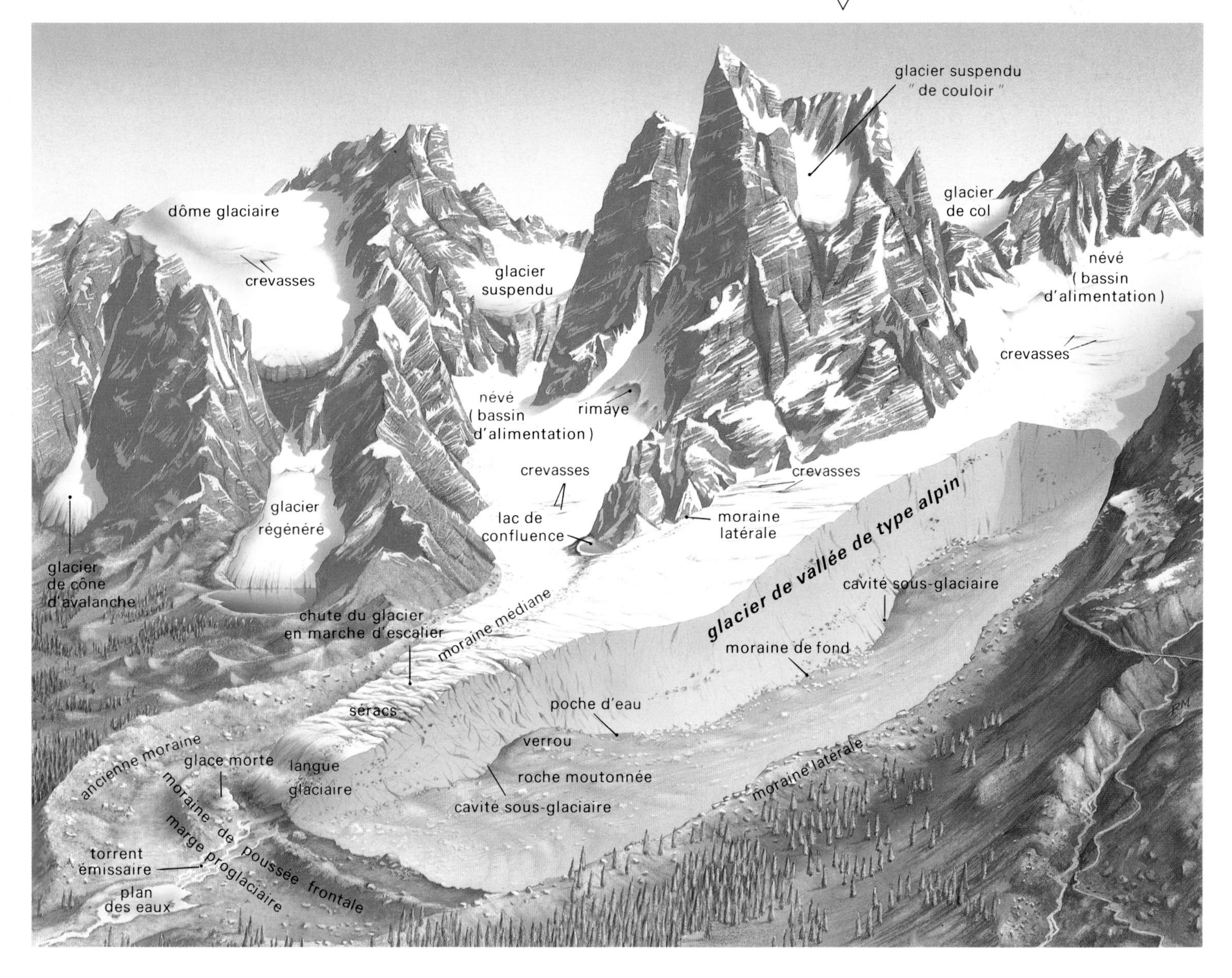

la marche du glacier modifiaient de façon inquiétante l'assiette du bloc, qui fut abandonné. Il se désintégra peu à peu, et l'on en vit des restes un peu moins d'un siècle plus tard à près de 8 km !

C'est au début du XIXe siècle, à partir de la découverte d'énormes blocs de granite venus des Alpes centrales dans le Jura suisse, que le Britannique James Hutton conçut sa théorie : ces blocs avaient sans doute été apportés par les glaciers, ce qui signifiait que les glaciers d'hier avaient été beaucoup plus vastes que ceux d'aujourd'hui. On expliqua ainsi l'existence d'énormes rochers dont on n'arrivait pas à comprendre la présence, comme le bloc alpin de la Croix-Rousse, à Lyon, ou celui de Central Park, à New York, apporté par les grands glaciers qui couvraient le Canada. ■

Le glacier le plus vaste du monde, mis à part l'Antarctique lui-même, se trouve en Antarctique oriental : c'est le glacier Lambert, qui traverse les monts du Prince-Charles sur 40 km de large et 400 km de long, drainant 1 million de km^2. Dans sa partie inférieure, il se déplace de 1 km par an et se répand sur près de 200 km de large. Sa profondeur atteint par endroits 2 500 m. Cet immense ensemble véhicule au total quelque 35 milliards de m^3 de glace par an.

Le commerce de la glace

La glace a souvent été un appoint apprécié de par le monde. Dans quelques cas, même, son usage a engendré à travers les siècles d'authentiques civilisations de la glace. Ainsi, dans le Karakorum, au Pakistan, elle fait l'objet d'un véritable commerce dans les vallées de Chitral et surtout de la Hunza : il arrive encore aujourd'hui à certains villageois de transporter à dos d'homme d'énormes blocs de glace taillés à même le glacier. Leur chargement pèse de 30 à 70 kg, et ils parcourent souvent des distances de plusieurs dizaines de kilomètres avant de pouvoir commercialiser cette glace dans les basses vallées arides.

Autrefois, la glace était aussi une source de revenus dans les Alpes. Avant que n'existent les glacières et autres réfrigérateurs, toute une petite industrie associée à un réseau commercial très large s'était installée auprès des fronts des grands glaciers. La glace était transportée par chariot et chemin de fer, puis conservée dans de la paille, des copeaux de bois ou de la sciure. Cette activité a duré jusqu'à l'entre-deux-guerres. Aujourd'hui, seuls les campeurs installés sur les marges glaciaires perpétuent la tradition.

◁ *Descente laborieuse pour ce Pakistanais.*

Le lac Quill

Dans le Fjordland, en Nouvelle-Zélande (île du Sud), les randonneurs aguerris qui vont du lac Te Anau au célèbre fjord de Milford Sound empruntent le Milford Track, qualifié de « plus beau chemin du monde ». La piste traverse un paysage alpestre jalonné de chutes d'eau, comme les splendides chutes Sutherland. L'eau tombe de 580 m en trois sauts : c'est l'exutoire du lac Quill, un magnifique lac glaciaire suspendu qu'ils pourront admirer s'ils reviennent du Milford Sound par avion. Il fut découvert en

△
Vue rapprochée du front du glacier du Tour (Alpes françaises). La falaise de glace, visible à l'arrière-plan, est haute de près de 20 m. Dans les secteurs de replat, on distingue les accumulations de pierres et de blocs divers et le début de colonisation par la végétation, ce qui témoigne de la baisse de l'activité érosive du glacier.

◁ *Le lac Quill (Alpes néo-zélandaises), dans le sud-ouest de l'île du Sud, est installé dans un cirque autrefois occupé par un glacier puis par un culot de glace morte. Aujourd'hui, le lac est alimenté par la fusion des neiges et des glaces et par les fortes pluies qui arrosent la région. Au premier plan, le torrent émissaire tombe en une majestueuse cascade au sortir d'une gorge.*

1890 par l'audacieux alpiniste Will Quill; après une difficile ascension le long des chutes, celui-ci put voir le lac et l'encoche profonde taillée dans le verrou rocheux, émissaire «par lequel l'eau se précipite très violemment et rapidement, faisant un bruit terrible».

Logé dans un petit cirque glaciaire, ancien site de convergence des glaces qui ont surcreusé des roches de moindre résistance à l'arrière d'une barre rocheuse plus dure (le verrou) qui retient ses eaux, le lac Quill est très typique des paysages de montagne sculptés par les glaciers. C'est l'érosion par les eaux glaciaires qui a taillé dans le barrage rocheux le chenal par lequel s'évacuent aujourd'hui ses eaux.

Le cirque glaciaire se définit donc comme un large enfoncement à fond plat et peu incliné, à parois escarpées, qui se creuse dans le flanc d'une montagne, généralement peu au-dessous des crêtes. ■

Des roches moutonnées

On peut accéder au glacier du Tour en prenant la route qui va de Chamonix à Martigny, dans le Valais suisse. À mi-chemin se trouve le village du Tour, face au glacier suspendu. De là, après avoir rejoint Chamarillon, où la floraison de rhododendrons est spectaculaire en juillet, les plus courageux emprunteront le chemin qui mène au refuge Albert-Ier (2 702 m), au bord du glacier.

Ce glacier, le plus septentrional des appareils glaciaires du mont Blanc, est un glacier de versant se terminant sur une large masse rocheuse fortement inclinée, qu'il domine de ses hautes falaises de glace. Il se situe pour l'essentiel entre 2 600 et 3 300 m d'altitude, mais son front se trouve à 2 160 m. Long d'un peu plus de 5 km, il s'étale sur 3,2 km de largeur à l'altitude du bassin d'alimentation, mais au niveau du refuge Albert-Ier, il est encore large de près de 2 km. La marge proglaciaire est très marquée par les empreintes de l'abrasion et de la patine des eaux sous-glaciaires. Dans la plaine du Tour, sur les premières pentes de la marge rocheuse, rive droite, une belle moraine arquée, aujourd'hui prise par une végétation basse et clairsemée, marque sa superficie maximale (au XIXe siècle), tout en enserrant un large espace de roches moutonnées.

Les roches moutonnées, rochers en place polis par une multitude de stries, de cannelures et de griffures ou quelquefois poncés par les sables et les farines glaciaires, couvrent une part considérable des espaces libérés par la décrue glaciaire. Elles sont les témoins évidents du passage du glacier et de sa puissance d'érosion. Des mesures quantitatives de cette érosion, effectuées sur plusieurs années dans les marges frontales de plusieurs glaciers suisses, ont révélé une abrasion moyenne de l'ordre de plusieurs millimètres par an.

Ainsi se forme peu à peu l'empreinte du glacier, celle dont se serviront les glaciologues pour reconstituer son histoire. ■

Argentière : un laboratoire sous-glaciaire de premier ordre

Jusqu'en 1969, rares étaient les occasions de voir le glacier à sa base, en action. Aussi, quelle ne fut pas la surprise des techniciens de la société hydroélectrique franco-suisse Eurosson lorsque, à l'occasion de travaux entrepris à Argentière, dans les Alpes françaises, pour le captage d'un torrent sous-glaciaire, ils découvrirent un site particulièrement propice à l'expérimentation pour les glaciologues du monde entier ! En 1970 était donc installé sous 100 m de glace le premier laboratoire véritablement sous-glaciaire existant dans le monde.

Le glacier d'Argentière, comme de nombreux autres glaciers, n'adhère pas totalement au lit rocheux : en effet, la plasticité de la glace jointe à la vitesse de glissement du glacier occasionnent, dans certaines conditions, de véritables décollements sous forme de cavités plus ou moins grandes, plus ou moins étirées.

Ces cavités sous-glaciaires constituent bien souvent des cheminements idéaux pour l'écoulement des eaux sous les glaciers dits tempérés. La façon dont elles se forment rend compte de la vitesse de glissement du glacier sur son lit, de sa déformation et de la topographie sous-glaciaire. Cette partie des glaciers est donc essentielle pour l'explication de toute la dynamique glaciaire.

Lorsque les cavités sont trop grandes, la voûte, fragilisée, peut s'effondrer en un chaos de blocs de glace qui se soudent entre eux. Plus petites, elles peuvent se révéler d'excellentes voies de reconnaissance des espaces sous-glaciaires. ■

Le glaciologue profite d'une cavité sous-glaciaire pour étudier les propriétés de la base du glacier d'Argentière. On voit sur la gauche une partie du torrent sous-glaciaire. Sur la roche, la couche de verglas rend la progression dangereuse. À la base même du glacier, une stratification correspond à la superposition de deux types de glaces de regel, plaquées sous la masse glaciaire.
▽

LES ROCHES – LEUR FORMATION

La spectaculaire diversité des roches et des paysages résulte de l'évolution complexe de notre planète. La carte des continents et des océans n'a cessé de se renouveler depuis que s'est formée la croûte terrestre.

Il y a plus de quatre milliards d'années, la Terre connut un état de fusion. Le magma, refroidi, se solidifia en surface, mais resta chaud en profondeur sous une croûte mince. Il peut monter vers la surface du globe, à travers la croûte solidifiée, formant les volcans. La roche éjectée se consolide en surface et donne des laves dures et compactes. Certaines éruptions produisent aussi des cendres. Quand le magma monte dans l'écorce sans atteindre la surface, il constitue en profondeur des intrusions de grande dimension. Ces plutons se refroidissant plus lentement que les laves, des cristaux beaucoup plus gros peuvent s'y former, comme dans les granites. Sur des dizaines de millions d'années, l'érosion décape la tranche d'écorce qui surmonte ces plutons et les fait affleurer. Toutes ces roches sont dites ignées ou magmatiques ; les volcaniques arrivent à la surface ; les autres sont mises en place à l'intérieur de l'écorce.

Au contact du magma, les roches encaissantes se modifient par échauffement et pression : c'est le métamorphisme de contact. Les roches sédimentaires entraînées dans les profondeurs de l'écorce peuvent subir ce même type de métamorphisme : les argiles se transforment en schistes, puis en gneiss, parfois même en granites. De même, les calcaires peuvent devenir des marbres, et les grès, des quartzites.

Les roches dites sédimentaires, d'origine externe, sont constituées de strates de matériaux meubles : vases, sables, graviers, coquilles parfois, progressivement tassées, souvent cimentées, donc lithifiées. Leur grande diversité tient à leurs origines multiples. Elles proviennent de l'érosion des régions émergées, et les débris (argiles, sables, graviers, galets) sont entraînés en mer, où ils peuvent être cimentés : les sables en grès, les galets en conglomérats. En mer s'accumulent aussi des coquilles, des squelettes d'animaux microscopiques du plancton, qui se cimentent en calcaires ; dans des golfes isolés peuvent se déposer d'épaisses strates de sel. Les forêts enfouies sont à l'origine des charbons. Enfin, des accumulations de micro-organismes ont évolué dans les vides des autres roches pour donner des pétroles.

La mobilité de l'écorce et la surrection des reliefs engendrée par le heurt des plaques entraînent dans un véritable cycle les matériaux de l'écorce, érodés, sédimentés, métamorphisés, réincorporés au magma, puis ramenés en surface.

Dans l'océan Indien, l'archipel des Seychelles est en partie formé de roches granitiques d'aspect varié, de couleur allant du gris sombre au rose, selon la part des divers minéraux constituant la roche. Masqués dans l'intérieur des terres par les sols et la forêt, les granites sont dégagés en bordure de mer : les eaux de pluie ruisselantes y ont taillé des cannelures. La décomposition de la roche nourrit des plages de sable fin, comme ici sur l'île de La Digue.

Le chapelet insulaire des Kouriles, qui sépare le Pacifique de la mer d'Okhotsk, est composé de volcans, actifs pour certains, d'où sont issues des coulées basaltiques. Sur le littoral, la mer souligne la structure des coulées, dans lesquelles le refroidissement a fait apparaître des fentes de retrait presque verticales organisées en réseaux prismatiques que cette photo de l'île Kounachir permet d'observer, tantôt par le dessus, tantôt latéralement.

sédimentation

II

III
consolidation
et lithification

IV
4. Métamorphis

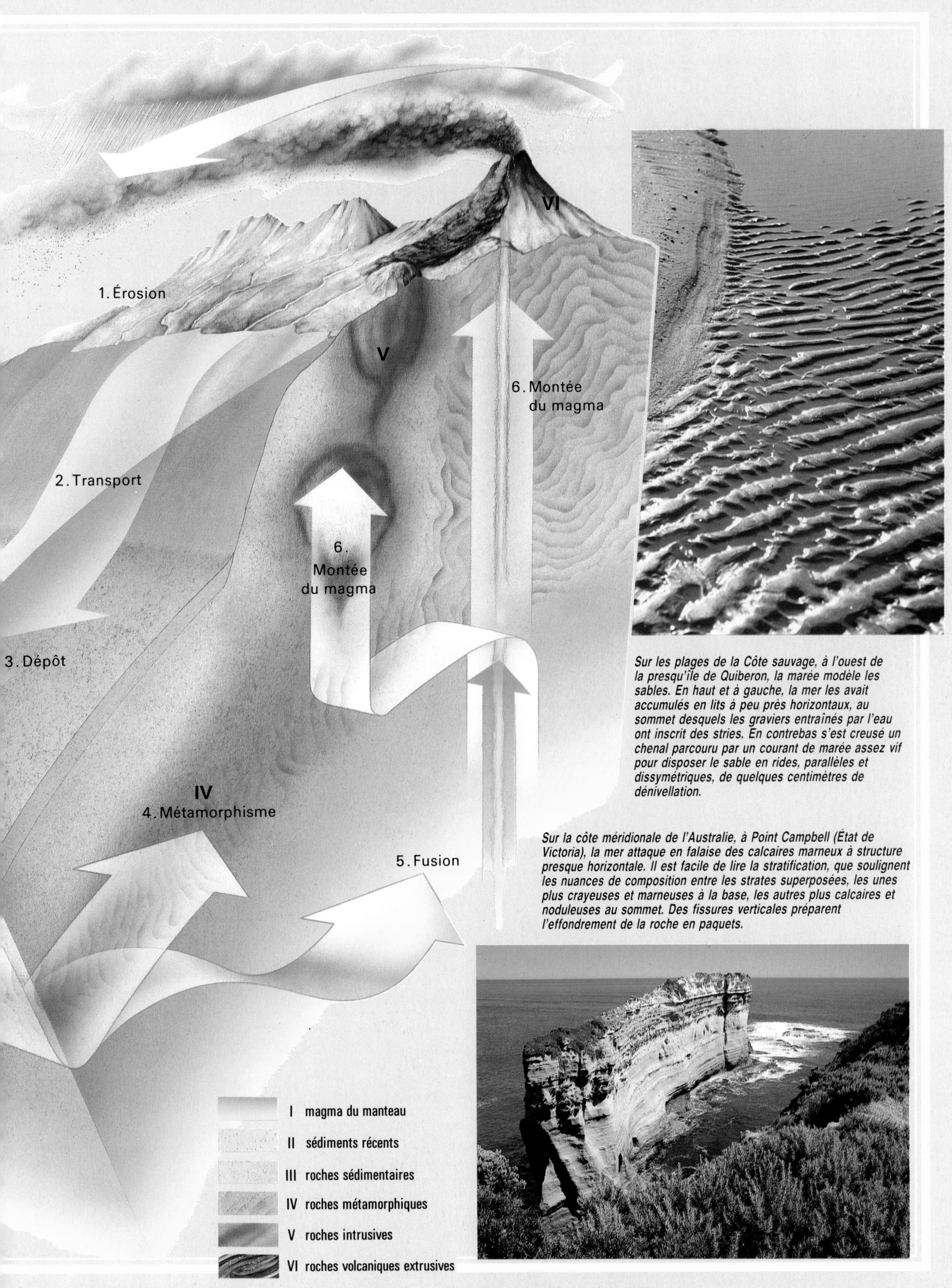

Sur les plages de la Côte sauvage, à l'ouest de la presqu'île de Quiberon, la marée modèle les sables. En haut et à gauche, la mer les avait accumulés en lits à peu près horizontaux, au sommet desquels les graviers entraînés par l'eau ont inscrit des stries. En contrebas s'est creusé un chenal parcouru par un courant de marée assez vif pour disposer le sable en rides, parallèles et dissymétriques, de quelques centimètres de dénivellation.

Sur la côte méridionale de l'Australie, à Point Campbell (État de Victoria), la mer attaque en falaise des calcaires marneux à structure presque horizontale. Il est facile de lire la stratification, que soulignent les nuances de composition entre les strates superposées, les unes plus crayeuses et marneuses à la base, les autres plus calcaires et noduleuses au sommet. Des fissures verticales préparent l'effondrement de la roche en paquets.

PAYSAGES DE DÉSOLATION

Le relief dans les argiles et les marnes

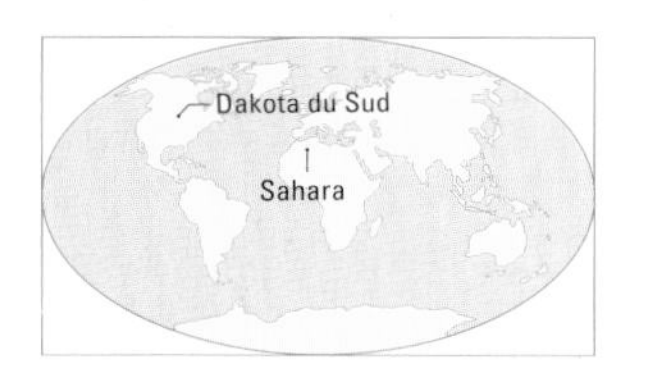

Les argiles et les marnes (roches composées d'argile et de calcaire) se caractérisent par leur réaction à l'action de l'eau, à peu près la même sous tous les climats. Les badlands, ces terrains argileux où de multiples ravins et ravines réduisent les versants entre deux vallées à de minces arêtes acérées, représentent les plus remarquables modelés des terrains argileux. Un autre aspect de ce relief est la fragmentation en polygones réguliers des surfaces argileuses ou marneuses humides sous l'effet d'un dessèchement rapide.

△
Aspect caractéristique du débitage en polygones des laisses argileuses abandonnées dans le lit d'un oued après une crue; il s'agit ici de l'oued Ouanouagem (Sahara algérien). Les argiles, gonflées par l'eau lors de l'inondation, se sont fortement rétractées lorsque l'eau s'est évaporée.

Copeaux d'argile dans le Sahara

Dans le Sahara algérien, après la crue, le lit de l'oued Ouanouagem s'est desséché et les argiles, qui se rétractent sous l'action de l'évaporation, ont élaboré ces formes géométriques étonnantes.

Les marnes et surtout les argiles doivent à leur porosité élevée une capacité d'absorption qui peut atteindre 60 % de leur poids. Très gonflantes, par conséquent, elles peuvent subir de fortes variations de volume en fonction d'une alternance d'imbibition et de dessiccation. L'égalité des tensions produites dans toutes les directions se traduit par un débitage remarquable en un réseau de polygones réguliers.

Certes, le phénomène est observable partout. Il affecte la moindre flaque d'eau boueuse qui s'est décantée dans les trous d'un chemin de terre. Mais c'est, sans conteste, dans les régions arides qu'il atteint son développement maximal, dû à la rencontre de conditions favorables. D'abord, l'écoulement des eaux dans des dépressions fermées, parfois très vastes (endoréisme), où les oueds viennent déverser leurs crues chargées de limons et d'argiles; ensuite, un rapide assèchement des sédiments fins déposés par décantation, qui subissent une forte rétraction. Le fond de ces dépressions se transforme alors en un véritable champ de polygones d'une remarquable régularité. Le fait est classique dans celles des steppes nord-africaines. Dans les vastes cuvettes fermées de la basse Asie centrale, on donne le nom de takyr au sol argileux. ■

Le relief hérissé des Badlands

Dans le Dakota du Sud, aux États-Unis, le Badlands National Park présente aux touristes un aspect spectaculaire des paysages que l'érosion façonne dans les épaisses couches sédimentaires argilo-marneuses horizontales de l'ère tertiaire. L'érosion se manifeste par une intense dissection. La masse rocheuse est d'abord débitée en longues échines acérées, hérissées de pinacles; leurs versants sont ensuite eux-mêmes disséqués par un dense réseau de ravins parallèles séparés par d'étroits interfluves (versants entre deux vallées).

Les exploitants des Grandes Plaines ont appelé badlands («mauvaises terres») ces espaces où la circulation et les cultures devenaient difficiles, voire impossibles. Ce terme est devenu pour les géographes l'équivalent de région à modelé de dissection extrême. Les paysans du Midi méditerranéen français les appellent roubines. La formation de tels paysages est due à une convergence de conditions très favorables au ruissellement : la nature meuble des terrains affectés, l'absence d'une végétation dense, enfin, des pluies abondantes.

Les régions à pluies torrentielles épisodiques comptent parmi les plus favorables à ce type de dissection. En fait, les paysages de badlands caractérisent les régions méditerranéennes, ainsi que les milieux semi-arides et arides à pluies violentes. Mais on peut aussi bien les trouver entaillant les tranchées d'autoroutes offertes à l'érosion par le bulldozer. ■

Dans le Dakota du Sud (États-Unis), les Badlands sont d'immenses zones argileuses ravinées par l'érosion. On ne voit que de longues échines crénelées, minces cloisons érodées qui cachent de profondes vallées, régulièrement espacées. Ces «mauvaises terres», liées à une érosion hydrique intense, constituent des régions stériles vouées de nos jours au tourisme.
▽

L'eau et l'argile

Les argiles et les marnes, contenant de 35 à 65 % d'argile, doivent à leur constitution particulière leur réaction à l'eau. En effet, elles sont formées d'un agrégat de particules minuscules (moins de 2 µm); celui-ci doit sa cohésion à l'attraction s'exerçant entre les films d'eau qui les enveloppent. Ainsi se présentent-elles comme des roches compactes, mais aisément débitables à la main. Ces roches sont très sensibles au ravinement. Leurs versants dénudés et en pente forte subissent une dissection caractéristique en badlands (« mauvaises terres »). Elle se signale par la présence de ravins et ravines, séparés par des crêtes minces et aiguës. Par ailleurs, une grande porosité permet aux marnes et surtout aux argiles d'absorber jusqu'à 60 % de leur poids d'eau quand elles sont très gonflantes. Lorsqu'elles se dessèchent, elles se rétractent et se découpent en minces polygones réguliers, souvent incurvés comme des copeaux.

Le travail de l'argile

Certaines argiles présentent des qualités qui en font un excellent matériau pour la fabrication de poteries. Dès le Néolithique, les hommes ont su mettre au point des techniques originales ; celles-ci ont atteint un haut degré de perfection dans l'Antiquité classique, époque à laquelle la poterie décorée constituait une partie importante du mobilier. À Guellala (île de Djerba), les maîtres potiers tunisiens ont maintenu cette admirable tradition du travail de la pâte argileuse. Et le touriste peut encore contempler avec émerveillement la naissance, à partir d'un bloc informe, d'une élégante poterie, grâce au jeu subtil de leurs mains agiles, au rythme d'un simple tour de potier.

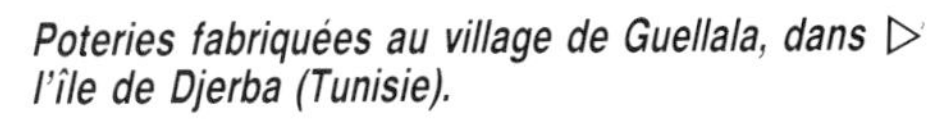

Poteries fabriquées au village de Guellala, dans l'île de Djerba (Tunisie). ▷

DES SCULPTURES MONUMENTALES

Le relief dans les grès

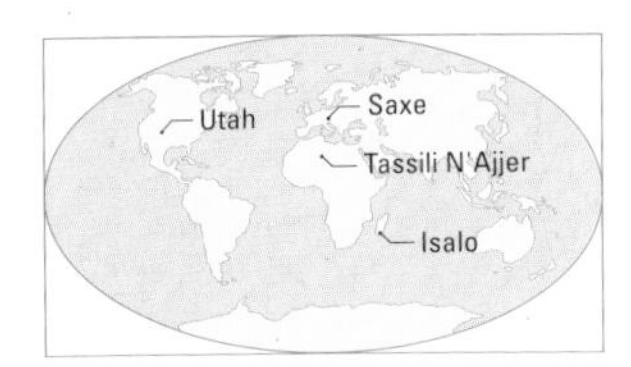

Empilés parfois sur des milliers de mètres, les grès sont à l'origine de reliefs parmi les plus spectaculaires de la planète : énormes tables des confins des Guyanes dépassant 2 000 m de hauteur, ou gigantesques falaises comme celle de Bandiagara au Mali. Leur cohérence et leur porosité permettent à l'érosion les plus extraordinaires fantaisies, en forme de tours, d'aiguilles ou de châteaux en ruine. La beauté des paysages est augmentée par une variété de couleurs des bancs rocheux allant du blanc-jaune au rouge et au violet.

△ *La perfection aérienne de cette arche façonnée par l'érosion dans des grès rouges lui a valu son nom de Rainbow Bridge (le «pont de l'Arc-en-Ciel»). C'est l'une des curiosités de l'Utah (États-Unis), en amont du Grand Canyon du Colorado.*

Pont naturel dans le Colorado

Cette magnifique arche rocheuse, appelée Rainbow Bridge, est située sur le plateau du Colorado, dans le sud de l'Utah. Elle est proche de la rive sud du lac Powell, immense lac de barrage du Colorado en amont du Grand Canyon. Ce pont naturel, dont l'ouverture est de 85 m et la hauteur de 103 m, a été façonné par l'érosion dans des grès rouges qui, non loin de là, ont conservé des traces de pas de dinosaures. Finement stratifiés, ces grès sont très inégalement cimentés par des oxydes de fer, avec des parties en lames fortement durcies, tandis que d'autres s'effritent facilement, donnant des coulées de sable rougeâtre, visibles au premier plan. L'inégale dureté du grès, s'ajoutant au fait qu'à la base des parois la roche maintenue dans un milieu plus humide se désagrège plus vite, explique la possibilité de percement d'une sorte de fenêtre, qui va s'agrandir jusqu'à former une arche. Cette disposition curieuse n'est pas exceptionnelle, puisqu'on a recensé dans la même région environ 150 arches, dont 80 dans le seul Arches National Park, plus en amont du fleuve Colorado. Ces arches naturelles, les tables et les gigantesques aiguilles de Monument Valley, et surtout le Grand Canyon du Colorado, qui entaille sur plus de 1 500 m des assises de grès de toutes couleurs, font du plateau du Colorado un véritable musée de formes gréseuses, visité chaque année par des foules de touristes. ■

△
Reliefs ruiniformes dans les grès du massif de l'Isalo (sud-ouest de Madagascar). Les écarts de température et l'alternance humidification/dessiccation entraînent l'écaillage de la roche et de la croûte ferrugineuse, au premier plan.

Les chicots du massif de l'Isalo

Situé dans le sud-ouest de Madagascar, entre les vallées des fleuves Mangoky et Onilahy, le massif de l'Isalo présente, sur plus de 3 000 km², cet étrange paysage de chicots déchiquetés qui émergent d'épandages de sable blanc. La série gréseuse de l'Isalo, dont l'épaisseur dépasse 5 000 m, est finement stratifiée, et les couches ont une pente assez forte vers l'ouest (sur la droite du cliché). La présence d'oxyde de fer dans certaines couches est à l'origine de la formation, par endroits, d'une mince croûte ferrugineuse de couleur ocre, qui s'écaille en laissant voir par-dessous le grès plus clair. La cimentation n'étant pas identique dans toutes les strates, certaines sont facilement désagrégées par la pluie et l'humidité tandis que d'autres résistent et saillent peu à peu. Le sable des dépressions est fait de grains de quartz et de fins graviers identiques à ceux qui constituent les grès : c'est en quelque sorte le résidu de l'érosion des chicots gréseux. À l'est de cette région à reliefs ruiniformes, dont la hauteur ne dépasse pas une centaine de mètres, nous trouverions un paysage plus grandiose de plateaux entaillés par de profonds et étroits canyons, et la puissante muraille de la cuesta dite de l'Isalo, haute de 500 m par endroits. La variété des paysages fait du massif de l'Isalo l'une des curiosités de Madagascar. C'est aussi une région très sauvage, sans aucun village, vouée seulement au pâturage extensif — on voit les traces de passage de troupeaux sur la gauche du cliché. Les voleurs de bœufs y trouvent un refuge idéal pour le bétail, dans le dédale inextricable des canyons. ■

Un coin de Sahara autrefois luxuriant

Un détail de la fresque de Tan Zoumaïtak, sur le plateau du Tamrit dans le Tassili N'Ajjer (Algérie).

Célèbre pour ses canyons et ses reliefs de grès façonnés par le vent, le Tassili N'Ajjer (Algérie) est une des régions du monde les plus riches en vestiges d'art préhistorique. On y a en effet découvert depuis 1934 des milliers de fresques remontant pour certaines à six mille ans avant J.-C., scènes de chasse, de danse... qui apportent un témoignage de la vie d'une région autrefois verdoyante et très peuplée. La présence de nombreux animaux (éléphants, girafes, rhinocéros, hippopotames, crocodiles, bœufs, antilopes...) sur les fresques les plus anciennes et la disparition progressive des espèces sur les dessins plus récents donnent une image spectaculaire du dessèchement du Sahara. L'étude des nombreux outils (haches, meules, flèches) et des poteries trouvés sur les lieux a permis de mieux connaître les peuples peintres.

Ruines de roches dans le Tassili N'Ajjer

Les Touaregs, en particulier ceux de la tribu des Imenan de la région de Djanet, sont les seuls à ne pas se perdre dans le dédale en apparence inextricable des canyons et des couloirs sableux du Tassili N'Ajjer, situé dans le sud de l'Algérie, au milieu du Sahara. C'est un gigantesque entablement de grès paléozoïques, au nord-est du massif ancien du Hoggar, dont le sépare une dépression où se trouve l'oasis de Djanet.

Dans certaines parties, cette dalle gréseuse, qui couvre une superficie d'environ 35 000 km², présente un relief assez étonnant de type ruiniforme dans des grès dont la couleur rouge est due à un ciment ferrugineux. Des milliers de tours se groupent en châteaux forts aux formes étranges que séparent d'étroits couloirs sableux à fond plat. L'éclairage fait ressortir l'aspect stratifié des grès, en couches horizontales qui donnent à chaque tour l'aspect d'un empilement de rondelles, les plus petites au sommet en équilibre instable.

On remarque aussi l'action abrasive du vent, chargé de grains de sable, qui a évidé leur base, créant un encorbellement, début de l'évolution vers le rocher-champignon. Pour parvenir à ce stade de morphologie ruiniforme, il a fallu une longue évolution sous un climat plus humide que le climat désertique actuel. C'est le réseau de cassures du plateau gréseux primitif qui a guidé l'érosion hydrique, délimitant un damier de tables ayant été elles-mêmes morcelées suivant un maillage encore plus serré de fissures verticales, appelées diaclases, jusqu'à former ces tours de quelques mètres de diamètre. Le climat s'étant asséché, c'est l'érosion éolienne qui domine maintenant, mais il demeure une nappe souterraine dans les fissures du grès, et l'eau affleure dans de rares gueltas, petites mares où les Touaregs viennent parfois avec leurs chameaux ou leurs chèvres faire étape à la recherche de maigres herbages. ■

Organisation des paysages dans un massif gréseux

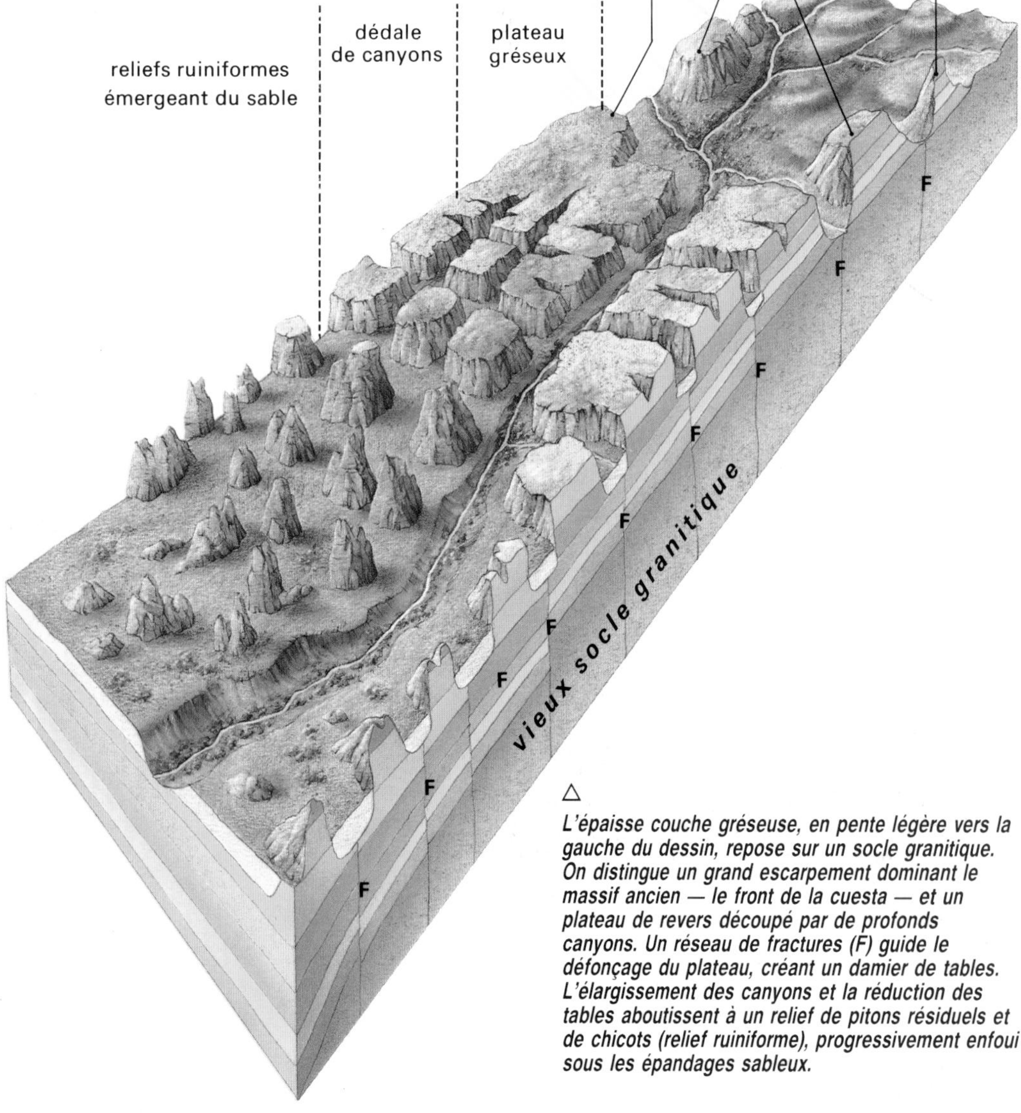

△
L'épaisse couche gréseuse, en pente légère vers la gauche du dessin, repose sur un socle granitique. On distingue un grand escarpement dominant le massif ancien — le front de la cuesta — et un plateau de revers découpé par de profonds canyons. Un réseau de fractures (F) guide le défonçage du plateau, créant un damier de tables. L'élargissement des canyons et la réduction des tables aboutissent à un relief de pitons résiduels et de chicots (relief ruiniforme), progressivement enfoui sous les épandages sableux.

Une roche poreuse et colorée

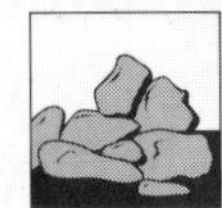

Roches sédimentaires très abondantes sur notre planète, les grès résultent de l'érosion des continents au cours de la longue histoire de la Terre. Ce sont d'anciens sables dont les grains de quartz ont été cimentés. Selon l'abondance et la nature du ciment, la roche est plus ou moins dure et plus ou moins poreuse. Ce sont aussi le ciment et les oxydes que contient le grès qui lui donnent sa couleur. Les plus importantes séries gréseuses connues sont continentales, et contiennent des fossiles de plantes, de reptiles, parfois de dinosaures : il s'agit d'anciens sédiments sableux accumulés par les fleuves, ou remaniés en dunes par le vent, qui se présentent en strates superposées, à grains plus ou moins fins, incluant parfois des graviers ou des galets. Les strates les plus dures donnent des corniches et des entablements. Mais ce sont les fractures de la roche qui jouent le rôle principal dans le découpage par l'érosion des ensembles gréseux, déterminant le réseau des canyons et l'ordonnance des entablements et des reliefs ruiniformes. Les grès les plus fracturés ont parfois une circulation souterraine et des formes assez semblables à celles que l'on observe dans les calcaires.

△
Ces tours n'appartiennent pas à un château en ruine, mais résultent de l'érosion par l'eau et le vent des grès du Tassili N'Ajjer, non loin de Djanet (Algérie), au centre du Sahara.

Les curieux paysages de la Suisse saxonne

Ce paysage de rochers déchiquetés, coupé de profondes crevasses entre des tables aux rebords abrupts, est celui de la Suisse saxonne, ou Elbsandsteingebirge, dans l'est de l'Allemagne. La photographie est prise du sommet de la corniche gréseuse qui domine de 200 m un méandre de l'Elbe, à une dizaine de kilomètres à l'est de Dresde. Cette région est hérissée de rochers aux formes étranges, de pilastres et de tables, qui dominent des gorges et des couloirs sableux couverts de landes et de bois de pins. Elle s'allonge le long de la rive nord de l'Elbe, de la banlieue de Dresde jusqu'au-delà de la frontière tchèque, située à 15 km. De nombreux itinéraires pédestres ont été balisés dans ce dédale de rochers. De certains belvédères, la vue est magnifique sur la plaine qui occupe l'autre rive de l'Elbe, et sur l'intense trafic de péniches qui anime le fleuve.

Les grès à l'origine de ce paysage pittoresque sont d'origine marine, et du type « Quadersandstein », ce qui signifie qu'ils ont tendance à se débiter en parallélépipèdes. Le matériel quartzeux qui les constitue provient de la destruction des roches cristallines du plateau bohémien tout proche : il s'est accumulé sur une épaisseur de 300 à 500 m sur le bord d'une mer peu profonde qui s'étendait en cet endroit à la fin du Secondaire. La masse gréseuse a été fracturée, comme le plateau bohémien, par les contrecoups de la surrection des Alpes. C'est ce réseau de fractures qui, par la suite, a guidé l'érosion, déterminant le quadrillage des gorges et des couloirs, et délimitant les tables intermédiaires. ■

Un record d'inaccessibilité est détenu par les énormes tables gréseuses — appelées localement tepuys — du Venezuela. En effet, s'il est déjà difficile de les atteindre à travers la forêt, leur ascension s'avère la plupart du temps impossible, à cause de leurs parois verticales. À une époque où l'on escalade couramment l'Everest, le sommet tabulaire de ces tepuys constitue donc l'un des rares endroits de la planète où l'homme ne peut accéder qu'en hélicoptère ! Mais même cette reconnaissance par la voie des airs n'est que très locale, car il n'est pas toujours aisé de s'y poser, et seuls quelques botanistes et zoologues tentent l'aventure.

Ce relief hérissé de pointes acérées a été façonné par les eaux pluviales au sommet de l'une des tables gréseuses de la Suisse saxonne, à l'est de la ville de Dresde (Allemagne). ▷

DE CREUX ET DE BOSSES

Le relief dans les calcaires

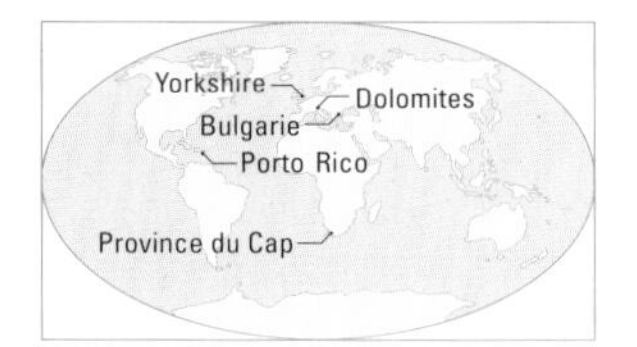

Présentes sur tous les continents, les roches calcaires et leurs cousines les dolomies offrent la particularité d'être à la fois très résistantes aux déformations et solubles dans l'eau contenant du gaz carbonique. Ces caractères favorisent la circulation d'eaux souterraines qui souvent modèlent un paysage spécifique, aussi bien en surface que sous terre : le karst, du nom de cette région de Slovénie où il possède un développement spectaculaire.

△
Les multiples dents de la Forchetta, proche du val Gardena, dans les Dolomites (Italie), jaillissent des forêts de conifères et des alpages paisibles. Des récifs ont été construits par des coraux dans une mer peu profonde où se déposaient des cendres volcaniques et des sédiments arrachés au continent voisin. Ces roches peu résistantes furent enlevées par l'érosion; en revanche, les récifs calcaires ont subsisté, formant des reliefs déchiquetés.

Parois vertigineuses et pentes douces dans les Dolomites

Vérone et Vicence semblent lézarder au soleil de la plaine de Vénétie, adossées à la muraille des Dolomites, haute de 2000 à 3000 m. Ces montagnes offrent aux alpinistes des falaises vertigineuses, et aux skieurs des champs de neige qui attirèrent les jeux Olympiques d'hiver en 1956.

Les Dolomites doivent leur nom à la roche qui les constitue, la dolomie, elle-même baptisée en hommage à Dieudonné de Gratet de Dolomieu, géologue français qui étudia ce massif alpin d'Italie à la fin du XVIIIe siècle. Il découvrit qu'un grand nombre de ses roches ne sont pas constituées seulement de carbonate de calcium comme le calcaire, mais de carbonate double de calcium et de magnésium. Cette composition particulière donne à la dolomie une forte résistance mécanique et une solubilité plus faible que celle du calcaire.

Tours et clochers gigantesques dominent des reliefs paisibles, couverts de champs cultivés, de prairies et de forêts de sapins, où nichent des villages pittoresques. En altitude, les pentes sont en général trop fortes pour que la neige s'accumule et forme de puissants glaciers descendant dans les vallées. C'est évidemment l'érosion qui a donné ces formes hardies et vigoureuses. Mais les eaux courantes ont largement profité de la nature géologique de ces terrains du début du Secondaire, âgés de près de 200 millions d'années, et ont érodé leurs roches friables. En effet, leurs sédiments ne sont pas composés uniquement de calcaires et de dolomies. Lors de leur dépôt, il régnait un climat tropical sur une mer peu profonde, proche du continent, et ces conditions favorisèrent le développement de récifs (calcaires et dolomitiques) séparés par des sédiments détritiques venus du continent (marnes et grès) et des tufs volcaniques. Ces dernières roches ont le moins bien résisté à l'action érosive des eaux, depuis que les Alpes se sont soulevées, donnant naissance aux Dolomites. Ainsi, les formations récifales, dégagées, dominent maintenant le paysage. ■

Une roche perméable et vulnérable

Les calcaires sont des roches sédimentaires constituées de carbonate de calcium. Tous les carbonates possèdent la caractéristique chimique d'être dissous par une attaque acide. Cette réaction permet de différencier les roches carbonatées (calcaires et dolomies) des roches siliceuses.

Dans la nature, l'eau présente cette qualité acide, surtout lorsqu'elle est souterraine. En effet, dans les sols, elle se charge en gaz carbonique produit par la végétation; parfois, elle s'enrichit aussi en gaz venus des profondeurs, qui lui donnent cette propriété acide. La circulation de l'eau produit donc un élargissement des vides qu'elle parcourt — comme dans toutes les autres roches, pourrait-on penser. Or, l'originalité des calcaires tient dans la rapidité des réactions chimiques de dissolution. Chaque année, l'eau souterraine entraîne en moyenne de plusieurs dizaines à quelques centaines de mètres cubes de carbonate de calcium dissous par kilomètre carré de calcaire, c'est-à-dire de 10 à 100 fois plus de matière dissoute que pour la plupart des autres roches. C'est pourquoi la circulation de l'eau souterraine dans les calcaires crée un paysage original où les formes de surface sont intimement liées à des formes souterraines : ce sont les paysages karstiques.

Pavement naturel pour le Yorkshire

Le Yorkshire, dans le nord de l'Angleterre, est réputé pour ses paisibles vallées verdoyantes et pour ses landes aux reflets violacés. C'est aussi une région où le calcaire abonde. Celui-ci a donné naissance à des grottes et des gorges profondes; il peut également offrir aux voyageurs d'étonnants paysages, tel ce pavement de Malham (Yorkshire du Nord), près de l'Aire, l'une des nombreuses rivières du comté.

Cette surface creusée de rigoles assez profondes est une forme de relief karstique que les géographes appellent le lapiez (ou lapiaz), d'après un terme savoyard. Ce type de relief, qui affecte les régions calcaires, est dû à la nature même de la roche, tellement perméable qu'elle constitue des aquifères intéressants, mais vulnérables aux pollutions tant l'eau y circule parfois rapidement.

Sa perméabilité, le calcaire la doit aux failles, aux diaclases et autres fissures qui le parcourent. Ces fractures sont l'expression des mouvements subis par les formations géologiques sous l'effet des déplacements des plaques continentales. Certaines roches, comme les argiles, les marnes et les schistes, se plient, se déforment en mouvements souples; d'autres, dont les calcaires, se cassent.

Les cassures sont les voies de pénétration de l'eau qui, en dissolvant la roche, les élargit. C'est au niveau de la surface que cette dissolution est le plus active; là, les fractures bien ouvertes deviennent rapidement des pièges où s'accumulent les poussières, les sables puis les graines transportées par le vent. Enfin, avec le développement d'un sol, elles sont le chemin suivi par les racines des plantes, qui accroissent considérablement l'altération en produisant par leur respiration du gaz carbonique et en s'insinuant dans les moindres vides à la recherche de l'eau nécessaire à leur croissance.

Dans certaines régions, les calcaires sont environnés de roches dont l'érosion fournit des argiles et des sables abondants. Ceux-ci permettent la formation de sols riches et épais. C'est ce que l'on observe dans les régions tropicales, où des sols rouges latéritiques recouvrent les surfaces calcaires.

Mais il arrive souvent que ce manteau soit rare et discontinu; la roche offre ainsi, comme dans le pavement de Malham, l'aspect d'une surface parcourue de profonds sillons, qui sont la marque des fractures élargies par la dissolution. Ce spectacle est très commun en montagne, où l'érosion de surface entraîne en permanence le sol qui s'installe. ■

△
En Angleterre, après le retrait des glaciers würmiens de la dernière grande glaciation, qui avaient raboté l'île, la surface des calcaires a été soumise à la dissolution et à l'installation d'un sol et d'une végétation. L'arrivée de l'homme a rompu cet équilibre naissant, en détruisant la forêt et en mettant en culture un maigre sol résistant mal aux intempéries. Reste alors ce paysage désolé des pavements de Malham, dans le Yorkshire du Nord.

Les dolines de Porto Rico

Les Grandes Antilles, archipel situé à l'est de l'Amérique centrale, sont en majeure partie constituées de calcaires. L'histoire géologique de ces îles est étroitement liée à celle du déplacement vers l'ouest de l'Amérique du Nord et de l'ouverture de l'océan Atlantique. Leur soulèvement récent les a fracturées profondément et a créé un relief important.

Le fort relief et la fracturation des calcaires sont des caractères très favorables à un enfouissement rapide de l'eau de pluie. L'écoulement souterrain est de règle dans les calcaires de ces régions. Comme le terrain est couvert par une abondante végétation tropicale qui rejette beaucoup de gaz carbonique, les eaux en contiennent une quantité importante, ce qui leur permet de dissoudre activement le calcaire. L'érosion de surface est commandée par l'existence d'une dissolution souterraine très importante; celle-ci élargit certaines des fissures en organisant les vides en un réseau qui draine les eaux vers une source unique. C'est ainsi qu'en surface les points d'absorption de l'infiltration se développent, s'agrandissent et prennent la forme de vastes entonnoirs ou de dépressions à fond plat. Cette forme caractérise l'existence d'un écoulement souterrain; elle est typique des paysages calcaires et est nommée par les spécialistes doline, terme serbe signifiant vallée. Elle est l'un des éléments fondamentaux du relief karstique. Aux Antilles, les Anglo-Saxons ont donné aux dolines le nom de *cockpit*, la petite arène dans laquelle se déroulent les combats de coqs.

À Porto Rico, dans le sud de l'archipel des Grandes Antilles, comme dans toutes les îles calcaires soulevées activement par les mouvements de l'écorce terrestre, l'érosion karstique donne aux paysages une allure spectaculaire, proche de celle de la surface lunaire avec ses milliers de cratères. Les dolines y sont si nombreuses qu'elles sont jointives, séparées par des pitons couverts par la forêt tropicale, ou ce qui en reste. Nous voyons ici l'une d'elles occupée par un radiotélescope géant qui épouse sa forme. Les scientifiques appellent ce paysage le karst polygonal, parce que les lignes de crête entourant les dépressions constituent un remarquable réseau, semblable à celui dessiné par la sécheresse dans les fonds argileux de lacs temporaires.

Ces régions présentent un intérêt économique bien faible. Elles sont en effet peu accessibles et la réalisation de travaux routiers tient de la prouesse; les ressources en eau, inexistantes en surface, sont difficiles à mobiliser en profondeur. Seules les dolines, où des sols profonds ont pu s'accumuler, offrent quelques possibilités de culture. Alors qu'en région tempérée la forêt a disparu depuis longtemps, en région tropicale la forêt est exploitée activement, d'abord pour ses bois précieux, ensuite pour faire du charbon de bois, seule source d'énergie locale. C'est souvent le commencement d'un lent processus de dégradation du paysage. ■

Une forêt de stalagmites près de la mer Noire

À une vingtaine de kilomètres de Varna, en Bulgarie, non loin des rivages de la mer Noire, le site de Pobitite Kamani intrigue depuis longtemps les archéologues et les géologues. Ces « pierres plantées », traduction littérale du nom bulgare du site, mieux connu par son nom turc, Dikili Tash, ressemblent à s'y méprendre à des colonnes, hautes parfois de 5 m pour un diamètre de 1 à 3 m. Elles peuvent au premier abord être prises pour les ruines d'un temple antique enfoui dans le sable. Mais point de statues, point de chapiteaux sculptés; et, surtout, aucun ordonnancement de ces colonnes qui puisse laisser croire à la volonté d'un architecte. L'architecte, ici, c'est tout simplement la nature.

À l'origine, le terrain pouvait être constitué de deux couches de calcaire, séparées par un niveau de sable marin épais de plusieurs mètres. La couche supérieure de calcaire a été localement dissoute et une partie du sable a été entraînée, dégageant ainsi les fameux piliers. Certaines de ces constructions montrent une structure voisine de celle des troncs d'arbres : dans leur section, des cernes concentriques sont parfois visibles; à l'extérieur, des cannelures sillonnent par endroits les flancs. Ce pourrait être le fruit de l'érosion par l'eau qui a dégagé le sable, comme on le crut pendant longtemps.

Il semble plutôt qu'il s'agisse de stalagmites anciennes, qui occupaient une grotte creusée dans le calcaire. Cette grotte fut envahie par la mer au cours de l'une des nombreuses transgressions récentes, puis remplie par des sables marins, riches en fossiles, qui sauvèrent ces stalagmites massives de l'écroulement. Le recul récent du littoral a livré ces roches à l'érosion, qui a entraîné les anciens dépôts souterrains. Le long séjour dans l'eau de mer, puis dans les sables, a effacé en grande partie les détails caractéristiques des concrétions de grottes.

Les côtes de la Provence révèlent, elles aussi, les restes de grottes anciennes, éventrées par l'effondrement des falaises. Mais les stalagmites et les stalactites y sont toujours rares et de petite taille. Les plus grosses ont subi les conséquences de l'érosion marine et des mouvements tectoniques récents qui secouèrent la côte méditerranéenne. C'est pourquoi le spectacle qu'offrent les pierres plantées de Varna est tout à fait unique et étonnant. ■

◁ *Dans un paysage irréel, les colonnes de calcaire de Pobitite Kamani (est de la Bulgarie) donnent l'illusion d'une forêt pétrifiée ou d'un temple antique. Il s'agit en fait d'une forêt de stalagmites qui se sont formées dans une grotte. Après avoir été envahie par la mer et remplie de sable, celle-ci a subi l'érosion. Son plafond, puis son remplissage sableux ont été emportés, laissant apparaître ces mystérieuses colonnes.*

◁ *Dans la région d'Arecibo, à Porto Rico (Grandes Antilles), les radioastronomes américains ont utilisé la forme parabolique naturelle d'une doline pour établir le plus grand radiotélescope du monde. Cette gigantesque oreille électronique est à l'écoute des galaxies et des étoiles les plus lointaines, pour nous aider à comprendre la formation de l'Univers et, peut-être, à découvrir des signaux venant d'un monde habité inaccessible.*

Le record absolu de longueur est détenu par le réseau de Mammoth Cave-Flint Ridge (Kentucky, États-Unis) : près de 500 km de passages souterrains.

La grotte de Postojna, l'une des plus fréquentées d'Europe, a été creusée depuis des millions d'années dans le karst de Slovénie. Elle abrite le fameux protée, *Proteus anguinus,* petite salamandre aveugle et sans pigmentation : **un record d'adaptation** à un habitat inhospitalier. De multiples insectes cavernicoles y vivent aussi. Isolées des bouleversements climatiques et géologiques de la planète, protégées des autres modifications écologiques, ces espèces constituent une faune relique.

La plus grande salle souterraine, la salle Sarawak, a été découverte dans les grottes de Mulu, à Bornéo : 700 m de longueur, 400 m de largeur et au moins 70 m de hauteur.

La cueillette des nids d'hirondelles

En Thaïlande, la côte de la mer des Andaman présente des paysages magiques : pitons et tourelles de calcaire percés de grottes émergent d'une mer peu profonde. Ces grottes renferment un précieux trésor, des nids d'hirondelles.

Sur les parois, les salanganes, martinets appelés improprement hirondelles, accrochent leurs nids, bâtis sans matière végétale. Le nid est tissé de longs fils produits par la salive de l'oiseau et disposés en cercles concentriques. Depuis fort longtemps, les Chinois et les Malais en ont fait un mets de choix coûteux et un médicament pour lequel des acrobates indigènes risquent leur vie quotidiennement.

À l'intérieur de ces grottes, les cueilleurs de nids construisent de vertigineux échafaudages de bambous, tel un jeu de mikado, parfois hauts de 100 m. Si la hauteur de ces frêles piliers est insuffisante, ils poursuivent leur ascension à l'aide des lianes qui pendent du plafond. Une fois les nids repérés, ils les détachent de la paroi avec un petit trident métallique, le *rada.* Si les esprits ont été avec eux, ils reviennent avec un inestimable trésor.

C'est au péril de sa vie que ce Thaï cueille des nids d'hirondelles sur la paroi d'une grotte. ▷

△
Comme la plupart des grottes à travers le monde, les cavernes de Cango, près du Cap (Afrique du Sud), offrent aux visiteurs tous les ornements classiques du monde souterrain. Elles sont richement décorées de stalagmites, de stalactites et de colonnes, colorées par les argiles, les matières organiques et les oxydes de fer prélevés dans les sols; elles conservent aussi des fresques et des vestiges de la civilisation des Bochimans.

L'hallucinant décor des cavernes de Cango

Dans la province du Cap, en Afrique du Sud, les cavernes de Cango sont un spectaculaire exemple du processus de transformation des vides souterrains en grottes et de formation de concrétions, toutes deux dues à la solubilité du calcaire. Ces cavernes célèbres reçoivent la visite de milliers de touristes fascinés par la féerie des stalactites et des stalagmites, vieilles de 25 millions d'années, qui ornent ses vastes voûtes et ses innombrables galeries.

Le patient travail souterrain de l'eau constitue en effet, en quelques dizaines de milliers d'années, un réseau de conduits et de passages qui concentrent les écoulements souterrains et les dirigent vers la source. Mais les soulèvements des massifs montagneux contraignent les eaux à abandonner ces conduits pour se frayer un passage plus en profondeur et faire naître une nouvelle source à un niveau inférieur.

À ce stade, l'ancien réseau perd, en partie, son rôle de collecteur des eaux souterraines. Il n'est parcouru alors que par des suintements d'infiltration; depuis la surface du sol, ces eaux se sont chargées de calcaire dissous et de gaz carbonique. L'ouverture des cavernes sur l'extérieur provoque leur ventilation et favorise le départ du gaz carbonique de l'air et de l'eau; celle-ci en vient à perdre une partie du calcaire dissous, qu'elle dépose lentement en construisant des stalactites au plafond et des stalagmites sur le sol. Ces concrétions s'accumulent à des vitesses très variables, qui dépendent à la fois du débit de l'écoulement, de l'abondance du calcaire dissous et de la facilité avec laquelle le gaz carbonique s'échappe. C'est ansi que des stalactites de quelques dizaines de centimètres se sont formées en un siècle dans certains tunnels ferroviaires; à l'opposé, certaines stalagmites n'ont grandi que de 2 à 3 cm en quinze mille ans, depuis la fin de la dernière glaciation. Toutes ces concrétions contiennent des traces de substances radioactives apportées par l'eau; pris pour de véritables chronomètres naturels, ces éléments fournissent le moyen de dater tous les événements qui ont marqué l'histoire des cavernes et de leur environnement.

Comme les cavernes de Cango, toutes les grottes sont un merveilleux conservatoire naturel, car elles ne sont altérées ni par la puissance érosive des rivières, ni par l'action obstinée des intempéries et de la végétation. Elles protègent tous les vestiges du passé qu'elles renferment, des iguanodons de la fin du Secondaire aux animaux cavernicoles. Mais, surtout, elles fournissent de précieux témoignages sur des civilisations parfois disparues, car ce n'est que sous terre que les peintures et les empreintes de nos ancêtres ont pu bien se conserver. ■

Les débuts de la spéléologie datent du XVIIIe siècle. C'est en Europe que des pionniers entreprirent les premières descentes dans des gouffres verticaux. En 1748, l'Autrichien O. Nagel explore, sur ordre de l'empereur, le gouffre de la Macocha, en Moravie. Il atteint 136 m de profondeur, devenant ainsi le premier des spéléologues. En 1770, l'Anglais J. L. Lloyd descend à 60 m dans Eldon-Hole, situé dans le comté de Derby, en Grande-Bretagne. Quinze ans plus tard, c'est au tour d'un ecclésiastique français de défrayer la chronique : l'abbé F. Carnus pénètre au cœur du gouffre du Tindoul de la Vayssière, dans l'Aveyron. Mais il faudra attendre le XIXe siècle et l'archéologue E. Rivière pour que cette passion des profondeurs prenne le nom de spéléologie.

MILLE ET UNE FORMES

Le relief dans les granites

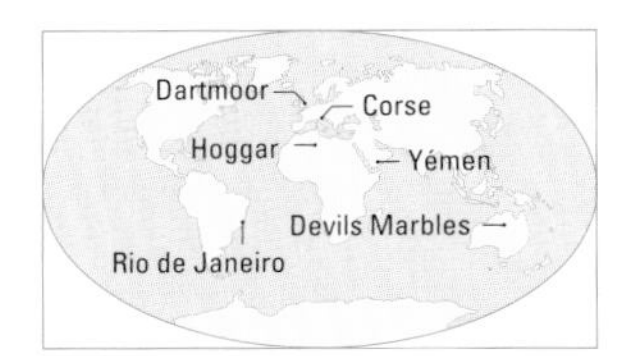

L'originalité des paysages modelés dans les granites réside dans des pointements vigoureux, toujours dénudés. Ce sont les inselbergs des déserts de la péninsule Arabique, ou les pains de sucre de la baie de Rio de Janeiro. Plus modestes, mais combien étranges, sont les reliefs ruiniformes du Dartmoor, en Angleterre. Cette étrangeté se révèle aussi dans les taffonis crevant les boules rocheuses, dans les forêts d'aiguilles hérissant certains massifs granitiques, et dans les énormes pierres branlantes à l'équilibre précaire.

△
Malgré sa réputation, le granite est une roche fragile. En témoignent les surprenantes cavités rongeant ces énormes boules de la région de Calvi (Corse), les taffonis. À l'arrière-plan, l'un d'eux présente une visière particulièrement développée, très caractéristique de l'agression des agents atmosphériques, intensifiée ici par la présence des embruns.

Les taffonis du littoral corse

Les touristes qui visitent la Corse connaissent bien les taffonis de la région littorale de Calvi. Ceux-ci représentent l'une des expressions les plus remarquables de l'attaque des roches grenues (granites, grès) par les agents atmosphériques. Ils creusent profondément les boules de granite amassées en chaos ; celles-ci résultent de l'action de l'érosion, qui a débité en blocs une masse rocheuse quadrillée de fissures perpendiculaires. Ensuite, l'érosion s'est exercée sur les boules, formant une cavité concentrant l'humidité ; elle favorise ainsi l'altération de la roche, qui va s'accroître avec le temps, profitant d'une désagrégation granulaire plus intense à cet endroit. Mais ces cavités, généralement de plusieurs dizaines de centimètres, peuvent aussi s'agrandir par recoupement : c'est ce que montrent les éperons que présentent certaines de leurs visières, comme on le voit sur la photo. La plupart des taffonis, mais surtout les plus grands, se situent face aux vents humides. Dans les régions littorales, cette orientation préférentielle est liée à l'action des sels apportés par les embruns.

Mais les taffonis ne se cantonnent pas pour autant le long des côtes. En témoignent ceux qui rongent les boules de granite du massif de l'Atakor, dans le Hoggar (Sahara central). Les plus grands y atteignent des dimensions telles que deux personnes peuvent s'y tenir debout ! Dans ce cas, il s'agit de cavités héritées d'une période plus humide, favorable à la désagrégation granulaire. ■

Un inselberg au Yémen

À quelque 250 km à vol d'oiseau au nord d'Aden, et non loin de Bayhān al Qasab, Nuqub se trouve dans une région où le socle granitique — relevé vers le sud, jusqu'à dépasser 2 500 m d'altitude — s'incline doucement vers le désert du Rub' al Khāli, au nord, où les frontières avec l'Arabie Saoudite se perdent dans les sables. Dans la région de Bayhān al Qasab, située sur l'ancienne route de l'encens, règne un climat aride ; la flore est pratiquement absente. Les immenses étendues désertiques sont parfois ponctuées de reliefs étranges, les inselbergs (littéralement « montagnes-îles »), comme celui que l'on voit ici à l'est de Nuqub, dans le sud du Yémen. Ceux-ci s'élèvent au-dessus de plans très peu inclinés appelés pédiments. Très tôt, ils ont retenu l'attention des premiers explorateurs. On doit le terme d'inselberg au géographe allemand Passarge, qui l'utilisa en 1904 pour désigner ceux qu'il observait en Afrique du Sud. Ne sont-ils pas en effet comparables à des îles émergeant brusquement d'un océan ?

Les inselbergs correspondent à des reliefs d'érosion différentielle, c'est-à-dire une érosion qui met en saillie les roches les plus dures — dans le cas de la photo, les granites au-dessus de roches métamorphiques. Le dégagement de ces masses granitiques, de quelques dizaines, voire quelques centaines de mètres de hauteur, comme cet inselberg yéménite, remonte parfois à plusieurs dizaines ou plusieurs centaines de millions d'années. On observe au Sahara de nombreux reliefs comparables.

Ces reliefs anciens ont été façonnés dans des milieux plus ou moins arides, qui ont marqué une partie de l'ère quaternaire (il y a environ trois millions d'années). Ils portent l'empreinte de cette aridité, qui se traduit par l'exfoliation de la roche en lames qui se détachent sous l'effet des fortes variations de température. Ces brusques écarts thermiques dilatent et rétractent les roches en surface, puis les fragmentent (thermoclastie). Des cicatrices claires de ces lames rocheuses détachées sont visibles sur la photographie. Celles-ci s'accumulent au pied de l'inselberg, où elles se désagrègent et nourrissent des voiles d'éboulis et de sables grossiers (les arènes).

La couleur noire des versants de l'inselberg est liée à la présence d'un revêtement de sels de fer et de manganèse d'une épaisseur de quelques dizaines de micromètres seulement. La bonne conservation de ce vernis désertique, en particulier dans le sud du désert arabique, très aride, atteste une quasi-paralysie de l'érosion actuelle, qui n'agit plus sur l'inselberg. Son élaboration témoigne de phases climatiques relativement plus humides, bien connues au Sahara et en Arabie, la dernière remontant à quelque cinq mille à six mille ans avant notre époque. Les fameuses gravures rupestres du Tassili N'Ajjer, au Sahara, comme celles que l'on a découvertes au Yémen, ont été dessinées sur des surfaces déjà vernissées. ■

△
Des reliefs isolés, les inselbergs (« montagnes-îles »), dominent les étendues planes de certains déserts. C'est le cas de cet inselberg granito-gneissique, à l'est de Nuqub (sud du Yémen). Derrière lui se trouve le vaste massif dunaire du Ramlat-as Sab'atayn, en bordure de l'illustre royaume antique de la reine de Saba. Quelques acacias signalent la présence d'eau à faible profondeur.

Une roche grenue et perméable

Nos paysages reflètent la nature des roches qui les constituent. Dans le cas du granite, roche magmatique cristallisée lentement en profondeur, c'est sa composition hétérogène (cristaux de quartz, de feldspaths et de micas) qui est essentielle. Elle lui assure une assez bonne porosité grâce à des vides microscopiques entre les grains de la roche, ce qui la rend perméable à l'air et à l'eau. L'attaque de l'eau peut donc s'effectuer dans la masse, surtout aux dépens des minéraux fragiles (feldspaths et micas), ouvrant ainsi la voie à la désagrégation granulaire.

Mais si la pénétration de l'eau se fait facilement, c'est aussi que les granites sont sillonnés par un réseau de fissures, appelées diaclases par les géologues. Ces fissures sont d'origines diverses (refroidissement du magma, contraintes dues à des mouvements du sol, détente après une forte pression). L'action de l'eau dépend des caractéristiques de ce réseau de fissures. Quand il forme des blocs plus ou moins carrés, elle progresse tout autour, réalisant une altération en boules. La partie décomposée laisse des sables appelés arènes. Lorsque l'eau les lave, il se produit des chaos de boules avec, à l'occasion, des roches en équilibre (pierres branlantes).

Quand les fissures sont à prédominance verticale, le processus s'effectue surtout en profondeur, et dégage des forêts d'aiguilles.

Tors énigmatiques et spectaculaires pierres branlantes

Si en Grande-Bretagne, les tors du Dartmoor, ces étranges empilements de blocs rocheux, représentent un aspect général des paysages granitiques, et les pierres branlantes des Devils Marbles, en Australie, une curiosité de détail, leur formation et leur dégagement résultent des mêmes processus d'érosion.

L'allure de ruines cyclopéennes des tors et le caractère apparemment surnaturel des pierres branlantes ont très tôt nourri les récits des anciens voyageurs, tel John Norden, dans sa description de la Cornouailles en 1584. Certains tors y étaient considérés comme des édifices ou des idoles de pierre du culte druidique.

En vérité, l'origine de ces formes granitiques est indiscutablement naturelle. Le granite est parcouru de fissures (diaclases) perpendiculaires, le long desquelles l'eau circule, altérant la roche et la décomposant en sables plus ou moins grossiers appelés arènes granitiques. Cette altération, réalisée le plus souvent pendant des périodes de climat relativement chaud et humide, isole des boules de granite non altéré et des cœurs rocheux plus résistants, préfigurant les tors.

△

Les Devils Marbles offrent, à 350 km au nord d'Alice Springs (Australie), un exemple étonnant de pierres branlantes. Des blocs de plusieurs dizaines de tonnes, en équilibre précaire, oscillent à la moindre impulsion de la main.

Aux antipodes, ces tors, curieux empilements de blocs rocheux, sont, eux aussi, très caractéristiques des paysages granitiques. Dominant la lande, parsemée au premier plan de blocs résiduels de granite, Hound Tor (d'où est prise la photo) est l'un des plus fameux tors du Dartmoor, dans le Devon (Grande-Bretagne).

▽

Lors de conditions climatiques plus froides, telles que le Dartmoor en a connu au cours des grandes glaciations quaternaires, le ruissellement dû à la fonte des neiges et des glissements de terrains ont dégagé les arènes, exhumant progressivement les blocs rocheux résiduels de leur gangue de sable pour former les tors.

À la base des versants ou dans le lit des rivières, les boules granitiques émoussées par l'altération s'accumulent en chaos, comme les amas de blocs (compayrés) du Sidobre (Massif central) ou les blocs gigantesques des Devils Marbles (Australie).

L'arrondi presque parfait de certaines boules des tors ou leur forme particulière les font reposer par un seul point sur le bloc sous-jacent, d'où l'équilibre instable de ces roches, que les Anglo-Saxons appellent de façon imagée *balancing rocks* ou *logan stones* (littéralement : « pierres branlantes »). Les Devils Marbles subissent aujourd'hui les attaques d'un milieu semi-aride, révélées en particulier par des cicatrices de lames rocheuses détachées. ■

Les Balancing Rocks défient depuis des millénaires les lois de la pesanteur. Ces énormes rochers de granite, semblables à des sculptures naturelles, sont situés à une dizaine de kilomètres au sud de Harare, capitale du Zimbabwe. C'est l'action conjuguée du vent, de la pluie, du soleil et des grandes variations climatiques qui les a façonnés. Leur équilibre semble à la fois si parfait et si précaire que, sous certains angles, on dirait qu'on pourrait les faire tomber dans les broussailles en les effleurant du pied ! Les habitants noirs de la région révéraient les Balancing Rocks comme dépositaires de l'esprit du sorcier Tshiremba. Celui-ci avait autrefois construit ses huttes à proximité de ces monticules délabrés en veillant à ce qu'elles soient couvertes le soir par l'ombre des rochers. Mais le respect que les Balancing Rocks inspiraient a été piétiné par des générations de visiteurs, innocemment sacrilèges, qui les escaladent sans vergogne.

Les aiguilles de granite du Hoggar

Les paysages modelés par l'érosion dans le granite sont parfois déconcertants, vu la réputation de dureté de cette roche dans l'opinion courante. Au cœur du Hoggar, dans le Sahara algérien, le massif granitique de l'Ilamane compte parmi les plus insolites, avec sa forêt d'aiguilles rougeoyantes au soleil couchant; d'autant plus qu'il se situe dans un milieu très aride où l'activité de l'érosion apparaît paralysée par une extrême sécheresse. Remarquablement arrondies et lissées avec le temps, ces aiguilles atteignent plusieurs mètres de hauteur et s'effilent systématiquement vers le ciel.

Un tel paysage doit son originalité au débitage vertical de la masse rocheuse, qui conditionne l'altération exercée par les eaux d'infiltration, très supérieure à celle qui agit selon la fissuration horizontale. Par ailleurs, l'action érosive de l'eau décroît en profondeur, d'où l'effilement vers le haut des aiguilles de granite. En bordure du massif, des éboulements nourrissent des amoncellements de blocs de granite cylindriques, évoquant des forêts de colonnes de temples antiques ruinés par le temps.

On retrouve un paysage comparable en Corse, dans le massif granitique de Bavella, dans un contexte climatique humide où l'altération s'explique aisément. Au centre du Sahara, le façonnement du massif de l'Ilamane date de cinq mille à six mille ans avant notre ère, époque à laquelle se sont formés les placages de vernis noirs (sels de fer et de manganèse) recouvrant les aiguilles. ■

△ *Le massif de l'Ilamane, dans le Hoggar (Sahara central, Algérie), offre l'aspect étrange d'une forêt d'aiguilles de granite de plusieurs mètres de haut, parfois éboulée sur ses marges. Ces formes sont dues à la prédominance de fissures verticales favorisant le travail de l'érosion en profondeur, au cours de périodes du Quaternaire caractérisées par une atténuation sensible de l'aridité.*

Un matériau d'éternité

Par la beauté de ses constituants minéraux, parfois remarquables, mais aussi par sa dureté, le granite a toujours représenté un matériau noble pour le bâtisseur et le sculpteur. Dès la plus haute antiquité, on a exploité certaines carrières pour les qualités exceptionnelles de leur granite. On connaît celles d'Assouan (Haute-Égypte), d'où proviennent les énormes monolithes d'un granite grossier rose, qui ont servi à tailler les fameux obélisques (comme celui de Louxor, et celui de la place de la Concorde, à Paris). Ces carrières constituaient le gisement de granite le plus exploité de l'Antiquité, et étaient encore très actives à l'époque romaine.
L'admirable couple que l'on voit ici a été sculpté dans ce même granite, à la grande époque des dynasties ramessides, au XIVe siècle avant J.-C. L'artiste a su rendre toute la beauté de la chevelure et du vêtement de Hor et Nefertiti en travaillant cette pierre dure, gage pour lui de la pérennité de son œuvre.

◁ *Le groupe de Hor et Nefertiti, en granite rose, conservé au musée du Louvre.*

Le Pain de Sucre, une sentinelle dans la baie de Rio

La remarquable beauté du site de Rio de Janeiro, au Brésil, résulte de la rencontre de la Serra da Carioca (1 022 m) avec l'Atlantique Sud. Ses échines forestières ont été submergées par l'Océan, et il en résulte une côte échancrée par des baies majestueuses, frangées de plages sablonneuses envahies par l'agglomération. Au-dessus de ce paysage magnifique se dressent des *morros* (pains de sucre) rocheux dénudés, en particulier le Corcovado (le « Bossu » : 740 m) et, dominant la baie de Guanabara, le célèbre Pão de Açúcar (le « Pain de Sucre » : 395 m), qui doivent leur nom à leur forme significative.

Les *morros* sont des reliefs résiduels de résistance à l'érosion, typiques de tous les vieux socles cristallins, tel le socle guyano-brésilien, qui rencontre l'Océan. Ils proviennent d'une érosion différentielle qui peut remonter à plusieurs dizaines, voire plusieurs centaines de millions d'années, et a ici mis en saillie les granites ou les gneiss granitisés, par rapport aux autres roches moins résistantes. Leurs remarquables flancs rocheux, raides et nus, coïncident avec des plans déterminés par des fissures courbes, quasi verticaux. Dans ce milieu tropical humide, ils subissent aujourd'hui l'action d'agents atmosphériques agressifs (température, eau). Ces attaques se traduisent par l'exfoliation de la roche en grandes lames rocheuses, et par une désagrégation granulaire active du granite des parois et des blocs éboulés.

La grande métropole brésilienne conquiert peu à peu tous les éléments de ce site unique, avec les hauts gratte-ciel qui hérissent le centre-ville, les beaux quartiers résidentiels qui envahissent les plages (Copacabana, Flamengo, Botafogo), mais aussi les quartiers de maisons et d'immeubles modestes de la basse plaine et les trop fameuses favelas, bidonvilles accrochés aux basses pentes des *morros*.

En réalité, la splendeur du décor fait oublier trop souvent bien des misères et bien des drames. Comme toutes les grandes agglomérations des régions tropicales, Rio de Janeiro connaît les méfaits causés par des pluies catastrophiques. Car le milieu est à la fois agressif (en raison de pluies torrentielles épisodiques) et vulnérable, le site étant constitué de formations argileuses et limoneuses épaisses sur des pentes souvent très fortes. Les quartiers les plus déshérités, en particulier les favelas qui colonisent les *morros*, sont les plus menacés par cette érosion sauvage, d'autant plus que leur développement anarchique néglige toute organisation de l'évacuation des eaux pluviales et usées. Lors des grandes averses, les toits de tôle ondulée déversent des trombes d'eau dans les rues en terre. Les torrents y creusent des ravins de plusieurs mètres de profondeur, tandis qu'ailleurs les argiles et les limons gorgés d'eau se transforment en énormes coulées de boue, les uns et les autres emportant sur leur passage les maisons et parfois leurs habitants. ■

Le site de Rio de Janeiro (Brésil) est d'une beauté exceptionnelle. Le fameux Pain de Sucre (395 m) se dresse à l'entrée même de la profonde baie de Guanabara, ouverte entre des serras *littorales revêtues d'une luxuriante forêt tropicale. Dans ce cadre prestigieux, les anses abritent des plages sablonneuses réputées, dont celle de Copacabana. Tel est le splendide décor que découvrit l'amiral portugais Cabral le 1er janvier 1502, en abordant le Brésil.*
▽

DES FORÊTS DE GÉANTS

Le relief dans les conglomérats

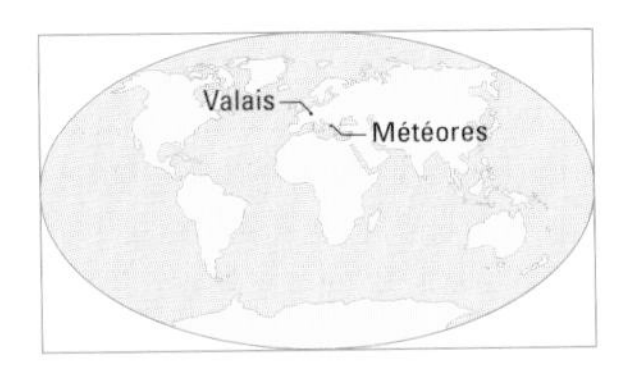

Sculptés par les eaux courantes, les conglomérats offrent des reliefs hardis aux versants raides et dénudés, tantôt graciles colonnes, tantôt imposants piliers. Les premières, désignées sous les noms de cheminées de fées ou demoiselles coiffées, composent des paysages irréels que l'on imagine volontiers peuplés de créatures surnaturelles. Les seconds ont proposé aux religieux des monastères des Météores, en Grèce, ou de Monserrat, en Espagne, des sites à mi-chemin du ciel.

△ *Perché au sommet d'un piton de conglomérats dont les bancs épais sont parcourus par de grandes fissures verticales, le monastère d'Hagia Triada («Sainte Trinité») domine de plus de 200 m la vallée du Pénée. Il appartient au site des Météores, qui fait la célébrité de la province grecque de Thessalie. Ce monastère, accessible par un escalier de 140 marches taillé dans le roc, n'est plus occupé.*

Des piliers gigantesques : les Météores

En Grèce centrale, au contact de la plaine de Thessalie et des montagnes du Pinde, une soixantaine de monolithes sombres aux versants abrupts évoquant une forêt de pierre ferment l'horizon de la bourgade de Kalambaka. S'approcher de ces étranges menhirs permet d'en apprécier les dimensions colossales (ils dominent de 200 à 250 m le fond des vallées du Pénée et de ses affluents) et de repérer les «monastères en l'air» (en grec, *meteora monastiria*) perchés sur certains d'entre eux. Au XIVe siècle, alors que des guerres, responsables de brigandage, sévissaient entre les empires serbe et byzantin, des moines ont élu domicile au sommet d'une dizaine de ces forteresses naturelles. De nos jours, seuls quatre de ces monastères sont encore occupés. La route carrossable qui se faufile entre les pitons rocheux ainsi que les sentiers acrobatiques qui permettent d'en gravir quelques-uns révèlent qu'ils sont constitués de conglomérats à éléments arrondis : les poudingues. Ces conglomérats, déposés en bancs épais à l'ère tertiaire sur plusieurs centaines de mètres, présentent de grandes fissures verticales. Ces dernières ont guidé l'incision des cours d'eau et favorisé sur les parois des gorges des éboulements par pans entiers, propres à maintenir de vertigineux abrupts. ■

Ascenseur pour les Météores! C'est ainsi que l'on pourrait nommer l'ingénieux système de treuils permettant de hisser les provisions dans des paniers et les hommes dans des filets. Ce fut en effet, pendant longtemps, avec les échelles de corde amovibles, le seul mode de desserte des monastères aériens de Thessalie, en Grèce. Ces dispositifs étaient fixés sur les surplombs des bancs de conglomérats solidement cimentés au-dessus de couches plus fissurées ou plus meubles.
De nos jours, les sentiers en escalier, aménagés pour les touristes, n'ont pas complètement détrôné ces anciens moyens de transport : nacelles et treuils sont parfois encore utilisés pour assurer le ravitaillement des religieux qui vivent en permanence dans quatre monastères des Météores et demeurent isolés entre ciel et terre en dehors de la saison touristique.

Un moyen comme un autre de se ravitailler.

Les cheminées de fées d'Euseigne

La route qui conduit au pittoresque village valaisan d'Évolène avant de s'engager dans le val d'Hérens ménage la rencontre avec un alignement de demoiselles coiffées... et décoiffées, connues sous le nom de pyramides d'Euseigne, dont la forme effilée évoque le hennin d'une fée. Ce type de paysage est loin d'être insolite en montagne, tant les versants raides empâtés de moraine déposée par les anciens glaciers se prêtent à l'élaboration de ces curieuses colonnes naturelles. Cette moraine date de quelque vingt mille ans; le transport par la glace n'a fait qu'émousser les angles vifs de ses fragments. C'est une formation récente, dont le ciment argileux, tendre et imperméable, est aisément lacéré par les eaux de ruissellement. C'est sur une crête isolée par de profondes ravines que sont nées les cheminées de fées, grâce à la protection exercée par les plus gros blocs emballés dans de l'argile. Composées de matériaux meubles, ces pyramides sont éphémères. Cependant, la chute de leur chapeau n'entraîne pas leur mort immédiate : compactée par le poids des blocs, l'argile à cailloux peut encore résister à l'impact des gouttes de pluie et au déblaiement par les filets d'eau. ■

◁ *Les pyramides d'Euseigne (Valais, Suisse) comptent parmi les cheminées de fées les plus célèbres des Alpes. Le chapeau de la grande pyramide lui a certes permis de résister à l'érosion, mais il ne l'a pas entièrement protégée contre l'action du ruissellement, comme le suggèrent sa forme effilée vers le haut et les cannelures qui affectent ses flancs.*

Dans un conglomérat à ciment meuble et peu résistant, les gros blocs, à la fois parapluie et presse, protègent et rendent plus compacts les terrains sous-jacents. Au fil du temps, les cheminées de fées les plus exposées finiront par perdre leur chapeau et par s'écrouler. Mais de nouvelles naîtront, si d'autres blocs sont mis au jour par l'érosion.
▽

Un mélange de débris et de ciment

Les conglomérats sont des roches sédimentaires constituées de débris rocheux réunis par un ciment. Si les fragments sont arrondis, les conglomérats sont appelés poudingues, leur aspect évoquant le célèbre pudding anglais; il s'agit alors d'anciennes alluvions fluviales consolidées. Si les fragments sont anguleux, les conglomérats portent le nom de brèches, auquel cas leur matériel dérive d'éboulis ou d'écroulements. Si le ciment est peu résistant, les eaux de pluie et de ruissellement sculptent en quelques années, à l'aplomb de gros blocs protecteurs, des cheminées de fées dont la hauteur ne dépasse pas une vingtaine de mètres. Si le ciment est dur, la roche, au fil des âges géologiques, est attaquée par les eaux courantes et s'éboule par pans entiers le long de grandes fissures; peuvent s'individualiser ainsi des monolithes, parfois hauts de quelques centaines de mètres, entourés de gorges et de précipices vertigineux.

Formation des cheminées de fées

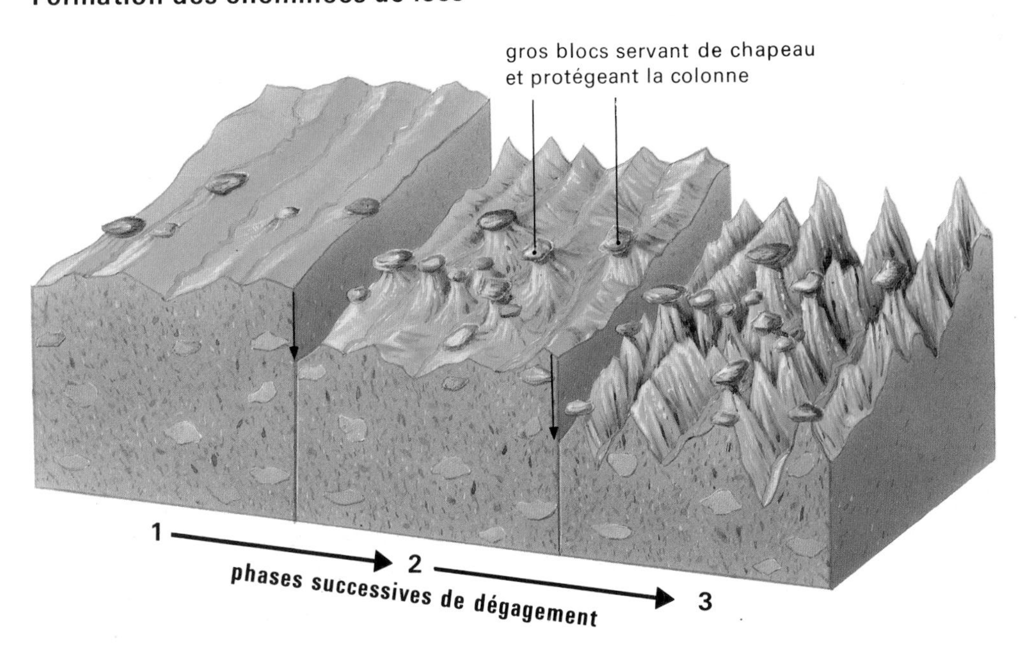

DAME NATURE PREND DES RIDES

Le relief dans les roches volcaniques

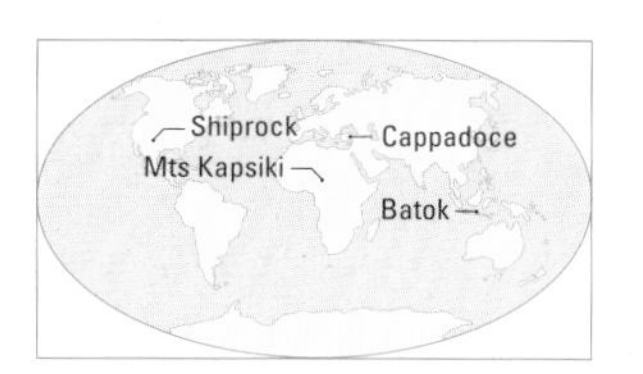

La silhouette majestueuse des volcans inspire le respect : ces grands cônes, construits par de redoutables éruptions, peuvent rester longtemps en sommeil, leurs pentes n'en demeurent pas moins instables. À peine les laves et les cendres refroidies, l'érosion se déchaîne sur leurs flancs. Ce sont des plateaux aux versants burinés par mille ravins, ce sont aussi des montagnes éventrées d'où jaillissent des aiguilles grandioses. Les paysages tourmentés des volcans offrent des sols riches, qui attirent des populations agricoles malgré les risques.

Les villages des monts Kapsiki

D'immenses aiguilles rocheuses plantées au-dessus de la savane façonnent le décor extraordinaire du pays Kapsiki, dans le nord du Cameroun.

Ces pitons constituent la terminaison nord d'un grand alignement volcanique qui traverse en diagonale le continent africain. Son extrémité méridionale est marquée par le grand cône actif du mont Cameroun, qui domine le golfe de Guinée de ses 4 095 m, et par un chapelet de volcans comprenant le cratère du lac Nyos, tristement célèbre depuis la catastrophe de 1986, durant laquelle 1 700 Camerounais périrent, asphyxiés par de soudaines émanations de gaz carbonique provenant des couches inférieures du lac. L'activité éruptive a cessé au nord, les édifices ont été démantelés par l'érosion, qui a mis à nu ces grandes colonnes de lave noire, aux flancs nervurés. Ces vestiges de cheminées volcaniques, hauts de 100 à 200 m, surgissent sur un piédestal de hauts plateaux vallonnés, les monts Mandara, qui forment une proue montagneuse entre les plaines arides du nord du Nigeria et la cuvette marécageuse du Logone et du lac Tchad.

Ces hautes terres des monts Mandara constituent un monde isolé entre deux frontières, à l'écart des routes commerciales et to ristiques. Ce sont des montagnes refuges, où se sont repliés, au XIXe siècle, des peuples d'agriculteurs menacés par des éleveurs conquérants venus du Sahel tout proche.

La savane qui couvre ces montagnes est assez riche et parsemée d'arbres. Les massifs sont plus arrosés que les plaines voisines, qui bordent le désert. La saison des pluies dure quatre mois; elle suffit pour les cultures sèches sur les croupes caillouteuses et permet d'irriguer les cuvettes.

Les villages de ces hauts plateaux se serrent au pied des pitons volcaniques, où les sols sont moins pauvres, et à proximité des points d'eau. Les paysans kapsikis sont avant tout des cultivateurs : ils mettent en valeur des petites parcelles sur les pentes, bordées par des haies et souvent aménagées en terrasses; ils construisent des chenaux d'irrigation pour amener l'eau jusque sur des replats caillouteux. Ils savent étaler les semailles sur toute la saison des pluies et

obtenir ainsi plusieurs récoltes par an. C'est pourquoi les peuples montagnards du nord du Cameroun passent pour les meilleurs cultivateurs d'Afrique.

Les rites sociaux traditionnels marquent les moments importants de la vie agricole. La fin de la saison sèche est l'occasion de grandes fêtes organisées autour d'extraordinaires danses collectives au pied des pitons majestueux. ■

Une case du village de Rhumsiki (Cameroun), coiffée d'un drôle de bonnet de paille.

Dans la savane du nord du Cameroun, les villages kapsikis, entourés d'arbres, se serrent au pied des parois abruptes de roche noire. Les gigantesques aiguilles rocheuses, dressées au-dessus des monts Mandara, sont les cheminées de volcans entièrement détruits par l'érosion.
▽

Architecture traditionnelle

Le petit village de Rhumsiki, perdu dans un décor lunaire hérissé de pitons volcaniques, est l'un des endroits les plus pittoresques du Cameroun. Les cases y sont plus vastes et coiffées d'un bonnet de paille moins pointu qu'au nord du pays. Elles sont reliées entre elles par d'étroits sentiers bordés de haies d'euphorbes, et sont entourées par des murets de pierres. Ceux-ci ont été élevés selon une technique immémoriale, sans aucun mortier. À l'entrée de chacune des cases, un patio garni de lourdes pierres sert de vestibule. Toutes ces habitations, construites sur le même modèle, se serrent autour des greniers du village, eux aussi chapeautés de paille et joliment couronnés d'un collier de fruits rouges.

De la lave et des cendres

Les volcans sont des montagnes construites par des éruptions répétées. La forme des édifices varie selon le style d'éruption et la nature des laves émises : les laves fluides s'étalent en coulées qui peuvent constituer des empilements considérables ; en revanche, les débris d'explosion et les cendres plus ou moins durcies s'amoncellent en cône autour du cratère.

Lorsque l'activité éruptive cesse, l'érosion détruit progressivement les volcans : elle déblaye plus rapidement les accumulations de cendres mal consolidées et sculpte des formes majestueuses dans les masses résistantes comme les coulées de basaltes. Dans un premier temps, les formes du volcan subsistent : les grands édifices armés de basaltes sont découpés en vastes plans inclinés appelés planèzes, tandis que les cônes de cendres sont tailladés de ravins rayonnants auxquels on donne le nom de barrancos.

L'érosion a vite fait de creuser les roches peu consolidées, de modeler des formes originales dans les racines des volcans détruits. Dans un stade de démantèlement avancé, de larges tables de basaltes, les mesas, saillent au-dessus des vallées ainsi que de gigantesques aiguilles de lave consolidée, appelées necks, vestiges de cheminées volcaniques dénudées.

Les flancs ravinés du Batok

Au cœur de l'archipel indonésien, Java offre une collection de volcans actifs et de cônes éteints. C'est aussi une des îles les plus peuplées du monde. Les paysans de Java manquent de terres. Ils n'hésitent pas à construire des terrasses pour cultiver les pentes des volcans, aux sols fertiles; mais les versants du Batok sont désespérément vides, burinés par des ravins rayonnant à partir du sommet.

Le Batok s'élève jusqu'à 2400 m au-dessus des plaines et des collines surpeuplées. C'est un cône strombolien, fait de cendres accumulées sur des pentes raides; son sommet révèle un ancien cratère d'explosion. Il s'agit pourtant d'une montagne en sommeil, qui ne s'est pas manifestée de mémoire d'homme.

De temps à autre, les éruptions du volcan voisin, le Bromo, le saupoudrent de cendres fines, qui détruisent la végétation naissante sur ses flancs. Lorsque les averses tropicales s'abattent sur la montagne, l'eau dévale les pentes nues, creusant des rigoles rectilignes dans les cendres mal consolidées; elle arrache le sol et les rares plantes pour former des torrents qui creusent des ravins profonds que les géographes nomment barrancos.

Les débris emportés par les torrents boueux s'étalent sur les basses pentes, recouvrant les buissons ou arrachant les arbres sur les rives. Plus bas, les eaux peuvent emporter les routes ou noyer les cultures. Elles déposent leur boue dans les rizières que les paysans devront remettre en état.

Peu à peu, les formes du cône sont rongées; l'édifice friable se réduit progressivement. L'érosion le fera disparaître, à moins que le volcan ne se réveille un jour... ■

La vie monastique fut introduite en Cappadoce au IVe siècle par saint Basile. Cet évêque, lassé par la décadence des mœurs du clergé, prônait une vie de travail, de prière, de silence et de frugalité. Rejetant l'érémitisme tout comme la vie en grand monastère, il préconisa une organisation en petites communautés, au milieu des champs, mais non coupées du monde. La Cappadoce lui offrait un cadre idéal. Les moines y fondèrent des petits villages avec habitations, églises, chapelles, puits, moulins, greniers... Ils s'installèrent dans des grottes naturelles ou creusèrent eux-mêmes leur cellule dans la pierre très tendre qu'est le tuf volcanique. Chacun habitait dans un cône isolé et la communauté se réunissait régulièrement pour les offices religieux et les repas. On dénombre environ 400 églises et chapelles en Cappadoce. Excavées, elles reproduisent pour la plupart les plans des édifices byzantins et sont richement décorées de magnifiques fresques multicolores, qui permettent d'établir la chronologie de leur installation. Cet art populaire avait pour objet d'édifier les fidèles par l'illustration des livres saints.

L'église de la Vierge-Marie, construite dans une grotte naturelle, dans la vallée de Göreme, en Cappadoce (Turquie).

Des records d'érosion caractérisent les volcans. Ainsi la destruction du mont Ross, aux îles Kerguelen, correspond à l'érosion d'une masse de 2000 m de hauteur en moins de 1,2 million d'années. Un nouveau volcan s'est construit sur les racines du premier.

Le Batok est un volcan éteint situé dans l'est de l'île de Java (Indonésie). Ce cône de cendres culmine à 2400 m et se dresse au-dessus des plaines cultivées. Ses flancs sont dénudés et entaillés par des ravins profonds et rectilignes qui lui donnent un peu l'allure d'un parasol plié. Après chaque orage tropical, les eaux dévalent les pentes, arrachent les cendres du volcan et viennent inonder de boue les cultures.
▽

Des grottes creusées dans les tufs de Cappadoce

Située entre les immenses plateaux désolés de l'Anatolie et les hautes montagnes du Taurus oriental, la Cappadoce appartient aux régions arides de Turquie centrale. Elle offre un paysage déconcertant de montagnes de cendres volcaniques friables, burinées par l'érosion et sculptées par les hommes. Son aspect désertique résulte moins de la sécheresse que du ravinement des sols dénudés. C'est un univers minéral tourmenté opposant des grands versants défoncés par les pluies, et quelques vallées verdoyantes, où se serrent les jardins et les vergers. Les vallées sont dominées par une série de volcans éteints, dont le Erciyas Daği (ou mont Argée), proche de Kayseri, qui atteint 3 916 m. Ces grands édifices jalonnent une ligne de fracture prolongée jusqu'au mont Ararat, en Arménie ; elle traduit la poussée vers le nord des masses continentales d'Arabie et du Moyen-Orient. C'est pourquoi cette région est souvent secouée par des tremblements de terre meurtriers.

Les terrains sont constitués par d'énormes empilements de tufs, débris pulvérisés au cours de gigantesques explosions volcaniques. Certains lits de cendres déposés à l'état incandescent forment des tufs soudés ; ils correspondent aux bancs résistants qui coiffent les pinacles et arment de grandes corniches. D'autres couches épaisses résultent de retombées en pluies de cendres ; elles sont restées friables. L'érosion a entaillé d'innombrables ravins qui découpent des tours croulantes au-dessus des vallées.

Depuis des millénaires, ce monde étrange a servi de refuge à des peuples secrets. Dans les vallées se trouvent les vestiges enfouis de l'âge du bronze, et les ruines des premières églises chrétiennes. Sur les pentes, des niches creusées dans la roche friable signalent l'entrée de maisons troglodytiques. Les salles communiquent en réseaux pour former de véritables villes souterraines, éclairées par quelques ouvertures et des cheminées. Dans les cavités, on peut découvrir des églises, des monastères des Xe et XIe siècles, aux parois décorées de belles fresques byzantines. Mais l'accès à ces trésors cachés est souvent difficile, car les escaliers taillés sur les pentes ont été emportés par le ruissellement ; certains sites, minés par les eaux infiltrées à travers les tufs, menacent de s'effondrer. La nature, qui ronge les plateaux, détruit lentement les vestiges historiques.

Le voyageur qui découvre la Cappadoce garde l'image inoubliable d'un pays étrange, presque surnaturel, qui conjugue la violence des pentes nues écrasées de soleil et un monde d'ombre creusé dans la montagne. ■

◁ *Les paysages de Cappadoce, brûlés par le soleil, sont presque lunaires. Quelques villages se nichent dans les vallées, sous des pentes nues taillées dans des cendres volcaniques. Ces parois sont défoncées par des ravins, hérissées de pinacles croulants ; elles sont trouées par d'innombrables maisons creusées dans la roche friable, des monastères et de véritables villes souterraines.*

△
Se dressant au milieu du désert du Nouveau-Mexique (États-Unis), le Shiprock est une grande cheminée volcanique. C'est tout ce qu'il reste d'un formidable volcan explosif appartenant à un vaste ensemble situé au sud du plateau du Colorado. Au premier plan, un filon rectiligne émerge au milieu de la plaine désertique. Au loin, d'autres montagnes signalent des volcans ruinés au-dessus de la platitude uniforme du pays des Indiens Navajos.

Le Shiprock, volcan sacré

Le Shiprock se dresse à plus de 500 m au-dessus du désert du Nouveau-Mexique, aux États-Unis. Ce piton aux parois verticales qui semble jaillir d'une plaine désespérément vide est la montagne sacrée des Indiens Navajos. Il s'agit de la cheminée d'un ancien volcan explosif entièrement détruit. Cette montagne isolée est un énorme culot de lave et de débris d'explosion consolidés qui a résisté à l'érosion, tandis que les accumulations de cendres qui l'entouraient à l'origine ont été entièrement déblayées. Elle appartient à une vaste région volcanique qui ceinture le plateau du Colorado et dont l'activité a cessé depuis des millions d'années. L'érosion a épargné les roches résistantes : les vestiges principaux forment des massifs sur les contreforts des montagnes Rocheuses ; ils arment de grandes tables de basaltes, les mesas, qui sont perchées au-dessus du plateau et des canyons. Au cœur de la région du Colorado, ce sont des pitons résiduels, dispersés sur les étendues immenses et désolées.

Le sommet déchiqueté du Shiprock est une forteresse naturelle et un excellent observatoire sur la plaine uniforme. C'est sur un piton identique, situé 60 km plus au sud, que les Navajos se sont retranchés en 1864 pour résister aux soldats de l'armée des États-Unis, commandés par le célèbre Kid Carson.

Si le paysage de l'Ouest américain reste celui des Indiens, les villages pueblos, établis au flanc des mesas, où se trouvent les sources, sont désormais abandonnés et les Indiens Hopis, ancien peuple d'agriculteurs, sont maintenant regroupés dans une grande réserve en Arizona.

Les Navajos, ces guerriers venus du nord, ont longtemps mené des raids sur les villages hopis, puis ils ont combattu les envahisseurs ; ils sont désormais pacifiques et sédentaires. Nombre d'entre eux tirent leurs ressources de la vente des produits de leur artisanat aux touristes. Mais leur territoire est riche, car la plaine recèle un important gisement de pétrole.

Les traditions indiennes se sont transformées en marge de la vie américaine. Longtemps réduits à la misère, les Indiens cherchent aujourd'hui les moyens d'affirmer leur histoire et leur culture. Plusieurs musées dispersés dans ce décor de western rappellent la diversité des civilisations de l'Ouest ; ils accueillent régulièrement de grandes réunions et des célébrations traditionnelles. Car, au-dessus de cette nouvelle richesse et des nouveaux villages du désert, la montagne sacrée veille. ■

QUESTION DE RÉSISTANCE

L'érosion différentielle

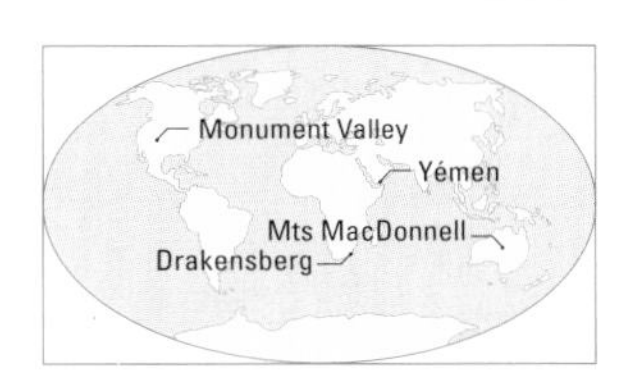

Si l'originalité des reliefs d'une région reflète la nature de ses roches (argiles, calcaires ou granites), la présence simultanée de roches de nature et de résistance différentes crée des formes spécifiques liées à l'érosion sélective, ou différentielle. Ce type d'érosion a dégagé les gigantesques buttes témoins de la sculpturale Monument Valley, sur le plateau du Colorado, créé le paysage de crêtes et de sillons longitudinaux des monts MacDonnell, en Australie, les inselbergs du Yémen, ou le puissant escarpement du Drakensberg, en Afrique du Sud.

Le Grand Escarpement de l'Afrique australe

Du Transvaal à la province du Cap, en Afrique du Sud, le Drakensberg se dresse comme une véritable muraille au-dessus des collines du Natal. En raison de la grande diversité de la nature des roches — un socle cristallin antérieur à deux milliards d'années, une couverture sédimentaire composite, allant du Précambrien à fin du Primaire et au début du Secondaire (série du karroo), des intrusions basiques et, enfin, des coulées de basalte —, l'érosion différentielle y trouve un terrain de prédilection.

Au Lesotho, où il atteint son ampleur maximale avec une dénivellation de 1 800 à 2 000 m, le Grand Escarpement se développe dans une armature de basaltes résistants surmontant des grès. La toponymie zoulou désigne ce secteur de manière très imagée par le terme de *quathlamba*, qui signifie «empilement de roches». Puis il s'abaisse vers le nord avec la disparition des basaltes et l'affleurement des grès et calcaires du karroo, avant de reprendre de la vigueur au nord de Carolina, au Transvaal, dans les quartzites précambriens, roches particulièrement résistantes. Dans les granites, au nord d'Haenertsburg, il perd de son ampleur et son tracé devient plus sinueux.

Mais cette impressionnante barrière du Drakensberg constitue aussi l'un des plus beaux exemples mondiaux de bourrelet sur une bordure continentale. Le Grand Escarpement — contact océan-continent au sein d'une même plaque lithosphérique — s'est développé parallèlement à l'ouverture de l'Atlantique Sud, à partir de la fin du Secondaire. Ce bourrelet sud-africain, qui se poursuit du Zimbabwe à l'Angola sur 3 500 km, en passant par la province du Cap, se termine au-dessus de l'océan Indien et de l'océan Atlantique par une vaste flexure. ■

En Afrique australe, le Grand Escarpement du Drakensberg («montagne du Dragon» en afrikaans), qui culmine à 3 482 m au Thabana-Ntlenyana (Lesotho), présente d'énormes falaises de roches très variées. Au Transvaal (Afrique du Sud), il s'agit d'un puissant abrupt de calcaires dolomitiques, érodés en gigantesques tourelles dominant de quelque 600 m les rivières Blyde et Olifants. ▷

Les crêtes des monts MacDonnell

Les monts MacDonnell, qui s'étirent d'ouest en est sur près de 200 km dans la région d'Alice Springs, en Australie, constituent l'un des exemples les plus significatifs de relief appalachien. Le point culminant de ce chaînon atteint 1 510 m au mont Zeil, près de son extrémité occidentale. Son aspect particulier tient au parallélisme des crêtes (ou barres) créées dans des roches résistantes — principalement quartzites et grès —, et séparées par des dépressions (ou sillons) plus ou moins amples coïncidant avec des roches tendres, tels des schistes.

La structure géologique qui a guidé le travail différentiel de l'érosion est relativement simple. De très vieux sédiments de résistance contrastée, déposés à la fin du Précambrien et au début du Primaire (entre 850 et 400 millions d'années avant notre ère), ont été intensément plissés il y a environ 350 millions d'années (orogenèse d'Alice Springs). Des plis spectaculaires d'orientation ouest-est, puis formant une courbe à leur terminaison occidentale, visible ici en haut de la photo, en ont résulté. Au cours des ères secondaire et tertiaire, l'évolution du relief a finalement abouti à l'élaboration d'une vaste surface d'aplanissement, recoupant indifféremment la structure géologique. À la suite d'un soulèvement tectonique, une reprise de l'érosion verticale a excavé les roches tendres en sillons et respecté les roches résistantes, qui forment les crêtes. Un relief de ce type, résultant de la succession d'un plissement, d'un aplanissement et d'une érosion différentielle, constitue un relief appalachien.

D'abord défini dans les Appalaches, aux États-Unis, ce type de relief est encore mieux représenté dans d'autres secteurs de notre planète. Ainsi, parmi les plus beaux reliefs appalachiens figurent, outre les monts MacDonnell, les monts d'Ougarta, dans le Sahara algérien.

Le caractère désertique du « Centre rouge » australien permet de déchiffrer clairement la structure du squelette rocheux et donne plus de vigueur aux crêtes dénudées. Mais la végétation arbustive et herbacée du bush occupe les dépressions, avec quelques arbres particuliers, dont *Acacia aneura, Eucalyptus papuana* et le pin *callitris*.

On peut voir aussi sur la vue aérienne que certaines vallées suivent les sillons creusés entre les crêtes de roches dures, tandis que d'autres franchissent ces crêtes en gorges appelées *gaps*. Dans ce cas, les rivières ont pu entailler les roches dures grâce à la présence d'une couverture sédimentaire déposée après l'aplanissement des roches anciennes et dans laquelle elles se sont enfoncées d'abord (surimposition); dans d'autres cas, les cours d'eau ont été assez puissants pour entailler les roches dures au fur et à mesure que le sol était soulevé (antécédence). Lorsque les cours d'eau empruntent encore ces gorges, on parle de *water-gaps*, sinon on utilise le terme significatif de *wind-gaps* (percées sèches). ■

△ *Les monts MacDonnell, situés au cœur de l'Australie, dans le désert de Simpson, forment des alignements de crêtes parallèles et rectilignes. Avec le célèbre monolithe d'Ayers Rock et les dômes des monts Olga, ils rompent la monotonie du relief très plat, par leurs roches aux couleurs changeantes et par leurs grands cordons dunaires de sable rouge.*

Les cuestas sont des formes de relief dues à l'érosion différentielle dans une série à faible pendage (inclinaison des couches), où alternent des couches dures (calcaires), mises en relief, et tendres (marnes). La rivière qui coule dans le sens du pendage est dite cataclinale; celle qui suit une direction perpendiculaire est dite orthoclinale. ▽

Les cuestas

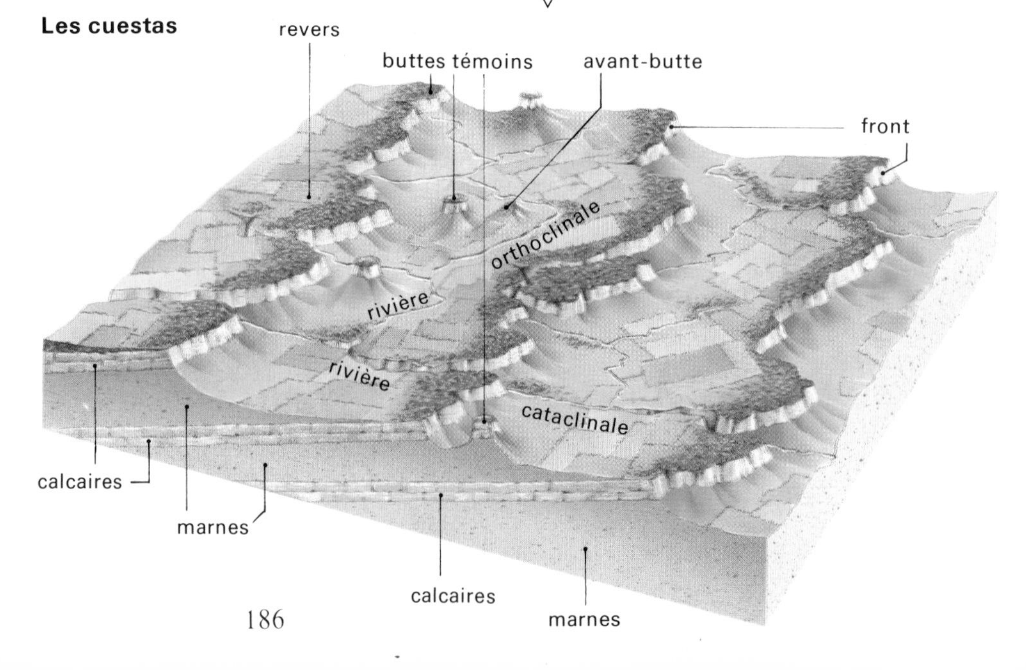

△
Ponctuant la vaste dépression formée par la très célèbre Monument Valley (aux confins de l'Arizona et de l'Utah), d'immenses buttes de grès, hautes de 300 à plus de 600 m, créent l'un des plus extraordinaires phénomènes naturels des États-Unis. Ce paysage grandiose et dramatique, aux couleurs vives et changeantes selon les heures du jour et les saisons, a fourni le décor de quelques grands westerns.

Des roches plus ou moins vulnérables

L'érosion agit différemment selon la nature des roches. Dans des matériaux de résistance contrastée, l'activité des agents d'érosion devient sélective, déblayant plus aisément les roches meubles et laissant en saillie les roches résistantes. C'est l'érosion différentielle.

Dans les terrains sédimentaires où alternent couches dures (calcaires, grès) et couches tendres (marnes ou argiles), les cours d'eau dégagent des corniches de roches résistantes sur les flancs des vallées. En avant de coteaux en structure horizontale, de cuestas en structure inclinée, l'érosion isole des buttes témoins couronnées de roches dures. Lorsque les sédiments ont été plissés, puis nivelés, et enfin soulevés par les mouvements de l'écorce terrestre, l'érosion différentielle reprend son œuvre. Elle excave les roches tendres en sillons parallèles, les roches dures formant des crêtes intermédiaires d'altitude à peu près égale. Ce type de relief est qualifié d'appalachien. L'érosion différentielle peut aussi se manifester entre roches cristallines. Les matériaux massifs, peu fissurés, créent des reliefs énergiques, comme les inselbergs des déserts ou les pains de sucre des forêts tropicales, dominant des roches plus altérables.

La résistance des roches varie selon les climats, qui déterminent les agents d'érosion. Ainsi, un granite n'a pas le même comportement à différentes latitudes. Roche dure en milieu froid, tempéré ou aride, il apparaît très vulnérable à l'altération chimique en région tropicale humide, où il peut être modelé en creux.

Les buttes témoins décharnées de Monument Valley

Les buttes de Monument Valley représentent un exemple remarquable d'érosion différentielle dans des couches sédimentaires presque horizontales et de résistance contrastée. Elles témoignent du recul de la bordure du plateau visible à l'arrière-plan, dont elles constituent des vestiges. Plusieurs dizaines de millions d'années ont été nécessaires à l'érosion pour les isoler.

Le caractère spectaculaire de ces buttes, désignées localement par le terme espagnol de mesa (Mitchell Mesa, Pueblo Mesa, Sentinel Mesa...), tient à la fois à la puissance de la strate supérieure résistante, au fort contraste de nature de sa roche avec celle du talus sous-jacent et au milieu climatique aride, qui leur donne un aspect sculptural. La forme géométrique de chaque butte est déterminée par la superposition d'une épaisse couche sommitale de grès, massif et résistant, formant une corniche aux parois à peu près verticales, et d'une strate inférieure de roches tendres, principalement des marnes, constituant un talus dont la pente atteint une quarantaine de degrés. Une nette rupture de pente s'observe là où les deux couches rocheuses sont en contact. La structure horizontale confère à ces buttes un sommet très plat, tandis que de la corniche gréseuse, à fissures verticales dominantes, se dégagent progressivement des piliers, comme on l'observe sur la butte située au premier plan de la photo. Sur les marnes sous-jacentes, beaucoup plus vulnérables, les débris issus de la fragmentation des corniches s'accumulent, formant un véritable tablier d'éboulis anguleux sur l'ensemble du talus. À son pied, ils s'épaississent, donnant naissance à des cônes plus ou moins coalescents.

Mais c'est aussi au climat aride de la région que les buttes de Monument Valley doivent la pureté de leurs formes. En l'absence de sol, et du fait du caractère très clairsemé de la végétation, les versants dénudés subissent directement les fortes variations thermiques qui sont responsables de la fragmentation des roches (thermoclastie), les débris s'accumulant au pied des parois sous l'action directe de la pesanteur. D'autres déserts offrent des buttes décharnées comparables, aux formes étranges, comme les Chambers Pillar, en Australie (Territoire du Nord), et le Mukorob ou Finger of God, en Namibie. En revanche, si ces formes structurales peuvent exister dans tous les milieux climatiques du globe, elles sont beaucoup moins spectaculaires en milieu humide, où la végétation et la présence d'un sol leur confèrent des profils émoussés, comme ceux des buttes témoins érigées en avant des cuestas lorraines. ■

Habitat troglodytique à Matmata

Une remarquable adaptation à la géologie locale.

Les habitations traditionnelles reflètent souvent la géologie d'une région, les hommes utilisant en priorité les matériaux locaux. Mais, lorsque ceux-ci sont peu aptes à la construction parce que trop tendres et meubles, comme les lœss (limons éoliens) des monts de Matmata ou ceux de la Chine centrale, un habitat troglodytique s'est développé.
À Matmata, dans le Sud tunisien, un paysage très pittoresque d'excavations circulaires trouant le sol des collines limoneuses ocre offre un aspect presque lunaire. Chaque habitation, creusée dans le lœss, s'organise autour d'une cour circulaire sur laquelle s'ouvrent plusieurs pièces voûtées. Une galerie débouchant sur le flanc des collines permet l'accès à cette cour centrale. Des chambres et des réserves à provisions sont excavées à l'étage, et accessibles par des escaliers rudimentaires, voire une simple corde. C'est le charme insolite de cet habitat original que le touriste peut découvrir dans les hôtels installés dans plusieurs demeures troglodytiques de Matmata.

Une dent de granite dans le sud du Yémen

Le travail de l'érosion s'exerce aussi de manière sélective dans les roches de socle. Leur sensibilité plus ou moins grande aux processus érosifs résulte de la présence de blocs rocheux massifs, très défavorables à l'infiltration des eaux pluviales, mais aussi de leur composition minéralogique ou chimique, car leurs éléments peuvent être plus ou moins résistants à l'altération.

Le relief d'Al Khulfan, qui montre une puissante lame de granite précambrien très massif, illustre parfaitement ce phénomène. Les fissures verticales, internes à la roche, y sont fréquemment espacées de plus de 10 m. Peu sensible à l'altération, ce granite robuste offre également peu de prise aux processus mécaniques de l'érosion, en raison de son caractère massif. À l'inverse, les schistes qui l'entourent, bien visibles à gauche de la photographie, mais aussi à l'extrême droite, sont feuilletés et constituent une proie facile pour l'érosion mécanique. La fragmentation des roches sous l'effet des importantes variations diurnes de la température (thermoclastie) y est très efficace. Les débris de petite taille qu'elle produit sont aussi plus facilement transportés sur les versants, notamment par les eaux de ruissellement, lors des rares mais violentes pluies d'été. Des traces de ravinement apparaissent nettement dans ces schistes.

Mais la mise à nu de ces roches de socle est ancienne et suppose une énorme érosion depuis leur formation. Les granites, d'origine magmatique, se consolident, en effet, à plusieurs kilomètres de profondeur dans la croûte terrestre. Leur apparition à la surface révèle donc l'enlèvement d'une épaisseur considérable de roches qui les entouraient. À partir de leur mise à l'affleurement, consécutive à cette très longue période d'érosion, l'érosion sélective entre schistes et granites a pu s'exercer.

Dans ce milieu fortement marqué par l'aridité (environ 50 à 60 mm de précipitations annuelles), situé en bordure du grand désert sableux du Rub' al Khāli, les versants des montagnes sont totalement dénudés. En revanche, dans la large vallée du wadi, un alignement d'acacias (*Acacia tortilis* et *Acacia hamulosa*) souligne le cours actuel. Les crues annuelles, qui se manifestent surtout en juillet-août sous l'influence de la mousson d'été, permettent d'alimenter une nappe phréatique qu'atteignent les profondes racines des acacias (de 20 à 25 m). Elles permettent aussi une irrigation de crue dans les vallées, maîtrisée au Yémen depuis trois mille cinq cents ans, comme en témoignent les nombreux vestiges d'anciens terroirs irrigués et de ruines antiques, que l'on trouve à Ma'rib, Timna, Hagar Ibn Humayd... ■

◁ *Le vigoureux pointement granitique d'Al Khulfan (1 525 m), situé au sud de Bayhan al Qasab (sud du Yémen), émerge en véritable dent rocheuse au sein de schistes vulnérables. Il domine de près de 300 m la vallée du wadi Bayhān, visible au premier plan.*

PETIT À PETIT...

L'accumulation des sédiments

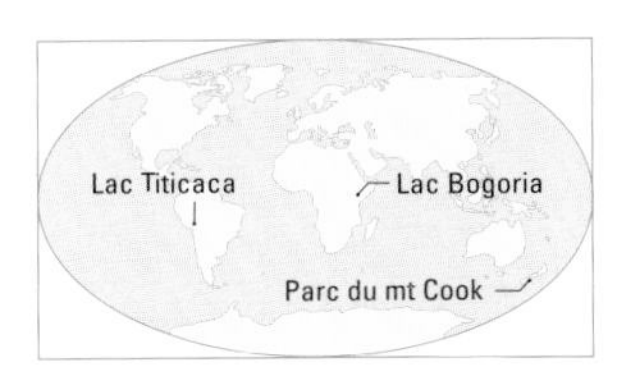

L'érosion mécanique et chimique par les agents atmosphériques détruit inlassablement les chaînes de montagnes dès le début de leur soulèvement. Les substances minérales ainsi libérées et les produits de la vie (os, coquilles, matières organiques) parviennent aux océans sous forme solide ou dissous dans l'eau des fleuves. Au cours de ce trajet, ces éléments restent en partie prisonniers des terres émergées et s'accumulent en épaisses couches sédimentaires dans les pièges des bassins continentaux.

△
Le lac Titicaca, à la frontière du Pérou et de la Bolivie, constitue le plus grand plan d'eau de l'Altiplano andin. Les sédiments qui tapissent le fond du lac enregistrent les grandes modifications climatiques du Quaternaire ; ils conservent l'abondante matière organique produite par les végétaux de ses rives, mais surtout par les myriades d'algues microscopiques (diatomées) qui y prolifèrent.

Le lac Titicaca, un bassin sédimentaire fermé

Perché à 3 812 m d'altitude, au cœur des Andes, et partagé entre la Bolivie et le Pérou, le lac Titicaca est le plus vaste plan d'eau de l'Altiplano, avec une superficie de 8 500 km², une longueur de 180 km et une largeur de 50 à 60 km, pour une profondeur maximale de 285 m. Il s'agit d'une fosse tectonique du Quaternaire, en partie comblée par l'érosion des cordillères qui la dominent. Les eaux bleu sombre reflètent parfois le sommet toujours enneigé de l'Ancohuma (7 014 m).

Ce lieu privilégié dans l'austère région andine a vu se développer du VIe siècle avant J.-C. au XIIIe s. après J.-C. une brillante civilisation dont l'apogée (600-1000 après J.-C.) nous a laissé le site mondialement connu de Tiahuanaco (ou Tiwanaku), avec la célèbre porte du Soleil et de fantastiques sculptures mégalithiques anthropomorphes, parfois comparées à des figurations de pilotes de vaisseaux extraterrestres par des auteurs sans doute plus imaginatifs que scrupuleux.

Les premières données scientifiques fournies par le zoologiste Alcide Dessalines d'Orbigny au XIXe siècle sur cette région ont été complétées par l'explorateur français François Neveu-Lemair au tout début de ce siècle. Il a réalisé la première carte des fonds de ce lac, et décrit les salars de l'Altiplano bolivien.

La cuvette lacustre proprement dite comporte deux parties : le grand lac, avec les îles de la Lune et du Soleil — cette dernière abrite les ruines d'un temple qui lui a donné son nom —, et le petit lac, ou lac Huiñaimarca, séparé par le détroit de Tiquina, d'une largeur de 800 m. Le fond des baies est encombré d'une variété de roseau, la *totora*, dont les riverains font des embarcations en utilisant une technique ancestrale. Le bassin versant du lac Titicaca, dont la plus grande partie est péruvienne, est composé de dépôts morainiques à base de formation volcanique. Il est drainé par les ríos Ilave, Coata, Ramis et Huancané, qui déposent ce matériel à leurs embouchures, où il représente plus de 70 % du sédiment. Les dépôts détritiques occupent aussi les zones les plus profondes du grand lac. Il s'agit de galets, de sables et de vases constituées de minéraux argileux hérités du broyage des roches volcaniques par les glaciers. Des zones plus calmes montrent des dépôts où abondent coquilles carbonatées et débris d'algues calcaires. Les baies à *totora* sont occupées par une boue composée de plus de 50 % de matière organique d'origine végétale.

Dans le petit lac, plus abrité, apparaissent des sédiments enrichis en matières organiques d'origine planctonique : ce sont des vases sombres, gélatineuses, à forte odeur d'hydrogène sulfuré, véritable modèle réduit de gisement d'hydrocarbures en formation.

Des carottages réalisés sur le fond du lac ont permis aux sédimentologues de reconstituer la chronologie des événements géologiques et climatiques qui ont affecté la région durant le Quaternaire. ■

Sédimentation glaciaire dans le parc national du mont Cook

En Nouvelle-Zélande, l'île du Sud est traversée par une chaîne alpine orientée nord-est-sud-ouest, et issue de la subduction de la plaque pacifique sous la plaque australienne. Autour du mont Cook, point culminant de la chaîne (3 764 m), dans le parc national auquel il a donné son nom, s'ordonne un merveilleux paysage glaciaire, couronné par la longue coulée étroite du glacier Tasman. C'est le glacier le plus volumineux du monde (si l'on excepte les régions polaires), avec 28 km de long et jusqu'à 3 km de large. Les eaux de fonte du glacier transportant le matériel morainique s'écoulent dans la vallée de Tasman en un chevelu inextricable de réseaux hydrographiques, bien visibles ici.

Les Alpes néo-zélandaises, qui abritent nombre de glaciers, forment une barrière naturelle entre deux mondes totalement différents. L'Ouest, livré aux vents humides provenant de la mer de Tasman, montre une forêt dense, frein naturel de l'érosion. L'Est, au contraire, désolé, presque stérile, est une source importante de matériaux pour la sédimentation : c'est la plaine de Mackenzie, ainsi nommée car, en 1855, ce personnage y vola un troupeau de mille moutons. Les ovins sont en effet, avec les oiseaux et des renoncules géantes, les seuls habitants de cette austère contrée !

C'est là que se développe le grand glacier de Tasman, dont la glace profonde fond sous l'effet des très fortes pressions et glisse vers l'aval, déformant l'énorme masse qui pèse sur elle. Cette eau de fonte jaillissante est chargée d'éclats de roche libérés par la croissance des cristaux de glace dans les fractures de la pierre. Elle abrase, concasse, fissure la base du glacier avec un bruit assourdissant. Ces débris de toutes tailles, formant la moraine de fond, reflètent toute la gamme des formations géologiques de la montagne. Parfois, un bloc est pris dans un tourbillon colossal et creuse une « marmite de géant » dans la roche. Au front du glacier s'accumule un bourrelet morainique de plus de 40 m d'épaisseur ; il plonge vers l'océan Pacifique, où il est repris par la houle et les courants qui balayent sa frange.

△
Dans le parc national du mont Cook (île du Sud, Nouvelle-Zélande), les dépôts morainiques emplissent les vallées glaciaires. On voit ici les eaux de la fonte du glacier Tasman former un chevelu de réseaux hydrographiques enchevêtrés qui reprennent ce matériel pour l'entraîner vers d'autres bassins de sédimentation.

L'est de la chaîne montre aussi de grands lacs formés par le remplissage de vallées en auge barrées, il y a dix-sept mille ans, par les moraines d'alors. Des sédiments finement alternés (sables clairs en été, argiles sombres en hiver) s'y déposent. Ces feuillets sédimentaires, appelés varves, sont de fidèles enregistreurs des saisons et fournissent aussi de précieux repères chronologiques. Conservés dans les couches anciennes, ces sédiments permettent de reconstituer des environnements glaciaires anciens, jusqu'à l'ère primaire. ■

Des dépôts originaux dans le lac Bogoria

Par la grandeur de leurs paysages, les vallées du rift est-africain, au Kenya, constituent sans doute l'une des plus belles régions de toute l'Afrique. Volcans, réserves d'animaux et lacs ont entraîné un développement considérable du tourisme. Du nord au sud, les lacs jalonnent le pays : lacs Baringo, Bogoria, Nakuru, Magadi...

Au sud du lac Baringo, le lac Bogoria attire les touristes par une concentration exceptionnelle de flamants roses, d'oies égyptiennes et de marabouts. Mais cette petite étendue d'eau bleue, dominée par de hautes falaises, présente une autre particularité. On peut en effet observer sur ses rives des dépôts sédimentaires souvent concentriques : des stromatolites. Ce sont en réalité des dépôts à la fois minéraux et biologiques, qui comptent parmi les plus anciens témoins de la vie sur terre. Ceux des dépôts lacustres des rifts continentaux d'Afrique, et aussi d'Europe, sont les plus caractéristiques et, en outre, d'excellents informateurs sur les milieux naturels du Tertiaire et du Quaternaire.

Les stromatolites se rencontrent dans des milieux divers : plates-formes récifales comme celle de la baie des Requins, en Australie, ou eaux chaudes volcaniques des geysers du parc de Yellowstone, aux États-Unis. Ils sont formés par des colonies de micro-organismes (algues, bactéries photosynthétiques) dont la respiration influe sur la teneur en gaz carbonique dissous dans l'eau de leur environnement immédiat. Cette modification entraîne, le jour, la précipitation de cristaux très fins de carbonate de calcium; la nuit ne se déposent que de petites particules détritiques en suspension dans l'eau. C'est ce qui confère aux stromatolites une structure finement laminée.

Les stromatolites du lac Bogoria (Kenya), lac du rift est-africain, se développent ici à proximité d'une source hydrothermale. À la fois dépôts minéraux et biologiques, ils sont caractéristiques de la sédimentation des lacs de fossé d'effondrement tectonique dans les systèmes de rift continentaux. ▽

Les stromatolites des lacs du rift est-africain comme le lac Tanganyika et le lac Bogoria s'épanouissent à la fin du Tertiaire et au Quaternaire. Ceux du lac Bogoria forment, dans la partie haute du bassin, des roches calcaires, les travertins, dépôts de sources anciennes, et aussi des encroûtements hydrothermaux au niveau des sources chaudes, comme celle qu'on distingue très nettement à l'arrière-plan de la photo. Ces sources sont actuellement actives sur la rive ouest. D'autres concrétions forment une double ceinture de stromatolites, témoins des anciens niveaux du lac. Leur datation permet d'étudier les variations de ces niveaux, et par conséquent du climat, au Quaternaire. On sait ainsi que la région du lac Bogoria a connu un climat plus humide il y a environ douze mille ans.

Des stromatolites sont aussi présents dans d'autres endroits de la planète : par exemple dans les lacs andins de Bolivie et du Chili, parfois associés à des sources hydrothermales; dans l'ouest de la France ou en Limagne, où ils constituent les calcaires en choux-fleurs des anciens géologues; mais les plus beaux sont ceux des calcaires d'Atar, en Mauritanie, datant du Précambrien, qui ont l'aspect de cônes emboîtés de plusieurs centimètres de diamètre. ■

Voyage et dépôt des matériaux

Les chaînes de montagnes constituent les plus importants fournisseurs de sédiments. Elles sont réparties différemment à travers les continents. L'Europe est articulée autour d'un centre alpin, énorme pourvoyeur de matériaux qui seront drainés par les grands fleuves vers la Méditerranée ou l'Atlantique. Mais, avant d'atteindre la mer, ils auront comblé de plusieurs milliers de mètres de sédiments les bassins qui s'enfoncent lentement au pied des montagnes, comme la plaine du Pô. Le monde asiatique se trouve dans une situation analogue, avec l'Oural ou l'Himālaya. Les Amériques ont leurs cordillères principales à l'ouest, et le Mississippi et l'Amazone les traversent en déposant une partie de leurs matériaux dans les grandes plaines, avant de parvenir à l'Atlantique. En Afrique, les massifs montagneux se trouvent souvent en périphérie du continent, et les fleuves issus des régions pluvieuses d'altitude (Zaïre, Niger) ont des tracés en boucle qui traversent de vastes régions continentales. Ils y déposent la majeure partie de leurs sédiments, créant de véritables deltas intérieurs (Niger). Le Logone et le Chari viennent même mourir dans le lac Tchad, où se dépose la totalité de leur charge : particules minérales et dépôts de sels après évaporation (évaporites).

Dans les milieux arides, c'est le vent qui joue ce rôle d'agent d'érosion et de dépôt dans les ergs de dunes vives. Après enfouissement, les sables et vases lacustres deviendront respectivement des grès et des couches argileuses. Les pollens, empreintes de feuilles ou squelettes massifs de dinosaures que conservent ces roches témoignent des climats du passé.

Un sédiment fertile, le lœss

Le lœss est un dépôt éolien fin dont les particules (de quelques micromètres) sont des fragments acérés de minéraux fracturés au cours de l'érosion glaciaire, et arrachés par le vent aux moraines. Essentiellement connu au Quaternaire dans l'hémisphère Nord (Europe du Nord, Amérique du Nord et surtout Chine), ce sédiment peut atteindre des épaisseurs de plus de 200 m. Il livre parfois des fossiles de grands animaux (éléphants, bœufs, chevaux, gazelles, félins) ou des restes humains (homme de Lantian, daté de 750 000 à 850 000 ans). Très sensibles à l'érosion, les paysages du lœss apparaissent entaillés de falaises hautes de plusieurs dizaines de mètres.

D'une exceptionnelle fertilité, ces régions sont cultivées depuis le Néolithique. Selon l'altitude, blé, sorgho, coton ou arbres fruitiers y sont produits. Les hommes ont dû modeler les paysages par un système de champs en terrasses pour lutter contre le ravinement.

Une communauté agricole installée sur les sols riches et fragiles des lœss du Shaanxi (Chine).

TRÉSORS ENFOUIS

Roches et matières premières : les minerais

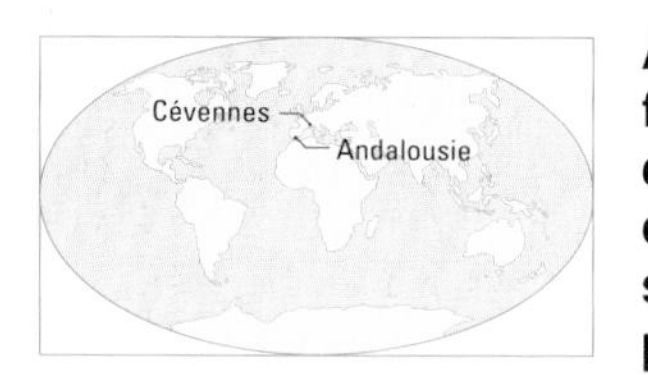

Au-delà des friches industrielles, des terrils, des puits abandonnés, des villes minières fantômes, des vestiges d'une importante industrie extractive, les minerais restent à la base de l'économie moderne. Même le charbon, contrairement à certaines idées reçues, est produit en quantité croissante : il couvre 31 % des besoins mondiaux en énergie, et ses réserves sont considérables (deux cent cinquante ans, contre quelques dizaines d'années seulement pour le pétrole).

Le bassin d'Alès : une vieille région minière

Sur la bordure est du Massif central, deux immenses carrières, dont celle que nous voyons ici, montrent le visage moderne du charbon des Cévennes. D'Alès vers le nord, tout au long d'un fossé rempli de schistes, de grès et de couches de houille, la région est façonnée par les anciennes mines. L'exploitation a commencé en 1230, mais l'essor de la production date du chemin de fer (1840) et de la nationalisation des mines (1944) : en 1958, près de 20 000 mineurs extrayaient 3 300 000 t ; aujourd'hui, 500 000 t sont produites par 154 mineurs.

Chaque village avait autrefois son puits de mine (le dernier a fermé en 1987), chaque vallée ses terrils, son lavoir, tout un entrelacs de voies ferrées, et les constructions massives des ateliers, des cités ouvrières, des immenses écoles aujourd'hui désertées... Pour le boisage des travaux, les coteaux ont été plantés de résineux. Dessous, un réseau de galeries atteignant 1 000 m de profondeur parcourait tout le bassin. De ce gruyère ne restent en surface que quelques sources taries et les fissures qui accompagnent l'effondrement du sous-sol. De trop grands villages pour quelques retraités et les ruines des bâtiments industriels sont les derniers vestiges d'une époque où l'extraction du charbon était à son apogée. ■

◁ *La carrière de Mercoiral est l'une des deux dernières exploitations de charbon du bassin des Cévennes ; elle était auparavant entièrement souterraine. De très gros engins (camions de 185 t) décapent les couches de grès et de schistes pour dégager les veines de charbon, exploitées plus sélectivement (premier plan). Pour extraire 1 t de charbon, il faut avoir déblayé 18 t de roches.*

Dans la région de Linares, à une centaine de kilomètres de Grenade (Andalousie), la partie supérieure d'une galerie de mine montre le contenu d'une fissure d'environ 60 cm, dans les schistes et les grès de la fin de l'ère primaire (Carbonifère). Le remplissage est fait de rubans successifs déposés par les eaux qui circulaient dans la fracture : galène (métallique, éclat bleuté), puis sidérite (brune), puis, après une nouvelle pellicule de galène, barytine (blanche). ▷

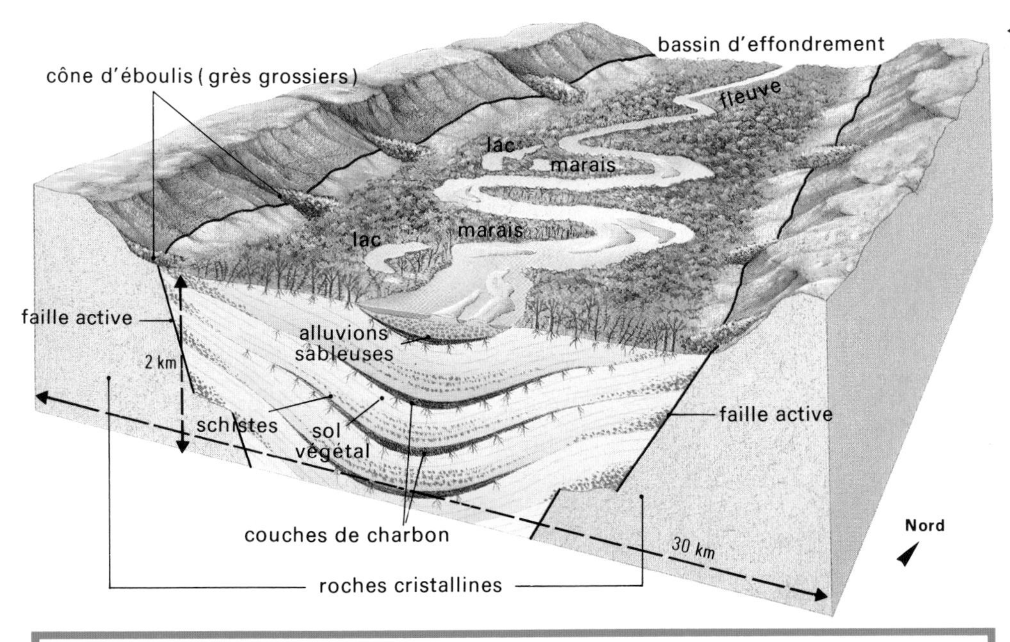

◁ *Le charbon apparaît au sein d'une série sédimentaire déposée vers la fin de l'ère primaire (Carbonifère, il y a environ 300 millions d'années) par un fleuve (lit vif, plaine d'inondation et marécages), et accumulée dans un bassin d'effondrement actif. L'épaisseur des dépôts peut dépasser 5 km, le nombre des couches de charbon, 120. Chaque couche comprend, de la base au sommet : le sol végétal, avec racines, puis une couche de charbon (formée par les débris végétaux déplacés par la crue du fleuve), puis les schistes déposés sur la plaine d'inondation, puis les alluvions sableuses du système fluviatile.*

La Ruhr reverdit

Il y a quelques décennies, la Ruhr produisait 80 % du charbon de la RFA. Aujourd'hui, la plus grande concentration industrielle d'Europe a bien changé de physionomie. Les mines ont fermé les unes après les autres. Certaines ont été aménagées pour accueillir les touristes, qui peuvent déambuler dans des galeries à 800 m sous terre. La nature tente de faire oublier les vestiges d'un siècle d'extraction minière. Mousses et lichens ont pris possession des schistes houillers. Joncs, genêts, bouleaux, lilas sont venus égayer les terrains occupés par les hauts-fourneaux désaffectés. La Ruhr compte désormais 3 167 jardins publics et, dans les 11 grandes villes de la région, les espaces verts couvrent 43,4 % de la superficie.

Le nouveau visage de la Ruhr.

Des métaux sous les oliviers

Non loin de Linares, en Andalousie, dans un paysage de collines douces, les enfilades d'oliviers captent le regard : oliviers en quinconce sur un sol maigre, lisse, net. Monotonie juste interrompue par la cheminée effondrée d'une vieille fonderie, puis par les poutrelles d'un ancien puits de mine ou la masse pierreuse d'anciens déblais.

Sous les oliveraies, dans les fractures des grès ou des schistes, se cache une énorme quantité de plomb et d'argent, fortune de toute la région au XIXe siècle (5 500 000 t de plomb et 2 200 t d'argent ont été extraites). Le sulfure de plomb, la galène, à l'éclat bleuté bien visible ici, apparaît dans des filons étroits, avec un carbonate de fer, la sidérite, et un sulfate de baryum, la barytine.

Ce sont des circulations souterraines d'eaux chaudes, chargées en métaux et issues d'un grand bassin sédimentaire, qui, remontant vers sa bordure et se refroidissant, ont incrusté de dépôts métallifères les fissures des vieilles roches du grand plateau hercynien de la Meseta. ■

La formation des minerais

Les minerais sont exploités comme source d'énergie (charbon, pétrole, uranium), pour les métaux qu'ils contiennent (fer, plomb, cuivre...) ou directement comme produits industriels (barytine pour les boues de forage, sel gemme, diamant, feldspaths pour la céramique...).

Parmi les substances sources d'énergie, le charbon tient une place particulièrement importante. Il apparaît lorsque plusieurs paramètres sont conjugués :

- une couverture végétale spectaculaire, condition réalisée à la fin du Primaire (Carbonifère), avec fougères arborescentes de plus de 10 m, prêles de 30 m, arbres de 40 m, proliférant dans des marécages ;
- la destruction épisodique de la forêt, lors de crues qui rassemblent les débris végétaux en couches ;
- une sédimentation épaisse, qui enfouit les fragments de bois et les protège de l'oxydation et de la dégradation par les organismes microscopiques ;
- l'accumulation de grandes épaisseurs de sédiments (jusqu'à 10 km), accompagnée d'une augmentation de la température : les chaînes organiques sont alors fragmentées, des produits volatils se dégagent (le méthane du grisou), la teneur en carbone, donc la capacité calorifique du charbon, augmente.

Ces conditions sont celles des fossés tectoniques, limités par des failles et formés par des mouvements de plaques : l'effondrement local de la croûte continentale crée des dépressions avec marécages, comblées par une sédimentation rapide.

Ces caractères étaient réunis à la fin du Carbonifère en Europe occidentale et dans l'est des États-Unis, où se sont concentrées d'immenses quantités de charbon.

D'autres minerais ont des origines différentes. Certains se forment lors de la cristallisation de roches magmatiques (chrome), ou peu après leur cristallisation (étain et tungstène des coupoles granitiques). Quelques-uns (cuivre, plomb, zinc, barytine...) sont déposés par les fluides hydrothermaux : eaux réchauffées en profondeur ou par le volcanisme, qui dissolvent les métaux puis les déposent en remontant vers la surface, ou à leur émergence au fond de la mer. D'autres enfin se forment dans les sols (fer et aluminium enrichis dans les latérites) ou dans les sédiments (phosphates, oxydes de fer, de manganèse sédimentaires).

GENÈSE ET ÉVOLUTION DES SOLS

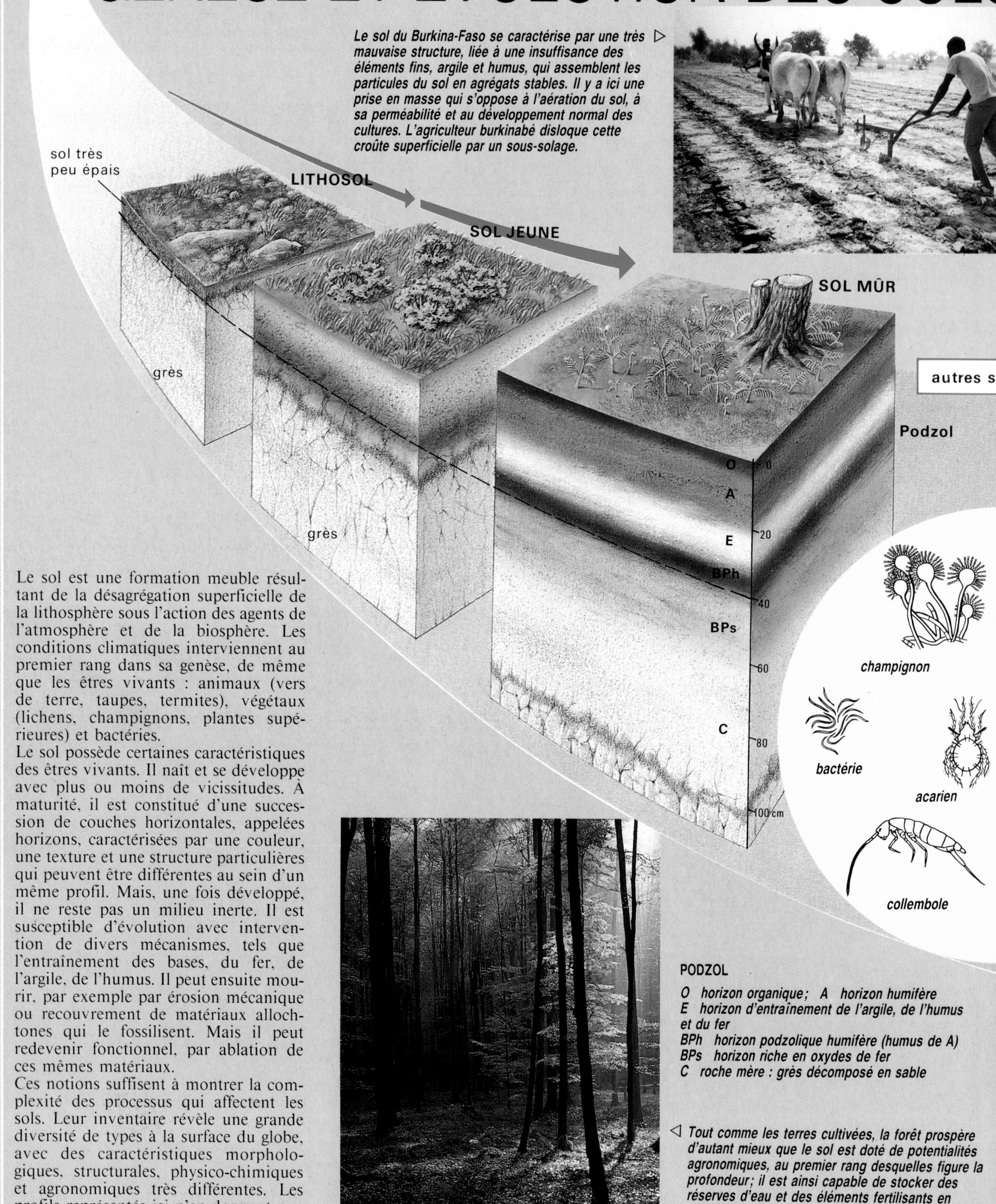

Le sol du Burkina-Faso se caractérise par une très mauvaise structure, liée à une insuffisance des éléments fins, argile et humus, qui assemblent les particules du sol en agrégats stables. Il y a ici une prise en masse qui s'oppose à l'aération du sol, à sa perméabilité et au développement normal des cultures. L'agriculteur burkinabé disloque cette croûte superficielle par un sous-solage. ▷

Le sol est une formation meuble résultant de la désagrégation superficielle de la lithosphère sous l'action des agents de l'atmosphère et de la biosphère. Les conditions climatiques interviennent au premier rang dans sa genèse, de même que les êtres vivants : animaux (vers de terre, taupes, termites), végétaux (lichens, champignons, plantes supérieures) et bactéries.

Le sol possède certaines caractéristiques des êtres vivants. Il naît et se développe avec plus ou moins de vicissitudes. À maturité, il est constitué d'une succession de couches horizontales, appelées horizons, caractérisées par une couleur, une texture et une structure particulières qui peuvent être différentes au sein d'un même profil. Mais, une fois développé, il ne reste pas un milieu inerte. Il est susceptible d'évolution avec intervention de divers mécanismes, tels que l'entraînement des bases, du fer, de l'argile, de l'humus. Il peut ensuite mourir, par exemple par érosion mécanique ou recouvrement de matériaux allochtones qui le fossilisent. Mais il peut redevenir fonctionnel, par ablation de ces mêmes matériaux.

Ces notions suffisent à montrer la complexité des processus qui affectent les sols. Leur inventaire révèle une grande diversité de types à la surface du globe, avec des caractéristiques morphologiques, structurales, physico-chimiques et agronomiques très différentes. Les profils représentés ici n'en donnent que quelques exemples, néanmoins très importants à l'échelle mondiale.

PODZOL

O horizon organique; A horizon humifère
E horizon d'entraînement de l'argile, de l'humus et du fer
BPh horizon podzolique humifère (humus de A)
BPs horizon riche en oxydes de fer
C roche mère : grès décomposé en sable

◁ *Tout comme les terres cultivées, la forêt prospère d'autant mieux que le sol est doté de potentialités agronomiques, au premier rang desquelles figure la profondeur; il est ainsi capable de stocker des réserves d'eau et des éléments fertilisants en quantités suffisantes. C'est le cas du sol du site de Soignes (sud-est de Bruxelles), où se développe une belle forêt de hêtres qui s'étend sur plus de 4 000 ha.*

À l'opposé du sol mal structuré du Burkina-Faso, voici ▷ un sol de l'ouest des États-Unis cultivé en colza. Plusieurs paramètres se conjuguent pour lui assurer une bonne productivité : profondeur, structure satisfaisante, absence d'engorgement, niveau chimique correct. De plus, la grande dimension de la parcelle facilite les divers travaux culturaux : labour, épandage des engrais, traitements antiparasitaires, récolte.

SOL BRUN

A horizon humifère
S horizon non calcaire
C roche mère : alluvions

TCHERNOZIOM

A horizon humifère
S horizon avec concentration des carbonates
C roche mère : marnes

ANDOSOL

Aa horizon contenant des substances amorphes
C roche mère : cendres volcaniques

SOL SALÉ

A horizon humifère très mince ou absent
E horizon d'entraînement
BT horizon enrichi en argile (de A et E)
C roche mère : marnes

SOL LESSIVÉ

A horizon humifère
E horizon d'entraînement ou lessivé
BT horizon riche en argile
C roche mère : limon

SOL FERRALLITIQUE

E horizon d'entraînement de l'argile et des bases (calcium, magnésium, sodium)
FE horizon riche en oxydes de fer et d'aluminium
C roche mère décomposée : granite ou gneiss

LA MER

DES RIVAGES AUX ABYSSES

Le précontinent

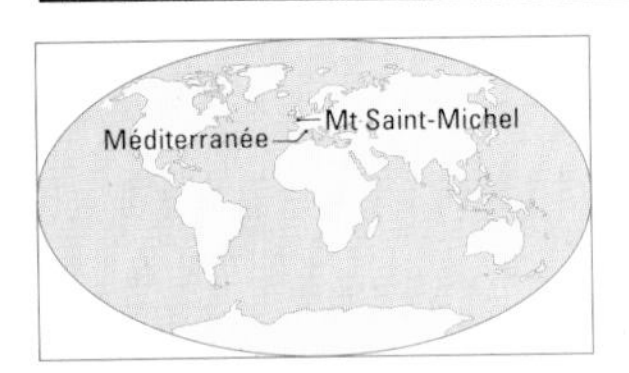

Transition entre deux mondes apparemment opposés, les domaines continental et marin, le précontinent est le lieu où la vie a pris naissance avant de conquérir les reliefs émergés et les fonds abyssaux. Les apports solides et chimiques provenant de la terre et de la mer s'y mélangent. Ces fragiles équilibres qui font la richesse de sa diversité biologique le rendent vulnérable aux pollutions provoquées par le développement urbain des régions littorales.

△
L'îlot du Mont-Saint-Michel apparaît à marée basse au-dessus des sédiments de la plate-forme continentale, entaillés ici par le lit d'un chenal de marée.

Les sables du Mont-Saint-Michel

Le Mont-Saint-Michel, célèbre pour son abbaye clunisienne perchée sur un îlot granitique dominant la mer, est aussi connu pour l'ampleur des marnages de sa baie. La légende raconte que son insularité remonte à une marée catastrophique de 709 qui engloutit la forêt de Scissy, entourant alors le mont.

Au niveau de la rivière du Couesnon, frontière mythique entre Normandie et Bretagne, l'eau peut se retirer sur une distance de plus de 15 km. Cette région permet donc d'arpenter les sédiments actuels à des endroits où la profondeur atteint 17 m aux marées hautes d'équinoxe.

L'étrange voyage sur la plate-forme continentale commence, à partir de la côte, à la hauteur de la petite chapelle Sainte-Anne. Elle se dresse sur une digue du Moyen Âge établie sur un cordon littoral, amoncellement de coquillages qui cerne tout le fond de la baie. On traverse alors le tapis végétal de l'herbu, où les moutons de prés salés se gavent de savoureuses plantes halophiles comme les spartines et les salicornes. Ensuite, les seuls repères qui demeurent sont des piquets de bois plantés par les éleveurs de moules. Les pas s'enfoncent dans la « tangue », vase en couches très fines capable de conserver l'empreinte des pattes d'oiseaux. Association de très petits débris de coquilles et de grains de quartz mêlés de paillettes de mica noir, ces sédiments sont déposés par les courants venus du large. Gorgés d'eau à plus de 60 %, ils deviennent les redoutables sables mouvants. À la limite des basses mers, s'élève au-dessus de la vase le récif aux hermelles, ces petits vers annélides qui s'accumulent jusqu'à former d'importantes masses solides.

En avançant sur l'estran, à marée descendante, lorsque le brouillard masque la côte et la mer mais que le vent provoque de larges échancrures dans la couverture nuageuse, le paysage devient celui d'une planète inconnue. L'océan, sans eau pour quelques heures, est parcouru de vagues immobiles de sables roux hautes de plusieurs mètres, entre lesquelles le désert gris argent, ruisselant de vie, peut saisir l'imprudent en le livrant à l'arrivée inexorable de la prochaine marée. ■

La plate-forme continentale reçoit les apports sédimentaires des fleuves au niveau de leur delta. Ce matériel, repris par les courants côtiers, est canalisé par les canyons sous-marins qui entaillent le talus, puis est déposé au pied de la pente sous forme de gigantesques éventails sous-marins.
▽

Delta sous-marin

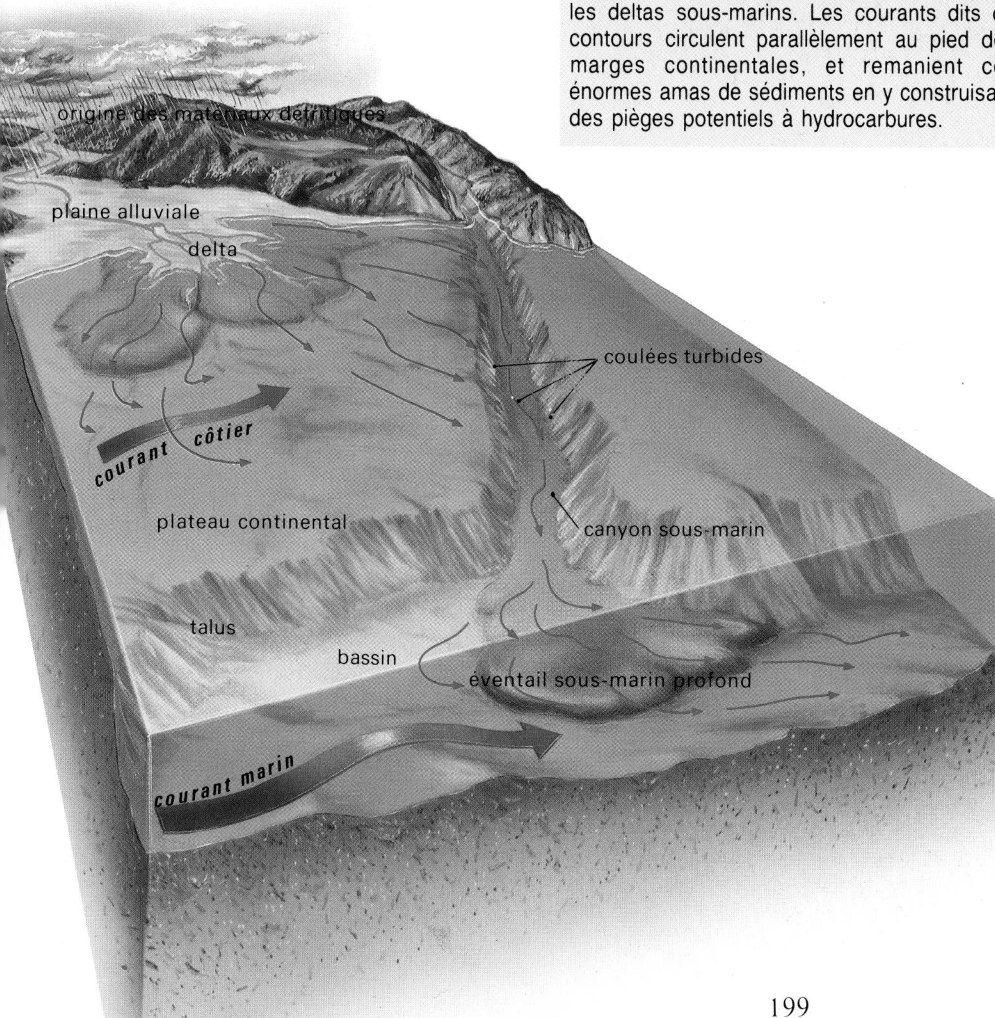

En marge du continent

Le précontinent est le témoin de grands événements géologiques comme l'érosion des chaînes de montagnes ou les variations du niveau de la mer. Cette marge continentale possède, dans sa structure profonde, le souvenir de la période de rift qui a donné naissance à l'océan qu'elle borde (marge passive). Cet ensemble se divise en trois régions de profondeurs différentes : le *plateau*, ou plate-forme continentale, est le prolongement en mer, jusqu'à une profondeur de 100 à 250 m, des reliefs côtiers émergés. Sa pente est très faible (inférieure en moyenne à 1°) et sa largeur varie de 1 km à plusieurs milliers de kilomètres selon les régions du globe. Elle reçoit les matériaux arrachés par l'érosion et transportés par les fleuves. Ces matériaux y sont triés et redistribués par les courants côtiers et, à l'échelle géologique, par les variations du niveau marin. C'est un milieu où la vie est intense, la lumière solaire permettant la photosynthèse jusqu'à plusieurs dizaines de mètres de fond. Le *talus*, lui, atteint des profondeurs de 2 000 à 4 000 m. Il commence à la rupture de pente avec le plateau et sa déclivité est de l'ordre de 5 à 10°. Il est parfois profondément entaillé par des canyons sous-marins dont l'origine remonte à d'anciennes vallées fluviatiles, à une époque où le niveau de la mer était plus bas, ou à des cassures par des failles. Le *glacis*, enfin, au pied du talus, se caractérise par l'accumulation des particules sédimentaires, canalisées par les canyons pour former les deltas sous-marins. Les courants dits de contours circulent parallèlement au pied des marges continentales, et remanient ces énormes amas de sédiments en y construisant des pièges potentiels à hydrocarbures.

Gisements de pétrole offshore

Plate-forme de forage pétrolier offshore du nord du golfe du Mexique.

La région du golfe du Mexique appartenant aux États-Unis est la plus importante province pétrolière américaine. Elle a produit jusqu'à nos jours 31 % du pétrole et 48 % du gaz du pays. Cette richesse est liée à la géologie de la plate-forme continentale, depuis l'apparition des bassins qui se sont ouverts à l'ère secondaire, en relation avec la formation de l'océan Atlantique. Les premières couches déposées sont composées en grande partie de roches salines. Elles se sont déformées en dômes qui constituent des pièges pour les hydrocarbures produits dans les niveaux carbonatés et sableux qui les ont recouvertes. Le Mississippi y déverse, par son immense delta, les sédiments libérés par l'érosion continentale. On estime entre 2 et 6 km l'épaisseur de ces sédiments accumulés depuis une vingtaine de millions d'années. Dans ces conditions, la matière organique se trouve rapidement enfouie dans un milieu pauvre en oxygène et peut se transformer en pétrole ou en gaz qui circulent entre les grains de sable non cimentés jusqu'aux pièges structuraux.

Le premier indice de bitume a été découvert sur la côte dès 1859 et le premier puits foré en 1899. Mais les gisements terrestres s'épuisant rapidement, l'exploration pétrolière s'est tournée naturellement vers le rivage, puis vers la mer (offshore). Le nord du golfe du Mexique représente actuellement des réserves de 1,26 milliard de tonnes de pétrole et 2 900 gigamètres cubes de gaz, exploitées par des plates-formes réparties en 500 champs de production sur plus de 300 000 km^2.

Avalanches sous-marines

À la suite d'un séisme, ou sous l'effet de la surcharge de poids provoquée par la sédimentation continue, les dépôts du bord externe de la plate-forme continentale ou du sommet des falaises bordant les canyons sous-marins glissent parfois brusquement, provoquant une faille dite de décollement. Une partie de ces couches de sédiments, encore gorgés d'eau, suit la pente par gravité jusqu'à une surface horizontale. Les sédiments s'y accumulent, déformés par de petits plissements que l'on retrouvera intercalés entre les couches géologiques planes, comme on le voit sur la photo (ci-contre, en haut). Les éléments les plus superficiels sont remis en suspension et forment un « nuage » d'eau de mer chargé de particules qui s'écoule vers la plaine abyssale. Ces particules finissent par se déposer selon leur taille, en commençant par les plus denses, pour former les lobes des éventails sous-marins. C'est ce que reproduit en laboratoire l'expérience que l'on voit en photo (ci-contre, en bas). Dans ce type d'expérience, les sédiments sont représentés par des microbilles de silice de différentes tailles.

La photo du haut, prise dans les Alpes du Sud, montre une série de plissements, entre deux couches géologiques horizontales, correspondant à un glissement de terrain sous-marin.

Modélisation en laboratoire d'une avalanche sous-marine. ▷

Les prairies du précontinent

Bien qu'essentiellement subaquatiques, les posidonies ne sont pas des algues mais des plantes supérieures marines, comme les zostères et les cymodocées, qui vivent dans une zone privilégiée du plateau continental, le domaine infralittoral, toujours immergé mais accessible à la lumière solaire. Elles constituent, en Méditerranée (comme sur la photo) et près des rivages australiens, de grands herbiers, véritables pâturages et réserves de chasse pour les poissons. Dans l'Atlantique, un rôle identique est joué par de vraies algues : les grandes laminaires et les fucus.

Le milieu marin présente deux grands types d'association de végétaux et d'animaux correspondant soit au peuplement du fond qui colonise la surface du sédiment (le milieu benthique), soit aux premiers mètres d'eau libre (le milieu pélagique). Certains animaux ont un mode de vie pélagique au stade de larve, avant de se fixer sur le fond. C'est le cas des huîtres, par exemple. D'autres passeront toute leur vie en pleine eau, comme les micro-organismes qui constituent le plancton et leurs prédateurs. Les sédiments qui se forment sur le plateau continental vont enregistrer la présence de ces deux grandes associations d'organismes. Leur répartition va aussi dépendre de la dynamique marine, de la qualité des eaux et du climat. Ainsi, les coraux ont besoin d'une eau agitée, pour être bien oxygénée, chaude de 18 à 36 °C et parfaitement limpide. Dans les régions froides et riches en matières nutritives venues du continent sous forme dissoute, ce sont de microscopiques algues siliceuses unicellulaires, les diatomées, qui dominent la sédimentation.

À la fin de l'ère secondaire, la mer envahissait une grande partie de l'Europe pour constituer un immense plateau continental. Un climat tropical, une abondance de matières nutritives permettaient aux organismes planctoniques — et en particulier à de petites algues unicellulaires fabriquant une carapace calcaire — de s'accumuler sur des épaisseurs importantes. Leurs carapaces, associées à d'autres coquilles de micro-organismes, forment la craie des falaises normandes.

Les animaux et les végétaux signalent leur présence dans les sédiments du domaine de la plate-forme continentale de trois façons : par leur squelette fixé (comme les coraux), leur carapace ou leur coquille ; par les traces de terriers, ou de racines, dans les sédiments meubles, de perforations dans les roches dures, ou de pistes dans la vase ou le sable ; par la modification de la teneur de l'eau de mer en gaz carbonique dissous, pendant la photosynthèse, qui entraîne la précipitation du carbonate de calcium et est à l'origine des structures sédimentaires mi-végétales, mi-minérales : les stromatolites. ■

◁ *Sur le plateau continental bordant la côte méditerranéenne, un herbier à posidonies cache une association de petits invertébrés herbivores, maillons de la chaîne alimentaire, dont les prédateurs sont les poissons qui y trouvent refuge.*

UN MONDE SANS LUMIÈRE

Les grands fonds sous-marins

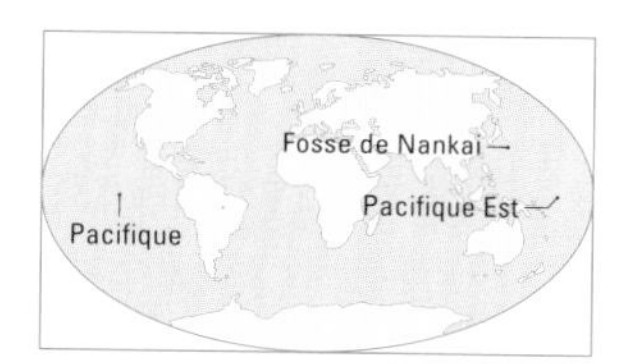

Les grands fonds sous-marins constituent, malgré la panoplie des moyens modernes d'investigation, la dernière *terra incognita* de notre planète. Les satellites fournissent des images globales des océans, malheureusement filtrées par l'épaisseur de la couche d'eau. Navires de recherche équipés des plus récents sonars, submersibles habités, engins robotisés et moyens de forage par toute profondeur contribuent à limiter l'étendue des terres inconnues.

Les fumeurs noirs du Pacifique

La journée du 20 août 1979 marque une date importante dans l'histoire de l'exploration des océans. Ce jour-là, à l'axe de la dorsale du Pacifique Est, le submersible américain *Alvin* découvre le spectacle hallucinant de cheminées crachant, comme des locomotives, de puissants jets d'eau noire chargés de particules de sulfures à une température très élevée : celle-ci dépassait en effet l'échelle de la sonde thermique embarquée sur le submersible. Un tube de plastique immergé dans l'eau chaude avait en partie fondu lorsqu'on le remonta à la surface. On sait maintenant que la température de ces « fumeurs noirs » peut atteindre 350 °C. C'est la précipitation des sulfures, quand les fluides hydrothermaux se diluent dans l'eau de mer à la sortie des sources, qui explique leur couleur.

À des températures plus basses se forment des particules blanches de sulfate de baryum : ce sont des « fumeurs blancs ». Moins rares sont les sorties d'eau moirée à des températures de 10 à 20 °C. Quand on sait que la température de l'eau abyssale avoisine 2 à 3 °C, on mesure le caractère spectaculaire de cette activité hydrothermale, accompagnée de surcroît par une richesse animale surprenante. Bivalves géants (*Calyptogena magnifica* par exemple), vers tubicoles de l'embranchement des vestimentifères (*Riftia*) et crustacés s'agglutinent autour des évents qui constituent de véritables oasis contrastant singulièrement avec le désert abyssal environnant. Les bactéries, très abondantes dans les fluides hydrothermaux à moins de 100 °C, sont capables d'utiliser l'énergie produite par l'oxydation de composés inorganiques comme l'hydrogène sulfuré pour convertir le carbone minéral du gaz carbonique ou du méthane en carbone organique. Ces bactéries jouent le rôle des plantes utilisant

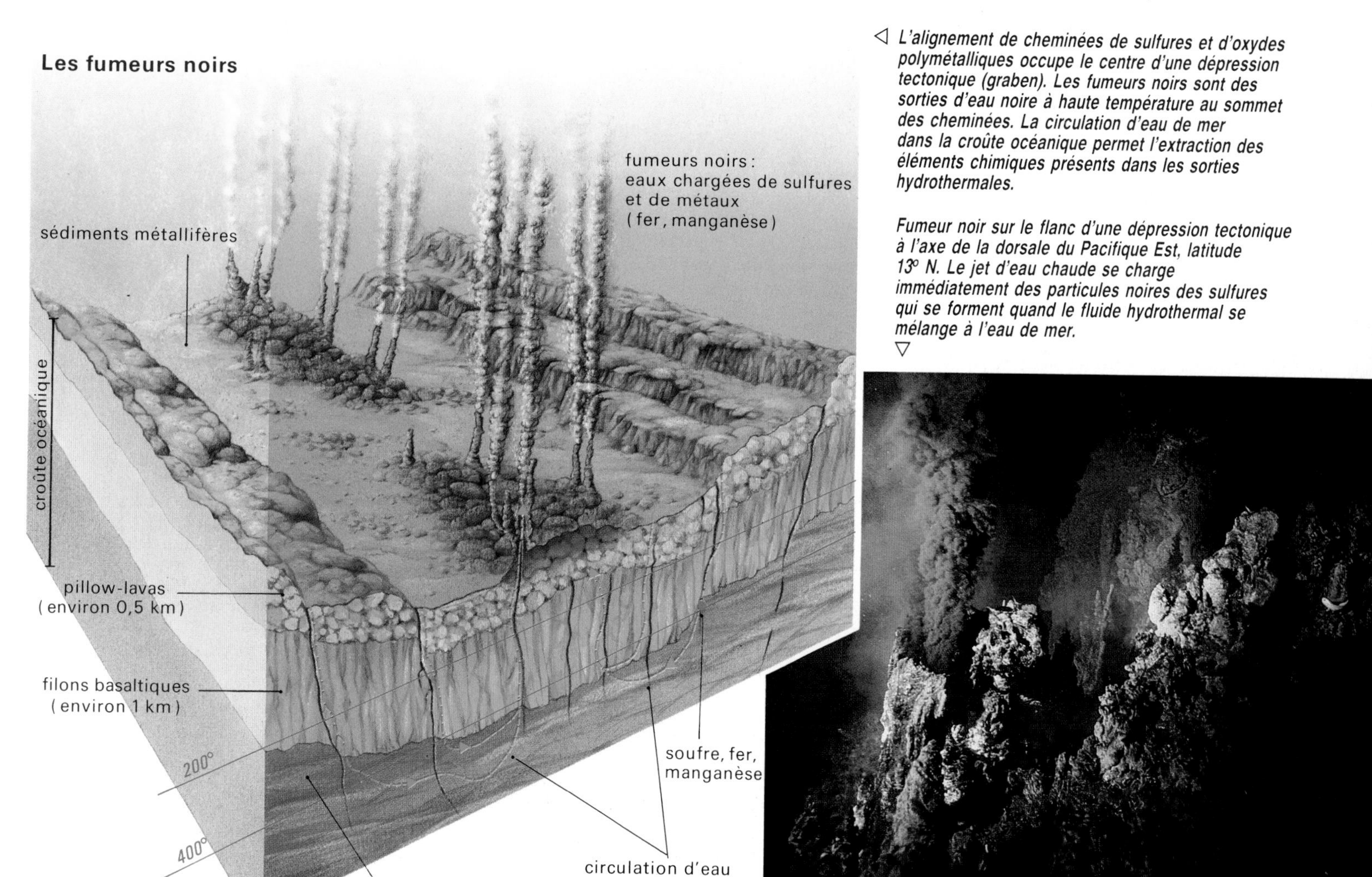

◁ *L'alignement de cheminées de sulfures et d'oxydes polymétalliques occupe le centre d'une dépression tectonique (graben). Les fumeurs noirs sont des sorties d'eau noire à haute température au sommet des cheminées. La circulation d'eau de mer dans la croûte océanique permet l'extraction des éléments chimiques présents dans les sorties hydrothermales.*

Fumeur noir sur le flanc d'une dépression tectonique à l'axe de la dorsale du Pacifique Est, latitude 13° N. Le jet d'eau chaude se charge immédiatement des particules noires des sulfures qui se forment quand le fluide hydrothermal se mélange à l'eau de mer.
▽

l'énergie solaire dans la photosynthèse ; elles fournissent un modèle possible pour l'origine de la vie, où la lumière n'est plus nécessaire.

Hormis l'importance capitale de ces oasis hydrothermales pour la biologie, la circulation de fluides dans la croûte océanique permet l'échange d'un grand nombre d'éléments chimiques entre la lithosphère et les océans. Ces processus contrôlent la composition chimique des océans du globe. Ils permettent en outre d'expliquer les dépôts de sulfures polymétalliques exploités à terre, par exemple à Chypre, Oman ou Terre-Neuve. ■

Les fosses océaniques

Les mollusques morts visibles sur la photo tapissent le fond de la fosse de Nankai, qui borde le Japon au large de Tōkyō. Ils vivaient dans des conditions étonnantes à près de 3 800 m de profondeur, dans la fosse océanique créée par la plongée de la plaque pacifique sous la plaque asiatique.

Selon la théorie de la tectonique des plaques, la lithosphère océanique, créée à l'axe des dorsales océaniques au rythme de 3,5 km^2 de nouvelle surface par an, retourne dans les profondeurs du manteau au même rythme, en plongeant dans des zones de subduction. Ce processus s'accompagne de phénomènes spectaculaires : volcanisme dévastateur de la ceinture de feu du Pacifique et de l'Indonésie, séismes liés au frottement entre la lithosphère plongeante et la plaque supérieure, formation d'arcs insulaires limitant des mers marginales.

En surface, la subduction est marquée par la présence de fosses qui peuvent atteindre les plus grandes profondeurs rencontrées dans les océans : près de 11 000 m dans la fosse des Mariannes. Elles ne sont, curieusement, pas encore cartographiées précisément aujourd'hui. La profondeur du fossé du *Challenger* dans la fosse des Mariannes n'est connue que par l'exploit du bathyscaphe *Trieste*, qui plongea à 10 916 m le 27 janvier 1960, et par d'anciens sondages soviétiques qui atteignirent 11 034 m.

Les études les plus récentes s'intéressent aux processus de déformation et aux flux de matière associés à la subduction. En effet, le bord de la plaque chevauchante est soumis à des déformations importantes en présence de circulations de fluides expulsés par la subduction. D'autre part, quand il existe un arc insulaire, les sédiments qui en proviennent s'accumulent au front de la fosse en une série d'écailles qui se chevauchent. Les forages scientifiques du projet ODP (Ocean Drilling Program) ont permis d'établir des bilans chimiques pour les échanges de fluides liés à la subduction.

En 1984-1985, le programme franco-japonais Kaiko (fosse en japonais) a permis de découvrir au large du Japon d'autres manifestations spectaculaires de ces expulsions de fluides. Des peuplements de mollusques bivalves semblables à ceux des fumeurs noirs sont systématiquement associés aux sorties de fluides froids enrichis en méthane. ■

△
Cimetière de mollusques bivalves* (Calyptogena) *dans une aire ancienne d'émission de fluides froids enrichis en méthane. Il a été observé dans la fosse de Nankai, au large de Tōkyō, à 3785 m de profondeur. On y voit de nombreuses traces d'animaux des grands fonds.

Des failles dans la dorsale du Pacifique Est

La plus grande partie de la surface de notre planète Terre est intensément fracturée. On estime qu'il existe une fissure ou une faille tous les 100 à 200 m dans la croûte océanique, qui tapisse plus de 60 % de la surface terrestre. Ces fissures et ces failles se produisent dans la zone axiale des dorsales, les chaînes volcaniques qui serpentent sur plus de 60 000 km au milieu des océans et qui constituent de véritables usines à fabriquer la croûte océanique. Les failles forment des escaliers monumentaux sur les flancs du fossé central (rift) dans les dorsales où la nouvelle croûte océanique se forme lentement, comme la dorsale médio-atlantique. Au contraire, dans les dorsales qui s'ouvrent rapidement, comme la dorsale du Pacifique Est, les plans des failles sont dirigés alternativement vers l'axe de la dorsale et vers les flancs, créant un relief quasi horizontal.

Depuis près de quinze ans, on utilise une nouvelle génération d'échosondeurs pour cartographier ces failles. Aujourd'hui, un sondeur de nouvelle génération, le sondeur norvégien multifaisceaux EM 12, embarqué sur le navire océanographique français l'*Atalante*, permet de cartographier 10 000 km^2 en une seule journée. D'autres sonars latéraux embarqués ou remorqués par des navires de recherche fournissent des images acoustiques du fond des océans de plus en plus précises, sur des superficies de plus en plus grandes. Arrivera-t-on enfin à des images des océans aussi complètes que celles obtenues au-dessus des continents par les caméras des satellites ? ■

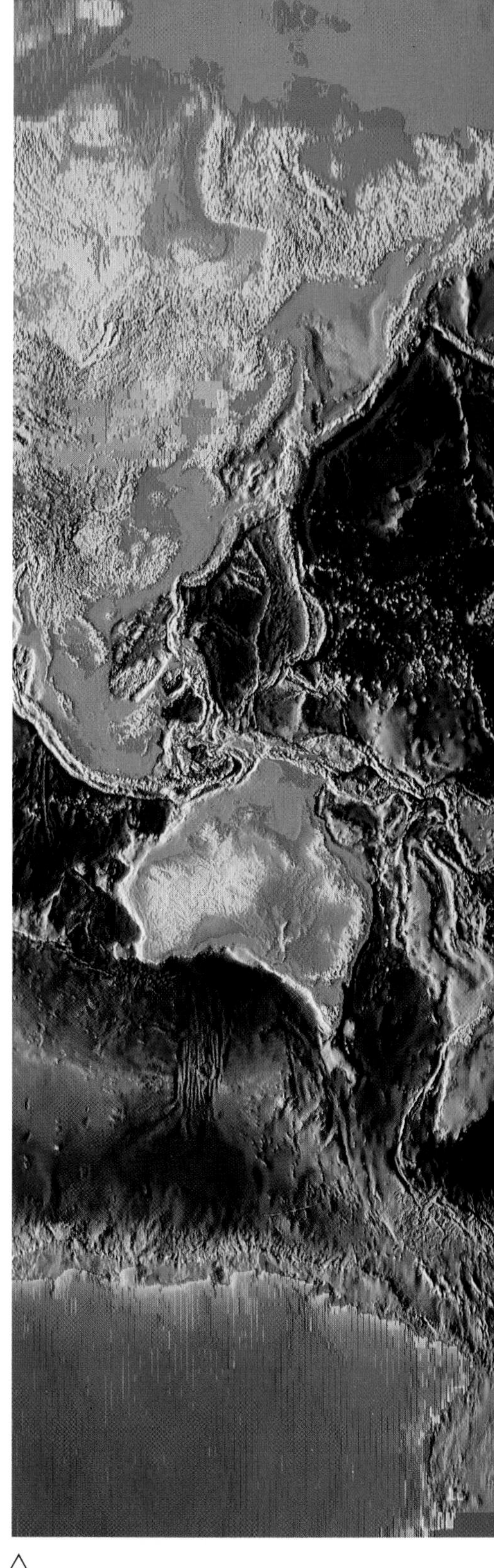

△
Cette carte a été établie à partir de tous les sondages réalisés sur les grands fonds sous-marins (sondages bathymétriques) par les navires océanographiques. Ces sondages sont centralisés au National Geophysical Data Center de Boulder, dans le Colorado (États-Unis), établissement qui sert de banque mondiale pour les données géophysiques. Le réseau des dorsales océaniques (en bleu clair) y apparaît très nettement.

◁ ***Fissure de 1 à 2 m ouverte dans les coulées basaltiques massives, dans la dorsale du Pacifique Est. Cette fissure parallèle à l'axe de la dorsale témoigne de l'extension de la croûte océanique.***

L'originalité géologique des océans

Le fond des océans n'est pas seulement formé, comme on l'a cru longtemps, de plaines abyssales, ces régions monotones dont les pentes n'excèdent pas 1 m par kilomètre. Des collines abyssales dominant ces plaines de quelques centaines de mètres couvrent la majeure partie des bassins océaniques, de part et d'autre des dorsales. Celles-ci, longues chaînes de montagnes volcaniques très fracturées, s'étendent sur plus de 60 000 km. En outre, de longues fosses étroites s'étirent le long de certains continents; on y a relevé les plus grandes profondeurs. Environ 55 % de la surface du globe se trouve à plus de 3 km de profondeur dans les océans.

C'est la grande expédition de la corvette britannique *Challenger*, entre 1872 et 1876, qui fit la première étude sérieuse des grands fonds marins, et il fallut vingt ans pour publier les cinquante volumes de résultats scientifiques. Notre connaissance des fonds océaniques est ensuite restée très fragmentaire jusqu'à la Seconde Guerre mondiale. Depuis, elle n'a cessé de progresser grâce aux avancées technologiques. On peut aujourd'hui cartographier très rapidement des pans entiers de l'océan, grâce aux sondeurs multifaisceaux et aux sonars latéraux des navires océanographiques. On obtient ainsi avec les ultrasons des images des océans d'aussi bonne qualité que celles prises au-dessus des continents par les satellites. Mais certaines régions restent encore inconnues. Les satellites sont en train de combler ces lacunes : les altimètres qui y sont embarqués fournissent une mesure de la topographie de la surface et, partant, une image des fonds de ces régions inexplorées.

Depuis 1964, des forages dans tous les océans permettent de recueillir des échantillons du socle océanique et des sédiments, archives de l'histoire de notre planète. Et, depuis 1973, première étape du projet FAMOUS (French-American Mid-Ocean Undersea Study) d'étude de l'axe de la dorsale médio-atlantique, les submersibles sont utilisés jusqu'à 6 000 m de profondeur pour effectuer mesures ou prélèvements.

La connaissance des fonds océaniques, capitale pour l'établissement de la théorie de la tectonique des plaques, a permis aussi de révéler l'originalité géologique des océans.

Un submersible performant

Le Nautile *avant son immersion.*

Le *Nautile* est un submersible capable de plonger jusqu'à 6 000 m ; il peut donc explorer 98 % de la surface des fonds océaniques alors que la *Cyana*, limitée à 3 000 m, ne peut étudier que l'axe des dorsales océaniques et les marges continentales. Long de 18 m et d'un poids de 18 t, le *Nautile* est mis en œuvre par un portique spécial à l'arrière d'un navire océanographique. Il dispose d'une autonomie de treize heures, mais peut rester plus de cinq jours au fond en conditions de survie. Deux pilotes et un scientifique occupent une sphère en alliage de titane d'un diamètre légèrement supérieur à 2 m. Le pilote principal et le scientifique, allongés sur le ventre, peuvent observer le fond grâce à de grands hublots ; le copilote, assis à l'arrière, contrôle le fonctionnement des caméras de télévision à haute sensibilité et des caméras photographiques. Des bras télémanipulateurs, manœuvrés par le pilote, permettent de recueillir des échantillons de roches ou de sédiments. Tous les déplacements du submersible sont contrôlés par un réseau de balises acoustiques posées sur le fond, et interrogées par le navire-support.

Des nodules polymétalliques d'origine incertaine

Les premiers nodules polymétalliques furent découverts au début de l'expédition scientifique de la corvette *Challenger*, en février 1873, à 160 milles de l'île de Ferro, dans l'archipel de Madère. Ceux qui sont présentés ici, formant une véritable carapace, ont été observés dans l'océan Pacifique. Les concrétions, dont la forme ressemble étrangement à celle des truffes, sont constituées d'oxydes et d'hydroxydes de fer et de manganèse, mais comportent aussi des concentrations importantes de cuivre, nickel, cobalt, zinc, et également de molybdène, vanadium, chrome et cadmium.

On sait maintenant que ces nodules existent dans tous les océans du globe, mais la composition moyenne des champs de nodules diffère suivant les régions. Il existe une vaste zone au sud de l'archipel hawaiien où les concentrations en nickel et en cuivre des nodules sont doubles de celles des gisements exploités sur les continents.

L'intérêt économique des nodules polymétalliques tient à leur teneur en métaux rares, à leur quantité cumulée considérable et au fait qu'ils constituent une ressource minérale toujours renouvelée. En effet, on estime qu'il se forme chaque année plusieurs millions de tonnes de nodules. Pourtant, la croissance d'un nodule est particulièrement lente : de 1 à 4 mm par million d'années. Les nodules se forment par précipitation de solutions sursaturées en manganèse au contact d'une surface qui peut être un fragment de roche, une dent de requin ou d'autres noyaux d'origine minérale ou biologique.

Une caractéristique des champs de nodules pose encore aujourd'hui une énigme : les nodules, très abondants sur le fond des océans, sont très rares à l'intérieur de la colonne sédimentaire. Qu'est-ce qui leur permet de rester à la surface des sédiments ? On pense que les organismes vivant sur le fond jouent un rôle majeur en déplaçant constamment les nodules et en affouillant les sédiments meubles autour d'eux. L'origine des nodules est elle-même encore débattue. Les métaux qui les composent proviendraient soit directement de l'eau de mer, soit de fluides hydrothermaux issus des dorsales océaniques ou des volcans sous-marins. Des théories récentes suggèrent que des bactéries favorisent la précipitation du manganèse à la surface des nodules. ■

△
Champ de nodules polymétalliques dans l'océan Pacifique. Les nodules tapissent le fond des océans en formant une carapace.

La plus haute montagne du monde a ses racines au fond de l'océan Pacifique. C'est le Mauna Kea, l'un des cinq volcans de Hawaii. Il a une altitude de 4 214 m au-dessus de fonds de − 5 236 m, ce qui représente une élévation totale de 9 450 m.

SURPRENANT COCKTAIL

L'eau de mer : composition et caractéristiques

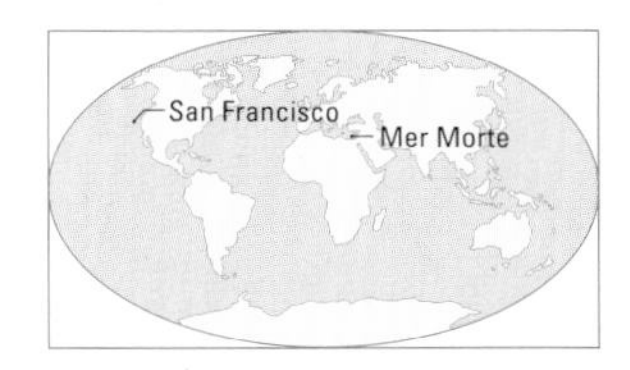

L'eau de mer a une teneur moyenne de 34,72 g de sel par litre d'eau pure. La salinité et la température déterminent la densité des eaux marines, donc la structure hydrologique stratifiée des océans. La flore et la faune sont adaptées à la présence de substances dissoutes, dont certaines se concentrent dans les êtres vivants et dans les minéraux des sédiments. Ces substances s'incorporeront ainsi aux futures roches sédimentaires, l'eau de mer étant un réservoir-étape des cycles géochimiques des éléments de la croûte terrestre.

△
Les marais salants de la côte californienne, près de San Francisco, présentent un curieux paysage. Les couleurs proviennent à la fois de la différence de profondeur des bassins juxtaposés et de la présence de micro-organismes, adaptés au degré de salinité de ces bassins.

Jeux de couleurs sur la côte californienne

Le survol des marais salants californiens de la région de San Francisco montre un patchwork de couleurs, dont l'harmonie souligne que l'aménagement d'une région pour en utiliser les ressources naturelles peut parfois contribuer aux charmes du paysage.

Les sels marins ne se déposent que si les conditions qui prévalent dans les bassins d'évaporation naturels sont recréées. Le climat doit permettre à l'évaporation d'être supérieure aux apports en eau douce des précipitations. Le fond de ces bassins doit être imperméable pour réduire les infiltrations. Les eaux enrichies en sels restent ainsi piégées dans le milieu protégé par une barrière physique réduisant le retour de solutions sursalées vers l'océan ouvert.

Lorsque l'évaporation aura réduit de moitié la quantité d'eau de mer, la totalité du carbonate de calcium (aragonite ou calcite) se sera déposée. Le calcium restant précipite sous forme de sulfate (gypse) si la concentration devient plus de trois fois supérieure à celle de l'eau de mer. Le sel, ou chlorure de sodium (halite), ne cristallisera à son tour que lorsqu'il ne restera plus que le dixième du volume initial.

L'exploitation des marais salants s'effectue à partir de grands réservoirs alimentés par les plus hautes marées, ou par pompage dans les régions de faible marnage (Méditerranée). Ces bassins relativement profonds ont pour but de faire décanter l'eau de mer pour éliminer toutes les particules minérales en suspension afin que les produits obtenus plus loin par une ultime évaporation aient le moins d'impuretés possible. L'eau circule ensuite très lentement par des chicanes, vers d'autres bassins plus petits et moins profonds où l'évaporation amène à des concentrations de plus en plus fortes, jusqu'aux zones de précipitation, où le sel sera récolté. La couleur de ces différents réservoirs peut changer en fonction des micro-organismes qui y prolifèrent, adaptés à chaque salinité. Ils constituent la nourriture de base de petits arthropodes : les artémias, crustacés transparents de quelques millimètres, qui, à leur tour, deviendront la proie des oiseaux de passage. ■

Le sel laisse son empreinte sur les bords de la mer Morte

Les eaux salées naturelles se rencontrent ici et là sur les continents, la mer Morte en est une illustration. Si leur concentration et leur composition chimique sont alors beaucoup plus variables que celles des océans, l'origine des sels dissous et les modes de formation de ces lacs salés diffèrent également. Certaines constantes apparaissent cependant : les bassins versants qui les alimentent, n'ayant pas d'écoulement vers une mer ouverte, piègent toutes les eaux des précipitations locales qui n'ont pas d'autre exutoire. Ces eaux, lessivant les roches et les sols, leur apportent les éléments géochimiques en solutions, qui se concentrent si les conditions climatiques le permettent. Lorsque l'environnement du lac comporte des affleurements de roches salines anciennes ou des sources hydrothermales, ces solutions s'enrichissent d'autant plus rapidement. L'évaporation doit provoquer un déficit en eau pure par rapport aux précipitations. Dans le cas des lacs salés d'altitude, le climat peut même être très froid, s'il est très sec, le mécanisme fonctionne. Enfin, les infiltrations dans le fond du bassin doivent être limitées, s'il se situe au-dessus du niveau de la nappe phréatique, par un dépôt imperméable, de minéraux argileux par exemple.

L'exemple de la mer Morte est intéressant. Située à la frontière israélo-jordanienne, elle se trouve, à près de 400 m sous le niveau de la Méditerranée, sur une zone d'effondrement associée au grand système de rifts qui affecte l'ensemble de l'Afrique de l'Est. Le climat de la région est aride (moins de 100 mm de pluie par an). Ce lac sursalé, d'une longueur de 80 km pour une largeur de 17 km, est alimenté essentiellement par un fleuve : le Jourdain, qui draine un bassin versant longitudinal de 215 km comportant le lac de Tibériade. Ses eaux atteignent des concentrations en sel près de dix fois supérieures à celles des océans (280 g/l), ce qui leur confère une densité exceptionnelle. Cette particularité permet aux baigneurs d'y flotter en toute quiétude, dans n'importe quelle position et sans faire le moindre mouvement. La saturation vis-à-vis des principales espèces minérales en solution étant atteinte, on voit se développer sur tous les supports solides fixés dans le sédiment et dépassant de la surface de l'eau — comme cette souche, au premier plan de la photo — des encroûtements minéraux de carbonate de calcium et de magnésium, avec parfois présence de sulfates, voire de chlorures. Les cristaux ainsi formés auront des tailles d'autant plus importantes qu'ils se seront développés lentement, à partir de ces solutions dont les teneurs sont à la limite de la saturation. ■

Superbe efflorescence de minéraux salins déposés sur une souche, à partir des eaux sursaturées de la mer Morte. On peut observer ce type d'encroûtement sur son rivage méridional, au nord de la ville de Sedom (Israël). ▷

Des constituants multiples

La quantité de sel varie localement : de 40 g/l dans la mer Rouge à 10 g/l dans certaines parties de la mer Baltique. Mais les proportions relatives des éléments qui constituent l'eau de mer sont sensiblement constantes si l'on fait abstraction des eaux côtières influencées par des apports fluviaux ou glaciaires importants et des saumures hydrothermales marines. Les océanographes ne tiennent compte que des matières minérales en solutions pour caractériser la composition chimique d'une eau de mer.

Les principaux éléments pour un litre d'eau sont les suivants : sodium (10,9 g), chlore (19,7 g), magnésium (1,32 g), sulfates (1,81 g), calcium (0,4 g), carbonate (0,14 g), potassium (0,38 g).

Il faut y associer, en moindres quantités : bore, fluor et strontium, ainsi que des éléments nutritifs : azote, phosphore et silicium, dont les teneurs variables peuvent limiter le développement des êtres vivants. Tous les autres éléments de l'écorce terrestre sont présents à l'état de traces ou de gaz dissous, y compris l'or, le platine et les éléments radioactifs.

L'idée est ainsi venue, à partir de la fin des années 1960, d'exploiter des métaux recherchés par l'industrie comme le cuivre, le cobalt ou le nickel. Ils ne seraient pas directement extraits de l'eau de mer, où ils se trouvent en quantités infimes, mais des concrétions formées sur le fond des océans profonds où ils se concentrent naturellement. Ces métaux se rencontrent en teneurs intéressantes dans les nodules de ferromanganèse, où ils sont plusieurs milliards de fois plus concentrés que dans les eaux océaniques.

Le sodium, le potassium, le magnésium et le calcium, constituants majeurs de l'eau de mer, proviennent du lessivage des continents par le ruissellement des eaux. Mais les quantités d'éléments volatils — chlore, carbone, soufre, bore — ne peuvent s'expliquer par ce seul mécanisme. Elles sont sans doute héritées de l'intense activité volcanique correspondant au dégazage de l'intérieur du globe au cours des premières étapes de la formation de la croûte terrestre et de l'atmosphère primitive.

Les habitants des zones côtières arides ont longtemps essayé de fertiliser les terres des côtes sahariennes de l'Afrique ou de la péninsule Arabique en dessalant l'eau de mer. On projeta, au début du siècle, de construire un chenal pour inonder les parties basses du Sahara et créer ainsi une mer intérieure navigable, susceptible de modifier le climat désertique, en provoquant des précipitations à partir de l'évaporation de ces eaux.
Si le problème de l'alimentation en eau douce des zones côtières désertiques était résolu à peu de frais, il serait possible de destiner des zones stériles à l'urbanisation future, et de préserver des constructions les régions plus fertiles des pays arides. Les solutions actuelles passent par l'installation d'usines de distillation proches de celles utilisées sur les bateaux modernes, l'eau n'étant rendue potable qu'après réintroduction de certains éléments minéraux.

Le dessalement de l'eau de mer

Usine de dessalement de l'eau de mer en Arabie Saoudite. L'eau douce y revient plus cher que le pétrole!

La mer contient de l'or : les scientifiques le savaient déjà depuis le milieu du XIXe siècle, mais les quantités étaient tellement faibles qu'on ne pouvait les doser précisément.
Dans l'entre-deux-guerres, l'Allemand Fritz Haber, lauréat du prix Nobel de chimie en 1918, entreprit d'extraire ce métal précieux pour sauver son pays de la banqueroute. D'après ses recherches, la plus forte concentration d'or dans l'eau de mer devait être de 0,044 mg/t et se trouvait dans l'Atlantique Sud. Mais les quantités extraites étaient dérisoires en regard de la dette allemande et, dès 1926, Haber fut contraint de renoncer à son projet.
Par la suite, seule l'entreprise américaine de produits chimiques Dow a renouvelé très sérieusement cette tentative alléchante. L'une de ses usines de Caroline du Nord exploitait le brome de l'Atlantique, aussi les ingénieurs décidèrent-ils de recueillir dans le même temps de l'or. Malheureusement, l'opération se révéla une fois encore décevante et absolument pas rentable : 15 t d'eau ne donnèrent, en effet, que 0,09 mg d'or!
Aujourd'hui, on croit savoir que cette richesse inexploitée représenterait environ 10 milliards de tonnes, disséminées dans le volume considérable de tous les océans!

Le record de limpidité est détenu par la mer de Weddell, au large de l'Antarctique. Ses eaux sont tellement claires qu'on peut y distinguer un objet à 80 m de profondeur.

UNE HISTOIRE DE LUNE

Les marées

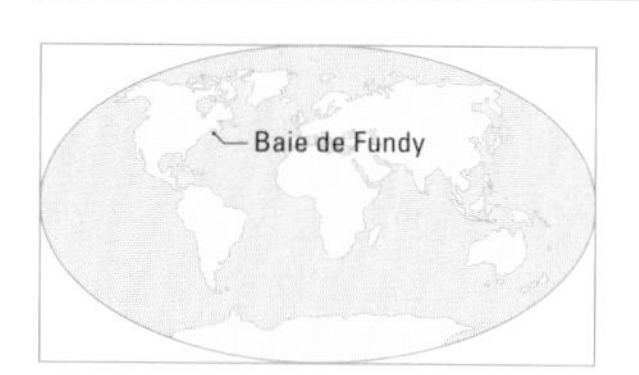

Par les transformations quotidiennes qu'il entraîne dans le paysage littoral, le phénomène de la marée ne peut manquer d'étonner. La mer se retire, parfois fort loin, découvrant de vastes étendues qui étaient sous les eaux. Quelques heures plus tard, elle revient, et les bateaux échoués flottent à nouveau. Cette majestueuse régularité du flot — marée montante — succédant au jusant — marée descendante — est la manifestation la plus spectaculaire, sur notre planète, des lois de l'attraction universelle.

Les marées extraordinaires de la baie de Fundy

Vaste échancrure de la côte atlantique du Canada, la baie de Fundy est large de 35 à 50 km et profonde de 150 km. Elle sépare les provinces du Nouveau-Brunswick, au nord, et de la Nouvelle-Écosse, au sud. Vers le fond, elle se divise en deux baies plus étroites, la baie Chignectou, au nord, et le chenal des Mines, au sud. Halls Harbour est situé sur la rive sud de ce chenal, en Nouvelle-Écosse. Ces deux photographies du petit port de Halls Harbour ont été prises le même jour et au même endroit. Elles offrent cependant à nos yeux deux paysages bien différents. Sur l'une, la mer est basse et les bateaux reposent à sec sur le fond du port. Sur l'autre, le flot a rempli le port, sans doute en moins de deux heures, atteignant le niveau de marée haute. Les bateaux flottent maintenant sur un plan d'eau calme. À Halls Harbour, cette extraordinaire métamorphose du paysage se reproduit quatre fois par vingt-quatre heures, les marées obéissant ici à un rythme semi-diurne. La baie de Fundy est connue pour l'amplitude de ses marées et détient même dans ce domaine le record mondial. Habituellement, la dénivellation entre le niveau de basse mer et celui de haute mer est de 10 à 15 m. Mais lors de la plus grande marée théoriquement possible (coefficient 120), cette dénivellation atteint le chiffre fantastique de 19,60 m ! Les spécialistes expliquent l'exagération de l'onde de marée en cet endroit par la forme de la baie, et en particulier par son rétrécissement dans sa partie interne. Les faibles profondeurs, partout inférieures à 200 m, jouent aussi un rôle favorable à ce gonflement extraordinaire de l'onde de marée. Les deux clichés du port de Halls Harbour ne donnent donc qu'une idée incomplète de l'amplitude de la marée dans la baie de Fundy. Il faut imaginer la mer se retirant à plusieurs kilomètres, et découvrant les immenses étendues de sable et de vase du chenal des Mines un jour de grande marée. La rapidité du flot est redoutable pour les pêcheurs qui cherchent des coquillages à marée basse, puisqu'à certains moments la remontée verticale des eaux peut dépasser 3 m par heure. La mer s'engouffre alors dans les chenaux et submerge les vasières à une vitesse proprement terrifiante. La marée n'ayant pas lieu partout à la même heure, il en résulte des mouvements d'eau compensateurs, ou courants de marée, si rapides en certains endroits de la baie qu'il est hasardeux de les affronter à la voile ou même en bateau à moteur. Connaître chaque jour l'heure et l'amplitude de la marée est donc essentiel, et l'on peut dire que ce sont les marées qui rythment ici toute la vie littorale. ■

△ ▷
*Le port de Halls Harbour, dans la baie de Fundy, en Nouvelle-Écosse (côte atlantique du Canada), à marée haute et à marée basse. La position identique de certaines voitures sur le quai montre qu'un temps relativement court s'est écoulé entre les deux prises de vue. L'échouage des bateaux à marée basse est une gêne pour les pêcheurs et les plaisanciers. Toute l'activité côtière est subordonnée au rythme des marées, dont les heures et l'amplitude sont fournies pour chaque jour et chaque lieu par l'*Annuaire des marées.

L'amplitude des marées dans le monde

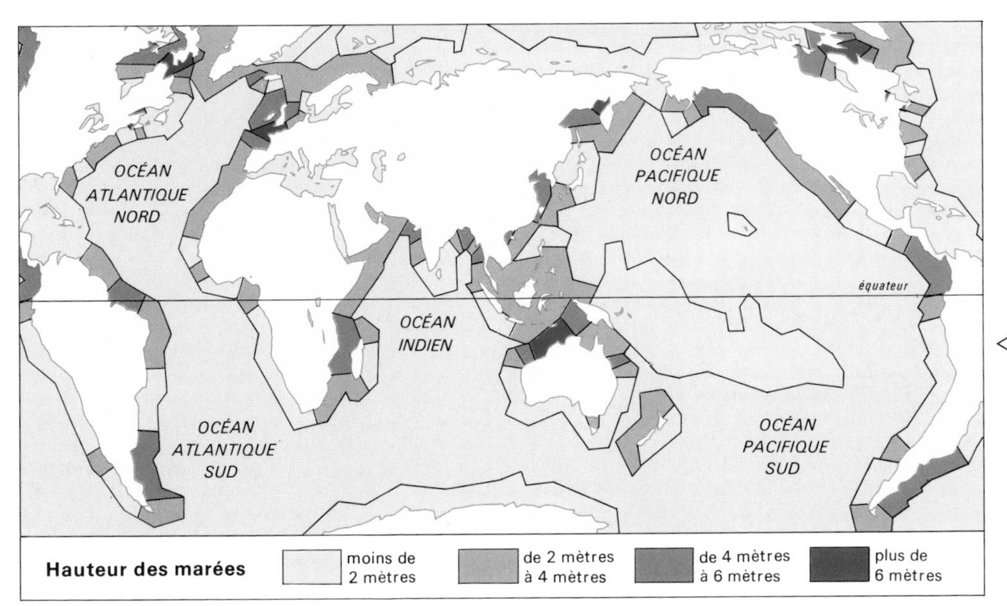

Les plus grandes marées

Baie de Fundy (Canada)	19,60 m
Baie Frobisher (Canada)	17,40 m
Estuaire de la Severn (Grande-Bretagne)	16,80 m
Granville (France)	16,10 m
Cap Astronomique (Russie orientale)	14,70 m
Golfe de Californie (Mexique)	12,30 m

◁ *L'amplitude est la différence de niveau entre la haute mer et la basse mer par grandes marées (marées de vive-eau). Les plus faibles amplitudes, en général moins de 1 m, se rencontrent dans les mers fermées et au centre des océans. Les très fortes amplitudes, supérieures à 6 m, se limitent à des fonds de baies allongées, ou à des mers peu profondes ouvertes sur l'océan : Manche, mer d'Arafura (entre l'Australie et la Nouvelle-Guinée). Les côtes océaniques peu découpées ont surtout des amplitudes moyennes comprises entre 2 et 4 m.*

L'attraction des astres

Les marées affectent toute la masse d'eau des océans, soumise à l'attraction de la Lune et du Soleil. C'est la Lune, plus petite mais plus proche, qui joue le rôle essentiel, et les marées suivent le cycle lunaire. Les grandes marées (ou marées de vive-eau) ont lieu deux fois par mois, à la pleine lune et à la nouvelle lune : Lune et Soleil sont alors en alignement avec la Terre, et conjuguent leurs attractions. Deux périodes de morte-eau ont aussi lieu chaque mois : attractions lunaire et solaire s'opposent alors à angle droit. Le lever de la Lune se produisant en moyenne cinquante minutes plus tard chaque jour, le moment où la mer est totalement immobile (étale de haute ou de basse mer) est quotidiennement retardé. Si notre planète n'était qu'un vaste océan, les oscillations entraînées par l'attraction de la Lune et du Soleil seraient relativement simples, mais la forme compliquée des bassins océaniques et des mers modifie l'amplitude et la périodicité de la marée. Selon les lieux, l'amplitude de la marée (ou marnage) varie de zéro à plus de 15 m. En général, la marée est semi-diurne, ce qui signifie que la mer monte et descend deux fois par jour, mais il arrive aussi qu'elle soit diurne, avec un flot durant douze heures et un jusant d'une durée équivalente. Dans certains estuaires, le flot peut entraîner, surtout au moment des grandes marées, la formation d'un mascaret, sorte de vague déferlante qui fait remonter d'un seul coup le niveau de l'eau, avec parfois des conséquences redoutables.

L'usine marémotrice de la Rance

L'énergie des marées est utilisée depuis longtemps par les moulins à marée, installés au fond des estuaires. L'usine marémotrice de la Rance, ria de la côte nord de la Bretagne vue ici à marée haute, permet d'exploiter à grande échelle cette énergie pour la production d'électricité. Mise en service en 1967, l'usine est incluse dans un gigantesque barrage. Les turbines fonctionnent dans les deux sens : nous les voyons sur le cliché fonctionner en régime de flot, comme l'indiquent les remous en amont du barrage. C'est à marée basse, lorsque la ria s'est vidée en aval, que la dénivellation utilisable est maximale. Le coût élevé de l'électricité ainsi produite a maintenu cette usine à l'état de prototype sans lendemain.

Le barrage de l'usine installée en Ille-et-Vilaine sert aussi de pont routier.

LES COURANTS MARINS

Depuis l'Antiquité, les navigateurs utilisent les courants océaniques. Fleuves majestueux, infiniment plus puissants que l'Amazone, ils entraînent imperturbablement les eaux des océans dans de larges boucles que seule limite la forme des continents. Au XIXe siècle, on découvrit qu'il existait aussi une circulation profonde des eaux océaniques. Ces courants profonds, tout aussi permanents et puissants, s'écoulant parfois en sens contraire des courants de surface, jouent un rôle dans le modelé des fonds océaniques. C'est à l'extrême complexité de ce brassage qu'on doit l'oxygénation totale des eaux marines, laquelle permet la vie jusqu'aux plus grandes profondeurs, − 10 450 m dans la fosse des Philippines, par exemple.

courants de surface

courants profonds

1 eau profonde arctique
2 eau profonde antarctique
4 eau méditerranéenne
5 a courant circumpolaire antarctique

courants intermédiaires

3 eau antarctique intermédiaire
5 b courant circumpolaire antarctique

Les courants de surface sont des courants de friction, entretenus par la pression du vent soufflant en permanence sur l'océan suivant une même direction. Ainsi, dans l'océan Austral, le courant circumpolaire antarctique, le plus long et le plus puissant de la planète, tourne inlassablement autour du continent antarctique, poussé par les grands vents d'ouest (westerlies austraux). Aux latitudes tropicales, les alizés du sud-est et du nord-est entraînent les courants nord- et sud-équatoriaux, amorçant ainsi la circulation des eaux superficielles en grandes cellules de part et d'autre de l'équateur. Dans le nord du Pacifique et le nord de l'Atlantique, les grands vents d'ouest prennent le relais aux latitudes tempérées. Dans le nord de l'océan Indien, le renversement de la mousson asiatique modifie saisonnièrement le sens des courants : le courant de Somalie, qui est le plus rapide du monde (jusqu'à 6 nœuds, soit 11 km/h), va vers le nord durant l'été boréal, et vers le sud en hiver. Le débit et l'extension de certains grands courants peuvent varier beaucoup selon les années, ce qui entraîne des conséquences pour le climat. Ainsi, lorsque le courant de l'Enfant-Jésus (El Niño) descend trop vers le sud, le Pérou subit des pluies catastrophiques.

Les courants profonds sont créés par les différences de densité des masses d'eau selon la température (de − 1,9 °C à plus de 27 °C) et la salinité (entre 33 et 37 g/l de sel). Les eaux les plus lourdes, c'est-à-dire les plus froides ou les plus salées, ont tendance à descendre et à s'écouler sous les eaux les plus légères. Le soleil joue un rôle essentiel en échauffant les eaux superficielles dans la zone intertropicale, tandis que les eaux polaires chargées d'icebergs demeurent proches de 0 °C. Les eaux très froides du plateau continental antarctique descendent vers les grandes profondeurs et alimentent un courant de fond qui chemine jusqu'au-delà de l'équateur. Les eaux froides d'origine arctique font de même. Entre ces eaux de fond, qui sont les plus denses, et les eaux superficielles, il existe un énorme volume d'eaux intermédiaires, elles aussi surtout d'origine polaire : cela explique pourquoi les trois quarts du volume des eaux océaniques sont entre 0 et 6 °C, la température moyenne générale des océans étant de 3,25 °C.

Les eaux très froides, lourdes, du plateau continental antarctique descendent dans les grands fonds, formant un courant de fond (2) qui rejoint le bassin nord-américain. Les eaux très salées venant de la Méditerranée par le détroit de Gibraltar (4) donnent naissance à un courant de moyenne profondeur, car elles sont plus denses que les eaux de surface, et moins denses que les eaux arctiques (1), qui occupent les grands fonds. Le courant circumpolaire antarctique, très épais, est représenté sur les trois niveaux. ▷

Courants chauds

1. Gulf Stream
2. dérive nord-Atlantique
3. courant d'Irminger
4. Kuroshio
5. courant de Somalie (été boréal)
6. courant des Aiguilles
7. courant sud-équatorial
8. courant nord-équatorial
9. contre-courant équatorial
10. courant des Guyanes
11. courant de Guinée
12. El Niño
13. courant de la mousson (été boréal)
14. courant du Brésil

Courants froids

15. courant est-groenlandais
16. Oyashio
17. courant de Californie
18. courant du Labrador
19. courant des Canaries
20. courant de Benguela
21. courant de Humboldt
22. courant des Falkland
23. courant circumpolaire antarctique

Les courants marins de surface

△

Sous les basses et moyennes latitudes, la circulation des eaux de surface s'organise en six grands circuits qui, à cause de la force de Coriolis, due à la rotation de la Terre, tournent dans le sens des aiguilles d'une montre au nord de l'équateur et dans le sens contraire au sud. Les trois océans s'ouvrent au sud sur l'océan Austral, parcouru par un seul grand courant, le courant circumpolaire antarctique.

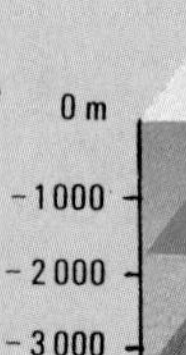

Les courants de l'Atlantique

L'OFFENSIVE DES FLOTS

Les vagues

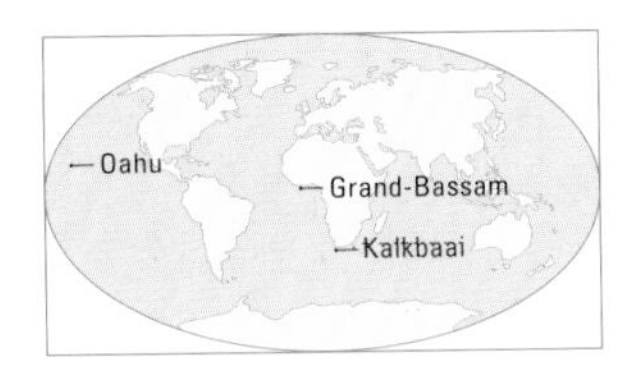

Nées de la pression du vent qui souffle sur les vastes étendues des océans, les vagues viennent inlassablement terminer leur course le long des rivages, qu'elles ont contribué à façonner depuis des millions d'années.
L'observateur qui, sur la plage, contemple leur déferlement sait-il qu'elles sont les manifestations de tempêtes qui ont eu lieu, parfois, à plusieurs milliers de kilomètres ?

△ *Grande vague déferlant en volute à Waimea Bay, sur la côte ouest de l'île d'Oahu, dans l'archipel des Hawaii. On remarque la disposition en « tube » que crée pendant un court instant la volute au moment du déferlement.*

Les volutes de Waimea Bay

La plage de Waimea Bay, sur l'île d'Oahu, à Hawaii, est très fréquentée par les amateurs de surf, qui apprécient ses grandes vagues : celle représentée ici doit mesurer de 5 à 6 m de hauteur, mais les vagues de 10 m au déferlement n'y sont pas rares, le record en cet endroit étant de 14,30 m. La puissance de telles vagues au déferlement est fantastique. Leurs coups de boutoir créent des pressions de plus de 3kg/cm², et l'on a vu des blocs de béton de 800 t ainsi déplacés, comme au brise-lames de Wick, sur le littoral écossais, détruit lors d'une tempête.

Dans les très faibles profondeurs, le freinage de la vague sur l'avant par le fond entraîne l'exagération de sa cambrure et de sa dissymétrie. Dressée jusqu'au déséquilibre, la vague déferle en volute : la projection vers l'avant de l'eau de la crête crée pendant un court instant une sorte de tunnel, un « tube » aux parois veinées et translucides, que l'on voit bien ici au second plan, alors qu'au premier plan l'eau écumante de la crête n'en est encore qu'au premier stade de sa projection vers l'avant. Les vagues succèdent aux vagues, et l'on reste fasciné par cet étonnant spectacle sans cesse renouvelé. ■

Vagues de tempête sur la plage de Kalkbaai

Il ne manque plus à cette belle image que le grondement de la mer, qui s'étend jusqu'à plusieurs kilomètres à l'intérieur des terres, et l'odeur salée des embruns pour être transporté sur la plage du petit port de Kalkbaai, dans la péninsule du Cap, en Afrique du Sud. Situé au fond de la crique de False Bay — littéralement, «fausse baie», ainsi nommée parce que les navigateurs la confondaient parfois avec la baie de la Table, au nord de la péninsule —, Kalkbaai est très fréquenté par les pêcheurs, mais attire également de nombreux touristes. En effet, l'eau de la baie, provenant de l'océan Indien, a 5 °C de plus que celle des baies avoisinantes, et le littoral de False Bay est sans doute l'un des plus beaux du monde.

Il se produit souvent des tempêtes au large du cap de Bonne-Espérance, mais lorsque les vagues arrivent sur la plage, elles ont perdu de leur force. Elles déferlent, non plus en volutes, mais en s'écroulant sur elles-mêmes. Cela s'explique par le profil moins redressé du fond, et par la grande largeur de la plage. ■

Déferlement de vagues de tempête sur la plage de Kalkbaai, près de la ville du Cap (Afrique du Sud). Les faibles profondeurs et la dimension des vagues amènent ces dernières à déferler par écroulement à partir d'au moins 200 m en avant de la plage.
▽

De la houle à la vague

La houle — ondulation régulière des flots — naît de l'action des vents dans les vastes étendues sans obstacles des parties centrales des océans, et se propage ensuite vers les côtes. On la caractérise par la hauteur, distance entre le creux et la crête, par la longueur d'onde, distance entre deux crêtes, et par la période, temps nécessaire pour le passage en un même point fixe de deux crêtes successives. Un rapport existe entre ces différents paramètres : ainsi, une houle de 5 à 8 m de hauteur aura une longueur d'onde moyenne de 80 m et une période d'environ 9 secondes. Un record de hauteur de 33,60 m aurait été observé dans le Pacifique Nord par le navire *Ramapo* le 6 février 1933.

Lorsque la houle du large arrive à proximité d'une côte, elle se déforme, à partir du moment où la profondeur devient égale à la moitié de la longueur d'onde (L/2) : le fond exerce alors une action de freinage, avec pour conséquence une diminution de la longueur d'onde ainsi que de la vitesse de translation. Le mouvement qui affecte l'eau change aussi : au large, chaque molécule d'eau parcourt un cercle qui la ramène presque au même point après le passage de chaque crête ; dans les vagues de la côte, ce cercle devient une ellipse de plus en plus aplatie et une certaine quantité d'eau est entraînée à chaque passage de vague. De ces modifications naissent les vagues qui déferlent sur le rivage.

Si l'incidence des vagues à la côte est oblique, ce qui est le cas de la figure, l'eau déplacée vers l'avant crée un courant de dérive littorale dans les faibles profondeurs proches de la plage. Sur la plage, un grain de sable, déplacé dans la zone du swash, transitera dans le sens indiqué par les lettres de A à J.
▽

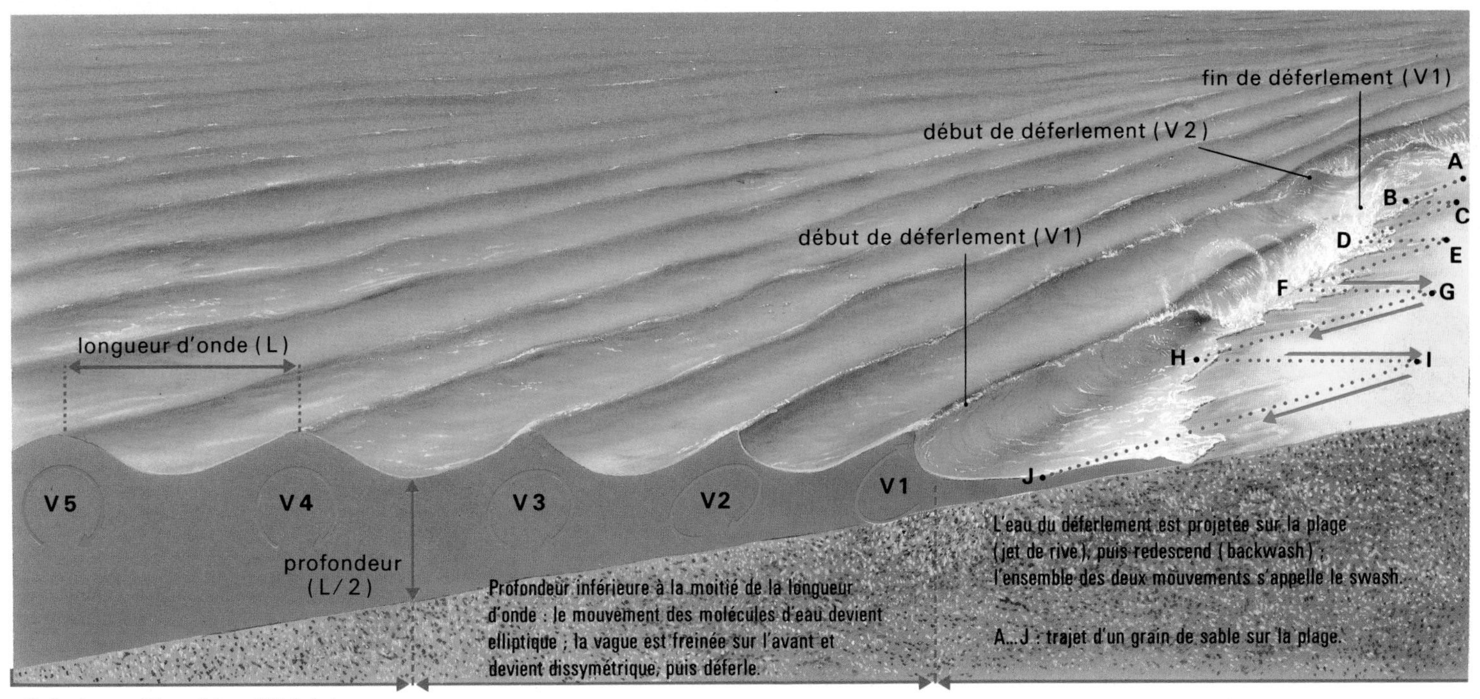

Les vagues à l'approche du littoral

La dérive littorale à Grand-Bassam

Sur l'immense cordon littoral, près du port de Grand-Bassam, en Côte-d'Ivoire, les pêcheurs, dont on voit les pirogues dispersées sur la plage, ont bien du mal à franchir la barre des vagues. Heureusement, les vagues n'ont pas toutes la même taille : les plus grosses viennent par séries de cinq ou six, séparées par des périodes relativement calmes de vagues plus petites. Les pêcheurs le savent : ils attendent le passage d'une série de grosses vagues et, poussant rapidement leur pirogue, ils se précipitent sans perdre une seconde pour traverser la barre avant l'arrivée de la suivante.

Dans les déferlements, les grains de sable sont soulevés, puis entraînés par l'eau bouillonnante qui se précipite sur la plage. C'est le jet de rive. Le reflux de l'eau les ramène dans un va-et-vient sans fin qu'on appelle le swash. Si l'incidence des vagues à la côte est oblique, même légèrement comme c'est le cas ici, le matériel sédimentaire ne revient pas exactement à la même place après chaque vague, mais migre dans une direction, toujours la même. Il se crée le long de la plage un courant de dérive littorale, et à l'endroit où les vagues s'écrasent (zone du swash), un transfert du sable. Peut-être, en vous baignant au bord d'une plage battue, avez-vous pris conscience de l'existence de cette dérive littorale en constatant, au sortir du bain, que vous aviez été entraîné plus ou moins loin de vos vêtements laissés sur la rive? Vous avez alors éprouvé, sans le savoir, ce processus fondamental dans la construction et l'évolution des plages et des cordons littoraux. ■

◁ *Près de Grand-Bassam (Côte-d'Ivoire), les vagues déferlent le long de plages interminables, créant une barre que les pirogues de pêcheurs, tirées sur le rivage en face d'un petit village, ont quelques difficultés à franchir.*

Prouesses sur vagues : le surf

Le surf, qui se pratique depuis des siècles en Polynésie, a aujourd'hui des adeptes dans le monde entier. Mais le paradis de ce sport est Hawaii, où les vagues atteignent souvent 10 m de haut. Le surfeur, à plat ventre ou à genoux sur sa planche, gagne le large en se propulsant avec les bras. Dès qu'il voit s'approcher une «bonne» vague, il se dirige vers le rivage. Lorsque la vague le rattrape, il se met debout; en se servant de son poids, il évolue le plus longtemps possible le long de la paroi mouvante, à une vitesse de l'ordre de 15 km/h. Pendant quelques secondes, il se retrouve parfois dans un véritable tunnel aquatique. En glissant, il infléchit l'orientation de sa planche pour se maintenir en avant de la crête écumante. Puis il descend dans les eaux plus calmes en arrière de la vague.

Lorsque le surfeur est «au creux de la vague»...

LA MER SORT DE SES GONDS

Les raz de marée : ondes de tempête et tsunamis

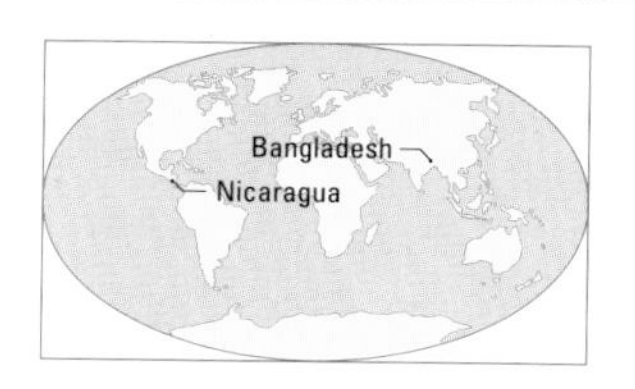

Bien qu'ils aient des origines tout à fait différentes, ondes de tempête et tsunamis ont les mêmes effets dévastateurs : montée rapide du niveau de la mer le long des côtes, et inondation brutale des parties basses du littoral. Le caractère soudain du phénomène place les raz de marée parmi les catastrophes naturelles les plus meurtrières de la planète.

Des ondes dévastatrices

Les ondes de tempête ont une cause météorologique. Elles sont dues à la pression du vent qui, sur une grande étendue de mer, repousse les eaux vers la côte, créant une surélévation du plan d'eau dans la zone littorale. La présence de faibles profondeurs favorise le gonflement de l'onde. Les vagues de tempête contribuent à la destruction des défenses du littoral, les conditions les plus défavorables étant réunies s'il y a coïncidence avec une grande marée haute. Ce fut le cas le 31 janvier 1953 lorsqu'un fort vent du nord, soufflant pendant trente-six heures sur plus de 1 500 km, repoussa les eaux de la mer du Nord vers les côtes hollandaises. Environ 200 000 ha de polders furent inondés et il y eut plus de 1 800 morts. Le phénomène de l'onde de tempête s'amplifie au fond des entailles du littoral : estuaires comme celui de la Loire par vent d'ouest; baies, comme celle de la Neva — Leningrad (aujourd'hui Saint-Pétersbourg) fut inondée le 23 septembre 1924 par une montée des eaux supérieure de 3,81 m à la normale.

Un autre type de raz de marée particulièrement terrifiant, fréquent surtout dans le Pacifique, est le tsunami, terme japonais qui désigne une onde produite au large par une brutale déformation du fond océanique sous l'action d'un séisme ou d'une explosion volcanique. L'onde de tsunami se propage dans tout l'océan à une vitesse voisine de 800 km/h ; elle n'est pas décelable au large, car elle y est très aplatie (il s'agit alors d'un imperceptible gonflement de l'océan sur 100 à 150 km de largeur). Mais elle se transforme lorsque la profondeur décroît à l'approche d'une côte : sa vitesse et sa longueur d'onde diminuent, tandis que sa hauteur s'accroît considérablement. Sur le rivage, la mer se retire dans un premier temps de manière anormalement rapide, mais elle revient bientôt en vagues monstrueuses qui se ruent dans les baies, détruisant les agglomérations et portant parfois les navires à des centaines de mètres à l'intérieur des terres. Il existe de nos jours un système international d'alerte qui permet, dans le Pacifique, de prévoir l'heure d'arrivée du tsunami, donnant aux populations côtières le temps de se réfugier sur les collines.

△ *Cette photographie, prise le 9 septembre 1988, montre l'ampleur des inondations consécutives à une onde de tempête cyclonique dans la plaine du delta du Gange-Brahmapoutre (Bangladesh).*

Inondations meurtrières au Bangladesh

Ces eaux qui miroitent jusqu'à l'horizon, et d'où l'on ne voit émerger que des bouquets d'arbres, ne sont pas celles d'un lac : il s'agit de l'une des régions agricoles le plus densément peuplées du monde, la plaine deltaïque du Gange-Brahmapoutre, au Bangladesh, noyée sous une inondation catastrophique en septembre 1988. Au premier plan, des hameaux et quelques rizières situés sur des parties légèrement proéminentes sortent à peine des eaux. Comme les inondations du 7 octobre 1937, au cours desquelles 300 000 personnes furent noyées, celles du début septembre 1988, presque aussi meurtrières, furent causées par une onde de tempête due au passage d'un cyclone sur le golfe du Bengale, qui fit remonter le niveau de la mer de 4 à 5 m au-dessus du niveau normal. C'est sur la bordure du delta qu'il y eut le plus de victimes, là où un lacis de chenaux fluviaux sépare de nombreuses îles très peuplées, mises en rizières à l'abri de digues d'argile, seul matériau disponible dans la région. Les survivants racontent qu'ils virent la mer, hérissée de hautes vagues, se précipiter dans les chenaux, telle une foule en furie, entraînant les embarcations dont la plupart furent détruites. En quelques minutes, les digues cédèrent et les îles furent submergées. ■

Les ravages d'un tsunami au Nicaragua

Si l'Atlantique et la Méditerranée connaissent parfois des tsunamis, c'est dans le Pacifique qu'ils sont le plus fréquents.

Des débris de planches accumulés en tas informes, voilà ce qu'il reste d'un village de pêcheurs de la côte pacifique du Nicaragua après le tsunami du 1er septembre 1992. Ce jour-là, un séisme de magnitude 7,2 sur l'échelle de Richter se produisit à 19 h 16, heure locale. L'épicentre fut localisé à 160 km en face de la côte du Nicaragua, au large du port de Corinto. Des témoins racontent qu'ils virent la mer se retirer, signe menaçant de l'approche d'une vague sismique. Puis l'eau se mit à remonter très rapidement en bouillonnant, agitée de vagues dont les plus grandes atteignaient environ 15 m lorsqu'elles déferlèrent sur les villages. Les cases en bois furent disloquées, et les débris portés loin à l'intérieur des terres. Il y eut une centaine de morts, dont les corps ne furent pas tous retrouvés, car ils avaient été entraînés vers le large avec les débris lors du reflux des eaux. Si, dans ce cas précis, l'épicentre du séisme était proche, certains des 370 tsunamis recensés depuis quatre-vingts ans dans le Pacifique ont fait les plus grands ravages parfois à des milliers de kilomètres de leur origine, après que l'onde sismique eut traversé tout l'océan. ■

Un terrible tsunami eut lieu le 27 août 1883 durant l'éruption du volcan Krakatoa, en Indonésie. Fut-il provoqué par une explosion sous-marine, par de violents mouvements du fond de la mer ou bien encore par la projection d'environ 1 500 m³ de roche volcanique dans la mer ? On ne le sut pas précisément. Quelle qu'en fût l'origine, le sinistre eut des répercussions dramatiques : l'ampleur des dégâts fut colossale. La ville de Merak, située à l'extrémité ouest de l'île de Java, à 50 km du volcan, fut littéralement balayée par des vagues d'une trentaine de mètres de hauteur. Un vaisseau militaire, le *Berow*, qui mouillait non loin de là, fut brusquement soulevé par une vague gigantesque. On le retrouva abandonné à 9 m au-dessus du niveau de la mer et... à 3 km à l'intérieur des terres ! La catastrophe fit plus de 36 000 morts en quelques heures. Des ondes de tsunami furent enregistrées jusqu'en Afrique du Sud, au cap Horn et même à Panamá, situés respectivement à 7 200, 12 500 et 18 350 km du Krakatoa. Les appareils de mesure calculèrent que leur vitesse à travers l'océan Indien avait atteint 750 km/h !

La vague la plus haute fut mesurée au cours du tsunami qui frappa le Japon le 24 avril 1771 : elle atteignait 85 m ! Une autre vague de tsunami, mesurée en Alaska le 28 mars 1964, avait une hauteur de 67 m.

△
Dégâts causés par le tsunami du 1er septembre 1992 sur la côte pacifique du Nicaragua, et mécanisme général des tsunamis. Le dessin montre les positions successives de l'onde de tsunami, des grandes profondeurs où s'est produit l'ébranlement sismique à la côte. Très aplatie, l'onde se propage de manière circulaire et à très grande vitesse (800 km/h) à partir de l'épicentre du séisme. Sa vitesse de propagation ralentit à l'approche du plateau continental (jusqu'à 50 km/h), et sa hauteur augmente de manière considérable, occasionnant un raz de marée.
▽

Un tsunami

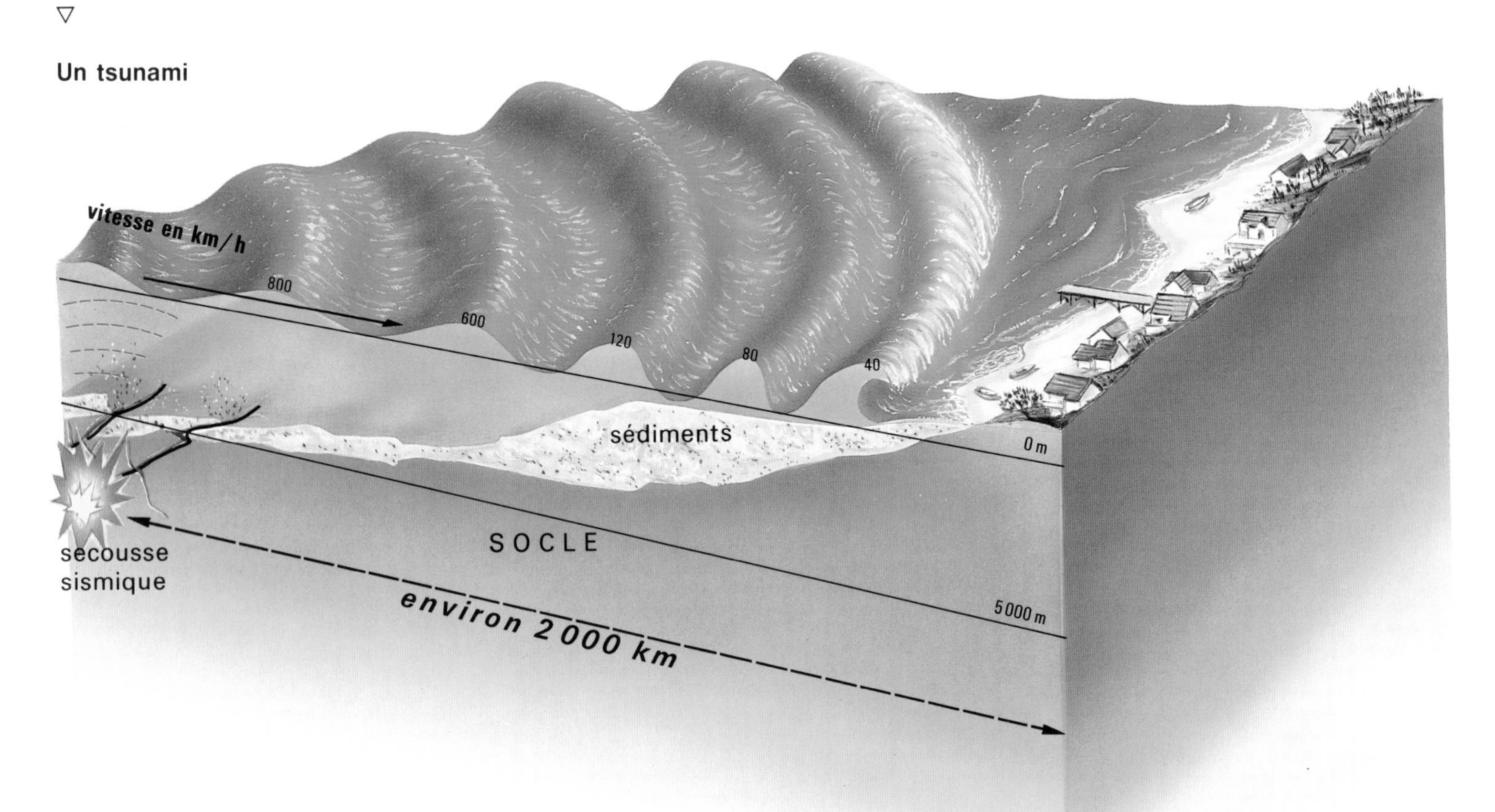

DE SABLE ET DE GALETS

Les côtes basses

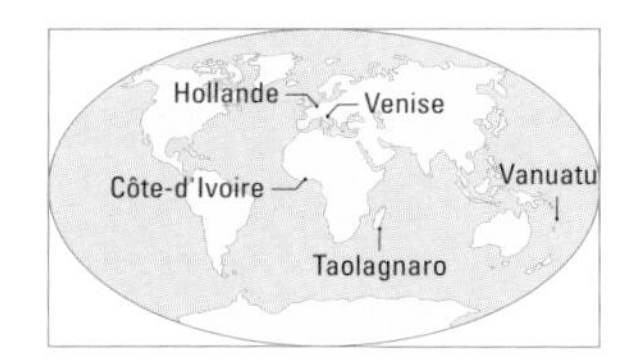

Alors que les côtes élevées sont érodées en falaises dans des roches de nature et d'âge variés, les côtes basses sont au contraire des côtes où la mer accumule des sédiments très récents ou actuels, et leur construction se fait véritablement sous nos yeux. Ici, la terre semble souvent se confondre avec les eaux, ce qui n'exclut pas une certaine diversité dans les formes et les paysages littoraux.

Dunes malgaches

Les dunes forment un paysage tout à fait caractéristique des côtes basses sableuses, spécialement en climat sec, et si la côte est exposée à des vents forts venant de la mer. Sur cette plage proche de la ville de Taolagnaro (anciennement Fort-Dauphin), à l'extrême sud-est de l'île de Madagascar, dans l'océan Indien, les dunes se sont formées parce que le sable de la partie supérieure de la plage, battue par de grandes vagues, a été transporté par le vent vers l'intérieur des terres. La région de Taolagnaro est soumise toute l'année à l'alizé du sud-est (l'est est à droite sur la photographie), qui souffle parfois violemment. Souvent, le sable déplacé par le vent ne va pas très loin et s'accumule en une dune bordière — ici, au premier plan — dominant la plage. Cette dune est plus ou moins fixée par les plantes vivant dans les régions sableuses (plantes psammophytes), comme, sous les tropiques, la patate à Durand, espèce rampante à grandes fleurs roses ressemblant à un liseron géant, et par des arbres, tels ces filaos que l'on peut apercevoir au premier plan. Mais il arrive, si le climat est sec au moins une partie de l'année, et de ce fait le couvert végétal insuffisant et discontinu, que l'ensemble du cordon littoral soit remanié en dunes, donnant un relief d'apparence chaotique que l'on devine sur le cliché au second plan. Entre ce cordon littoral remanié en dunes et les hauts sommets granitiques de l'Anosy que l'on voit vers le nord, à l'arrière-plan, existe une lagune — invisible ici — qui limite le transit du sable et l'extension du champ de dunes vers l'intérieur. Sur cette même côte du sud de Madagascar, mais à l'ouest de Taolagnaro, le climat devient nettement semi-aride, et les dunes littorales se développent alors sans obstacle sur des centaines de kilomètres carrés, jusqu'à plus de 20 km à l'intérieur des terres, donnant un paysage étrangement bosselé, presque lunaire, dont on ne peut comprendre l'ordonnance qu'avec le recul d'une vue aérienne. ■

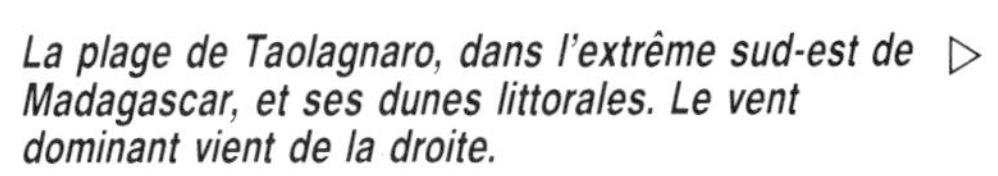

La plage de Taolagnaro, dans l'extrême sud-est de Madagascar, et ses dunes littorales. Le vent dominant vient de la droite. ▷

△
Le grand cordon de la lagune de Venise, avec à droite la mer Adriatique et à gauche la lagune de Venise. Plus rien de naturel ne subsiste dans ce cordon entièrement aménagé et renforcé par l'homme.

La lagune de Venise

La bande côtière de Pellestrina prolonge le grand cordon littoral du Lido, qui ferme la lagune de Venise — 60 km de long —, fragmentée en 118 îlots séparés par 200 canaux qu'enjambent 400 ponts! Le sol de ces petites îles, sorte de radeau spongieux flottant entre la nappe phréatique et l'eau lagunaire, a dû être traité pour supporter les constructions. Il a fallu enfoncer des pieux de bois d'environ 2 m, assez légers pour ne pas passer à travers la boue et le sable mais suffisamment solides pour supporter les clayonnages des fondations.

Le cliché est orienté vers le nord-est, avec la lagune aux eaux calmes sur la gauche, et, du côté droit, la mer Adriatique, ce jour-là peu agitée. La ville de Venise, non visible, est au nord-ouest, donc sur la gauche, au fond de la lagune, qui atteint une dizaine de kilomètres de largeur.

Pellestrina est un cordon sableux entièrement aménagé par l'homme et couvert de constructions. La plage a disparu, remplacée par des blocs entassés en avant d'une large digue, le tout constituant une protection contre les tempêtes de l'Adriatique, parfois redoutables. Tout l'espace disponible sur le cordon a été bâti, et le rivage du côté lagune est lui aussi entièrement artificiel, avec des quais le long desquels sont amarrées les nombreuses embarcations qui circulent sur la lagune. Les six constructions ressemblant à des jetées, du côté extérieur, ne sont pas des quais destinés aux bateaux, mais des épis, ouvrages constitués de gros blocs qui ont pour rôle de stopper la dérive littorale et de réduire l'érosion. Malgré tous ces travaux de protection et de renforcement du cordon, la ville de Venise et ses trésors d'architecture ne sont pas entièrement à l'abri des colères de la mer Adriatique : la lagune communique en effet avec l'extérieur par des passes qui interrompent le cordon (les *porti*), et il arrive que des ondes de tempête exceptionnelles entraînent une remontée des eaux suffisante pour inonder la place Saint-Marc. ■

Une acqua alta *à Venise : l'eau envahit les points les plus bas de la ville (ici, en 1984).*

Une tempête exceptionnelle fit monter, le 3 novembre 1966, le niveau de l'Adriatique de plus de 2 m dans le golfe de Venise. La marée balaya les terrassements *(murazzi)* tout au long du littoral, s'engouffra dans la lagune de Venise et inonda la cité comme jamais elle ne l'avait fait par le passé. Le parvis de la célèbre basilique Saint-Marc, point le plus bas de la ville, gisait sous 1,25 m d'eau. Tous les transformateurs électriques avaient sauté. Des tonnes de détritus jonchaient places et canaux. Rats, chats et pigeons noyés flottaient parmi les immondices et n'allaient pas tarder à poser des problèmes d'épidémie. Un cri d'alarme était lancé au monde entier : un fonds international fut créé pour sauver la cité en perdition.

Ce phénomène, dit de l'*acqua alta,* est un danger persistant pour la ville et les îlots alentour. Grosses pluies, vent du sud-est (sirocco) ou du nord-est (bora), événements astronomiques ou résonances des marées repoussent la mer dans la lagune.

Venise avait toujours connu des *acque alte* plus fortes que d'autres dans son histoire, mais celles du XXe siècle sont chaque fois plus dévastatrices.

Des dépôts d'origines diverses

Les fleuves apportent une grande partie des sédiments servant à la construction des côtes basses, mais ils ne sont pas les seuls. L'érosion par les vagues des côtes rocheuses fournit aussi des matériaux variés : blocs bientôt façonnés en galets, sables et argiles. La vie marine alimente les plages en sédiments calcaires, débris de coquilles accumulés lors des tempêtes, et plus particulièrement sur les côtes tropicales, blocs et sables coralliens. Ce sont surtout les vagues, à l'origine de la dérive littorale, et dans une moindre mesure les autres courants côtiers qui répartissent ces divers sédiments le long de la côte, les transportant parfois sur plusieurs centaines de kilomètres. Les sables et les galets servent à construire des flèches littorales, qui s'allongent parfois jusqu'à fermer les baies, et des tombolos, cordons sableux reliant des îles à la côte. Les argiles en suspension, qui donnent souvent à l'eau de mer une couleur jaune — ou rouge sous les tropiques — à l'embouchure des fleuves, forment de la vase s'accumulant dans les marais à l'abri des cordons littoraux. Cette sédimentation littorale aboutit à transformer une côte initialement découpée, avec des caps et des baies, en une côte plus rectiligne : on dit que celle-ci a été «régularisée». Il se crée progressivement une plaine littorale, d'une altitude à peine supérieure à celle du niveau de la mer.

Sont représentés sur le dessin les différents éléments constitutifs d'une côte basse. On peut se rendre compte de l'action des vagues et de la dérive littorale, dont la direction est indiquée par les flèches.
▽

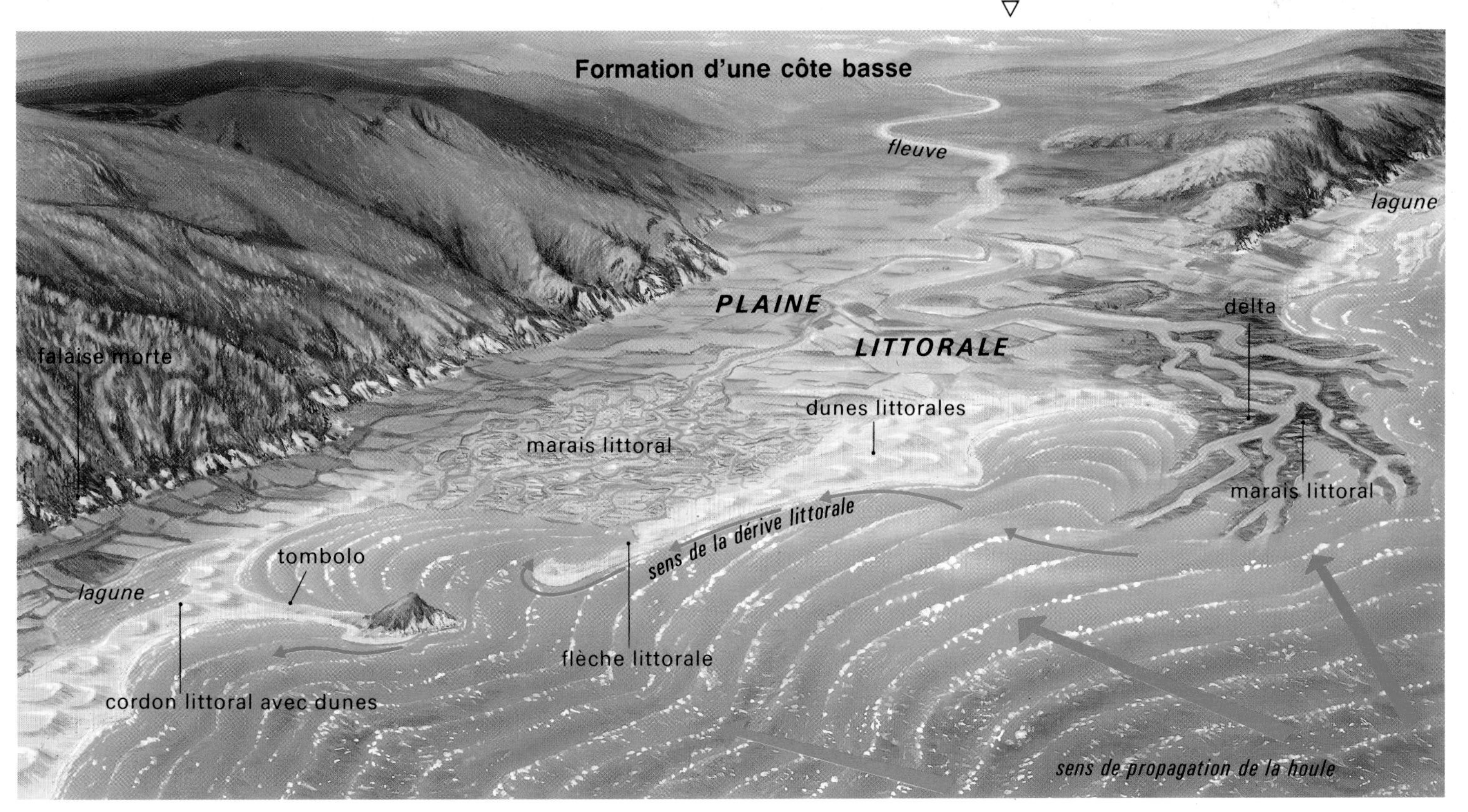

Les animaux de la mangrove

Un périophthalme bien audacieux face à l'un de ses prédateurs : le crabe.

Un petit crabe rouge et un périophthalme semblent tenir colloque sur la vasière de la mangrove. Comme des milliers de ses semblables qui creusent leurs terriers dans la vasière, le crabe a des pinces menaçantes, et des yeux perchés à l'extrémité de pédoncules mobiles, qui lui permettent de voir de tous les côtés, même quand il est enfoui dans la vase. Le périophthalme, lui, est un bien curieux poisson d'une quinzaine de centimètres de long, commun sur les rivages de l'océan Indien, de Madagascar à l'Australie. Il a aussi des yeux saillants, très mobiles, d'où son nom. Il se sert de ses nageoires comme de pattes, se hisse sur les berges, sautille sur la vasière et grimpe même sur les troncs des palétuviers. Grâce à des opercules qui protègent ses branchies de la dessiccation, il peut rester longtemps au sec. Au moindre mouvement suspect dans les environs, il saute à l'eau. Il se nourrit de vers, de mollusques et même d'insectes. Quant au crabe, son plat préféré est... le périophthalme. Dommage !

L'exubérante végétation de la mangrove

La mangrove — marais boisé des côtes tropicales — des îles Vanuatu (anciennement les Nouvelles-Hébrides), dans l'océan Pacifique, présente une bien curieuse végétation. Sur cette photo prise à marée basse, on distingue les racines aériennes d'un massif de palétuviers, ces arbres s'épanouissant dans les zones du littoral où s'étend la vase (vasières). Au second plan apparaît une vaste étendue de vasière nue, et l'on aperçoit, à l'horizon, la ligne bleue de l'océan. Il faudrait imaginer ce massif à marée haute, noyé par la montée des eaux jusqu'au niveau des feuillages. Pour résister aux vagues et aux courants de marée, ces arbres très particuliers ont développé un système compliqué de racines aériennes qui les ancrent dans la vase.

Le milieu de la mangrove est l'un des plus hostiles à l'homme qui soient : harcelé par des myriades de moustiques, on s'enfonce jusqu'aux cuisses dans la vase, on se débat interminablement au milieu de crabes géants et parfois de crocodiles de mer dans le fouillis inextricable des racines. La marée pénètre dans cette étrange forêt littorale par un réseau compliqué de chenaux, qui forment des méandres à l'infini et se perdent en amont sous les feuillages. Certaines mangroves, qui ont plus de 10 km de largeur, ne peuvent guère être explorées qu'en bateau, en suivant les chenaux à marée haute, mais leurs parties centrales sont proprement impénétrables.

Les matériaux les plus fins transportés en suspension par la mer, en particulier les argiles, vont se déposer sous forme de vase

dans les parties les plus abritées du littoral, dans les fonds de baie et les lagunes à l'abri des cordons. Les arbres de la mangrove tropicale jouent un rôle important en fixant la vase et en favorisant sa sédimentation à marée descendante.

Il existe de nombreuses espèces de palétuviers. Les unes, comme celle de la photographie, jouent un rôle pionnier sur la frange externe la plus exposée de la mangrove. D'autres s'installent plus à l'intérieur, là où l'eau est moins profonde, ou même à la limite de la terre ferme. Il y a donc une répartition des espèces de palétuviers en fonction du degré d'exhaussement de la vasière sous l'effet du dépôt des sédiments, jusqu'au stade ultime de l'émersion, qui permet alors l'installation d'une végétation continentale. ■

Dans les îles Vanuatu, dans le Pacifique, les vasières tropicales sont colonisées par de bien curieux arbres, les palétuviers, dont les racines aériennes s'ancrent dans la vase. On les voit ici à marée basse.
▽

△
Le littoral de la Côte-d'Ivoire est ce qu'on appelle une côte régularisée. On aperçoit au second plan le chapelet des lagunes, en arrière d'un large cordon littoral dont la plage est battue toute l'année par les vagues.

Les plages à perte de vue de la Côte-d'Ivoire

Les grandes vagues qui battent le littoral de la Côte-d'Ivoire créent une barre difficile à franchir, et les eaux bouillonnantes sont redoutables pour les embarcations de pêcheurs. Ces derniers, qui ont installé leurs villages sur le cordon littoral, ont à leur disposition deux milieux de pêche très différents, avec des espèces variées de poissons et de crustacés : d'un côté l'océan déchaîné et profond, de l'autre les calmes lagunes avec leurs étendues de vase colonisées par les palétuviers.

La Côte-d'Ivoire présente un littoral rectiligne sur des centaines de kilomètres : c'est le type même de la côte entièrement régularisée par un cordon sableux. Au premier plan, l'embouchure d'un fleuve, dont l'écoulement à la mer et la plus grande profondeur dans l'axe du chenal perturbent les déferlements et le tracé des trains de vagues. Ce fleuve apporte à la mer des eaux chargées de limons, mais surtout beaucoup de sable, qui est ensuite repris par les vagues, et réparti par la dérive littorale tout le long de la côte. Vagues et courants sont donc les artisans de la construction du cordon littoral, que nous voyons au second plan s'étendant jusqu'à l'horizon, battu du côté de la plage par la barre, et couvert par une végétation dense. Ce cordon sableux sépare de la mer un chapelet de lagunes, situées au second plan, à droite sur le cliché. Il s'agit ici de petites lagunes, larges au plus de quelques centaines de mètres; mais, dans d'autres parties de la Côte-d'Ivoire, leur largeur peut atteindre plusieurs kilomètres, comme dans la lagune Ébrié, proche de la capitale, Abidjan. Ces lagunes, toujours peu profondes, ont des eaux plus ou moins saumâtres : elles reçoivent en effet divers petits cours d'eau (alors que les fleuves importants débouchent directement dans la mer). Ces lagunes constituent une véritable voie d'eau naturelle, à l'abri du déchaînement de l'océan, entre les villages de pêcheurs du cordon littoral, généralement inaccessibles par voie terrestre, et ceux, très nombreux, de la partie plus interne de la région littorale.

Vers l'horizon, sur la droite, des reliefs un peu plus élevés dominent le rivage interne du chapelet des lagunes : il s'agit de l'ancienne ligne de rivage, jadis battue par les grandes vagues. Cette ancienne ligne de rivage abandonnée était, contrairement à l'actuelle, très irrégulière et découpée. La régularisation par la construction du cordon sableux a donc considérablement simplifié le tracé de la côte. ■

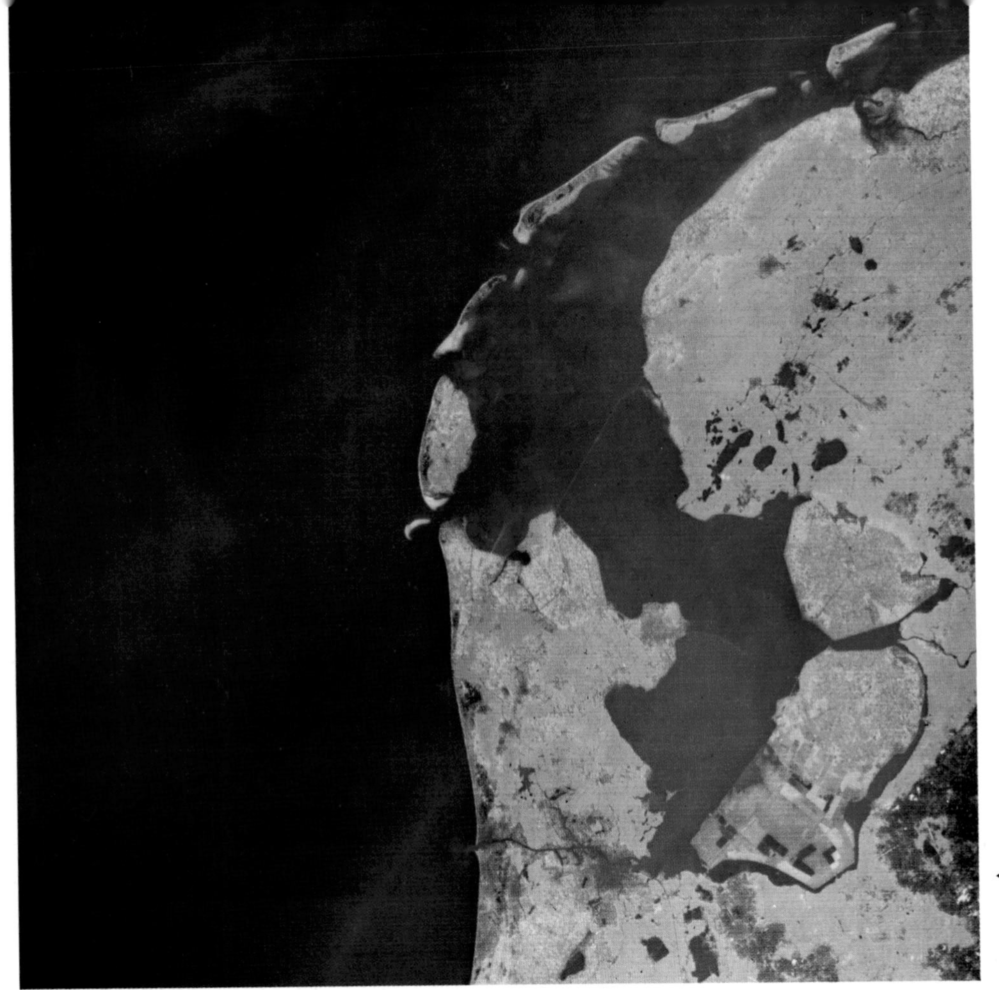

parcelle standard étant de 30 ha. Ce polder n'est pas jointif au «vieux pays», dont le séparent des lacs de bordure, maintenus pour permettre l'écoulement des rivières qui viennent de l'intérieur de la Hollande. Les techniques de drainage sont donc essentielles : c'est la raison pour laquelle les parcelles sont elles-mêmes de forme géométrique, en fonction du réseau de drains qui permet l'évacuation des eaux de pluie et le dessalage progressif des terres.

Mais la mer reprend parfois ce qu'elle a donné : la tempête de février 1953, avec des basses pressions de 723 mbar et des vents qui atteignirent 160 km/h, entraîna la rupture de nombreuses digues et la mort de plus de 1 800 personnes. Les Néerlandais s'efforcent maintenant de prévenir ces catastrophes en construisant des digues gigantesques, avec écluses de marée, à l'épreuve des plus fortes tempêtes. ■

◁ ***Les polders de la côte nord de la Hollande vus par un satellite à 910 km d'altitude. Le cliché, pris en 1972, couvre un carré d'environ 170 km de côté. Les polders apparaissent en bleu pâle, la couleur rouge correspondant à une végétation assez dense.***

La Hollande : le pays des polders

Aux Pays-Bas, la lutte entre l'homme et la mer est un combat permanent. Depuis le Moyen Âge, l'homme a voulu accélérer par des endiguements le processus naturel d'exhaussement des vasières littorales — zones où s'étend la vase —, afin de gagner des espaces sur la mer pour l'agriculture : ce sont les polders, terme d'origine néerlandaise qui désigne les marais maritimes artificiellement asséchés.

La photographie satellite représente les polders de la côte nord de la Hollande, qui apparaissent en bleu pâle. Les contours nets et rectilignes correspondent au tracé des digues qui les protègent. Une digue longue de 32 km, terminée en 1932 (légèrement visible sur la photographie) ferme l'IJsselmeer (ex-Zuiderzee), en bleu moyen, de même que, plus au nord, le Waddenzee, séparé de la mer du Nord par le chapelet des îles de la Frise occidentale : Texel, la plus grande, au sud, Vlieland, Terschelling et Ameland. La ville d'Amsterdam ainsi que la banlieue nord d'Utrecht apparaissent en gris-noir, près du bord inférieur du cliché. La photographie étant prise à l'infrarouge, la couleur rouge qui occupe les plus grands espaces correspond à la terre ferme couverte par la végétation, et à quelques parcelles cultivées à l'intérieur même des polders.

Flevoland-Est — au centre de la partie bleu pâle — est le plus grand des polders reconquis sur l'ex-Zuiderzee : il couvre 54 000 ha. Il a fallu construire trois stations de pompage pour l'assécher complètement. Au bout de quelques années, les terres ainsi gagnées deviennent suffisamment fermes pour être cultivées. Dans cette partie, presque toutes les cultures sont celles du blé, de la betterave sucrière et de la pomme de terre. La terre est divisée en parcelles, la

Un sport dans le vent

Aérodynamique, stable, le char à voile de classe 3 permet d'atteindre 120 km/h!

Le premier char à voile sportif vit le jour en Belgique en 1898. Puis le célèbre aviateur français Louis Blériot déposa son modèle d'Aéroplage, qui connut un vif succès sur les grandes plages de la mer du Nord au début du siècle. Mais ce n'est que vers les années 1960 que le char à voile prit son essor. Depuis, ce sport connaît toujours plus d'adeptes. Parmi les engins, qui allient aujourd'hui beauté et robustesse, on distingue plusieurs classes. Le char de classe 3 est le plus rapide. À cette «formule 1» du char à voile, certains préfèrent le char de classe 5, moins encombrant et donc plus facile à transporter. Le char de classe 7, plus connu sous le nom de Speed Sail, se pilote non pas assis ou allongé, mais debout. Différents certes, ces engins procurent cependant la même griserie aux sportifs épris de vitesse et de grands espaces.

UN FLEUVE OUVRE LES BRAS

Les deltas

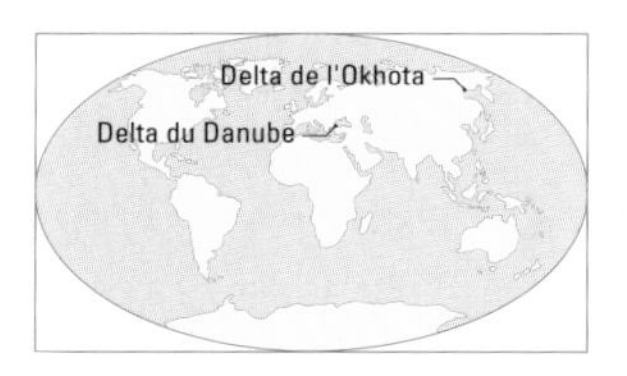

Dans les plaines des deltas, la frontière entre la terre ferme et le domaine des eaux reste souvent mal définie. L'homme s'est installé là à ses risques et périls. La densité rurale de certains deltas du Sud-Est asiatique atteint 400 hab./km², et les inondations, dues à des ruptures de berge ou à des ondes de tempêtes cycloniques, peuvent entraîner la mort de centaines de milliers de personnes.

△
Près de la ville d'Okhotsk, en Sibérie orientale, le fleuve Okhota construit son delta au fond d'une baie de la mer d'Okhotsk, par 60° de latitude N. Les bancs de vase salée sont rapidement colonisés par une végétation qui fixe les terres (herbu) entre les bras divagants du fleuve.

L'herbu du delta de l'Okhota

L'Okhota, fleuve de Sibérie orientale long de 300 km, se jette dans la mer d'Okhotsk à quelques kilomètres à l'ouest de la ville d'Okhotsk. Le paysage littoral est constitué d'une frange de collines et la côte se découpe en caps et baies profondes. L'Okhota se jette au fond de l'une d'entre elles et y construit un petit delta, dont seule la partie la plus externe est visible sur la photographie. Ce delta se divise en un réseau de chenaux ; les principaux sont larges de 50 m et se redécoupent en chenaux plus petits qui forment de nombreux méandres. Nous sommes ici au nord de la taïga, ce qui explique la présence d'arbres rabougris — surtout sur la gauche du cliché — incluant quelques feuillus et des conifères. Sur les bancs de vase du delta s'est implantée une végétation adaptée au sel, l'herbu, qui est l'équivalent de la mangrove des régions tropicales. La photo, prise à marée haute, cache toute une partie de l'herbu, recouverte par la mer. La photographie a été prise en plein été, mais, en hiver, la baie est entièrement prise par les glaces. En effet, l'une des caractéristiques des deltas situés dans les régions arctiques est d'être paralysés par le gel durant l'hiver. Au printemps, les eaux chargées de boue et transportant des glaçons obstruent les cours d'eau (c'est l'embâcle), faisant divaguer les chenaux et créant de nombreuses diffluences. Cette période de crues est très courte, et, en été, l'écoulement des fleuves est à nouveau réduit. Ce sont malgré cela des deltas très actifs : l'Okhota, situé à l'abri des vagues du large, progresse très rapidement et comblera bientôt la baie. ■

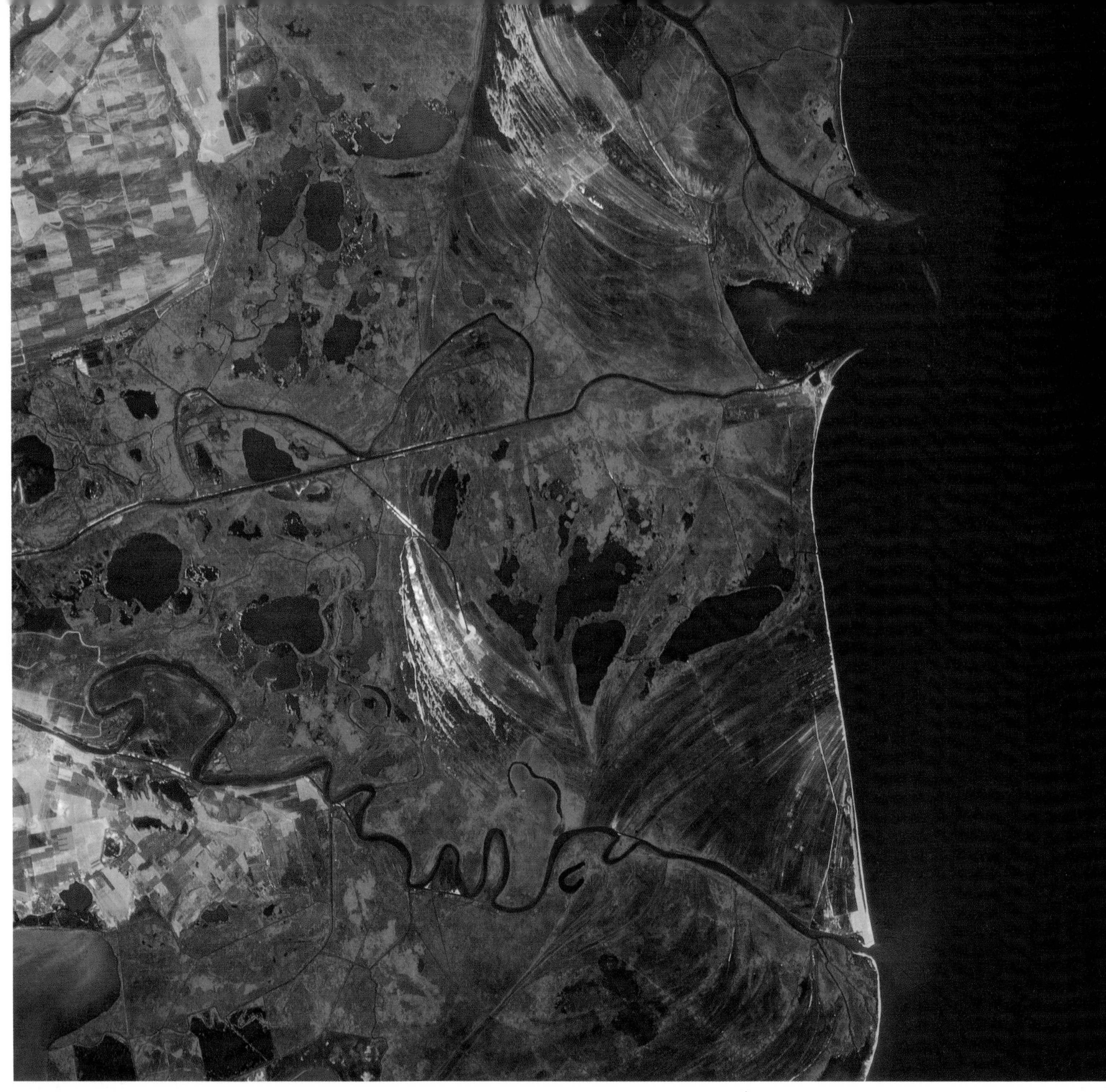

△
La partie centrale du delta du Danube (Roumanie), vue à l'infrarouge par le satellite Spot. La couleur rouge correspond à la végétation d'immenses marécages, traversés par deux des trois bras du Danube. Le cliché couvre un carré d'environ 53 km de côté.

Un des animaux protégés du delta, le pélican.

Un paradis de la nature

Avant de se jeter dans la mer Noire, le Danube se déploie en un éventail marécageux, où le roseau, qui occupe 290 000 ha, est roi. D'énormes nénuphars égaient les eaux stagnantes. Ce delta est, en Europe, l'un des derniers paradis des oiseaux. Des millions y font escale. Plusieurs centaines d'espèces y vivent en permanence. On peut ainsi apercevoir canards, oies sauvages, cygnes, cormorans, bécasses et autres échassiers, mais aussi vautours et pélicans. Les eaux, aussi habitées que l'air, abritent plus de 100 espèces de poissons. Certains poissons marins viennent pondre dans le delta. C'est le cas de l'esturgeon, qui donne le fameux caviar. Sur la terre ferme se cachent loutres, belettes, hermines, sangliers, chats sauvages, renards, loups...

Le delta du Danube vu de l'espace

Ce cliché à l'infrarouge pris par le satellite Spot couvre environ la moitié des 5 600 km² du delta du Danube, en Roumanie. Le fleuve commence à déployer ses eaux en éventail au nord-est de la ville de Tulcea, à une centaine de kilomètres de son embouchure dans la mer Noire. Il se sépare en trois bras principaux qui délimitent trois grandes zones. Ces zones sont sillonnées d'une multitude de bras secondaires, ruisseaux, canaux qui relient à travers leurs méandres d'innombrables étangs et marécages intérieurs. Seules restent au sec tout au long de l'année quelques langues de terre *(grinds).*

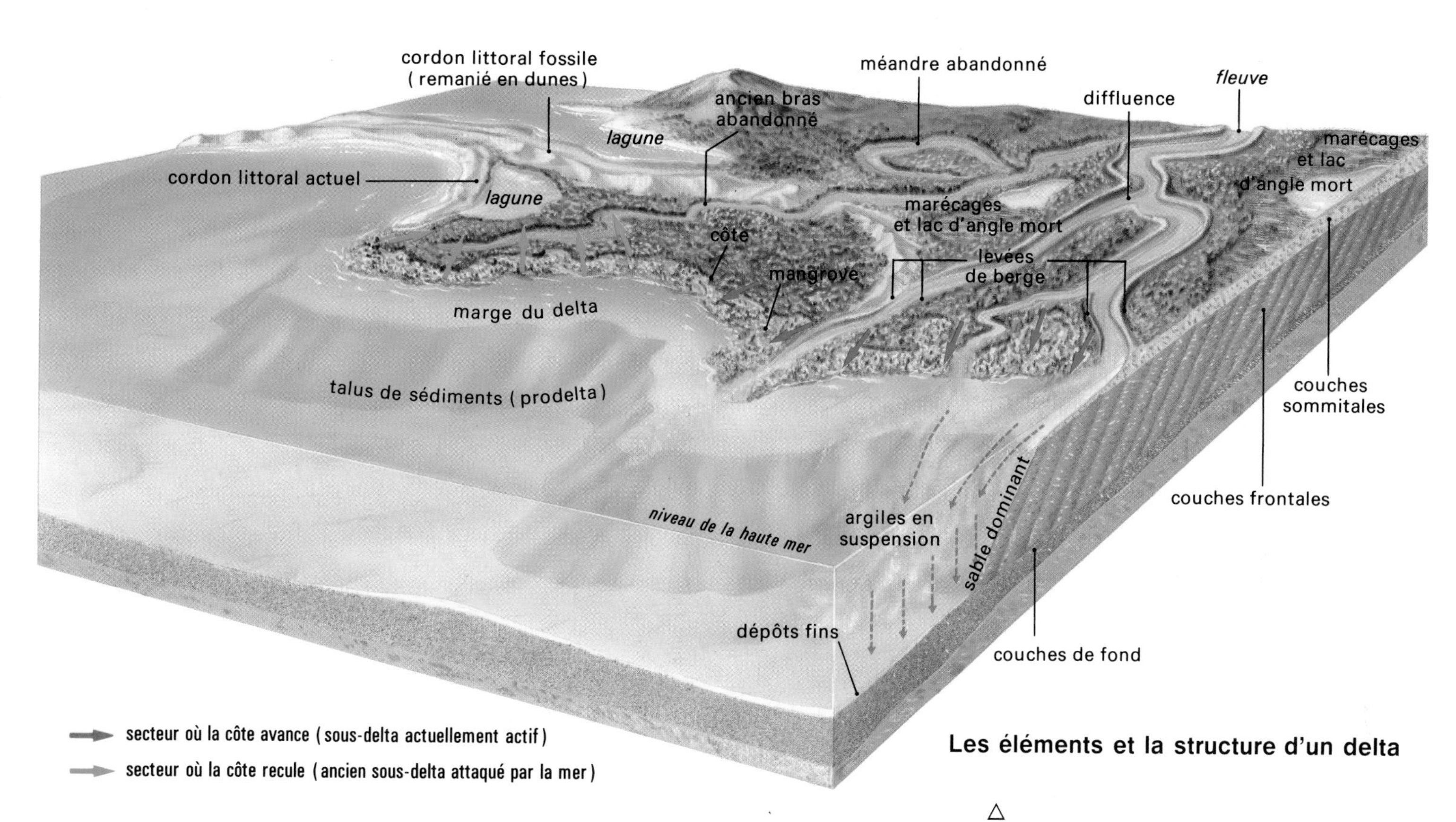

Les éléments et la structure d'un delta

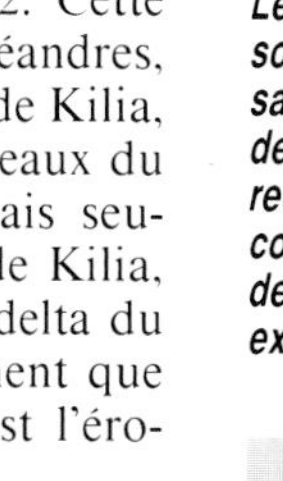

△

Les couches de fond, déposées en eau profonde, sont recouvertes par les couches frontales (surtout sableuses), mises en place sur le talus en avant du delta (ou prodelta). Les couches frontales sont recouvertes par les couches sommitales, qui correspondent aux divers milieux de sédimentation de la plaine deltaïque. La pente du talus est ici exagérée, et dépasse rarement 10°.

Le paysage évolue en permanence, à cause de l'érosion et du transport des alluvions : ici, le fond d'un étang s'exhausse, là, un ruisseau s'obstrue...

À droite, on distingue le rivage de la mer Noire, souligné par un étroit cordon sableux rectiligne. La couleur rouge, la plus étendue, correspond à la végétation d'immenses marécages à roseaux. Deux des trois bras fluviaux du Danube sont bien visibles. Au sud, le bras de Saint-George, qui véhicule 22 % des eaux du Danube, dessine de multiples méandres jusqu'à son embouchure, marquée par un panache d'eaux turbides. Au centre du cliché, le bras de Sulina (13 % des eaux du Danube) a un cours rectiligne dû à une rectification de tracé pour la navigation, effectuée entre 1886 et 1902. Cette rectification a coupé deux grands méandres, bien visibles. On ne voit pas le bras de Kilia, de beaucoup le plus actif (65 % des eaux du Danube), qui est plus au nord, mais seulement la partie sud du sous-delta de Kilia, en progression de 80 m par an. Le delta du Danube ne progresse plus actuellement que dans cette partie nord ; ailleurs, c'est l'érosion marine qui prédomine.

Paradis de millions d'oiseaux migrateurs, la plaine deltaïque est aussi bénie des pêcheurs : plus de 100 espèces différentes de poissons ont été identifiées. Certaines coopératives se sont spécialisées dans la pêche à la grenouille et exportent des milliers de petites cuisses dans toute l'Europe. ■

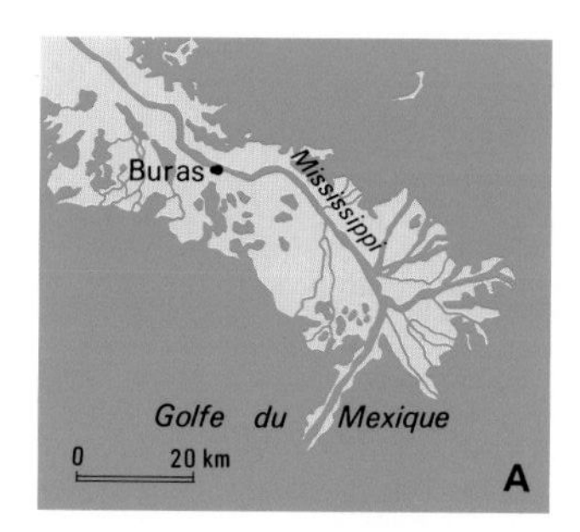

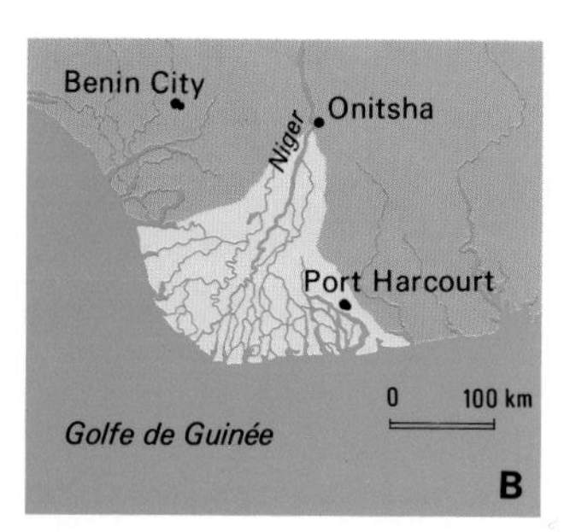

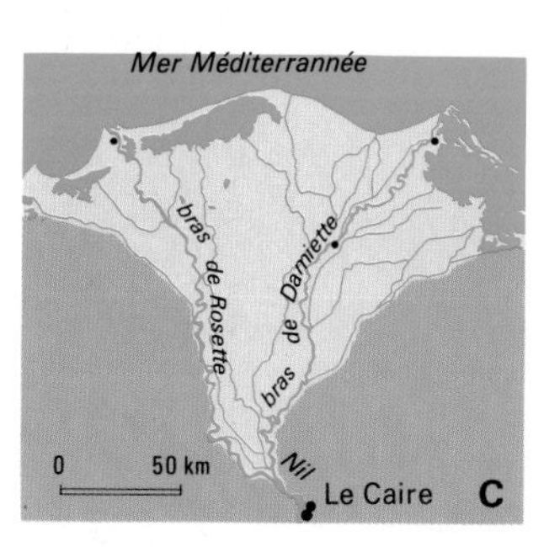

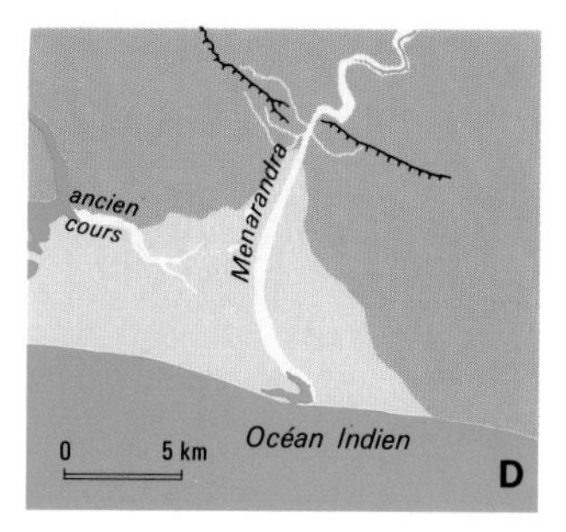

Quatre types de deltas

A : digité ou en patte d'oie (delta Balize du Mississippi)

B : lobé (delta du Niger)

C : associant lobes convexes et croissants concaves entre les bras d'embouchure (delta du Nil)

D : atrophié (delta de la Menarandra, dans le sud de Madagascar)

Les deux premiers types correspondent à une forte prédominance des apports fluviaux. Dans le dernier, l'action érosive de la mer l'emporte.

Une côte en mouvement

Les deltas sont formés par l'accumulation des alluvions d'un fleuve à son embouchure, entraînant une avancée plus ou moins importante de la terre sur la mer. Le dépôt des alluvions, surtout sableuses et argileuses, est dû à la diminution de la capacité de transport du fleuve, qui passe d'une pente, même faible, à la surface horizontale de la mer. Le courant fluvial demeurant plus fort dans l'axe du chenal, des levées de berges s'édifient de chaque côté. Lors des crues catastrophiques, il arrive qu'une brèche se produise dans une levée de berge, entraînant ce qu'on appelle une diffluence : l'eau s'engouffre dans le nouveau chenal, qui a souvent un trajet plus court jusqu'à la mer, et l'ancien lit est alors progressivement abandonné.

Les déplacements de l'écoulement fluvial aboutissent à la formation d'une plaine littorale basse en forme de cône aplati, caractéristique des deltas. Mais l'avancée du delta est contrariée par l'érosion marine. Les matériaux facilement érodés par les vagues sont repris par la dérive littorale, et servent à la construction de plages et de cordons enserrant des lagunes. Seuls les fleuves les plus chargés en alluvions parviennent à contrebalancer l'érosion marine, et à construire des deltas qui s'avancent notablement dans la mer.

PARADIS EXOTIQUES

Les récifs coralliens

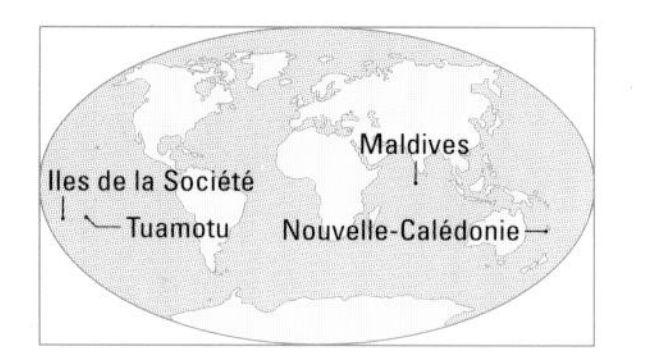

Les découvreurs des terres australes, les premiers voyageurs au long cours, puis les guides touristiques ont vanté la magie des mers du Sud lorsque le navire, après avoir franchi une étroite passe, glisse sur les eaux turquoise d'un lagon. Magie du soleil couchant sur les versants escarpés d'une île luxuriante, magie des couleurs des fonds coralliens, de l'outremer profond à la blancheur irréelle des grèves de sable, en bordure des îlots où frissonnent dans l'alizé les palmes des cocotiers.

Récifs frangeants aux Tuamotu

Avec ses 84 îles et ses anneaux de corail émaillant l'océan Pacifique sur plus de 2 300 km, l'archipel des Tuamotu, en Polynésie française, couvre le double de la superficie de la France. Ses nombreux atolls, ses lagons profonds aux eaux turquoise où abondent les poissons multicolores font la joie des touristes en mal d'évasion.

Les côtes de ces lagons sont souvent bordées de récifs frangeants. Minces trottoirs construits par les coraux, ils peuvent être appuyés au rivage des îles hautes, comme c'est le cas pour les îles de la Société ou pour Nosy Bé, au nord-ouest de Madagascar.

Situés sous quelques décimètres d'eau, ils abritent une faune corallienne adaptée à des eaux calmes et chaudes, ainsi que les poissons et les mollusques qui y sont associés. Entre les pâtés coralliens affleurant à la surface de l'eau, dans lesquels se réfugient, à la moindre alerte, une multitude de poissons, des langues de sable et des affleurements de dalle corallienne nue, taraudée par les mollusques foreurs, rendent la progression aisée.

Le récif frangeant se termine côté lagon par une pente abrupte d'une dizaine de mètres de profondeur, d'abord formée de coraux vivants puis de sable fin et de vase calcaire. Côté terre, surtout dans les zones les plus abritées, des plages de sable blanc ourlent les rivages ombragés par les cocotiers.

Les récifs frangeants révèlent l'étonnant spectacle du chatoiement de la vie dans les eaux chaudes à l'abri des turbulences du large. Mais, situés souvent à proximité des installations humaines, ils sont soumis à des agressions qui les fragilisent : constructions anarchiques sur les littoraux; prélèvements de pêche — parfois à la dynamite — d'autant plus importants qu'ils s'effectuent non loin des villages côtiers; prédation par les touristes ramassant des coquillages

vivants et des branches de corail; dragages industriels des matériaux coralliens; pollutions chimiques ou biologiques. Dans de nombreuses îles, alors qu'ils étaient encore, il y a peu, les nurseries des espèces du large et du lagon, les récifs frangeants ne sont plus maintenant que de mornes déserts sans aucune vie, au-dessus desquels errent quelques poissons égarés. ■

Les cayes des Maldives

Dans l'océan Indien, les Maldives sont un semis d'îles et d'atolls alignés du nord au sud. La plupart des atolls s'y composent d'une série de petites îles plus ou moins disposées en cercle et bordées de formations coralliennes et d'éblouissantes plages blanches. Dans les vastes lagons émergent çà et là des cayes — petits îlots de sable et de graviers coralliens — comme l'île Ihuru, dans le grand atoll Male.

Les cayes se trouvent également le long de la Grande Barrière de corail (en Australie), à la Jamaïque, en Indonésie, à Madagascar et en Nouvelle-Calédonie.

Elles reposent sur de grands pinacles aux flancs abrupts, qui s'élèvent au-dessus des profondeurs. Ces îles se forment sous l'action des houles, qui démantèlent les constructions coralliennes situées en bordure des pinacles et accumulent les débris en levées surbaissées, de forme arquée, construites de matériaux grossiers sur les rivages «au vent» et plus fins sur les rivages «sous le vent». Elles ne sont donc présentes que dans de vastes lagons ou en pleine mer.

Ces mondes clos ont fait l'objet, dans les Maldives et aux Caraïbes, de luxueux aménagements touristiques, qui se traduisent souvent par des déprédations importantes du monde corallien. Estacades, chenaux dragués sur les platiers, parfois apports de sable pour recharger une plage rongée par les tempêtes mettent à mal, en quelques années, des équilibres séculaires.

Est-ce là le prix que doivent payer, au profit de gens fortunés, certaines de ces petites îles pour qu'ailleurs de petits paradis subsistent encore à l'abri des destructions humaines? ■

△ *Sur la pente d'un récif frangeant, dans les eaux claires, poissons aux vives couleurs, coraux et algues diverses décorent la moindre anfractuosité.*

◁ *Un récif frangeant dans l'archipel des Tuamotu (Polynésie française). Le récif frangeant se présente généralement comme un étroit trottoir corallien, appuyé au rivage interne d'un lagon, et limité du côté de ce dernier par une pente verticale de quelques mètres. Les eaux y étant généralement calmes, les colonies coralliennes de* Porites *et d'*Acropora *peuvent s'y développer jusqu'à fleur d'eau sans être ravagées par les vagues.*

Les cayes, ici l'île Ihuru (Maldives), se présentent comme de petits îlots de coraux brisés et de sable corallien, posés, en plein lagon, sur des pâtés coralliens de grande dimension. L'accumulation des sables en dune surbaissée est due à l'érosion des constructions coralliennes par les houles lagonaires dominantes. Ces petits mondes paradisiaques sont l'objet d'un fort développement touristique. ▷

Tupai, un atoll de Polynésie

Les atolls sont parmi les formes les plus curieuses rencontrées sur la planète. Un survol en avion de l'archipel des Tuamotu ou des atolls de la Société, dont fait partie celui de Tupai, dans le Pacifique, étonnera toujours. Là, sur plusieurs centaines de kilomètres, s'égrènent de proche en proche les anneaux parfaits des plus gigantesques formes jamais construites par les microscopiques polypes coralliens.

La découverte des atolls est un moment de surprise et de dépaysement. Tout, dans ce monde horizontal, est inhabituel. Ce sont en fait des terres précaires et difficiles, cernées par l'océan. Car aucun point de ces îles basses n'est situé à plus de quelques mètres au-dessus de l'eau, si bien que les platiers et les îlots (les *motu* des Polynésiens) sont régulièrement ravagés par les cyclones.

L'atoll est formé par plusieurs grandes unités. Tout autour, ce qui constitue l'ossature de l'île : le platier corallien, balayé par les houles. Sur sa partie externe se trouvent les constructions coralliennes les plus actives. Sur le platier sont posés des îlots de sables et de graviers. Ils sont bien développés à Tupai, mais peuvent être plus rares sur d'autres atolls. Le lagon, dont la profondeur atteint une vingtaine de mètres, forme le cœur de l'atoll. Des pinacles coralliens s'y sont édifiés jusqu'à la surface.

Dans la majorité des atolls, les échanges d'eau entre le lagon et la mer se font par l'intermédiaire d'une ou de plusieurs passes profondes. À Tupai, les entrées d'eau dans le lagon se font par-dessus le platier. ■

△
La Polynésie française compte 77 atolls. Celui de Tupai (50 km²), au nord-ouest de Bora-Bora, fait partie de l'archipel de la Société. Son plan en fer de lance est assez inhabituel. Son large platier est occupé par des îlots de débris coralliens, les motu. *Il n'y a pas de passe; les échanges entre l'océan et le lagon central se font par des chenaux étroits — les* hoa *—, entre les* motu.

◁ *À Takapoto, atoll de l'archipel des Tuamotu, les* hoa *peu profonds entaillent légèrement le platier, véritable désert de calcaire corallien d'où émergent les curieuses formes en champignon de constructions coralliennes, témoins d'un niveau de la mer plus haut que l'actuel.*

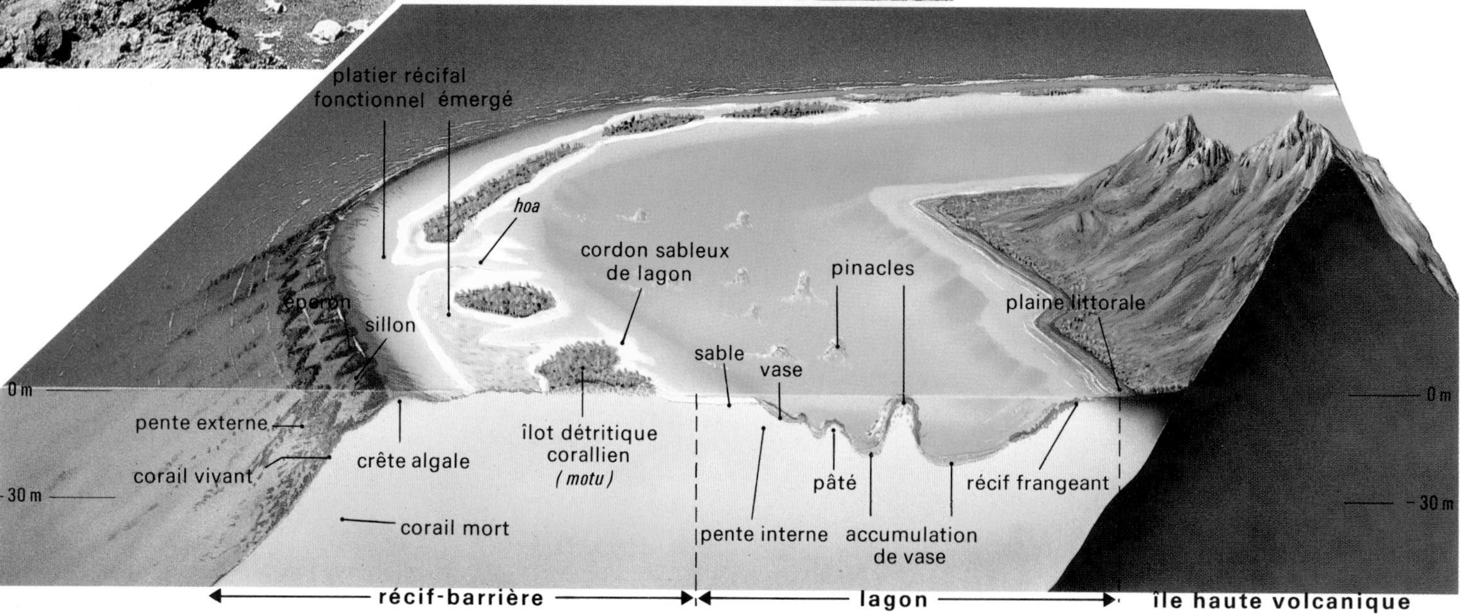

Les îles hautes de Polynésie sont bordées d'un lagon de largeur variable, isolé de l'océan par un récif-barrière, sur le platier duquel sont posés des îlots formés de débris coralliens. Ce profond lagon est un bon abri pour les bateaux, qui y pénètrent par les passes. Cependant, des pinacles coralliens forcent à une navigation prudente. Au bord de la plaine côtière s'étend le récif frangeant, ourlé de plages de sable basaltique noir.
▽

△
Vu ici au large de Nouméa, le récif-barrière de Nouvelle-Calédonie isole de la pleine mer le grand lagon qui entoure l'île de la Grande Terre. Les vagues déferlent sur la crête formée d'algues calcaires, puis les eaux s'écoulent vers le lagon en traversant d'abord une zone de constructions coralliennes continues, puis disjointes, pour ensuite atteindre les étendues sableuses bordant le vaste lagon.

Les constructions coralliennes

Les formes géantes des récifs coralliens — certains atolls reposent en effet sur un socle corallien de plusieurs kilomètres d'épaisseur — sont, paradoxalement, l'œuvre de bâtisseurs microscopiques vivant dans les eaux chaudes du globe, les madréporaires ou scléractiniaires. Ces minuscules organismes, les polypes, sécrètent pour se protéger un squelette calcaire externe appelé polypier, chacun d'entre eux s'appuyant sur le voisin pour donner des colonies coralliennes qui croissent en hauteur à raison de 1 m par siècle environ. De vigoureuses compétitions ont lieu entre espèces pour l'occupation du territoire.

Pour se développer, ces organismes exigent des conditions bien particulières. Il faut d'abord des eaux chaudes voisines de 20 °C, mais dont la température ne descende pas au-dessous de 18 °C. Il faut ensuite des eaux claires pour que les coraux et leurs algues associées puissent se développer grâce à la lumière. Des eaux riches en substances nutritives dissoutes sont par ailleurs nécessaires pour assurer la croissance des édifices. Enfin, les polypes ne peuvent croître que dans les eaux salées, et sont donc absents au large des embouchures des grandes rivières.

La combinaison de ces divers facteurs explique la répartition des récifs coralliens autour de la planète sur plus de 100 millions de km^2, suivant deux ensembles d'importance inégale : dans l'océan Indien et dans l'océan Pacifique pour la plupart — le centre de plus grande richesse spécifique s'étendant des îles Ryu Kyu à la Grande Barrière d'Australie, en passant par les Philippines — et, plus accessoirement, dans l'océan Atlantique.

Un récif-barrière : le grand récif de Nouvelle-Calédonie

Au large de la Nouvelle-Calédonie, un important récif-barrière ceinture toute la Grande Terre sur plus de 800 km, formant un magnifique lagon. Il constitue le deuxième ensemble corallien du monde après celui de la Grande Barrière, au nord-est de l'Australie.

Ce grand récif de la Nouvelle-Calédonie, vu ici au sud de Nouméa, forme un alignement plus ou moins continu de platiers coralliens. Ces plates-formes affleurent à la surface de l'océan, ou sont parfois situées sous quelques mètres d'eau, à une grande distance de la Grande Terre, une dizaine de kilomètres fréquemment, parfois beaucoup plus, comme dans le sud de l'île.

Dans sa partie sud-ouest, ce récif-barrière a un tracé légèrement festonné et n'est interrompu que par quelques passes, dont les plus célèbres sont celles de Dumbéa et de Boulari. La passe de Boulari est commandée par le phare Amédée, qui fut acheminé de Paris en pièces détachées, et érigé en 1865 sur l'îlot Amédée.

La barrière récifale est formée, comme dans l'ensemble des barrières coralliennes du monde, par des unités bien distinctes : d'abord la pente externe, très inclinée, riche en coraux de toutes sortes, jusqu'à une profondeur voisine de 100 m, parfois plus ; puis la crête récifale, composée essentiellement d'algues calcaires incrustantes dont les cavités brisent l'énergie des vagues (par temps calme, cette crête émerge légèrement, singulier trottoir en pleine mer sur lequel les promenades sont aisées) ; en arrière, une zone de constructions coralliennes, balayée par les courants rentrant dans le lagon, s'étend sur quelques centaines de mètres. C'est un domaine très riche où de nombreuses espèces de poissons multicolores s'ébattent dans les eaux claires, pour le plus grand bonheur des photographes et plongeurs sous-marins. Enfin, avant les calmes du lagon, paradis des véliplanchistes de Nouméa, se sont accumulés des sables et des graviers arrachés par la houle à la pente externe, morne plaine sous-lagonaire, d'où émergent quelques pâtés coralliens. ■

Un bijou venu du fond des mers

Le corail rouge noble est la variété la plus appréciée en bijouterie. Uniforme, sa couleur va du rose tendre au rouge sang. Mais il existe également des coraux blancs, noirs ou bleus beaucoup moins connus. On récolte les coraux entre 3 et 300 m de fond avec des filets plombés. Seuls les calcaires des coraux sont employés en joaillerie ; aussi les débarrasse-t-on une fois pêchés de leurs parties molles. Les morceaux de corail sont ensuite soigneusement triés en fonction de leur qualité. À l'état brut, ils sont mats : un polissage minutieux leur donnera la brillance qu'on leur connaît. Pour travailler le corail, on utilise scies, couteaux, limes et forets. S'il était d'usage autrefois de le facetter, aujourd'hui on le taille plutôt en cabochons, ou on le sculpte en objets d'art. Gemme fragile, le corail craint la chaleur, les acides, les bains chauds. Sa couleur peut aussi virer au contact de la peau, mais il aura toujours plus d'éclat que les nombreuses imitations en verre, plastique, corne ou corozo...

Les parures de corail ont toujours été appréciées.

LA MER QUI SAPE

Les falaises

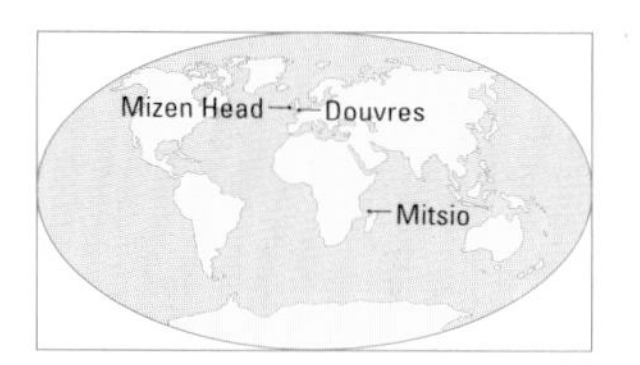

Les falaises marines résultent de l'entaille par les vagues d'un versant continental. Leur hauteur dépend du volume du relief ainsi attaqué. Souvent verticales, parfois très hautes (666 m pour les mégafalaises de l'île d'Achill, dans l'ouest de l'Irlande, 1 000 m par endroits pour celles d'Arica et d'Iquique, au Chili), les falaises marines apportent la preuve sans doute la plus spectaculaire de la puissance de l'érosion des côtes par la mer.

Falaises de craie aux portes de l'Angleterre

Le voyageur qui empruntera bientôt le tunnel sous la Manche pour rallier la Grande-Bretagne se privera d'un magnifique spectacle : celui qu'offrent les grandes falaises de la région de Douvres, dans le sud-est de l'Angleterre. Par beau temps et mer calme, elles se détachent sur le bleu de la Manche et du ciel, impressionnantes par leur blancheur et leur continuité. Lors des tempêtes, le paysage fascine par sa sévérité. L'écume bouillonnante des vagues qui se ruent contre ces remparts naturels enveloppe le spectateur d'une brume d'embruns.

Hauts en moyenne d'une cinquantaine de mètres, ces à-pics sont crayeux. La craie, constituée par les coquilles de minuscules protozoaires marins appelés foraminifères, est une roche calcaire tendre mais homogène, que l'on trouve aussi dans de nombreuses régions de l'Europe continentale envahies par la mer à la fin de l'ère secondaire (grande transgression du Crétacé). Des lits de silex noirs, disposés horizontalement, fournissent les galets, qui viennent armer les vagues dans leur action d'érosion.

Ces grandes falaises sont localement verticales, mais, la craie étant plus ou moins argileuse, il se produit des éboulements gigantesques qui peuvent affecter des pans entiers. Le rôle érosif de la mer, au moment des tempêtes, consiste surtout à déblayer la base des falaises de ces matériaux éboulés, et à redresser le profil, préparant ainsi de nouveaux éboulements. Dans les secteurs où la craie est peu argileuse et particulièrement cohérente, il arrive que l'on observe une profonde encoche marine à la base de la falaise, des grottes et parfois même des arches très spectaculaires. ■

Prairies et champs de colza mettent en valeur la blancheur éblouissante des falaises crayeuses de Douvres (côte sud-est de l'Angleterre). ▽

Orgues de basaltes à Madagascar

L'approche par la mer, en venant du nord, de la plus grande des îles de l'archipel des Mitsio, à Madagascar, offre au navigateur le spectacle étrange de cette falaise marine entaillée dans des basaltes à structure prismée. L'aspect général est celui de centaines de tuyaux d'orgue, visibles sur une quinzaine de mètres de hauteur, serrés les uns contre les autres et dressés vers le ciel. De plus près, on peut voir que chacun de ces tuyaux d'orgue présente une section hexagonale très régulière d'environ 50 cm de diamètre ; ces orgues, au fur et à mesure du recul de la falaise, se morcellent et s'éboulent en éléments prismatiques parfois d'une rare perfection géométrique.

Des légendes locales attribuent à des êtres mythiques la construction de ces orgues, dont on trouve l'équivalent dans la Chaus-

◁ *Falaise marine dans le nord de la Grande Mitsio (île située à 20 km en face de la côte nord-ouest de Madagascar et à 25 km au nord de l'île touristique de Nosy Bé) : des centaines de « tuyaux d'orgue » taillés dans des basaltes se serrent les uns contre les autres.*

Types de falaises marines

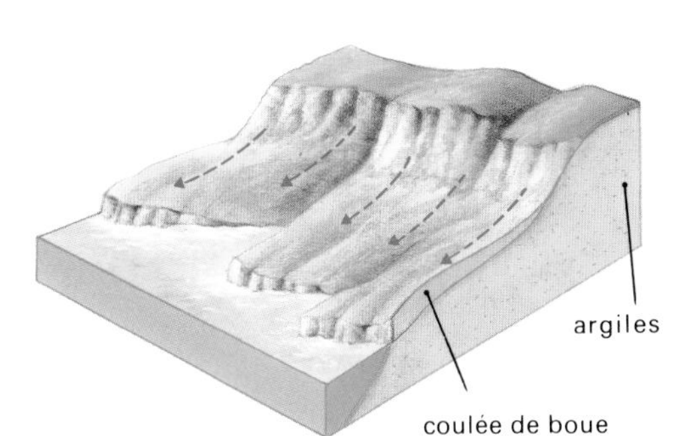

Falaise entièrement argileuse avec des coulées de boue entaillées par la mer

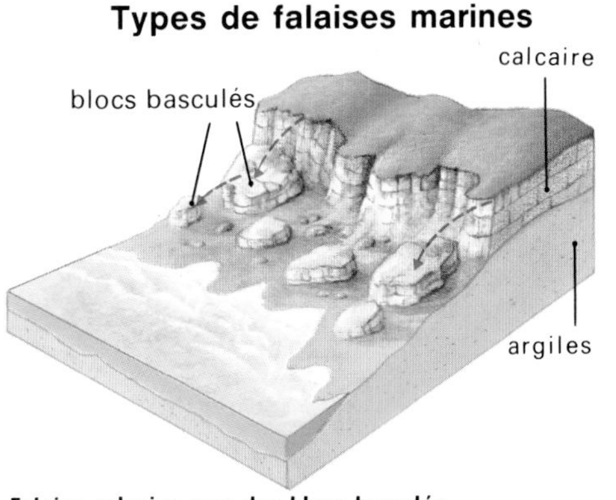

Falaise calcaire avec des blocs basculés ayant flué dans les argiles

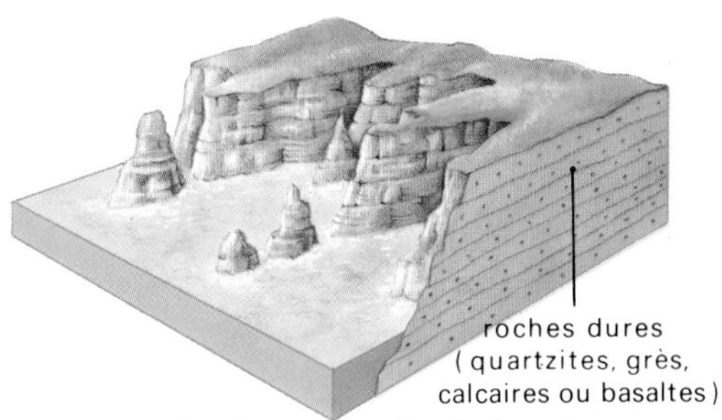

Falaise de roches dures en couches horizontales

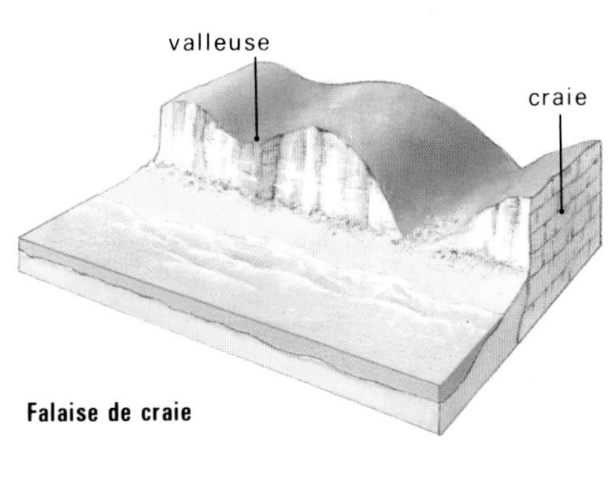

Falaise de craie

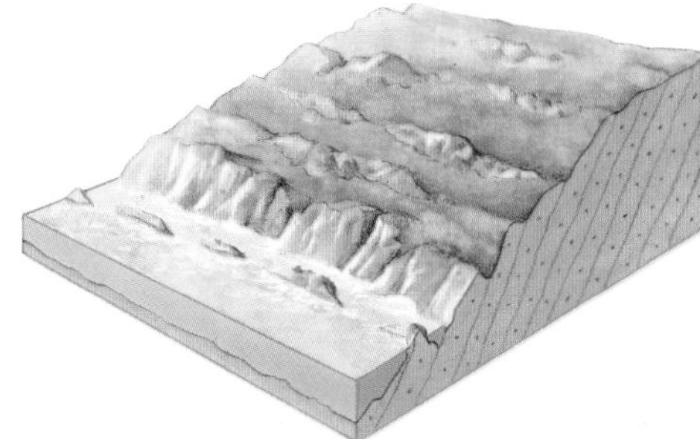

Falaise de roches dures avec pendage vers la mer

Un recul plus ou moins rapide

Quelques années suffisent pour que se forment de petites falaises dans des roches tendres — argiles, sables ou ponces volcaniques, par exemple —, et dans ce cas le recul peut être extrêmement rapide : jusqu'à 5 m par an pour certaines falaises de drift (argiles à blocs glaciaires) des côtes du Norfolk et du Yorkshire, en Grande-Bretagne ; jusqu'à 1 500 m en cinquante ans dans les cendres et les ponces du Krakatoa (volcan du détroit de la Sonde, en Indonésie). Mais si la mer doit entailler des roches dures — quartzites, granites, basaltes massifs ou certains calcaires —, le recul est alors à peine perceptible au cours d'une vie humaine.

Les vagues, armées de sable et de galets, sont l'agent essentiel du recul des falaises. L'action du bombardement par les galets développe une encoche à leur base, favorisant un recul par effondrement de pans de la partie supérieure. L'érosion marine exploite les zones de faiblesse de la roche — fractures, diaclases, plans de schistosité —, ce qui aboutit au creusement de couloirs et de grottes.

Il existe de nombreux types de falaises marines. La variété des formes du littoral dépend surtout de la nature et de la résistance à l'érosion du matériel rocheux. Lorsque la roche est stratifiée, la falaise aura un aspect différent selon que les couches seront plus ou moins redressées, avec un pendage vers la terre ou vers la mer.

L'homogénéité de la roche joue aussi un rôle : des plans de fracturation seront plus facilement évidés par l'érosion marine, tandis que des filons résistants resteront en saillie. Les petites falaises argileuses peuvent reculer très rapidement, mais, dans le cas de grandes falaises de cette nature, des coulées de boue successives dues aux eaux pluviales donnent un grand versant à relief bosselé en pente douce vers la mer, qui correspond fort peu à l'idée que l'on se fait habituellement d'une falaise marine.

sée des Géants, en Irlande. Pour les géologues, il s'agit d'une curiosité tout à fait naturelle : la colline couverte par la forêt correspond très exactement à une ancienne cheminée volcanique d'environ 150 m de diamètre, et la structure prismée s'est formée par rétractation du magma dans cette cheminée au cours de son refroidissement.

La mer entaille avec difficulté ce matériel rocheux très résistant. Les orgues surbaissées, au premier plan, montrent surtout des formes de corrosion dues à l'érosion chimique des paquets de mer et des embruns projetés au moment des tempêtes. Dans l'archipel des Mitsio, plusieurs îlots minuscules correspondent à de tels pointements basaltiques, qui ont résisté à l'érosion marine. Certains ont des parois tellement abruptes qu'il est impossible d'aborder, ce qui permet à de nombreux oiseaux d'y nidifier en toute sécurité. ■

Un abri idéal pour les oiseaux

Les grandes falaises verticales en roches dures sont un lieu privilégié de nidification pour de nombreux oiseaux marins qui, parfois par milliers, utilisent le moindre replat, la moindre cavité pour y construire leur nid. Parmi bien d'autres espèces, le macareux cornu, à l'aspect si cocasse avec son plastron blanc et son énorme bec jaune, trouve là un refuge sûr pour sa nichée, à proximité immédiate du vaste garde-manger que constitue l'océan. Un statut de réserve naturelle protège souvent de telles concentrations d'oiseaux des falaises, qu'il est merveilleux de voir, dans un cadre souvent grandiose, se croiser en tous sens et tourbillonner dans un concert de cris assourdissant.

◁ *Le macareux cornu, un familier des falaises.*

Les falaises de grès de Mizen Head

Lorsqu'on quitte Dublin, il suffit d'une heure de route vers le sud pour atteindre les plages de sable qui ont fait la réputation du comté de Wicklow. Mais, entre les stations balnéaires, la côte irlandaise compte aussi jusqu'à la ville d'Arklow quelques très belles grèves rocheuses. La péninsule de Mizen Head présente même à la mer d'Irlande d'imposantes falaises, qui dominent un grand nombre de petites criques sauvages avec un peu de sable et des galets. La côte est très découpée dans le détail, avec de nombreux écueils proches du rivage, contre lesquels la mer éclate en gerbes d'écume au moment des tempêtes.

Impressionnants, ces à-pics constitués de grès durs d'âge primaire ont une très longue histoire, comme la plupart des falaises de roches dures (grès recristallisés en quartzites, granites, basaltes massifs), qui ont d'ailleurs fréquemment à leur base des restes de plages anciennes dont l'âge est estimé à environ 120 000 ans. Les falaises de Mizen Head sont des falaises quaternaires que la mer actuelle s'est contentée de remettre en activité depuis que l'océan est remonté au niveau actuel, il y a 6 000 ans.

L'érosion marine actuelle, qui exploite les nombreux plans de fracturation d'une roche par ailleurs très résistante, a rajeuni les falaises en creusant des couloirs qui se terminent parfois en grottes. Des pans entiers de la roche se sont effondrés en énormes blocs, capables de résister encore de nombreuses années à l'assaut inlassable des vagues qui se déchaînent lors des tempêtes.

Ainsi, ces grandes falaises en roches dures ne reculent que très lentement, ce qui ferait presque douter de l'érosion marine, pourtant si spectaculaire en d'autres endroits du globe. ■

Grande falaise en grès durs d'âge primaire dans la péninsule de Mizen Head, au bord de la mer d'Irlande (sud de Dublin). On remarque les fines stratifications et les cassures (diaclases) de la roche. ▷

CEINTURES DE PIERRE

Les côtes rocheuses

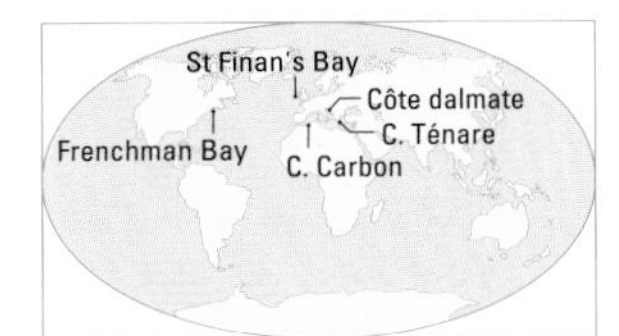

Les côtes rocheuses sont généralement des côtes élevées, qui résultent de l'envahissement par la mer des parties basses d'un relief continental. Lorsqu'il s'agit de hautes collines ou même de montagnes, les paysages littoraux peuvent être grandioses, avec des baies et des caps escarpés.

△
Le cap Ténare (ou cap Matapan) se trouve à l'extrême sud de la péninsule du Taygète, la plus impressionnante des péninsules du Péloponnèse. Ce cap n'est accessible que par un chemin pédestre. Au premier plan, le village très isolé d'Alika.

Le cap le plus méridional de la Grèce continentale

Le cap Ténare (ou cap Matapan) est situé à l'extrémité la plus avancée des quatre grandes péninsules qui donnent au Péloponnèse la forme curieuse d'une main posée entre la mer Ionienne, à l'ouest, et la mer de Myrto, à l'est. Sur la gauche de la photographie, le Magne est une contrée rude et rocailleuse, située dans le prolongement méridional du massif du Taygète, culminant à 2 404 m. L'espace de mer visible sur la droite est l'entrée du golfe de Messénie, qui s'enfonce de 70 km à l'intérieur des terres. Le village d'Alika, au premier plan, est un des derniers points habités que l'on puisse atteindre en voiture. La route qui y mène, depuis Kalamata, port et station balnéaire de 40 000 habitants, au fond du golfe, suit sur une centaine de kilomètres le rivage occidental de cette gigantesque péninsule : on y voit quelques maisons d'un style très traditionnel, avec leur tour carrée caractéristique, d'autres étant de construction plus récente. Au premier plan, sur la gauche, des terrasses de culture plus ou moins abandonnées. Dans ce véritable bout du monde, seul un chemin pédestre permet d'atteindre l'extrémité du cap, à 10 km plus au sud. Un regard par-dessus la péninsule permettrait de voir, de l'autre côté, le profond golfe de Laconie, avec au fond la plaine de Sparte, haut lieu de la Grèce antique.

La côte du Péloponnèse est un bel exemple de côte de type transversal. Entre des chaînes de montagnes qui correspondent à des blocs faillés soulevés (horsts), la mer a envahi les dépressions (grabens), donnant des golfes profonds. Au fond de ces golfes, où débouchent les fleuves, il existe des plaines de remblaiement qui ont attiré l'activité humaine depuis l'Antiquité, alors que les chaînes de montagnes intermédiaires demeuraient des déserts de pierraille calcaire, seulement parcourus par les troupeaux de chèvres. ■

La côte dalmate à l'abri des assauts de la mer

De grands versants calcaires plongeant directement dans les eaux calmes de baies profondes : tel est le paysage parfois grandiose de la côte dalmate en Croatie, ici au pied du massif du Velebit. La roche calcaire nue apparaît presque partout entre des buissons clairsemés qui s'accrochent à des sols squelettiques. Nulle part la mer n'a façonné de véritables falaises : les vagues des tempêtes de l'Adriatique ne parviennent en effet qu'atténuées dans ces *canali*, vastes plans d'eau allongés, que des alignements d'îles séparent du large. Une seule de ces îles est visible ici, à l'horizon, mais le dessin montre mieux leur multitude et leur forme allongée très caractéristique.

Une telle disposition s'explique par une histoire géologique compliquée. À l'ère secondaire, des calcaires se sont déposés dans une mer qui a précédé la Méditerranée : la Téthys. Au moment de la formation des chaînes alpines, à l'ère tertiaire, ces puissantes assises calcaires ont été plissées, donnant les hauts chaînons des Alpes dinariques de la Bosnie et du sud de la Serbie. À cause de ce plissement, la côte dalmate est composée de multiples chaînons calcaires, qui correspondent aux parties hautes des plis (anticlinaux), séparées par les parties basses des plis (synclinaux). Le relief littoral que nous observons est dû à l'envahissement par la mer des dépressions synclinales, tandis que le sommet des anticlinaux émerge sous la forme de chapelets d'îles.

Sous l'action des eaux pluviales, les calcaires sont facilement dissous en chicots acérés — les lapiez —, que l'on devine au premier plan de la photographie entre les taches de végétation. On appelle ce type de relief calcaire affecté par l'érosion un karst, du nom d'une région du nord-ouest de l'ex-Yougoslavie. Cette partie de la Croatie est truffée de grottes, et les rivières y ont souvent un cours souterrain. La karstification explique la présence, en de nombreux points de la côte dalmate, de résurgences sous-marines d'eau douce. ■

La côte dalmate au pied du Velebit (Croatie). De grands versants calcaires hérissés par l'érosion plongent dans les eaux calmes, abritées du large par des caps et de nombreuses îles. ▽

Un promontoire escarpé : le cap Carbon

Le puissant massif de la Grande Kabylie se termine brutalement vers l'est au-dessus de la Méditerranée par le promontoire escarpé et spectaculaire du cap Carbon. La ville de Bejaia (ex-Bougie) est seulement à 3 km, plus au sud. Un sentier en lacets permet de gravir les pentes abruptes du cap, haut de 220 m, jusqu'au sommet, où se trouve un phare. C'est l'un des plus puissants de la côte algérienne, avec une portée de 37 miles et un sémaphore. La vue est magnifique, tant vers la côte ouest, côte rocheuse élevée semblable à celle du cap lui-même, que vers l'est, sur le vaste golfe de Bejaia. La Méditerranée connaît de violentes tempêtes, et il faut imaginer ce cap battu par les vagues, courtes mais puissantes, de la mer déchaînée à certains moments de l'année, particulièrement en hiver. L'érosion marine a élargi les plans de fracturation de la roche en couloirs dans lesquels l'eau s'engouffre et jaillit en gerbes d'écume ; elle a aussi évidé à la base du cap une arche où pénètre la mer, et creusé plusieurs grottes. L'une d'elles servit de refuge, d'après la légende, au philosophe et théologien Raymond Lulle, fuyant Bejaia au début du XIVe siècle après que les musulmans eurent tenté de le lapider.

La côte algérienne est un exemple classique de côte de structure dite oblique. Les différentes chaînes côtières, orientées sud-ouest-nord-est, abordent en effet le littoral obliquement. Une série de promontoires escarpés alternent avec autant de baies dissymétriques et peu profondes. Le site du port de Bejaia exploite la situation abritée de l'ouest qu'offre le cap Carbon. La plupart des autres ports de la côte algérienne sont dans une situation identique : ainsi, Oran, Arzew, Alger, au fond de baies largement ouvertes au nord-est, sont protégés des tempêtes d'ouest par des caps. ■

L'impressionnant promontoire du cap Carbon (Algérie) protège des tempêtes d'ouest le port de Bejaia (anciennement Bougie), situé à moins de 3 km. On accède au phare qui couronne son sommet par un petit sentier. ▷

La côte dalmate dans la région de Zadar

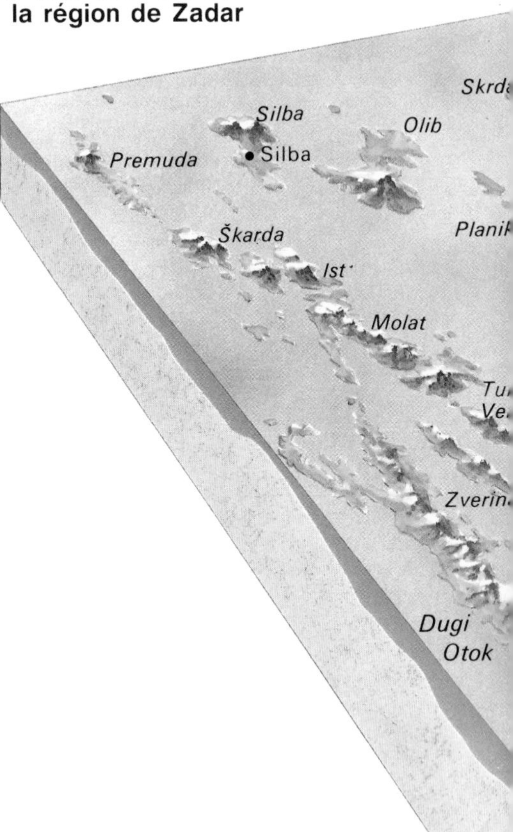

△ *Les îles allongées correspondent à la partie haute (anticlinaux) des plis calcaires, demeurée émergée. Les dépressions (synclinaux) ont été envahies par la mer. La disposition générale est de type longitudinal, puisque les plis, ainsi que les reliefs qui en dérivent, sont parallèles à la direction générale du littoral.*

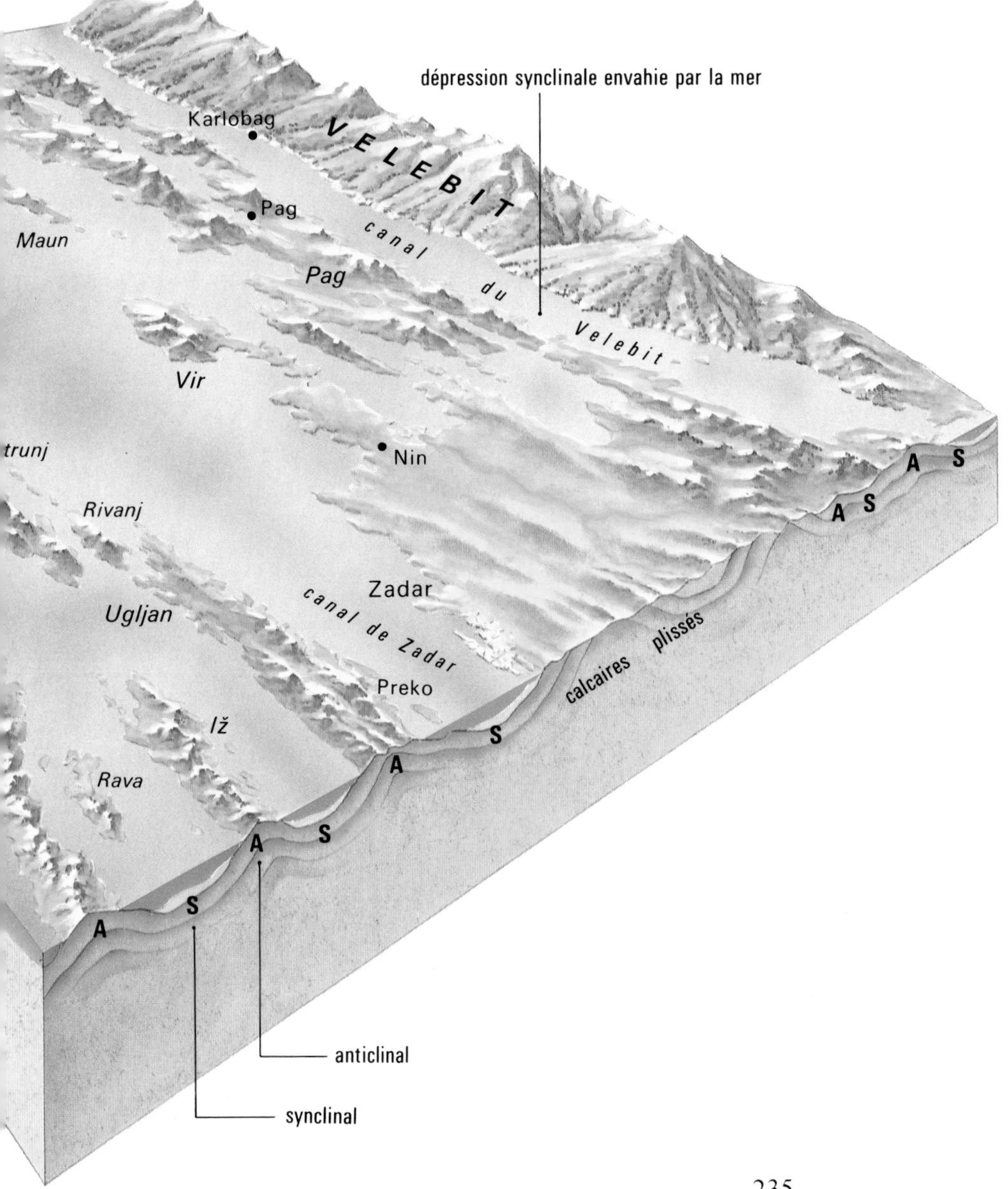

« Naufrage ! », ce cri retentit soudain devant une église de Cornouailles. Les fidèles se levèrent comme un seul homme et le pasteur arrêta net son sermon en leur criant d'attendre. Le salut des marins n'en était pas à une minute près. Le temps de dire une prière ? Mais non : celui qu'il fallait au saint homme pour se changer. En bon Cornouaillais, il voulait aussi sa part du butin. Cette légende a la vie dure, même si la cupidité du pasteur paraît bien profane. Avant l'invention des aides à la navigation, les naufrages étaient innombrables sur les côtes rocheuses de cette pointe sud-ouest de l'Angleterre. Les Cornouaillais avaient une réputation de pilleurs d'épaves, comme en témoigne une prière dite au XVIIIe siècle dans les toutes proches îles Sorlingues : « Nous te prions, Seigneur, non de provoquer des naufrages, mais, s'ils doivent arriver, de les diriger vers les Sorlingues pour le bénéfice de leurs habitants. » Dès qu'un navire en détresse était repéré, il était suivi le long de la côte par des foules d'hommes et de femmes munis de haches, de sacs et même de charrettes. À tel point que certains marins en vinrent à penser que, pour aider le destin, les Cornouaillais n'hésitaient pas, parfois, à éteindre les vrais phares et à en allumer de faux sur les récifs. Les preuves de tels agissements sont rares, mais le cas s'est réellement produit en décembre 1680, lorsqu'un bâtiment virginien échoua parce qu'un gardien de phare n'avait pas allumé ses feux. Défaillance humaine ou préméditation, l'homme n'hésita pas ensuite à piller la cargaison du vaisseau naufragé.

Petites criques dans le sud-ouest de l'Irlande

En Irlande, le comté de Kerry possède une côte très découpée, avec des péninsules montagneuses séparées par des baies étroites et profondes. Saint Finan's Bay est une petite baie secondaire à l'extrémité de la péninsule de Killarney, entre les grandes baies de Dingle, au nord, et de Kenmare, au sud. Dans cette région, des hauteurs de plus de 500 m sont fréquentes en bordure de mer, et l'intérieur de la péninsule culmine à plus de 1 000 m. Alors que les chaînons montagneux sont voués à la lande d'ajoncs et aux tourbières, les fonds des vallons ont des sols plus épais permettant l'agriculture. Le village de Saint Finan's Bay est typiquement irlandais, avec ses maisons sans étage passées à la chaux, certaines enduites de rouge, de rose ou de bleu pâle. Comme souvent en Irlande, les petits champs carrés sont protégés par des muretins de pierres ramassées sur les parcelles. Beaucoup de parcelles sont plantées de pommes de terre, mais certaines sont couvertes d'herbages. Une photographie prise en fin d'été aurait montré les meules de foin bien alignées, chacune protégée de la pluie, si fréquente dans ce climat irlandais, par une bâche noire ou blanche.

Cette côte de type transversal, avec ses hautes péninsules de grès et de schistes très anciens, s'achève par de grandes falaises à l'extrémité des caps. Au creux des vallons se nichent de petites criques. À Saint Finan's Bay, les vagues de l'Atlantique ont seulement dégagé la roche d'une couverture peu épaisse de head. On désigne ainsi une formation de pierraille éclatée par le gel et englobée dans de l'argile. Le head s'est mis en place il y vingt mille ans, en avant des glaciers qui couvraient alors une grande partie de l'Irlande. On le voit au second plan, dans la coupe de la petite falaise. Il apparaît en foncé, au-dessus d'une roche plus claire. C'est avec la blocaille du head que l'on a construit les muretins qui entourent les champs. Façonnée en galets par les vagues, elle sert aussi d'outil à la mer pour éroder le rivage. ■

△ *La côte rocheuse du comté de Kerry (sud-ouest de l'Irlande), et le village de Saint Finan's Bay, avec ses champs carrés délimités par les traditionnels muretins de pierre.*

Les mille et un visages des côtes rocheuses

La variété des côtes dépend beaucoup plus de l'aspect du relief continental ennoyé que de l'action de la mer, sauf dans les secteurs les plus exposés entaillés en falaises. Lorsque la côte est parallèle aux reliefs continentaux, et donc à la structure dont ils dérivent, plis ou fractures, on dit qu'elle est de type longitudinal. Certaines côtes de ce type sont très découpées, avec des îles allongées et des baies abritées (figure A). Mais il peut arriver qu'un seul accident géologique important détermine entièrement le tracé du littoral : c'est le cas de la côte de la partie centrale du Chili, où une grande fracture, ayant donné un escarpement haut de 1 000 m par endroits, impose un tracé rectiligne au littoral sur plusieurs centaines de kilomètres (figure C).

Dans le cas des côtes dites de type transversal, les reliefs montagneux sont perpendiculaires au littoral (figure B). On observe dans tous les cas un littoral découpé, avec des promontoires escarpés qui s'avancent en caps droit vers le large. Ceux-ci sont parfois prolongés par des îlots que la mer entaille en falaises. Ils correspondent à des blocs soulevés (horsts) séparés par des blocs effondrés (grabens) envahis par la mer.

Il existe d'autres dispositions possibles, comme les côtes des volcans, caractérisées par de grands lobes correspondant à la forme des cônes qui émergent de la mer, et des baies circulaires dues à l'envahissement par les eaux marines de cratères et de calderas (figure D).

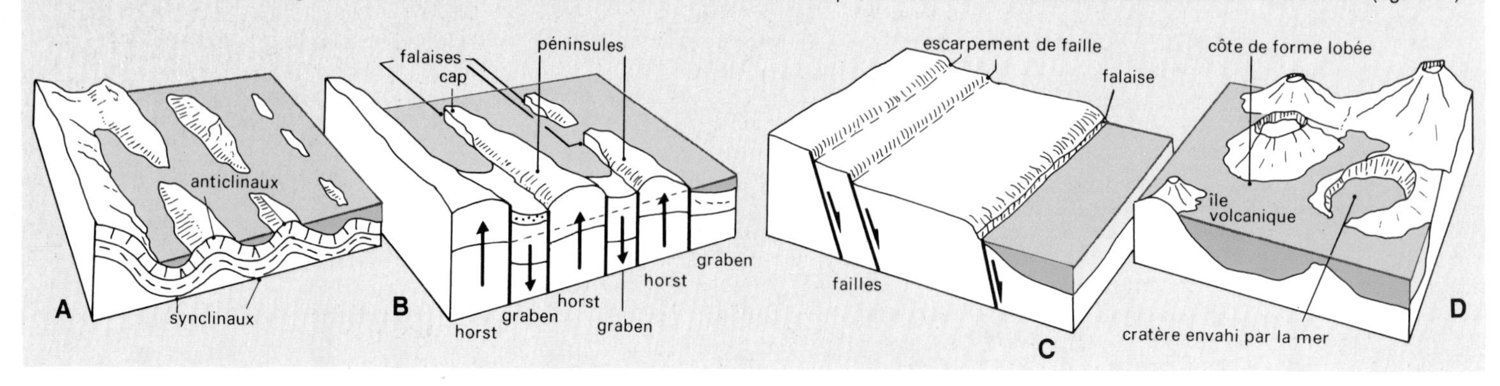

△
La côte de l'État du Maine (États-Unis) est découpée par de nombreuses baies aux rivages rocheux, comme la Frenchman Bay, d'où émergent des accumulations glaciaires (drumlins) qui donnent ces îles arrondies.

La côte déchiquetée du Maine

Située tout à fait au nord de la côte atlantique des États-Unis, près de la frontière du Canada, la côte du Maine est l'une des plus découpées du monde, avec des centaines d'îles et des baies profondes, comme la Frenchman Bay, découverte (peut-être après les Vikings) par le colonisateur français Samuel de Champlain en 1604. Sur l'île de Mount Desert, les chaînons boisés de Cadillac Moutain sont façonnés, comme l'immense chaîne des Appalaches (située plus à l'ouest), dans des terrains plissés de l'ère primaire que nous voyons affleurer au premier plan. Au milieu de la baie, trois îles, presque rondes, hautes d'une vingtaine de mètres, sont entourées de falaises : ce sont des drumlins, collines composées de débris glaciaires, incluant parfois d'énormes rochers charriés sur des centaines de kilomètres par les glaciers de l'ère quaternaire (blocs erratiques).

La genèse du paysage est complexe. Dans un premier temps, l'érosion continentale s'est attaquée aux roches les plus tendres du massif ancien appalachien ; elle a creusé des vallées qui se sont trouvées séparées par des chaînons de roches plus dures. À l'ère quaternaire, l'immense calotte de glace qui a recouvert le Canada s'est étendue sur le nord (région des Grands Lacs) et le nord-ouest des États-Unis. On estime que par endroits l'épaisseur du glacier était comprise entre 1 000 et 3 000 m. Il y a quatorze mille ans, le glacier a commencé à reculer, découvrant un relief intensément raboté par l'écoulement de la glace. Il a laissé derrière lui des accumulations de moraines, en particulier ces drumlins qui se font formés au sein même du glacier. L'océan, dont le niveau a alors remonté d'une centaine de mètres du fait de la fonte des glaces, a envahi les parties basses du relief, laissant émerger les chaînons appalachiens ainsi que les drumlins.

L'intérêt géologique de ces paysages, leur beauté ainsi que le souci de protéger la faune et la flore ont amené les Américains à donner à une partie de cette région le statut de réserve naturelle, baptisée l'Acadia National Park. Reliefs montagneux plongeant dans la mer, baies profondes aux contours compliqués, parsemées d'écueils rocheux et d'îlots, lacs et rivières limpides à la faune encore préservée attirent chaque année de nombreux amoureux de la nature. ■

Un guide antique : le phare

Depuis l'Antiquité, de nombreux phares furent construits le long des côtes rocheuses, particulièrement dangereuses pour la navigation. Mais on en trouve également sur d'autres types de côtes, comme en témoigne celui d'Alexandrie. Le mot phare vient d'ailleurs de l'île de Pharos, sur laquelle il avait été érigé, en 280 avant J.-C.
Il ne reste malheureusement plus rien aujourd'hui de cette construction extraordinaire, écroulée au XIVe siècle, mais l'habitude d'ériger des phares pour guider les navires perdure. Les Romains en bâtirent sur toutes les mers de l'Empire. Pendant longtemps, un foyer suspendu servait de source lumineuse. Puis la technique se perfectionna. Au Ier siècle, on commença à utiliser des lampes à huile. À la fin du XVIIIe siècle, ils furent équipés de réflecteurs métalliques incurvés pour concentrer le faisceau lumineux. Inventé par le Français Augustin Fresnel, le premier appareil lenticulaire à système tournant fut installé en 1823 au phare de Cordouan, à l'entrée de la Gironde. Enfin, en 1862, on équipa le phare anglais de Dungeness du premier feu électrique. Depuis cette époque, le nombre et la puissance des phares n'ont cessé d'augmenter. Actuellement, le réseau mondial en comprend environ 25 000.

Gravure du XIXe siècle représentant le phare d'Alexandrie.

DES SERPENTS DE MER

Rias et fjords

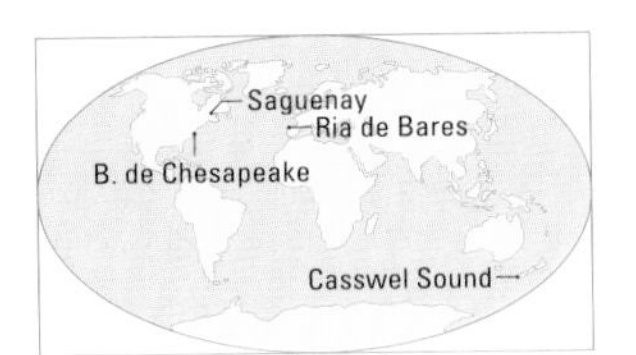

Ces longs rubans d'eau calme, qui pénètrent profondément à l'intérieur des terres et serpentent entre collines et montagnes, résultent de l'envahissement par la mer de vallées creusées jadis par des rivières (on les appelle des rias), ou par des glaciers (ce sont alors des fjords). Certaines côtes à rias ou à fjords figurent parmi les plus découpées de la planète, et leurs paysages sont souvent grandioses.

Le Caswell Sound, un fjord du bout du monde

La côte sud-ouest de l'île du Sud, aussi appelée île de Jade, en Nouvelle-Zélande, possède une quinzaine de fjords, dont le Caswell Sound, vu ici d'avion. C'est l'un des plus sauvages, encaissé entre des parois vertigineuses, par endroits presque verticales. Le long et étroit ruban d'eau calme pénètre d'une vingtaine de kilomètres à travers les hauts chaînons des Murchison Mountains. Nous voyons l'aval du fjord, jusqu'à son débouché sur la mer de Tasman, à l'horizon. Sur la gauche du cliché, un sommet étincelle de névés éblouissants : nous sommes ici dans la partie la plus humide de la Nouvelle-Zélande, face aux dépressions d'ouest, qui apportent l'hiver d'énormes précipitations neigeuses. L'arête est tellement aiguë que la roche apparaît souvent à nu, ou tapissée d'une végétation buissonnante sur les pentes raides tombant directement dans les eaux du fjord.

Les Murchison Mountains ont été recouvertes au Quaternaire par une calotte de glace longue de 700 km et large de 100. Les glaciers ont surcreusé leur lit très au-dessous du niveau de la mer ; ils s'avançaient alors de plusieurs kilomètres en mer, formant une haute barrière de glace flottante comparable à celle qui existe encore de nos jours dans la mer de Ross, en Antarctique. C'est à l'érosion par ces glaciers que nous devons les magnifiques paysages du parc national des Fjords, dont fait partie le Caswell Sound. On n'y trouve aucune route ; seuls quelques rares itinéraires pédestres permettent d'atteindre les nombreux lacs glaciaires situés plus à l'intérieur de la chaîne. La visite des fjords se fait en bateau et laisse un souvenir inoubliable. ■

Le Caswell Sound est l'un des plus beaux fjords de la côte sud-ouest de l'île du Sud (Nouvelle-Zélande). Le mariage de la haute montagne et de la mer offre aux visiteurs du parc national des Fjords des ◁ paysages grandioses.

Un fjord poissonneux

Ces saumons à contre-courant échapperont-ils aux filets des pêcheurs ?

Chaque été, les pêcheurs guettent impatiemment l'arrivée des saumons à Port Alberni. Cette petite ville du Canada est nichée à l'extrémité d'un fjord qui entaille l'île de Vancouver. Après avoir vécu en mer, les saumons, comme renseignés par une mystérieuse horloge interne, se rassemblent pour revenir frayer dans le fjord où ils sont nés. Dès que le premier banc est signalé, les bateaux s'élancent. Ils déploient leur filet (senne), puis lui font décrire une boucle à l'aide d'un canot. Après des années de capture sauvage qui a menacé d'extinction l'un des poissons les plus abondants du monde, la pêche industrielle du saumon est aujourd'hui sous haute surveillance : les flottes de pêcheurs sont limitées, les filets raccourcis, les quotas de prise sévèrement contrôlés.

Vallées avec ou sans ombilics

Lors des périodes froides du Quaternaire, d'importants volumes d'eau ont été prélevés dans les océans pour constituer les énormes calottes de glace qui ont recouvert le nord de l'Amérique et de l'Eurasie, ainsi que les grandes chaînes montagneuses. À la fin de la dernière glaciation, il y a 18 000 ans, le niveau des océans était à 110 m au-dessous de son niveau actuel, ce qui a amené les cours d'eau à creuser d'autant leurs vallées. Lorsque les calottes glaciaires ont fondu, le niveau des océans a remonté progressivement jusqu'au niveau actuel (atteint il y a environ 6 000 ans) : c'est la transgression marine dite flandrienne. La mer a alors envahi la partie inférieure des vallées fluviales, formant des rias. Ce phénomène étant général, on trouve des rias dans toutes les régions du monde, à l'exception des hautes latitudes, où elles sont remplacées par les fjords.

Sous les hautes latitudes, ce sont en effet les glaciers qui ont occupé et modelé les vallées, surcreusant ces dernières de manière très irrégulière, créant des bosses et des creux (ombilics) profonds de plusieurs centaines de mètres. La mer a envahi ces vallées glaciaires au fur et à mesure du recul des glaciers, donnant les fjords. À cause du surcreusement des ombilics, les fjords peuvent être localement beaucoup plus profonds que les rias (1 244 m dans un ombilic du Sognefjord, en Norvège). Le paysage des fjords est en général aussi plus grandiose, avec des versants raides parfois hauts de 1 000 m.

La ria-estuaire de Chesapeake, une baie prospère

Ce cliché satellite Landsat à l'infrarouge montre la baie de Chesapeake et la baie de Delaware, sur la côte atlantique des États-Unis, en partie prises par les glaces. Il a été réalisé en février 1977 lors d'une vague de froid exceptionnelle.

La baie de Chesapeake est une énorme ria-estuaire — de forme digitée — longue de 250 km et large de 10 à 50 km, pour moitié dans l'État de Virginie et pour moitié dans le Maryland. La ville et le port de Norfolk, au sud de la ria, en gardent l'entrée — large de 20 km. L'eau a gelé tout le long des rivages orientaux de la baie, ce qui permet de bien distinguer l'extrême complexité du dessin de la côte, dont les multiples indentations apparaissent en bleu. Plusieurs rias affluentes, soulignées par la glace, rejoignent la ria principale. Si l'on compte toutes les indentations de la côte, cela fait environ 10 000 km de rivages, qui présentent un paysage de marais et de basses collines ennoyées par les eaux. Le long de centaines d'anses se succèdent lotissements de résidences secondaires, hôtels, appontements pour la plaisance : la baie est en effet le lieu de récréation de 9 millions d'Américains.

Si l'on excepte les chenaux principaux, aménagés pour la navigation des plus gros cargos, les profondeurs sont faibles, en général moins de 10 m. On pratique le dragage des huîtres, regroupées en bancs considérables, et la pêche du crabe bleu, d'où la grande renommée de la région sur le plan gastronomique. Les vasières et les vastes marécages des rivages de la grande péninsule qui sépare la baie de l'Atlantique ont été en partie érigés en réserves naturelles et en parcs nationaux. Un problème essentiel est de maintenir les eaux de la baie, relativement douces (leur taux de salinité va de 2 à 30 ‰), à un taux de pollution raisonnable, malgré le développement urbain et industriel. ■

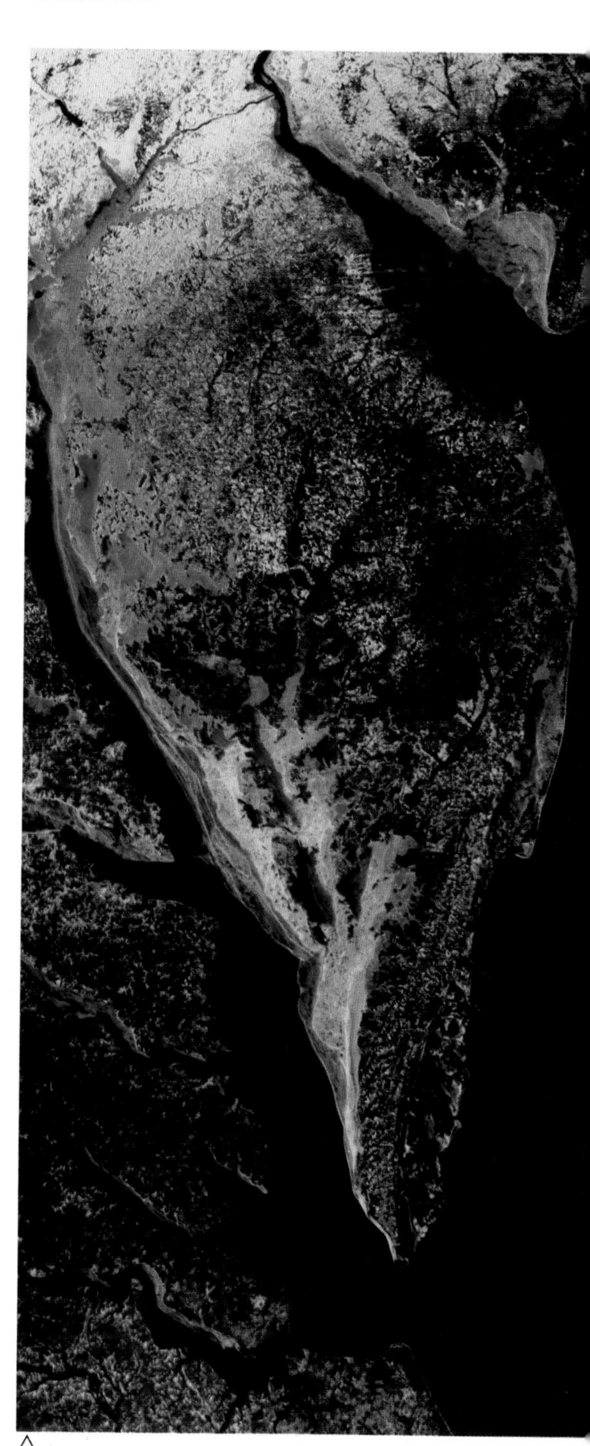

△ *Les baies de Chesapeake et de Delaware (côte atlantique des États-Unis), vues par le satellite Landsat. Le cliché couvre une superficie de 45 000 km².*

La formation d'une ria

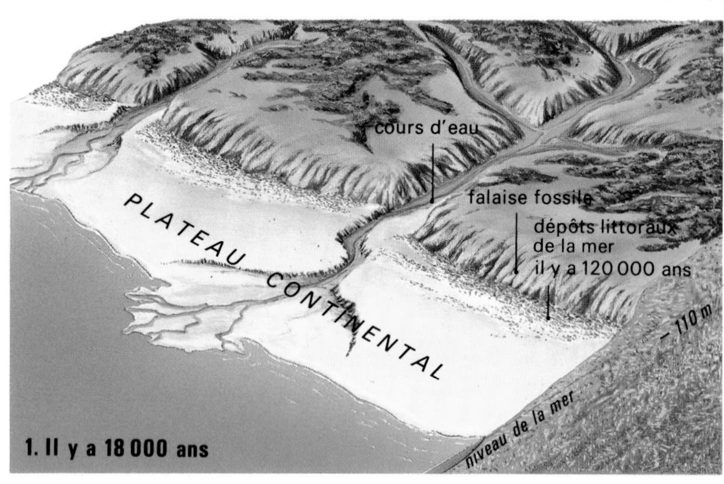

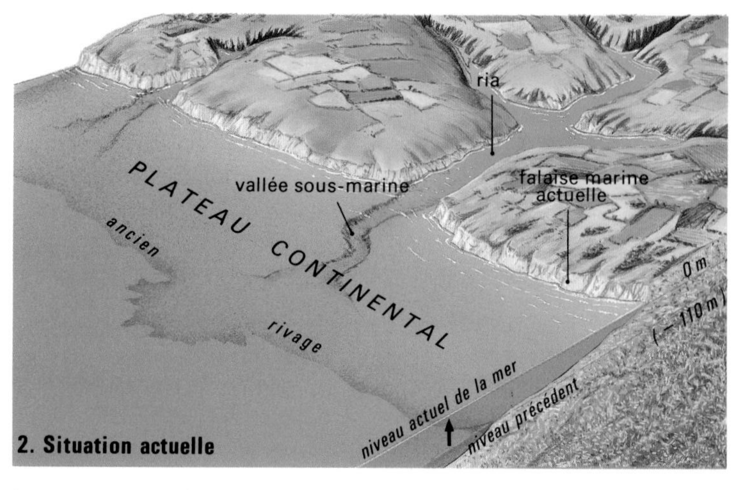

Situation il y a 18 000 ans : les rivières creusent leur vallée en fonction d'un niveau des océans inférieur de 110 m au niveau actuel, prolongeant leur cours sur le plateau continental partiellement exondé.

Situation actuelle : après la fonte des calottes glaciaires, la mer a remonté à son niveau actuel, recouvrant le plateau continental; les basses vallées surcreusées ont été envahies par la mer, et transformées en rias.

△
Le fjord du Saguenay (Québec) est entièrement pris, en hiver, par une glace dont l'épaisseur dépasse 1 m. Les pêcheurs transportent sur la glace leurs cabanons multicolores pour pratiquer la « pêche blanche ».

Pêche sur le fjord du Saguenay

Ce fjord, le plus méridional de l'Amérique du Nord, débouche sur l'immense baie du Saint-Laurent, à 150 km environ au nord-est de Québec. L'été, c'est un large ruban d'eau calme, qui pénètre d'une centaine de kilomètres, en direction du lac Saint-Jean, entre de hautes rives couvertes par une forêt dense d'épicéas noirs ; les Québécois y viennent en week-end pour assister au rassemblement des baleines, qui a lieu chaque année à partir de la fin juin : pour une raison inconnue, de nombreux cétacés se donnent rendez-vous à l'entrée du fjord.

L'hiver, le Saguenay se transforme en une large et longue avenue de glace. Les sentiers pédestres des hautes rives sont transformés en pistes de ski de fond. Et c'est l'époque de la « pêche blanche ». Dès que la glace atteint une épaisseur suffisante, des centaines de cabanes sont halées et remontées au milieu du fjord. La photographie, prise à La Baie, localité située à une cinquantaine de kilomètres à l'intérieur du fjord, montre l'une de ces véritables petites villes éphémères de cabanons de toutes les couleurs, montés sur la glace. Équipés de chaises et de lits, ainsi que d'un poêle à bois, indispensable par des températures souvent inférieures à − 10 °C, ils offrent un confort relatif pour cette pêche très particulière. À l'aide d'un pic solide, un trou de pêche est creusé en face de chaque fenêtre dans la glace. Installé sur sa « chaise berçante », le pêcheur surveille sa canne à pêche en bois (brimbale) fichée dans la glace. Le fjord étant profond, il faut à certains endroits 200 m de Nylon pour présenter aux poissons de fond le bas de ligne, armé de trois hameçons appâtés au ver ou à l'éperlan. Lorsque la brimbale ploie, le pêcheur se précipite : morues, flétans, soles, raies, églefins, merluches, parfois requins, immédiatement et naturellement congelés à peine sortis de l'eau, sont les prises habituelles. ■

Paisible ria de Galice

Situé sur la côte nord de la Galice, à 20 km à l'est du cap Ortegal, le plan d'eau de la ria de Bares pénètre profondément à l'intérieur des terres entre des collines couvertes d'ajoncs. La photographie a été prise à marée haute près de l'embouchure de la ria, c'est pourquoi la grande houle de l'Atlantique pénètre jusqu'ici, déferlant sur une plage de sable en arc de cercle, près d'un village aux maisons traditionnelles à toits d'ardoises dont les façades ont été passées à la chaux. Vers l'intérieur de la ria, cette houle s'atténue, et l'on passe à un milieu complètement abrité, domaine des vasières, découvertes à marée basse. La différence de hauteur entre la basse mer et la haute mer est de l'ordre de 4 m, ce qui modifie plusieurs fois par jour le paysage : les bateaux s'échouent sur la vasière, puis flottent à nouveau sur un plan d'eau calme.

La ria de Bares est l'une des nombreuses rias du littoral de la Galice, les plus nombreuses et les plus grandes se trouvant sur le littoral atlantique, c'est-à-dire à l'ouest du cap Ortegal. Toute l'activité humaine se concentre dans le fond de ces étroites baies bien abritées, tandis que les caps intermédiaires restent des terres sauvages battues par les tempêtes. Chaque ria a au moins son port de pêche, comme celui que l'on voit ici tapi dans l'une des circonvolutions du plan d'eau, en haut à gauche du cliché. Ce que ne montre pas la photographie, prise dans une partie trop externe de la ria, ce sont les parcs à huîtres et à moules, éléments caractéristiques du paysage de la plupart des fonds de rias en Galice. Ce contraste entre la grandeur sauvage des côtes extérieures et le calme des fonds de ria est apprécié par les touristes, qui viennent l'été consommer poissons et coquillages, dont les Espagnols sont eux-mêmes très friands. ■

Le fjord le plus long du monde est le Nordvestfjord, situé dans la partie est du Groenland. Il pénètre de 313 km à l'intérieur des terres.

Le fjord le plus long d'Europe est norvégien. C'est le Sognefjord, gigantesque artère maritime creusée par les glaciers. Il s'enfonce de 110 km au cœur des lourdes montagnes des Scandes, dans le nord-ouest de la Norvège. Devant Breivik, il atteint 1 308 m de profondeur.

La ria de Bares, sur la côte nord de la Galice (Espagne), près du cap Ortegal. La vue est prise de l'embouchure de la ria, vers l'intérieur des terres.
▽

ÎLES FLOTTANTES

Les glaces polaires

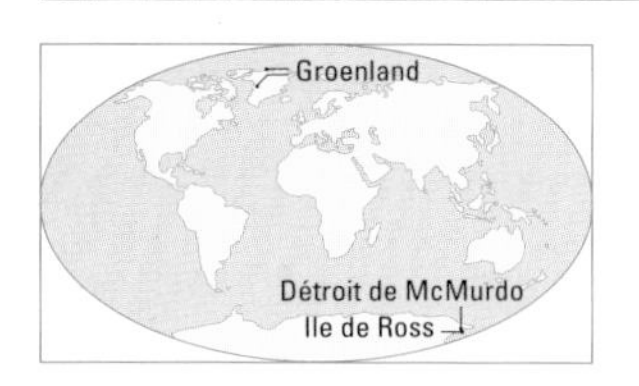

Les icebergs et la banquise sont des glaces flottantes d'origines différentes. Les premiers sont de massifs morceaux de glace d'eau douce, lâchés par les calottes et les glaciers des terres polaires et qui dérivent en mer; la deuxième est une couche d'eau de mer gelée, dont l'étendue fluctue avec les saisons.

Icebergs à la dérive

Aujourd'hui, une mer d'huile a permis une sortie en mer, au large de la côte ouest du Groenland. Prudemment, le pilote de la vedette manœuvre pour se rapprocher des blocs gelés qui émergent des flots comme la proue difforme de quelque épave mystérieuse étincelant sous le soleil. Mais l'homme ne quitte pas la mer du regard, guettant un éventuel éperon sous l'eau : les parois anguleuses d'un bloc immergé, environ neuf fois plus volumineux que la partie visible à l'air libre, risquent de déchirer la coque.

Un iceberg n'est pas un débris de banquise, mais un pan de glacier lâché en mer et parti à la dérive, poussé à la fois par les vents et par les courants. Ici, le dôme de droite correspond vraisemblablement au haut du glacier, car on y devine les strates de neiges successives; ce qui prouve que le bloc, déséquilibré par la fonte, a basculé sur le côté. L'arche, au centre, porte d'autres traces : celles, également progressivement inclinées, de l'usure de la glace par le ressac.

Les icebergs aux formes biscornues sont caractéristiques des mers polaires boréales, car ils sont issus de glaciers relativement modestes, à l'exception des «îles de glace», provenant de l'île Ellesmere et du nord du Groenland; les immenses icebergs tabulaires, en revanche, parfois aussi vastes qu'un petit pays, se rencontrent surtout au sud, car ils proviennent des vastes plates-formes flottantes qui entourent le continent Antarctique.

D'origine continentale, les icebergs transportent à leur base ou dans leurs strates rocs et cailloux dont ils se délestent dans l'océan au cours de leur fonte, qui peut durer plusieurs années : c'est ainsi qu'un iceberg géant, né en Antarctique en 1967 n'a disparu qu'en 1978! ■

Sur les terres de la côte ouest du Groenland, le soleil estival a fait fondre la neige tandis qu'en mer les icebergs encombrent les baies. Sous l'assaut des vagues, ils se transforment en arches et en cathédrales de glace. De rares visiteurs viennent les contempler, avec un sentiment où se mêlent l'émerveillement et la crainte. ▽

Des manchots et des hommes

En Antarctique, dans le détroit de McMurdo, phoques et manchots se laissent porter par les glaces dérivantes pour se livrer à des migrations saisonnières dont les routes sont encore mal connues. En mer, ils trouvent leur nourriture, constituée de krill — crustacés microscopiques des mers froides ressemblant à de petites crevettes —, de calmars ou de petits poissons. Seuls les léopards de mer et les orques sont à craindre, avec leurs mâchoires puissantes hérissées de dents redoutables. Dans l'Arctique, d'autres espèces de phoques et des ours blancs se laissent également dériver sur la banquise.

Mais les animaux ne sont pas les seuls à profiter du gel de l'océan pour se déplacer. Les Inuits, comme les peuples scandinaves, ont appris à circuler au travers des baies englacées. Les explorateurs polaires empruntent eux aussi le «trottoir de glace», malgré la crainte terrible d'être pris au piège sur une plaque isolée. Tout au long de sa course en solitaire vers le pôle Nord en 1986, Jean-Louis Étienne a lui-même maintes fois vécu cette expérience qui, malgré le danger, le fascinait. «[...] dans un grondement titanesque, juste devant moi deux plaques décrivent dans l'air un mouvement de pont-levis avec des grincements intolérables. Qu'importe, je suis émerveillé. On croirait que les remparts de la citadelle s'abaissent pour m'accueillir», écrit-il dans son journal.

Nombreux sont les navires qui ont été prisonniers de la banquise, au nord comme au sud, et dont les équipages n'ont rien pu faire d'autre que se laisser dériver au gré des mouvements de leur étau flottant, pendant des mois, comme le *Fram* du Norvégien Fridtjof Nansen, emporté par la dérive des glaces boréales de 1893 à 1896. Mais il arrive que des bâtiments sombrent, la coque broyée par la pression des glaces : tels, dans l'océan Austral, l'*Antarctic* du Suédois Otto Nordenskjöld, en 1903, l'*Endurance* du Britannique Ernest Shackleton, en 1915, ou, plus récemment, le *Gotland II*, en 1981. ■

◁ ***Clapotis et claquements de becs : une tranche de vie sur la banquise antarctique! Dans le détroit de McMurdo, quelques manchots Adélie circulent de bloc en bloc. Ailerons écartés, ces étonnants oiseaux marchent en se dandinant. L'un d'eux saute dans l'eau pour rejoindre ses compagnons sur leur radeau glacé, où il montera d'un bond. Au large, un iceberg tabulaire barre l'horizon.***

Un iceberg a été aperçu au large des Bermudes, dans l'Atlantique Nord; un autre a été vu dans l'Atlantique Sud, par 26° S., presque la latitude de Rio!

Le plus vaste iceberg tabulaire, repéré en Antarctique en 1956, mesurait 335 km sur 96; il aurait recouvert la Belgique!

Naissance d'un iceberg

Dans le silence de l'Antarctique, sur l'île de Ross, seuls le vent et les vagues occupent le plus souvent l'espace sonore. Le visiteur apporte avec lui ses propres bruits : glissement des skis — s'il est à terre — ou de l'étrave — s'il est en mer —, vrombissement de moteur, paroles peut-être.

Soudain, quelques craquements inquiétants emplissent le silence; puis un grondement sourd monte de la falaise de glace : dans une gerbe d'écume chargée d'une poudre gelée, un pan entier de l'avancée flottante bascule dans l'océan Austral. Tel est le cri de naissance des grands icebergs...

En effet, sous la poussée de l'écoulement de la calotte polaire — quelques centaines de mètres par an en moyenne sur la côte —, le bord de la formidable couche de glace continentale s'enfonce peu à peu jusqu'au fond de la mer en suivant le socle rocheux. Puis, soulevée par la poussée de l'eau au fur et à mesure de son avancée, la glace se décolle de son support, et flotte enfin à la surface, formant une plate-forme rattachée à la terre. Il arrive que des bases scientifiques édifiées sur de telles plates-formes glaciaires soient emportées en mer à la suite de la rupture de leur support flottant : tel fut, par exemple, en 1986, en Antarctique, le sort de la base argentine Belgrano, en mer de Weddell et de Droujnaïa, appartenant aux Soviétiques.

On estime qu'en Antarctique la calotte glaciaire largue chaque année par vêlage environ 2 000 km^3 de glace dans l'océan; un volume compensé par les chutes de neige sur le continent. C'est l'un de ces morceaux géants de glace antarctique que le fondateur des Expéditions polaires françaises, Paul-Émile Victor, s'est proposé de remorquer jusqu'au large de l'Arabie pour servir de réserve d'eau douce aux contrées désertiques, qui en manquent cruellement.

Dans les plus grandes plates-formes flottantes, le front avance de 100, 500, 800 km au large, trompant les cartographes sur le véritable tracé des côtes. Ainsi les profondes échancrures des mers antarctiques de Weddell et de Ross sont-elles presque masquées par des avancées glaciaires flottantes, d'une taille comparable à celle de la France. ■

Le climat polaire du Groenland

Ciel gris et bas, terres enneigées : le nord du Groenland, qu'un soleil timide parvient mal à réchauffer, conserve, même en été, un aspect hivernal. La banquise disloquée et tachée de mares d'eau de fonte s'accroche encore en juillet à la côte septentrionale de cette immense terre et aux îles polaires de l'Amérique et de l'Eurasie. Plus haut en latitude, un couvercle de glace permanent coiffe la majeure partie de l'océan Glacial Arctique, flottant quelque 3 à 4 km au-dessus des fonds marins. Au milieu, un point aussi merveilleusement mythique que rigoureusement défini fascine les explorateurs : le pôle Nord géographique, émergence de l'axe de rotation imaginaire de notre planète.

Depuis la « bagarre » entre Frederick Cook et Robert Peary en 1908 et 1909 jusqu'au raid solitaire de Jean-Louis Étienne en 1986, quelques hommes d'exception ont réussi sa conquête : Richard Byrd survole le pôle en avion en 1926, suivi quarante-huit heures plus tard par le *Norge*, le ballon dirigeable de Roald Amundsen; en 1958, le sous-marin atomique américain *Nautilus* passe exactement sous le pôle, en plongée sous la banquise, tandis que le *Skate*, lui, crève la couche gelée avec son kiosque pour surgir à l'air libre, tel un monstre, au-dessus de la surface glacée !

Pendant l'été, en naviguant de chenaux en détroits, les navires peuvent quitter l'Atlantique Nord et tenter d'atteindre la mer de Béring, puis la Chine et le Japon en empruntant les passages dits du Nord-Est et du Nord-Ouest, qui contournent la banquise boréale permanente. Le premier, ouvert par Adolf Erik Nordenskjöld à bord de la *Véga* en deux saisons, de 1878 à 1879, longe les côtes sibériennes; le second, que Roald Amundsen mit trois hivers consécutifs à franchir, de 1903 à 1906, à bord d'un petit cotre de 47 tonneaux, le *Gjøa*, serpente, lui, entre les îles canadiennes.

L'étendue des glaces et leurs dérives sont aujourd'hui suivies par satellite pour aider la navigation et guider les brise-glace. Leur moisson d'informations permet aussi de suivre l'écoulement des calottes vers la mer et l'évolution des immenses plates-formes glaciaires flottantes. ■

Une croûte de glace sur la mer

À cause de sa salinité, l'eau de mer ne gèle pas à 0 °C, mais vers − 1,8 °C. Lorsque l'océan atteint cette température, les premiers cristaux apparaissent, donnant à la mer un aspect huileux. Puis des « crêpes de glace » se forment et s'agglomèrent. Le vent et la houle brisent cette première croûte gelée en plaques irrégulières, qui se ressoudent ensuite à leur gré. Ainsi s'étend la banquise, dont l'épaisseur, au plus fort de l'hiver, dépasse rarement 3 à 4 m. Relativement mobile, la banquise est fragmentée par des chenaux et des trous d'eau libre, appelés polynies, très recherchés par les navigateurs polaires. Les plaques glacées s'écartent, puis se resserrent au rythme des bourrasques et des courants, dressant alors des murs chaotiques de plusieurs mètres.

Seuls certains champs de glace, sur les côtes ou au centre de l'océan Arctique, persistent plusieurs années. Entre l'été et l'hiver, la surface de la banquise varie considérablement : de 8 à 15 millions de km^2 en Arctique, et de 4 à 20 millions en Antarctique. Or, cette surface immaculée réfléchit quinze fois plus l'énergie solaire que l'eau libre. La banquise joue ainsi un grand rôle dans le climat de la planète. En limitant périodiquement la pénétration de la lumière sous les flots, en créant des variations de salinité, en influençant le déplacement des masses d'eau, elle règle également la production du plancton océanique saisonnier, donc toute la vie polaire.

◁ *Non loin du cap Crozier (Antarctique), sur l'île de Ross, qui porte le volcan Erébus et où les Américains ont établi leur base de McMurdo, le front de la plate-forme de glace flottante s'effondre dans la mer, libérant d'énormes icebergs. Épaisse de plusieurs centaines de mètres, la plate-forme de Ross, d'origine continentale, est aussi vaste que la France; sa bordure dresse devant les navires une barrière infranchissable.*

Survol d'une baie de la côte nord groenlandaise, à 1 000 km du pôle Nord, en été. Le Groenland, où, durant le mois le plus chaud, la température n'atteint pas 10 °C, est la plus vaste terre de la zone arctique. Bien que située à une latitude identique, la Scandinavie, dans sa majeure partie, ne connaît pas le même climat polaire. Cela est dû aux trajets des courants océaniques.
▽

Le Norvégien Roald Amundsen quitte, dans la nuit du 16 au 17 juin 1903, le port d'Oslo, avec l'intention d'ouvrir enfin le fameux itinéraire maritime vers l'Orient par l'Amérique arctique. Depuis des siècles, ils sont des centaines d'hommes à avoir poursuivi ce rêve sans jamais parvenir à le réaliser. Roald Amundsen a trente et un ans comme son bateau, le *Gjøa,* un petit phoquier de 22 m de long. Il emmène avec lui un équipage réduit à six hommes et sa cale est remplie de vivres pour pouvoir tenir pendant cinq ans.
Après bien des incidents — tempêtes, incendie à bord, échouement, collisions avec des récifs — et deux hivernages, durant lesquels la température avoisine − 60 °C, le *Gjøa* franchit, en 1905, le passage tant recherché du Nord-Ouest. Le 27 août, le vieux bateau norvégien croise un baleinier venu de l'autre océan, le Pacifique. C'est la première embarcation qu'il est donné de voir aux hommes d'Amundsen depuis vingt-six mois. Un canot est mis à la mer pour saluer l'autre équipage, éberlué. Les poignées de main échangées à cet instant concrétisent alors la véritable jonction entre deux mondes! Même s'ils ne sont pas au bout de leurs peines — leur expédition durera encore un an —, Amundsen et ses compagnons boivent à leur extraordinaire victoire.

Les calottes polaires, témoins des climats passés

Fragment de la carotte de glace remontée après quatre saisons de travail.

L'Antarctique, au sud, et le Groenland, au nord, sont recouverts d'une calotte glaciaire de plus de 3 km d'épaisseur. Là, année après année, les températures négatives conservent chaque flocon tombé. Au cours du tassement, l'air emprisonné est scellé dans d'infimes bulles, noyées dans la glace en formation. En analysant méticuleusement ces microéchantillons atmosphériques progressivement enfouis, les glaciologues reconstituent les climats passés. Car tout est conservé dans ces archives : l'altitude de la calotte, les concentrations des gaz à effet de serre, les poussières — qu'elles soient dues aux volcans, aux embruns, aux déserts ou aux hommes. Quant aux températures anciennes, ce sont les constituants atomiques de la glace elle-même qui en sont les témoins fidèles. Nous voyons ici les chercheurs se pencher sur un élément de la plus longue carotte de glace, remontée au Groenland en juillet 1992 : 3 029 m, l'épaisseur totale de la calotte. Les climats des 200 000 dernières années y sont inscrits!

LA SÉDIMENTATION MARINE

Les mécanismes qui régissent la sédimentation marine sont liés à la production des particules minérales ou biologiques qui vont se déposer dans l'océan, et à leur mode de transport. Ces phénomènes dépendent du climat, du relief et de la répartition des terres émergées, de la morphologie et de la profondeur du fond des océans, des mouvements des masses d'eau et de leur richesse en éléments nutritifs. L'évolution de ces facteurs et du niveau de la mer au cours des temps géologiques explique les changements de nature pétrographique des couches sédimentaires, où alternent calcaires, marnes, argiles, grès, etc.
Les matériaux sédimentaires arrivent à l'océan sous forme solide ou sous forme d'éléments chimiques dissous dans l'eau. Ces derniers sont extraits de l'eau de mer par des organismes vivants ou au cours de précipitations chimiques.
Selon les milieux, étagés suivant la profondeur, on trouve des associations biologiques et des proportions de particules continentales différentes. Les grands fleuves modifient ainsi les marges des continents par leurs apports terrigènes. La plate-forme continentale, peu profonde, permet le développement d'algues à squelette calcaire et de coquilles d'invertébrés, formant parfois des récifs (coraux). Dans ce domaine vit aussi sur le fond une abondance de micro-organismes. Tous ces êtres vivants extraient le carbonate de calcium de l'eau de mer.
Les régions d'arcs insulaires fournissent à l'océan des projections volcaniques qui se mélangent aux restes d'organismes vivant à la surface et aux produits de l'érosion des volcans pour former d'épaisses séries volcano-sédimentaires. Des couches de cendres provenant d'éruptions catastrophiques (Santorin, en Grèce, Krakatoa, en Indonésie) peuvent s'intercaler dans les autres types de sédiments.
Le volcanisme sous-marin, très actif dans les dorsales médio-océaniques, mais aussi dans les chaînes volcaniques de l'océan Pacifique et de l'océan Indien, produit également particules et sources hydrothermales permettant le développement d'un monde vivant, qui utilise l'énergie géothermique à la place de l'énergie solaire. Ces reliefs volcaniques, situés au-dessus de la profondeur à laquelle le calcaire est dissous, préservent les coquilles provenant du plancton de surface, qui disparaissent plus bas.
Dans le domaine des grandes profondeurs se forment de nouveaux minéraux au contact eau-sédiments (nodules polymétalliques, argiles), à partir des eaux plus riches en éléments chimiques, qui imprègnent les sédiments.

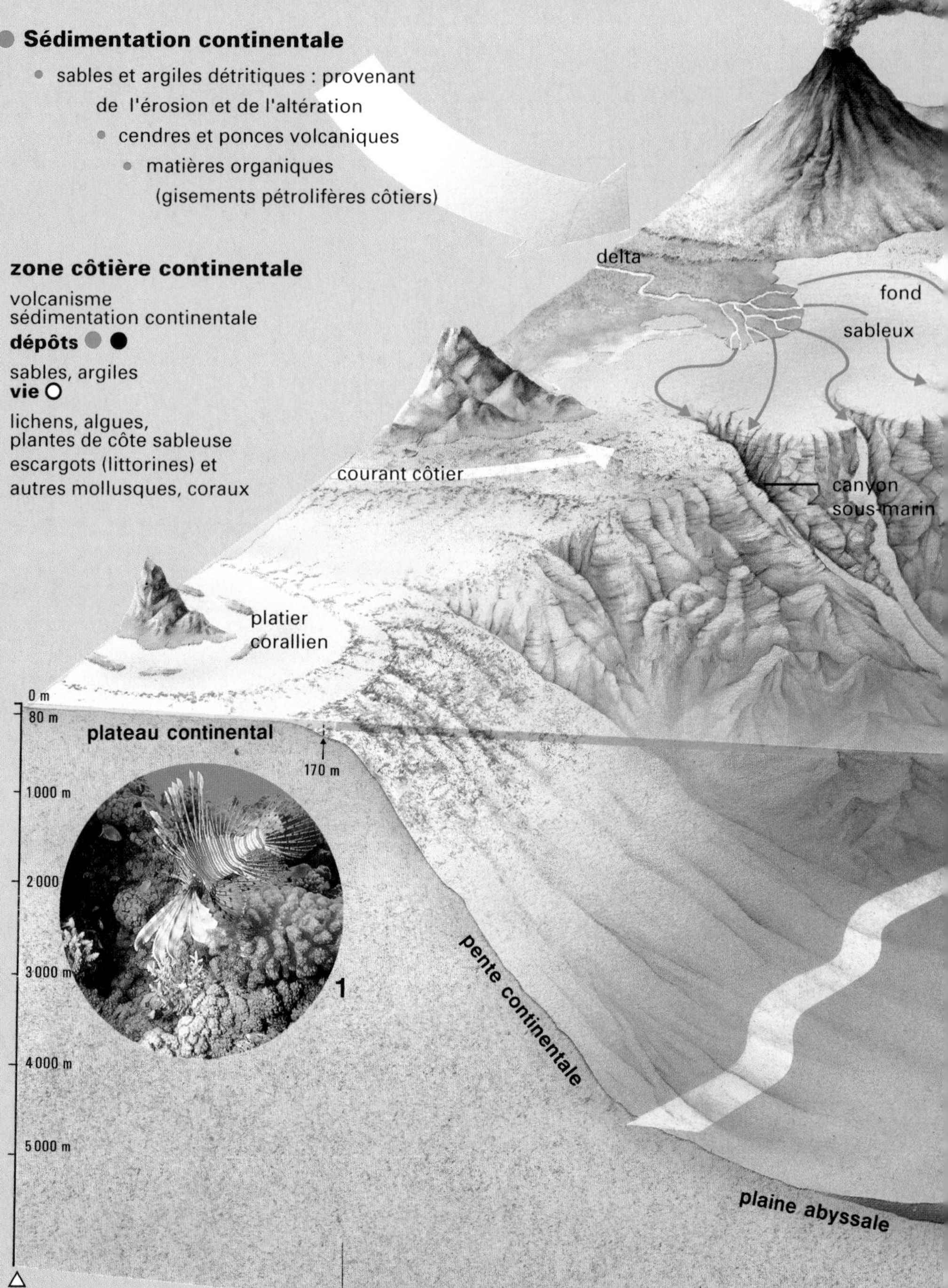

△ **plateau continental**
(de 0 à -170 m)
pente faible
courants côtiers
dépôts ● ● ○
accumulation et redistribution des sédiments continentaux principalement :
sables et argiles
dépôts de débris biologiques
constructions récifales
vie
très importante
plantes : algues, posidonies
récifs coralliens (régions tropicales) ou algaux
vers
coquillages, crustacés, oursins
étoiles de mer
poissons

△ **pente continentale**
forte pente avec canyons sous-marins parcourus d'avalanches sous-marines ;
courants de contour à la base.
dépôts ● ● ● ●
sédiments continentaux
talus : dépôt de turbidites
base : accumulation de sédiments en éventail au débouché des canyons (sables argiles) ; dépôts éoliens et organiques
vie
moins riche
étoiles de mer, crustacés, oursins, poissons

△ **plaine abyssale**
pente infime
dépôts ● ● ● ●
dépôts éoliens, pélagique et planctoniques, et particules fines continentales
boues, vases
vie
crustacés décapodes, céphalopodes, poissons

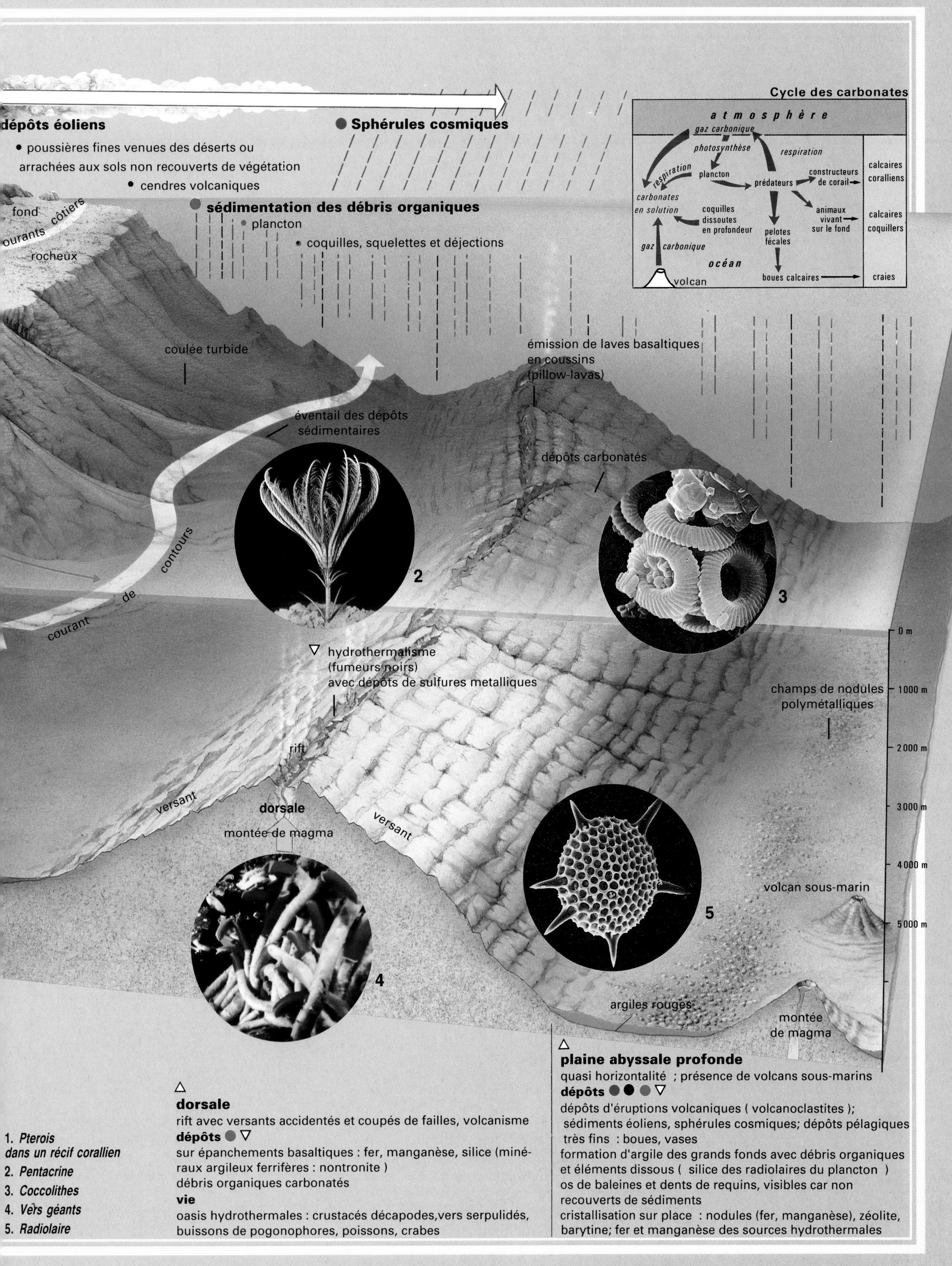

1. *Pterois dans un récif corallien*
2. *Pentacrine*
3. *Coccolithes*
4. *Vers géants*
5. *Radiolaire*

L'AIR

AUX PAYS DE LA FORÊT DENSE

Le climat équatorial

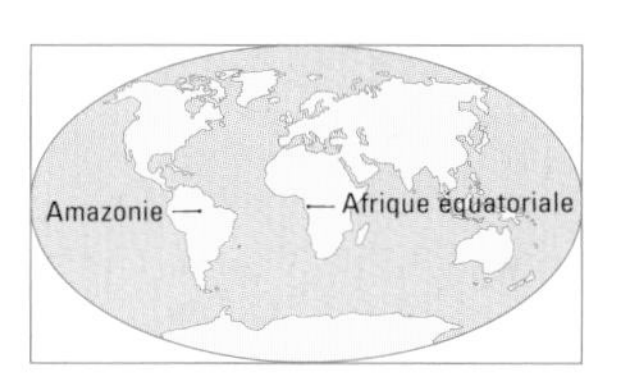

Les pluies abondantes et la chaleur quasi constante du climat équatorial caractérisent d'immenses régions océaniques et continentales des basses latitudes. Très humide en permanence, ce climat est associé au milieu exubérant de la forêt dense, verte toute l'année. À l'exception de l'Indonésie, les régions équatoriales sont faiblement peuplées, en raison du climat difficilement supportable.

Rencontre des vents au-dessus de l'équateur

Grâce à la photo satellite, l'image de notre planète s'offre à nous, et la forme réelle des continents ainsi que leur enveloppe nuageuse, fréquemment reproduites dans les médias, nous sont devenues familières.

C'est ainsi que nous apparaît nettement, au-dessus de l'équateur, la concentration de nuages à l'origine du ciel lourd et plombé, bien connu de ceux qui vivent dans ces régions où s'abattent des pluies diluviennes. Ces gros nuages verticaux montent à des altitudes pouvant atteindre 10 à 12 km; leurs sommets froids, constitués de cristaux de glace, sont brillants et bien visibles des satellites météorologiques.

Selon les saisons, cette zone nuageuse de la convergence intertropicale se déplace de part et d'autre de l'équateur. En Afrique, le balancement saisonnier est faible sur le centre du continent et le nord du golfe de Guinée; les nuages sont concentrés et les pluies réparties régulièrement toute l'année. En revanche, en Afrique orientale, ce balancement est plus important, et les nuages ne la couvrent que quelques mois par an; le ciel est dégagé, comme le montre l'image satellite. C'est un domaine où la forêt équatoriale ne peut pas s'installer. ■

Image de l'Afrique et de l'Europe transmise par le satellite européen Météosat, à 36 000 km d'altitude. La zone de convergence intertropicale apparaît en blanc près de l'équateur sur l'Atlantique, le golfe de Guinée et l'ouest de l'Afrique centrale. ▽

La convergence intertropicale

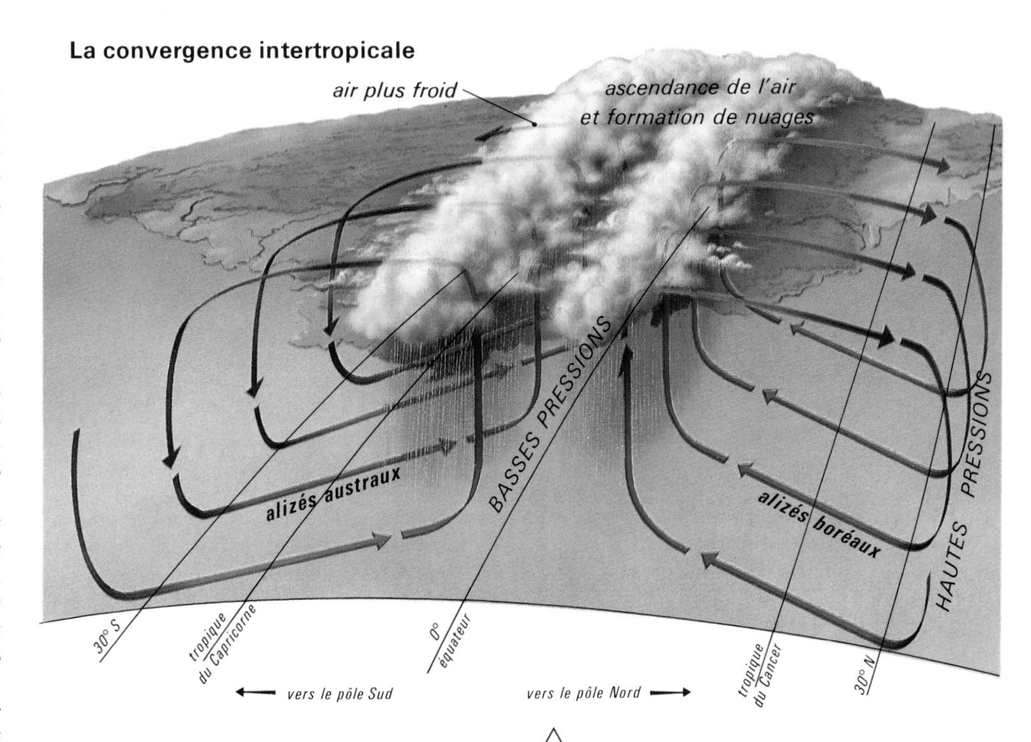

△

Les alizés des deux hémisphères se dirigent vers les basses pressions équatoriales. Leur rencontre provoque de vigoureuses ascendances de l'air humide; celui-ci se refroidit, et la vapeur d'eau qu'il contient forme des nuages et donne naissance à d'abondantes précipitations.

La forêt sempervirente d'Amazonie

L'Amazonie est le domaine de la forêt dense et exubérante, où chaleur et pluies abondantes favorisent la croissance des arbres. L'apport pluvial étant supérieur à l'évaporation du sol et à la transpiration des plantes, les réserves en eau du sol ne s'épuisent jamais et la forêt garde son feuillage.

Le voyageur qui s'enfonce dans la forêt y découvre trois strates de végétation. Les grands arbres de 30 à 40 m constituent l'étage supérieur; ils portent des feuilles vernissées pouvant résister à la forte insolation et sont assez espacés pour que leurs feuillages ne se touchent pas. Des arbres plus petits occupent les vides laissés par les plus grands. Au-dessous, c'est le domaine des arbustes, des palmiers et des fougères, qui ne dépassent pas 8 m de haut. Des lianes s'élèvent d'arbre en arbre à la recherche de la lumière. On dénombre plusieurs centaines d'espèces arbustives à l'hectare, mais beaucoup d'arbres «sans intérêt» doivent être abattus pour permettre l'exploitation des essences précieuses comme l'acajou.

Dans le sous-bois vivent insectes, batraciens et reptiles. Les grands herbivores et carnivores ne s'y aventurent pas, car l'herbe y est rare, et leur déplacement serait gêné par les racines. Seuls les singes et les oiseaux apportent la vie dans les arbres.

Le défrichement de la forêt amazonienne est un phénomène ancien. Traditionnellement, de petits groupes humains y créent pour quelques années des terroirs qui, abandonnés, retournent à la forêt. Cette nouvelle forêt, moins variée en espèces, est appelée forêt secondaire par opposition à la forêt vierge, ou primaire.

Aujourd'hui, les gigantesques déboisements entraînent l'érosion des sols, et la forêt ne peut reprendre ses droits, ce qui risque d'avoir des répercussions sur le climat de toute la planète. ■

△
Sur les rives vaseuses du fleuve, dans la forêt amazonienne, s'installent des espèces arbustives adaptées à la submersion intermittente par les eaux. Les racines-échasses possèdent des excroissances verticales aériennes assurant leur respiration.

Un air chaud et humide en permanence

Sous le climat équatorial, les températures ne varient guère au cours de l'année car les rayons du soleil sont toujours proches de la verticale. En plaine, elles sont de l'ordre de 28 à 30 °C en début d'après-midi et de 25 °C en fin de nuit. La forte nébulosité et l'importante humidité de l'air limitent considérablement le refroidissement nocturne.

Aucun mois ne reçoit moins de 50 mm d'eau, et la plupart des journées sont pluvieuses. En Indonésie, par exemple, on dénombre plus de 300 jours de pluie par an. Ce sont les cumulonimbus, gros nuages verticaux, associés à la convergence intertropicale des alizés, qui provoquent la plupart des pluies.

Cette situation est créée par la circulation de l'air dans la région. En effet, de basses pressions ceinturent la Terre à l'équateur, tandis qu'un ensemble d'anticyclones s'étire le long des tropiques. De ces anticyclones viennent les alizés, vents d'est réguliers aspirés par les basses pressions équatoriales. Secs sur les continents, ils se chargent d'humidité sur les océans et les forêts équatoriales.

Parfois, ces alizés s'affaiblissent en arrivant près de l'équateur, donnant naissance à des zones de calme, les doldrums. Mais, généralement, ces vents venus du nord-est et du sud-est se rencontrent à l'équateur. Là, l'air s'élève d'autant mieux que le sol est surchauffé. En s'élevant, il se refroidit et ne peut plus contenir autant de vapeur d'eau. Celle-ci se condense en cumulo-nimbus, qui se regroupent en amas et produisent des pluies abondantes. Ce sont de grosses averses tombant en fin d'après-midi, moment où l'échauffement du sol, maximal, amplifie l'ascendance de l'air et donc la formation des nuages. L'air, chaud et humide en permanence, favorise le développement d'une forêt sempervirente.

La vie dans la forêt équatoriale

L'habitat pygmée, un abri précaire.

Écrasés par la nature, les habitants de la forêt équatoriale vivent en petits groupes isolés sur des terroirs temporaires et discrets. Si, dans certaines tribus indiennes d'Amazonie, la cueillette, la pêche et la chasse sont toujours le seul moyen de subsistance, en Asie et en Afrique, en revanche, la pratique de l'agriculture itinérante est bien développée. En Afrique, ce sont les femmes pygmées qui construisent les huttes en utilisant essentiellement les matériaux prélevés dans le monde végétal avoisinant. Les « murs » de feuilles s'adossent à des branchages plantés dans la terre ; la toiture est matelassée de feuilles superposées. Ces huttes assurent, certes, un abri efficace contre les pluies et les insectes, mais leur résistance n'est pas à toute épreuve.

LES DEUX SAISONS DE LA SAVANE

Le climat tropical

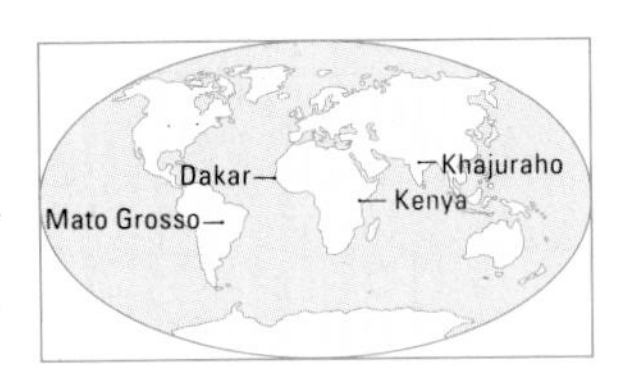

Une chaleur permanente, l'alternance de deux saisons, l'une sèche, l'autre pluvieuse, sont les caractéristiques des climats tropicaux. La végétation est formée de «savanes», plus ou moins arborées, dont l'aspect change profondément au cours de l'année, car beaucoup d'arbres perdent leurs feuilles et les herbes disparaissent. Les grosses averses font partie de la vie quotidienne des populations, provoquant souvent de graves inondations.

Saison humide au Mato Grosso

La route serpente à travers le plateau du Mato Grosso. Dans cette partie centrale du Brésil, la densité de population est faible, l'agriculture peu développée, et l'élevage est l'activité dominante : les troupeaux de bœufs à bosse, ou zébus, très répandus dans les régions tropicales, peuvent ici prendre leurs aises...

C'est la saison des pluies, comme en témoigne la verdeur de la végétation. Environ 1 300 mm de pluies tombent en cinq mois, de novembre à mars, ce qui correspond ici à l'été. Mais il y a quelques jours qu'il n'a pas plu, et la route, non revêtue, n'est pas boueuse. Cette pluviosité, somme toute assez modérée compte tenu des températures élevées, et sa concentration en une seule saison expliquent le caractère médiocre de la végétation. Il s'agit d'une forme intermédiaire entre la savane et la forêt, une forêt basse et claire. Elle est assez continue, en raison de la faiblesse de l'activité humaine. Le développement limité de l'agriculture s'explique avant tout par la position de la région, située à plus de 1 200 km des côtes de l'Atlantique, à partir desquelles s'est effectué le peuplement du Brésil. Mais il faut aussi tenir compte de la pauvreté des sols. L'alternance de périodes sèches et pluvieuses et les températures élevées favorisent la formation et la concentration dans le sol d'oxydes de fer, qui lui donnent cette couleur ocre très caractéristique, que la coupure de la route permet d'observer.

Les sols de ce type sont l'un des traits dominants des paysages tropicaux, qui associent souvent, comme ici, les verts et les tons ocre , du moins pendant la saison des pluies. En saison sèche, beaucoup d'arbres et de buissons perdront leurs feuilles, et les teintes brun-rouge domineront. ■

◁ *L'État brésilien du Mato Grosso, situé dans le centre-sud du pays et montré ici en saison des pluies, présente une forêt claire, connue sous le nom de* campo cerrado, *ce qui signifie littéralement «paysage fermé».*

Jour d'harmattan dans un village sénégalais

L'apparent désordre de ces abords d'un village du Sénégal cache en réalité une organisation assez précise. Cette frange périphérique, autour des maisons serrées les unes contre les autres, comporte des parcelles cultivées, défendues contre le bétail par des clôtures comme celle qui longe le chemin et des arbres utilisés pour leur ombre, leur bois, leurs fruits. Plus loin commence le domaine des champs nus.

En saison sèche, l'ensemble paraît plus uniforme qu'il ne l'est en réalité, car les parcelles de jardin sont en friche. Ce paysage austère prend ici un aspect particulièrement étrange, du fait de la couleur de l'air, qui enveloppe tout d'une teinte vaguement beige orangé évoquant d'ailleurs celle des sols, visible sur le chemin : aujourd'hui est un jour d'harmattan. Ce vent souffle de l'immense désert saharien, qui commence vraiment à un peu plus de 100 km au nord. Il a suffisamment de force pour soulever les fines poussières du sol, parfois des grains de sable. Comme dans bien des régions tropicales, les particules, même les plus fines, sont teintées en ocre par les oxydes de fer. La saison sèche, surtout dans ses derniers mois — avril et mai — connaît des températures très élevées, jusqu'à plus de 35 °C dans la journée. Les temps d'harmattan sont particulièrement difficiles à supporter, à cause des poussières et des phénomènes électriques qui les accompagnent. Ils favorisent malheureusement la propagation de certaines maladies, comme la méningite, qui connaissent des poussées épidémiques quand le vent persiste pendant plusieurs jours, voire plusieurs semaines.

L'harmattan balaie périodiquement ce qu'on appelle le Sahel, d'un mot arabe qui signifie rivage — il faut entendre le «rivage» du désert saharien. La pression démographique a conduit, au cours des dernières décennies, à un développement des cultures dans des régions jusque-là plutôt

△
Les abords d'un village sénégalais, à quelques kilomètres au nord de Dakar, en saison sèche. Nous sommes ici à proximité du 15e degré de latitude N., c'est-à-dire près de la bordure septentrionale de la zone des climats tropicaux de l'Ouest africain.

La ville de Khajurāho, au centre de l'Inde, est bien connue des touristes à cause de son grand temple, chargé de sculptures qui évoquent avec précision et poésie l'art amoureux de l'Inde. Mais ils peuvent aussi contempler les effets d'une averse de mousson dans les rues de la ville. ▷

Une saison sèche, une saison pluvieuse

L'usage le plus courant nomme «climats tropicaux» des climats chauds où la pluviosité est suffisante pour permettre la vie de formations végétales continues et l'agriculture non irriguée, mais où l'on observe l'alternance d'une saison humide et d'une saison sèche. La saison des pluies se situe pendant l'été : entre juin et septembre dans l'hémisphère Nord, entre octobre et février dans l'hémisphère Sud. Les climats de ce type se rencontrent à peu près aux latitudes des tropiques, un peu plus au sud à l'ouest des continents, un peu plus au nord à l'est.

Les chaleurs élevées (la température moyenne est supérieure à 18 °C tous les mois de l'année) sont dues à l'importance de l'apport d'énergie solaire aux basses latitudes.

L'alternance des saisons pluvieuse et sèche est liée à des changements d'ensemble de la circulation de l'air.

En hiver, les régions traversées par les tropiques sont recouvertes par des aires de hautes pressions atmosphériques, des anticyclones, où l'air tend à se déplacer du haut vers le bas de l'atmosphère. Ce mouvement de descente (subsidence) empêche la formation de nuages et de pluies, qui n'a lieu que dans de l'air qui se refroidit par ascendance. En été, au contraire, les anticyclones sont remplacés par des aires de basses pressions atmosphériques, qui, combinées avec la rotation de la Terre, provoquent l'arrivée de courants aériens chargés de vapeur d'eau parce qu'ils ont longuement circulé sur des océans chauds. Certains de ces courants traversent l'équateur pour atteindre l'autre hémisphère en été ; on les qualifie alors de moussons.

consacrées à l'élevage nomade. La végétation naturelle a donc été largement détruite, et d'immenses étendues présentent maintenant des sols dénudés. Comme une succession d'années sèches est venue ajouter ses effets à ceux du développement des cultures, les conséquences de l'action des vents secs comme l'harmattan se sont aggravées ; des dunes longtemps fixées par la végétation se sont remises en mouvement, et l'invasion des sables progresse : c'est ce qu'on appelle la désertification ; elle menace de grandes étendues du Sahel, davantage à la suite des transformations dues à l'homme que par l'effet d'un changement du climat. ■

Il pleut à Khajurāho

La journée de juillet a été chaude, sous une lourde chape de nuages et un ciel blanc ; la nuit tropicale, qui tombe tôt et rapidement, approche, et voici que l'averse se déclenche,

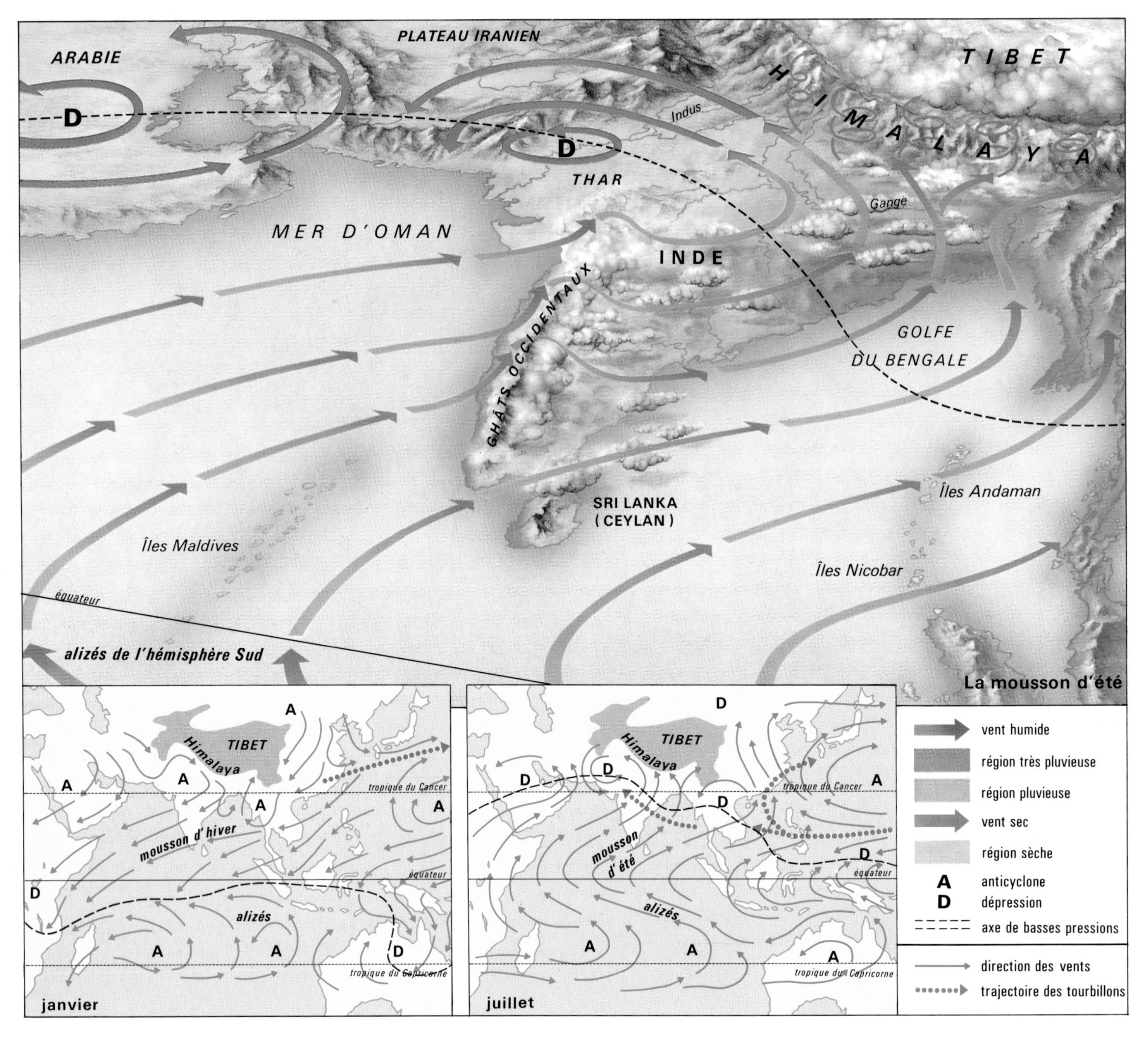

violente, soudaine, qui transforme l'aspect de ce haut lieu du tourisme indien. Les rues, jusque-là pleines d'une foule dense et variée, se vident rapidement; chacun court chez soi. Mais on peut aussi se réfugier sous l'abri précaire de la bâche qui recouvre la boutique du vendeur de thé, comme il y en a des centaines dans les villes indiennes. On peut s'asseoir sur l'un des durs bancs de bois offerts à la clientèle, et déguster le thé qui tiédit dans une grande marmite. Un thé toujours additionné de lait, parfois aussi d'épices, qui lui donnent un goût quelquefois déconcertant. De cet abri, on peut contempler les rues vides, où les rares passants ont déployé leurs grands parapluies. L'asphalte est balayé par de grosses gouttes qui tombent en rangs serrés. Cependant, les cyclo-pousse, les fameux rickshaws des villes indiennes, circulent encore. Les clients sont un peu protégés par une bâche, mais les *rickshaw-wallah* — les «hommes des rickshaws» — doivent accepter de pédaler sous la pluie, pour ajouter 1 ou 2 roupies à la maigre recette quotidienne.

La température baisse rapidement sous l'effet combiné de l'averse et de la tombée de la nuit. Si l'on n'a pu s'abriter dès les premières gouttes, les vêtements légers adaptés à la chaleur du jour sont maintenant humides et froids — on s'enrhume facilement sous les tropiques...

Ainsi la pluie marque-t-elle la vie quotidienne dans les villes indiennes, pendant une saison qui dure de juin à septembre. Cette pluie est source de vie; c'est elle qui remplit les réservoirs et recharge les nappes qui alimenteront les villes pendant la saison sèche; c'est elle surtout qui assure les récoltes et fait verdir les rizières, dont dépend l'alimentation de plus de 800 millions d'hommes. ■

Une savane arborée au Kenya

Ce type de paysage évoque les grandes chasses des populations locales, comme les Massaïs, et des riches Européens et Américains, dont certains, comme Ernest Hemingway, ont été aussi de grands écrivains : ces savanes arborées ont servi de décor à bien des romans et des nouvelles. Les États d'Afrique orientale ont conservé une importante faune sauvage, grands fauves et éléphants notamment; ceux-ci sont maintenant protégés par l'établissement de grandes réserves, mais les braconniers sont actifs, et le nombre des animaux continue à diminuer, malgré les efforts des protecteurs de la nature et des espèces en voie de disparition. L'ivoire, en particulier, se vend cher, par exemple en Asie, et l'appât de gains assez faciles est très fort pour les populations pauvres; tous les chasseurs n'ont pas accepté de ne participer qu'à des safaris-photos. L'altitude réduit les températures, et, bien que ces grands plateaux se situent presque sous l'équateur, les précipitations sont assez faibles (de 800 à 1 000 mm par an) et tombent en quelques mois. La végétation est donc adaptée à cette relative sécheresse. Les arbres sont très espacés parce qu'ils ont besoin de puiser l'eau dans un rayon étendu autour des troncs, et que leurs racines s'étalent largement. Ils appartiennent au genre des acacias; leurs petites feuilles vernissées et leurs aiguilles réduisent l'évaporation, ce qui leur permet de résister à la sécheresse. L'écorce, épaisse et dure, les protège contre les incendies fréquents. L'élargissement en ombrelle de leur feuillage leur confère une très grande élégance. En saison des pluies, un tapis de hautes herbes verdoyantes se forme entre les arbres, mais elles jaunissent et se flétrissent en saison sèche. Il arrive souvent que des feux, allumés par la foudre ou par les hommes, dévorent les tiges desséchées. Cependant, les herbes sont assez abondantes pour permettre aux populations locales d'éleveurs nomades d'entretenir des troupeaux importants de bovins et de chèvres. Elles font aussi vivre des herbivores sauvages. ■

La cueillette du thé

Le théier a besoin de chaleur et d'humidité, mais il prospère mieux sur les sols non saturés d'eau et sous les climats comportant des nuits fraîches pendant une partie de l'année. Ces conditions sont réunies dans les montagnes tropicales, à des altitudes d'environ 1 000 m. La fraîcheur nocturne y est suffisamment marquée, et la pente assure l'égouttement de l'eau des sols. Le thé fut longtemps produit dans des jardins de paysans, mais, avec l'expansion de la consommation mondiale, les Européens ont créé de vastes plantations, où les théiers s'étalent sur de grandes surfaces, comme ici, autour de la ville préhimalayenne de Darjeeling. Les feuilles n'arrivant pas toutes en même temps à maturité, les femmes les choisissent et les cueillent une à une. Elles gardent d'abord les feuilles ramassées entre leurs doigts, puis les jettent dans leur hotte, d'un geste vif. Travail qualifié, pénible et mal payé...

Les collines élevées près de Darjeeling fournissent le meilleur thé de l'Inde.

◁ *En hiver, des anticyclones alignés le long des tropiques donnent naissance à des vents de nord-est transportant un air sec et assez froid. L'ensemble de l'Asie du Sud et de l'Est connaît une saison sèche. En été, les anticyclones cèdent la place à des dépressions dues à l'échauffement des continents. Elles provoquent, conjointement à la rotation de la Terre, l'arrivée de vents humides du sud-ouest, qui donnent des pluies abondantes.*

L'État africain du Kenya, bien qu'il tire son nom d'un grand volcan, comporte surtout des hauts plateaux (de 1 000 à 2 000 m d'altitude), qui ont une grande extension en Afrique orientale. Ils sont en majeure partie recouverts d'une savane arborée, photographiée ici en saison sèche. ▷

Records de pluie dans le monde

(moyenne annuelle en mm)

Cherrapunji (Inde)	11 477
Monrovia (Liberia)	5 131
Moulmein (Birmanie)	4 820
Padang (Sumatra)	4 452
Conakry (Guinée)	4 341
Bogor (Java)	4 225
Douala (Cameroun)	4 109
Cayenne (Guyane française)	3 747
Freetown (Sierra Leone)	3 639

IDA, HUGO, ANDREW ET LES AUTRES

Les cyclones tropicaux

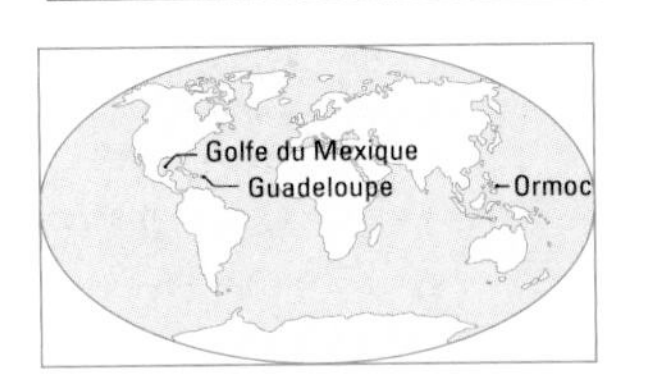

Nommés hurricanes dans le monde américain, typhons en Asie de l'Est, les cyclones tropicaux affectent surtout les îles et les côtes orientales des continents tropicaux. Ils sont particulièrement fréquents à la fin de l'été et chacun d'eux est désigné par un prénom. Ces cyclones provoquent toujours des destructions très importantes dans les zones littorales, et sont responsables de lourdes pertes en vies humaines, surtout parmi les populations mal protégées des régions les plus déshéritées.

Une spirale de nuages

Les cyclones tropicaux représentent un tel danger que les services météorologiques ont toujours mis en œuvre des moyens considérables pour les repérer dès leur formation, suivre leurs mouvements et essayer de les prévoir. La connaissance de l'état du cyclone permet de mieux faire cette prévision ; on étudie donc avec soin l'organisation des courants aériens, bien reflétée par les aspects des nuages. Les satellites météorologiques, moyen d'investigation puissant, sont très utilisés ; ils complètent l'observation à partir du sol, et fournissent des images plus complètes que celles prises d'avion.

Les satellites de type Tiros emportent plusieurs radiomètres, appareils d'enregistrement des radiations émises par l'atmosphère. La combinaison des renseignements fournis par plusieurs radiomètres et par des observations successives permet de construire, grâce à des ordinateurs très puissants, des images variées, qui ne sont pas de simples photographies.

Nous avons ici une vision en relief des nuages près du centre du cyclone Allen, qui a atteint son plein développement, ou sa phase de maturité.

L'espèce de trou dans la masse nuageuse, bien visible au centre, est une zone de ciel clair, qu'on appelle l'œil de la tempête. Il est entouré par une spirale de nuages, qui s'enroule autour de lui et dont le sommet est relativement plat. Cette spirale correspond à une région de vents très rapides, provoqués par les très basses pressions du centre du cyclone. Ces vents, déviés par la rotation terrestre, tournent autour de ce centre dans le sens inverse de celui des aiguilles d'une montre. Cette déviation, combinée à la force centrifuge, empêche l'air d'atteindre le centre même du cyclone, qui est donc le siège de mouvements descendants, à l'origine des ciels clairs de l'œil, puisque condensations et nuages n'apparaissent que dans de l'air ascendant.

Au-delà de la spirale centrale, les sommets des nuages, à gauche, se situent à des hauteurs toujours très élevées, mais plus irrégulières. Les parties sombres correspondent à des régions où le ciel est plus clair, mais beaucoup moins nettes et de formes moins régulières que l'œil : vers la limite extérieure du cyclone, les cheminées d'ascendances violentes alternent avec des zones de courants descendants, l'ensemble étant emporté dans le mouvement de rotation général.

Les masses nuageuses liées aux cyclones tropicaux peuvent atteindre plus de 10 000 m d'altitude, et les vents violents balayer des aires de plusieurs centaines de kilomètres de diamètre. ■

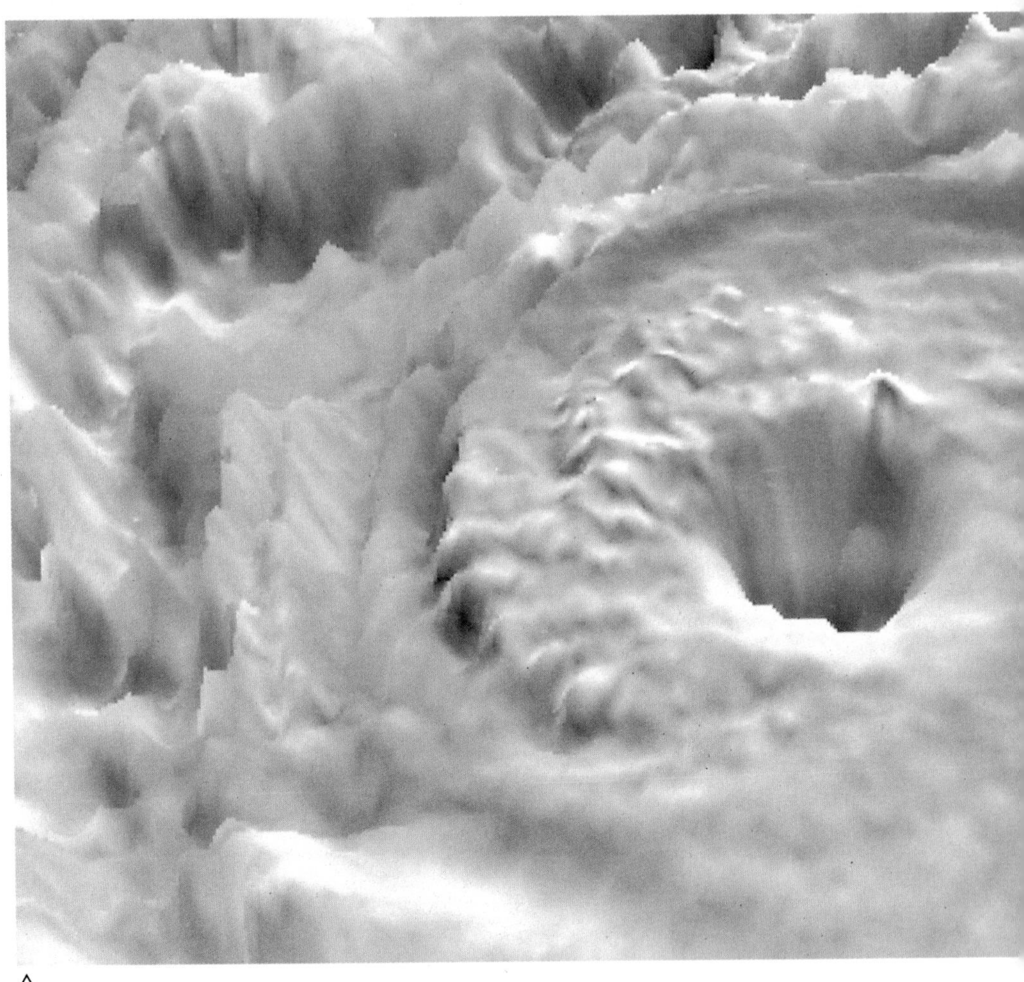

△
Le cyclone tropical Allen, circulant au-dessus du golfe du Mexique en août 1980, est ici représenté à partir des données fournies par le satellite météorologique Tiros-N. Le document offre une vue détaillée de la partie centrale du cyclone, et des énormes masses nuageuses auxquelles il donne naissance.

Le soleil revient sur Morne-à-l'Eau

En Guadeloupe, comme dans toutes les régions tropicales affectées par des cyclones, les services météorologiques effectuent une surveillance constante des océans, pour les repérer dès leur formation. Mais, si l'approche du cyclone est annoncée plusieurs jours à l'avance, on ne connaît ni sa force exacte ni surtout sa trajectoire précise. Cependant, des dispositions sont prises : les habitants sont avertis, les régions les plus exposées sont évacuées, les navires quittent les ports, ou leurs amarres sont renforcées. Les habitants tentent de consolider leurs maisons et espèrent que le centre du cyclone

△
La petite ville de Morne-à-l'Eau est située au centre de la partie basse de la Guadeloupe, Basse-Terre. Elle est photographiée ici quelques heures après le passage du cyclone Hugo, qui ravagea les Antilles en octobre 1989, et fit notamment des dégâts importants en Guadeloupe et en Martinique.

passera à bonne distance. Mais, cette fois, l'espoir a été déçu. La météorologie confirme l'approche inexorable du cyclone. La mer devient agitée, le ciel vire au noir dans la direction d'où vient la catastrophe, et le vent se lève. Il atteint rapidement des vitesses effrayantes, et des pluies diluviennes s'abattent sur la région.

Basse-Terre étant la partie la plus plate de la Guadeloupe, le cyclone y circule librement. Heureusement, les habitants de Morne-à-l'Eau vivent loin des côtes, et ils sont épargnés par la tempête qui se rue à l'assaut du littoral. Pluies et vents exercent leurs ravages pendant plusieurs heures, avec une interruption lors du passage de l'œil, qui se traduit par une brusque éclaircie et une accalmie malheureusement de courte durée. La course du cyclone est capricieuse : il peut s'arrêter, et même revenir en arrière et causer de nouveaux dégâts dans des zones déjà dévastées. Mais il finit par s'éloigner, le ciel redevient bleu, le vent tombe ; il ne reste plus qu'à évaluer les dégâts, parfois hélas à compter les morts.

Les maisons construites en dur ont résisté. Mais tout autour, les arbres sont découronnés ou arrachés, et ce qui a sans doute été une construction en tôle n'est plus qu'un amas informe de débris. Le soleil commence à sécher la terre détrempée, mais des nuages sombres témoignent que le cyclone est encore actif non loin de là. ■

Les Philippines balayées par les typhons

Les villes des Philippines, comme dans tout le tiers-monde, comportent des quartiers de maisons précaires, construites avec des matériaux de fortune, et habitées par les

De prodigieuses quantités d'énergie

Un cyclone tropical est caractérisé d'abord par un centre de très basses pressions atmosphériques pouvant atteindre moins de 950 hPa (hectopascals), alors que la pression moyenne au niveau de la mer est de 1 015 hPa ! Ce centre de basses pressions provoque la formation de vents violents, jusqu'à plus de 200 km/h. Ces vents tendent à se diriger vers le centre de basses pressions, mais, déviés par la rotation de la Terre, ils tournent autour de lui en de gigantesques tourbillons. Les tourbillons tournent dans le sens des aiguilles d'une montre dans l'hémisphère Sud, et dans le sens inverse dans l'hémisphère Nord, parce que la déviation des mouvements par la rotation terrestre est de sens opposé de part et d'autre de l'équateur. L'air entraîné dans ce grand mouvement est fortement chargé d'humidité, car il a longtemps circulé sur les parties chaudes des océans où l'évaporation est très active. Quand il approche de la dépression, l'air tend à s'élever, la vapeur d'eau se condense et il se forme de puissantes masses nuageuses, d'où tombent des averses diluviennes.

Si les cyclones sont particulièrement puissants, c'est qu'ils sont commandés par des mécanismes qui se renforcent mutuellement. En effet, la condensation de l'air humide libère la chaleur qui a servi à évaporer l'eau des océans, et qui est en quelque sorte stockée dans la vapeur d'eau. Cette chaleur libérée réchauffe les colonnes d'air ascendant, qui se trouvent ainsi être moins denses que les parties avoisinantes de l'atmosphère, si bien que les ascendances se renforcent et se perpétuent. En même temps, elles accentuent les basses pressions, et causent l'arrivée d'encore plus d'air humide.

△
La ville d'Ormoc est située au bord d'une baie dans l'île de Leyte, au centre des Philippines. La situation de l'archipel, entre 5° et 20° de latitude N., lui vaut d'être très fréquemment visité par les typhons issus du Pacifique, et Leyte ne fait pas exception.

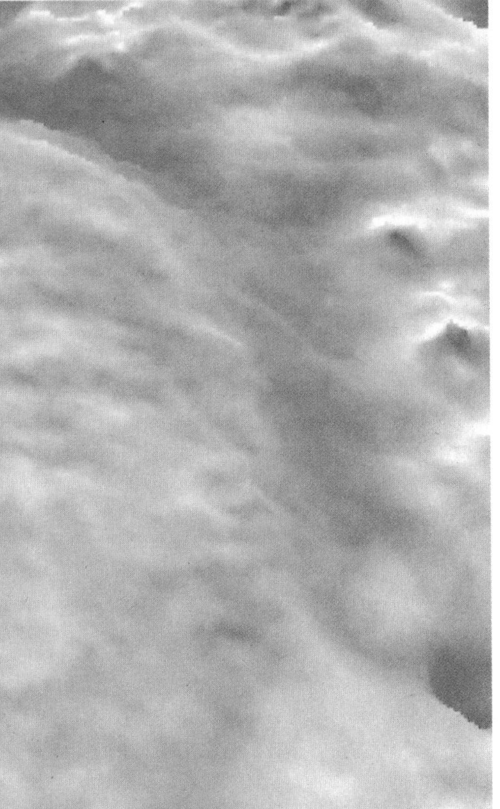

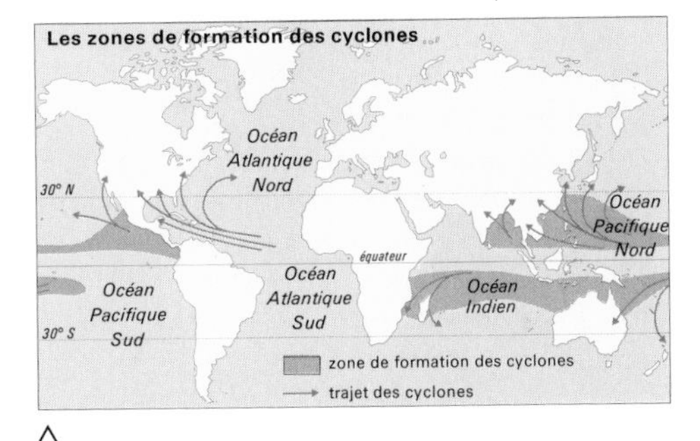

△
Les cyclones tropicaux se forment sur les parties les plus chaudes des océans, où l'évaporation est forte. Mais l'absence de déviation des vents aux très basses latitudes les exclut des régions équatoriales. Ils se déplacent d'est en ouest.

populations les plus pauvres. Ces quartiers se développent où ils peuvent, souvent dans des sites dont on n'a pas voulu pour les habitations des classes riches ou moyennes : pentes raides, ou, au contraire, régions basses et marécageuses. Ici, un quartier est édifié en bordure d'un chenal, non loin du fond de la baie d'Ormoc, dans l'île de Leyte, dangereusement près de l'eau.

Lors du passage d'un cyclone tropical, les régions les plus proches de la mer sont menacées non seulement par les effets du vent et de la pluie, mais aussi par des phénomènes proprement littoraux. Les eaux marines, repoussées par le vent en direction de la côte, tendent notamment à s'accumuler dans le fond des golfes. La montée du niveau marin qui en résulte voit ses effets aggravés par le gonflement de tous les cours d'eau par les pluies diluviennes, et il s'ensuit des inondations catastrophiques.

Le typhon qui est passé à Ormoc depuis quelques heures a provoqué des effets de ce type, et a détruit les pauvres cabanes en planches recouvertes de toits de chaume et de tôle. Les habitants sont revenus dans leur quartier détruit, et tentent de sauver ce qui peut l'être ; ils cherchent à récupérer parmi les décombres ce qui n'a pas été emporté au loin par les eaux et à sécher leurs vêtements. Mais il leur faudra du temps pour reconstruire leur cabane à moitié dévastée par l'inondation.

Les dégâts des cyclones tropicaux pèsent ainsi très lourdement sur les populations les plus déshéritées, parce qu'elles occupent des sites dangereux, peu protégés, et qu'elles ont des maisons qui résistent mal aux assauts des éléments, souvent aussi parce qu'elles n'ont pas les moyens de fuir avant le déclenchement des grands vents : les noyades sont beaucoup plus nombreuses dans les quartiers ou les pays pauvres que dans les zones riches. L'égalité entre les hommes n'existe pas non plus devant les violences de la nature. ■

Le typhon (ou cyclone) le plus terrible du siècle eut lieu au Bangladesh les 12 et 13 novembre 1970. Selon les autorités du pays, il y eut 148 116 morts, mais d'autres sources plus vraisemblables avancèrent les chiffres effrayants de 300 000, 600 000, 800 000, voire 1,5 à 2 millions de victimes.

Une dépression très accentuée attire l'air chaud et humide, qui tourne autour d'elle en une spirale de vents pouvant atteindre une vitesse de 100 à 200 km/h. L'ascendance provoque un refroidissement de l'air et la formation de nuages épais de plus de 10 000 m, qui déversent des pluies très abondantes. Le centre de la spirale n'est pas atteint par les vents, et garde un ciel clair et un temps calme (œil du cyclone). L'ensemble se déplace de plusieurs centaines de kilomètres par jour, guidé par les vents dominants en altitude. ▽

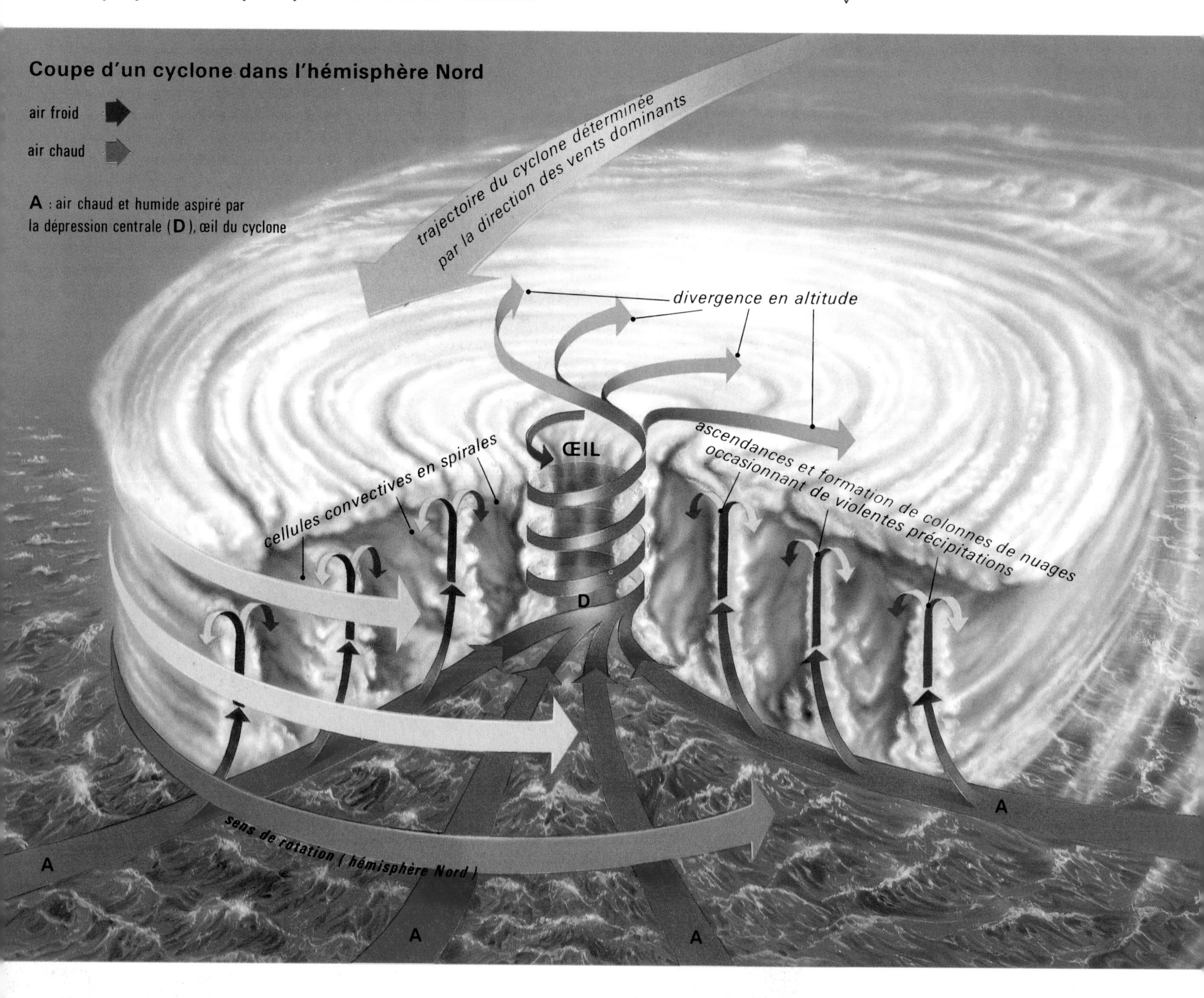

TERRES DE SÉCHERESSE

Les climats arides

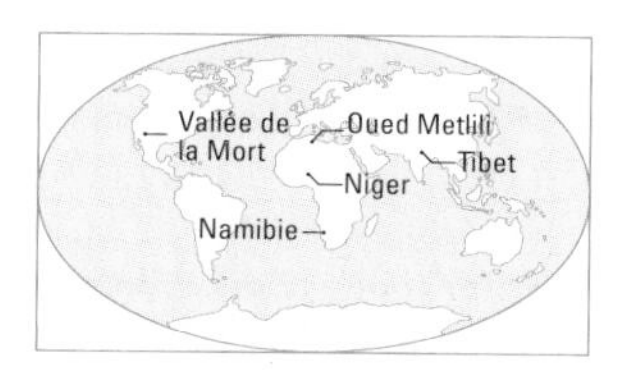

Couvrant près du tiers des terres émergées, les climats arides, aux précipitations rares et irrégulières, offrent de dures conditions de vie à une population peu nombreuse et migrante. À l'exception des déserts tempérés, froids en hiver, les journées sont très chaudes et les températures s'abaissent brutalement la nuit. Alors que la population des marges désertiques augmente, les déserts s'étendent, mettant en péril la vie déjà précaire de plusieurs dizaines de millions de personnes.

Vent de sable au Niger

L'harmattan souffle sur le Niger. Redouté depuis toujours, ce vent sec et violent peut soulever plusieurs dizaines de tonnes de sable et de poussière et obscurcir une région entière pendant plusieurs jours, empêchant tout déplacement, terrestre ou aérien.

Pour se protéger du vent de sable, les Touaregs, «seigneurs du désert», originaires du nord de l'Afrique, portent le litham, voile qui les aide aussi à supporter la chaleur et à se protéger des mauvais génies. Ils conduisent les caravanes à travers le Sahara. Le dromadaire (appelé chameau en Afrique) transporte dattes, tissus et bronzes, du nord du désert vers la région du fleuve Niger, où ces produits sont échangés contre le sel nécessaire au bétail. Le «vaisseau du désert» peut emmagasiner dans sa bosse des graisses provenant de son alimentation. Ses narines se referment lorsque souffle le vent de sable et son pelage l'isole de la chaleur.

Au Niger, comme dans toutes les régions arides, l'homme, à la recherche permanente de l'eau et de la nourriture, s'est adapté par la mobilité. Qu'il erre en permanence à la recherche de ses moyens de subsistance ou qu'il pratique principalement l'élevage, l'homme des déserts connaît parfaitement bien son environnement.

En Australie et dans le Kalahari (Afrique australe), les aborigènes vivent en groupes à la recherche de plantes ou de petit gibier. L'aborigène sait repérer la tige apparemment morte qui cache une racine de la taille d'un ballon. De cette racine, il extraira un peu d'eau pour s'abreuver jusqu'à sa prochaine découverte, souvent à plusieurs dizaines de kilomètres de là.

Dans les régions semi-arides de l'Afrique, de l'Arabie et de l'Asie, les pasteurs sont capables de conduire leurs bêtes sur les rares pâturages pour trouver les meilleures herbes. Les Peuls de l'Afrique de l'Ouest vivent au milieu de leurs troupeaux et transhument en permanence. Le cheptel assure l'essentiel de leur nourriture, le lait et le fromage, et leur

De rares précipitations

L'insuffisance de précipitations par rapport aux besoins de la végétation caractérise les climats arides. Ce manque d'eau est d'autant plus important que l'air est souvent chaud et l'évaporation intense. Ce sont les hautes pressions atmosphériques, quasi permanentes sous les tropiques, qui empêchent l'ascendance de l'air et la formation des nuages donnant la pluie. Les hautes montagnes de la zone tempérée qui empêchent l'arrivée des masses d'air humide sont, elles, à l'origine des déserts à hivers froids et très secs de l'Amérique et de l'Asie.

Si les averses sont rares, elles surviennent brutalement, provoquant alors des crues subites et une érosion importante. Au cœur du Sahara et de la péninsule Arabique, ainsi que sur les déserts côtiers, plusieurs années peuvent s'écouler sans qu'une goutte d'eau ne tombe : c'est le climat hyperaride qui couvre près de 5 % des terres du globe. À l'opposé, les marges du désert peuvent recevoir pendant un à trois mois les pluies du domaine tempéré (Maghreb intérieur, nord de l'Arabie...) ou celles du monde tropical (nord du Sahel, est de l'Australie...) : c'est le climat semi-aride (de 25 à 100 mm d'eau par an), qui couvre 15 % des terres. Entre les deux, le monde strictement aride (14 % des terres) est sec en permanence, à l'exception de quelques journées humides.

L'humidité de l'air constitue la grande différence entre les déserts continentaux et littoraux. Dans les premiers, l'air est très sec, aussi la flore et la faune doivent attendre la pluie pour se développer et se reproduire. Les déserts côtiers ne reçoivent pas plus de pluie, mais l'air y est beaucoup plus humide. Les brouillards matinaux sont fréquents, car l'air s'est rafraîchi au-dessus des courants marins froids qui baignent tous ces déserts. Mais, au-dessus de cette couche fraîche, de puissants anticyclones stabilisent l'air, et il ne pleut pas. La rosée matinale, fréquente, favorise le développement d'une faible végétation.

L'harmattan souffle avec violence sur ce petit campement de Touaregs au Niger. Femmes et enfants se protègent tant bien que mal de la poussière et du sable soulevés par ce vent sec du nord-est. ▷

Le relief désertique

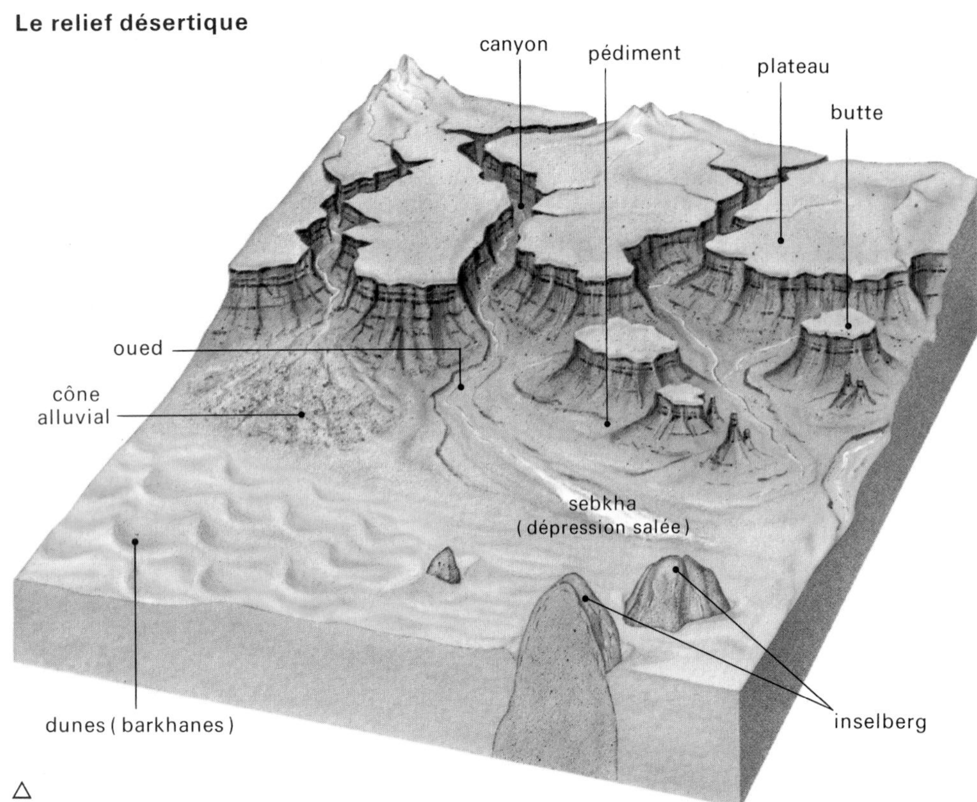

△
Dans les régions sèches, l'absence de couvert végétal et la violence des rares averses confèrent une grande force au ruissellement : les débris fins sont enlevés, les lignes du relief sont nettes, et les contrastes marqués entre escarpements et surfaces planes. Le vent contribue à dénuder les roches et modèle en dunes les sables accumulés dans les régions basses. Le ruissellement façonne des plans inclinés au pied des corniches (pédiments).

fournit la matière première pour fabriquer tentes, vêtements et ustensiles de voyage.

La liberté de mouvement sur de vastes territoires fait partie de la culture de ces nomades. Depuis le milieu du XXe siècle, ils subissent les contrecoups de la modernisation. Les caravanes sont peu à peu remplacées par les moyens de transport modernes et les frontières nouvellement créées sont une entrave à leurs déplacements. Contraints de se sédentariser, ils deviennent ouvriers ou agriculteurs. Ils sont nombreux à vivre misérablement à la périphérie des grandes villes en marge du désert. ■

Un désert froid d'Asie, le Tibet occidental

Pour atteindre le mont Kailas, considéré comme l'axe du monde par les bouddhistes, les pèlerins traversent les étendues désertiques du Tibet occidental, d'où émergent de hautes montagnes dépassant 6 000 m d'altitude. Cette région, protégée de la mousson indienne par la chaîne de l'Himâlaya, est très éloignée de l'océan Atlantique ; les masses d'air qui arrivent sur elle sont donc sèches, et le ciel souvent sans nuages. La pureté de l'air avive les couleurs et accentue les contrastes.

Toute l'année, les pèlerins subissent les excès de ce milieu. La sécheresse peut être tout aussi absolue que dans les déserts chauds des tropiques. Les rares pluies tombent l'été alors que la chaleur est torride et l'évaporation considérable. Le manque d'eau est permanent, sauf au pied des plus hauts massifs, alimentés par la fonte des neiges, et dans les rares oasis qui jalonnent les pistes. À la différence des déserts tropicaux, les hivers sont froids et les températures souvent inférieures à − 10 °C. ■

L'avancée des déserts américains : une fatalité ?

À 85 m au-dessous du niveau de la mer, la Vallée de la Mort, en Californie, est le point le plus bas de l'Amérique du Nord. C'est l'un des plus petits déserts du monde mais sa température atteint facilement 50 °C en été. La vallée reçut son nom en 1849, quand un convoi de pionniers, pressé de rejoindre les mines d'or de Californie, voulut la traverser. Manquant d'eau, tous succombèrent sous la chaleur torride du désert.

Comme dans toutes les régions arides du monde, les marges des déserts américains ont lentement et naturellement fluctué au cours du temps. Mais, depuis le début du XXe siècle, les zones arides se sont rapidement étendues par la faute de l'homme.

Aux États-Unis, pour compenser la baisse des prix des produits agricoles et pouvoir payer leurs tracteurs, les agriculteurs ont labouré de plus en plus leurs terres. Les éleveurs, pour faire face à une forte demande, ont multiplié leur cheptel, et les jachères ont été supprimées. Il a suffi de deux années de sécheresse pour que les plaines du Midwest deviennent de véritables cuvettes à poussières. La végétation a disparu, et, lorsque les masses d'air sont passées sur cette région, elles se sont beaucoup moins humidifiées ; il y a eu peu de nuages et le désert a progressé. Les vents ont soulevé ces poussières et les ont transportées jusqu'à Washington et New York, qui furent quelque temps plongées dans l'obscurité. La désertification s'est rapidement installée, obligeant les fermiers à migrer vers les villes. C'est ce que décrit John Steinbeck dans *les Raisins de la colère*. ■

De nombreux mirages abusèrent l'armée de Bonaparte en Égypte, en 1798. On rapporte que les soldats furent complètement désorientés par ces paysages qui se mettaient sens dessus dessous et ces animaux qui surgissaient de nulle part. Paniqués par ces lacs qui s'escamotaient et ces brins d'herbe changés en arbres, ils se mirent à genoux et prièrent pour le salut de leur âme, dans la crainte de l'imminente fin du monde. L'un des membres de l'expédition, toutefois, garda son sang-froid devant les tours de passe-passe que la nature leur jouait : c'était le mathématicien Gaspard Monge, seul capable d'expliquer scientifiquement ces prodiges.

△
Dans la Vallée de la Mort (Californie), le sel et l'argile se rétractent sous l'effet de la chaleur, et des fentes polygonales apparaissent. Lorsque la pluie survient, l'eau s'infiltre dans ces fentes; les cristaux de sel, gorgés d'eau, gonflent et forment des concrétions — bien visibles ici —, qui disparaîtront lentement dès le retour de la sécheresse.

Contournant le mont Gurla (Tibet), à l'arrière-plan, des pèlerins se dirigent vers les sanctuaires du mont Kailas, situé à une centaine de kilomètres plus au nord. Ils sont plusieurs milliers à traverser ainsi les solitudes glacées du Tibet pour se rendre vers ce haut lieu du bouddhisme et de l'hindouisme.
▽

△
Dans un petit village du Mzab, au sud de Ghardaia (Grand Erg occidental), l'oued Metlili s'est brusquement gonflé en raison des violentes averses d'automne.

L'oued Metlili en crue

Il a plu dans le Grand Erg occidental (Algérie) et l'oued Metlili est en crue. Il est sec la plupart du temps, mais l'eau boueuse est arrivée subitement et la traversée est alors impossible. Le village est, semble-t-il, bien protégé contre les écoulements temporaires. Mais, dans bien des cas, les crues provoquent d'importants dégâts matériels et causent des pertes humaines. Il est vrai que les déserts connaissent des climats excessifs. La chaleur y est accablante, les tempêtes de sable et les averses, par leur violence, entraînent des catastrophes d'autant plus dramatiques qu'elles sont souvent difficiles à prévoir. La pluie arrive brutalement sur un sol très sec et l'érosion est intense. L'eau, mêlée au sable et aux débris, s'écoule rapidement dans le lit asséché des oueds, détruisant les ponts et empêchant le déplacement des hommes. Pour cette raison, il est tout à fait déconseillé de camper dans le lit des oueds, même si le ciel ne paraît pas menaçant. Périodiquement, les inondations sont catastrophiques, surtout dans les régions semi-arides plus peuplées. Au début de l'année 1983, la ville de Chosica, au Pérou, fut détruite par un torrent de boue qui causa la mort de 120 personnes.

Le mirage

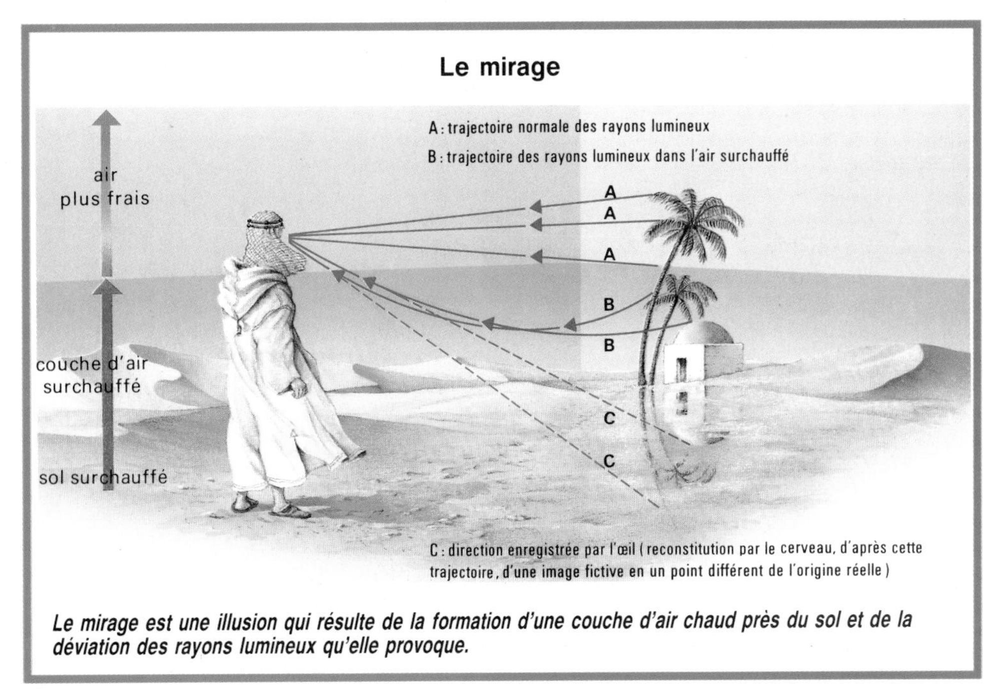

Le mirage est une illusion qui résulte de la formation d'une couche d'air chaud près du sol et de la déviation des rayons lumineux qu'elle provoque.

Sous les tropiques, les différences saisonnières sont peu marquées, mais, dans les déserts continentaux du domaine tempéré, l'hiver est très rigoureux. Dans les régions tropicales, les températures dépassent 25 °C à l'ombre en milieu de journée et elles atteignent fréquemment 40 °C dans les déserts africains et arabiques (le record est de 58 °C dans le désert libyen). Après le coucher du soleil, les températures diminuent très vite, parfois de 30 °C en quelques heures, et le gel peut apparaître ; on a enregistré – 7 °C à Tamenghest (ex-Tamanrasset), dans le Sud algérien. L'absence de nuages et la relative limpidité de l'air sont responsables de ces grandes différences. Si, le jour, les rayons du soleil chauffent considérablement le sol, la nuit, l'atmosphère limpide laisse facilement repartir cette énergie vers l'espace. ■

Une vie surprenante dans le désert du Namib

Un bref orage a suffi pour embellir le désert du Namib de ces très belles fleurs sauvages. Ce désert, sans aucun doute l'une des plus remarquables merveilles du monde, s'étend sur près de 1 500 km du nord au sud et déborde sur l'Angola et l'Afrique du Sud. C'est un désert côtier dont l'existence est liée à la présence du courant marin froid du Benguela. Après la pluie, la végétation s'y développe vite, les plantes étant capables d'extraire du sol la moindre goutte d'humidité. Il est remarquable que, si des pluies irrégulières et violentes peuvent être à l'origine de grandes catastrophes, parallèlement elles réveillent le désert : en très peu de temps les herbes flétries se redressent, la prairie sort du sable, les fleurs s'épanouissent. Ces plantes sont xérophiles : elles sont adaptées à la sécheresse. Elles ont souvent une taille réduite et de petites feuilles vernissées pour limiter les pertes en eau. Leurs racines peuvent capter la faible humidité du sol et la plupart des espèces constituent des réserves importantes.

Mais il existe aussi dans le désert du Namib des plantes que l'on ne trouve nulle part ailleurs et qui n'ont pas besoin de pluie pour se développer. C'est le cas de *Welwitschia mirabilis,* véritable fossile vivant. Pour pousser dans ce désert où il tombe en moyenne moins de 5 cm de pluie par an, la welwitschia absorbe l'humidité que les brumes côtières déposent à la surface de ses deux feuilles déchiquetées par le vent. Ces brumes s'avancent parfois jusqu'à 80 km dans les terres. La première fleur n'apparaît que vingt-cinq ans après la germination et la plante peut vivre jusqu'à deux mille ans. On trouve également dans ce désert *Cissus macropus,* qui est un cousin de la vigne. C'est dans son tronc épais, protégé de la chaleur par une écorce pâle très réfléchissante, qu'il stocke l'eau.

Pour se maintenir dans le Namib, l'un des déserts les plus arides du monde, la faune a dû elle aussi développer des trésors d'ingéniosité pour résister à la chaleur et à la sécheresse. Le scarabée, par exemple, se juche au petit matin au sommet d'une dune, la tête en bas, exposant son dos aux brumes humides de la côte. La vapeur d'eau se condense au contact de son corps froid et l'insecte laisse glisser les gouttelettes de rosée jusqu'à sa bouche. La vipère des sables, de façon similaire, se love au sommet des dunes, puis lèche les gouttes d'eau déposées par la brume sur sa peau froide.

On pourrait encore citer l'otocyon, qui, grâce à ses immenses oreilles, augmente la surface évaporatoire de son corps, ou le petit écureuil kalahari, qui utilise sa queue comme un parasol contre les rayons brûlants du soleil.

En fait vivent dans le désert du Namib une multitude d'autres animaux, remarquablement adaptés à cet environnement spécifique. En général, ils sont petits — coléoptères, termites, guêpes, araignées, lézards —, car seuls survivent ceux à qui suffit une faible quantité d'eau... Mais, à certaines périodes de l'année, lorsque la cuvette de Sossusvlei est alimentée pendant quelques jours par de petits cours d'eau et des nappes souterraines, de plus gros animaux, comme le chamois du Cap — lui aussi merveilleusement adapté —, viennent paître une flore temporairement abondante. ■

Au cœur de l'immense Namib-Naukluft Park (Namibie), vaste zone de conservation qui couvre 50 000 km² dans le désert du Namib, la cuvette de Sossusvlei, à 200 km au nord de Luderitz, est bordée de dunes pouvant atteindre 400 m de hauteur. Elle présente après l'orage un spectacle étonnant. De superbes fleurs sauvages ont profité des pluies soudaines, mais de courte durée, pour surgir des sables de ce désert, l'un des plus secs du monde.
▽

LES CAPRICES DES SAISONS

Les climats tempérés

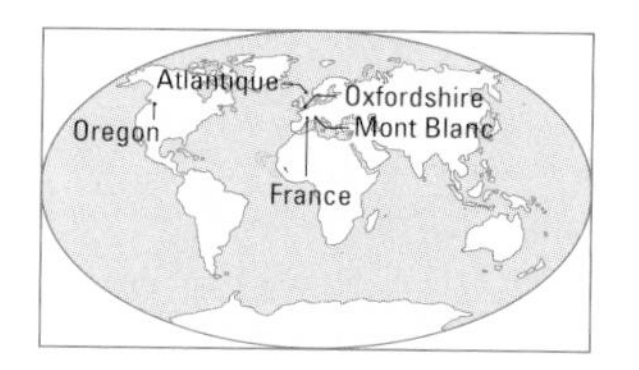

Tempérées, les façades occidentales des continents aux moyennes latitudes le sont fréquemment : il y pleut mais sans excès, l'hiver se différencie bien de l'été, mais les écarts thermiques entre ces deux saisons sont peu accusés.
Cependant, ces régions ne sont pas à l'abri d'aléas météorologiques ou climatiques qui donnent vagues de froid ou de chaleur, tempêtes ou sécheresse, et un temps, de façon générale, très changeant.

Des saisons bien différenciées

Le climat tempéré est celui des régions de latitude moyenne, situées à l'ouest des continents. Son caractère modéré vient de la localisation de ces régions, à mi-chemin entre le froid glacial du pôle et la chaleur de l'équateur, mais aussi des vents d'ouest, océaniques, qui dominent à cette latitude. Comme l'océan se réchauffe et se refroidit lentement par rapport à la terre, sa température varie peu et l'air océanique est plutôt doux en hiver et frais en été. En moyenne, les températures varient donc peu. Les régions tempérées sont aussi un champ d'affrontement pour les masses d'air de températures très différentes qui viennent du nord et du sud de chacun des hémisphères, ce qui donne lieu à des ascendances de l'air et à l'existence de dépressions. Comme les vents dominants d'ouest, ces dépressions mobiles se déplacent d'ouest en est. Sur l'Atlantique, elles se forment souvent vers l'Islande, avant de parvenir sur les côtes de l'Europe. Elles ne durent que quelques jours, mais de nouvelles dépressions se forment sans cesse et, en hiver, elles sont responsables de la fréquence d'un temps couvert, doux, humide, pluvieux et venteux. En été, comme les différences thermiques entre pôle et tropique sont moins accusées, les dépressions sont moins actives. Par ailleurs, les anticyclones subtropicaux, comme celui des Açores, «enflent», débordent sur les régions tempérées et expliquent aussi les belles journées d'été.

Mais le temps reste changeant quelle que soit la saison : l'été n'est pas exempt d'averses et l'hiver peut connaître de belles journées ensoleillées, froides si le vent souffle du nord ou de l'est, chaudes si l'air vient du sud.

L'Oxfordshire au fil des saisons

Le ciel est bleu, parsemé simplement de quelques cumulus de beau temps et d'altocumulus. Le soleil fait briller les tons verts et jaunes de ce début d'automne dans l'Oxfordshire. Sur les collines molles et la plaine ondulée que l'on aperçoit du parc du château de Blenheim, les prairies sont d'un vert encore intense, signe que l'été est bien arrosé. Il est frais aussi, et l'on ne produit guère dans les plaines anglaises que du blé, des pommes de terre et des plantes herbacées, dont la culture est peu exigeante. Sur les versants plus secs, l'herbe a déjà jauni, tout comme les feuilles que perdront bientôt les rares arbustes.

△ *La plaine anglaise vue du parc de Blenheim, dans l'Oxfordshire. En hiver, la neige recouvre parfois ces étendues mornes et tristes sous un ciel le plus souvent nuageux. Au début de l'automne, le vert profond et riche des herbages atteste l'humidité du temps estival.* ▷

Une fine pellicule de neige recouvre maintenant le paysage. La blancheur du sol est soulignée par la ligne sombre de la rivière Evenlode et par la noire silhouette de quelques chênes isolés ou regroupés en bosquets. Le ciel est gris-blanc, lui aussi, brumeux ; à l'horizon, il se confond avec le sol.

C'est l'hiver, la nature semble morte, le paysage est en deuil, bicolore, figé et triste. L'air froid et, surtout, humide glace les os et invite à se replier vers un bon feu de cheminée. La neige ne tiendra pas. Les vents d'est ou de nord qui l'ont amenée seront vite remplacés par les vents d'ouest, pluvieux et doux, qui la feront fondre. Si d'autres chutes se produisaient, comme cela arrive parfois, on renoncerait momentanément à se déplacer. Il est si rare que la neige tombe en abondance dans le sud et l'ouest de la Grande-Bretagne que le matériel de déneigement est inexistant. À latitude comparable, les villes de Québec et de Montréal sont chaque année sous la neige, et équipées pour cela. Mais les flux maritimes qui y parviennent ont surmonté le courant glacial du Labrador, tandis que la Grande-Bretagne baigne le plus souvent dans la douceur du Gulf Stream.

Autour de l'an mille, tout cet espace était très boisé et peuplé de daims. Il fut enclos pour réserver un parc de chasse aux rois anglo-saxons. Le gibier, abondant et friand de jeunes pousses, commença à dégrader sérieusement la forêt. Et l'homme, au cours des siècles, continua à transformer le paysage : aux XVIIe et XVIIIe siècles, les jardiniers dessinèrent les vastes parcs qui entourent les demeures seigneuriales — comme le château de Blenheim, où naquit et fut inhumé Winston Churchill —, puis les gentlemen-farmers et les marchands de bois de ce siècle poursuivirent sans scrupules cette dégradation. ■

Forêt d'automne en Oregon

Pendant la saison chaude, les collines qui flanquent la chaîne des Cascades, dans l'Oregon, l'« État des castors », sont un paradis pour les amateurs de nature. Dans l'immensité de la forêt de résineux, on n'entend bien souvent que le chant des oiseaux, l'envol d'un faucon ou le froufrou d'un lièvre qui se faufile dans les fourrés. Mais soudain, au passage d'une crête, reten-

Une splendide forêt de sapins, liée à d'abondantes précipitations en partie dues au relief, couvre les contreforts de la chaîne des Cascades, près de Medford, dans le sud de l'Oregon (États-Unis). Dans les zones défrichées, bouleaux, aulnes et trembles recolonisent le terrain. Contrairement aux résineux, adaptés au froid, ils s'apprêtent, à l'approche de l'hiver, à perdre leurs feuilles. ▷

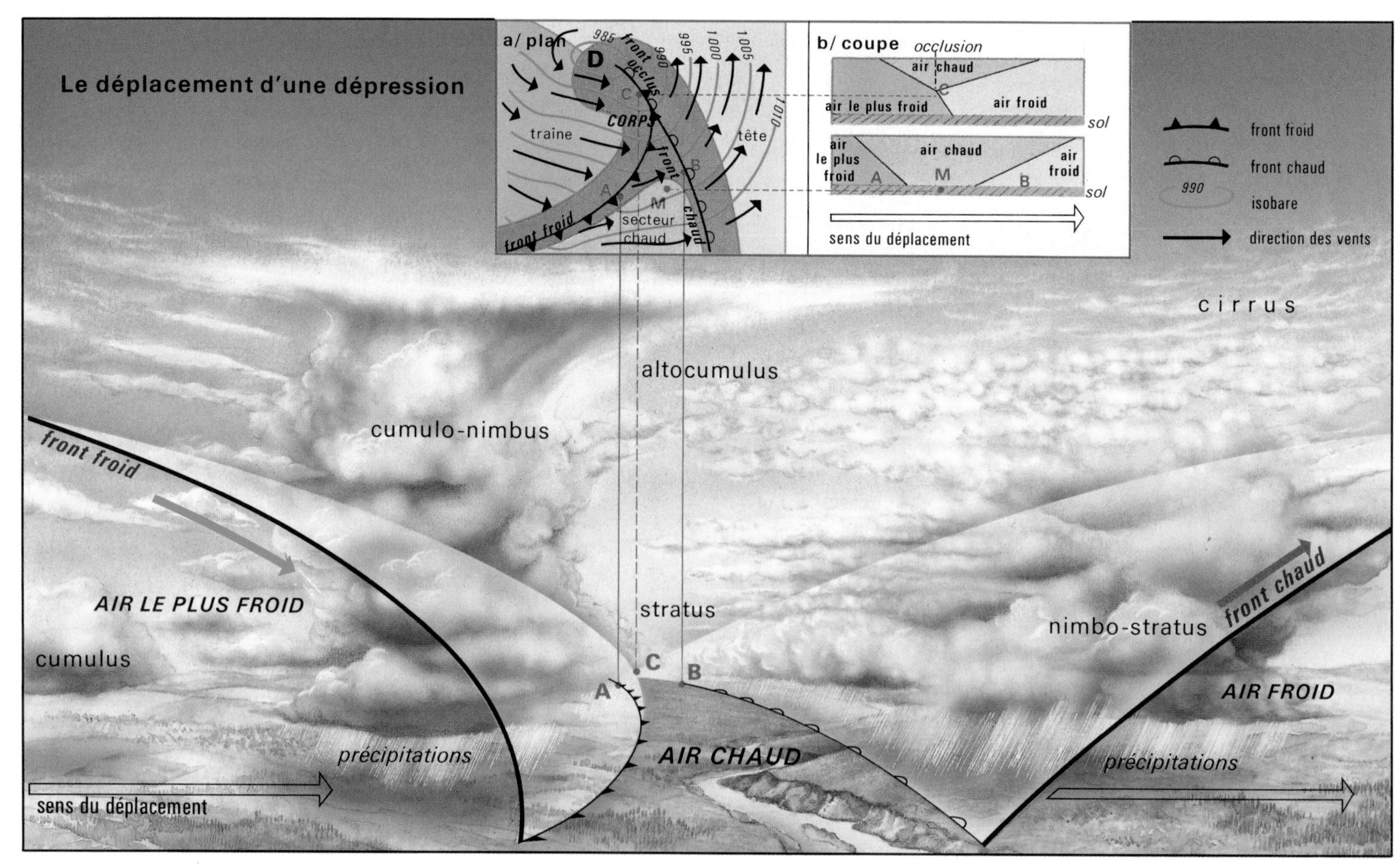

tit le vrombissement lancinant d'une tronçonneuse, suivi du craquement sinistre de l'arbre qui s'écrase au sol. Et sur les routes étroites, le manège des lourds et rutilants camions de bois rappelle aussi que la forêt est durement exploitée.

Les longs fûts rectilignes des sapins de Douglas sont acheminés vers de vastes scieries pour être transformés en bois de construction, qui sera utilisé sur place ou exporté, via Portland, la capitale économique de l'État, vers le Japon. Le bois alimente aussi les usines de pâte à papier, qui bénéficient des abondantes ressources hydriques de la région.

Ces richesses naturelles, eau et forêt somptueuse, haute et dense, sont liées à un climat tempéré très humide. Car les masses d'air humide du Pacifique sont obligées de s'élever lorsqu'elles entrent en contact avec la chaîne des Cascades, et ce d'autant plus que ce relief est haut (il culmine à 3 745 m) et qu'il a une orientation perpendiculaire aux vents d'ouest. Ce sont souvent plus de 1 500 mm de précipitations qui tombent pendant l'année, avec un léger répit estival et un manteau neigeux très épais en hiver. Ce phénomène est très similaire à celui qu'on observe dans le sud du Chili, où les Andes constituent, de la même manière que les Rocheuses, une barrière qui force ascendance de l'air humide et précipitations.

À l'est de la chaîne des Cascades — et par analogie, en Patagonie, à l'est des Andes —, l'air redescend asséché et les précipitations raréfiées ne permettent que la croissance d'une steppe herbeuse ou buissonnante. Ainsi l'occupation du sol et la population sont-elles beaucoup moins denses à l'est de l'État qu'à l'ouest.

L'élevage, intensif à l'ouest sur des prairies grasses et vertes, est extensif à l'est, et l'on rencontre souvent, dans les bars de petites villes poussiéreuses, des cow-boys à la recherche de nouveaux contrats et de nouveaux convois. ■

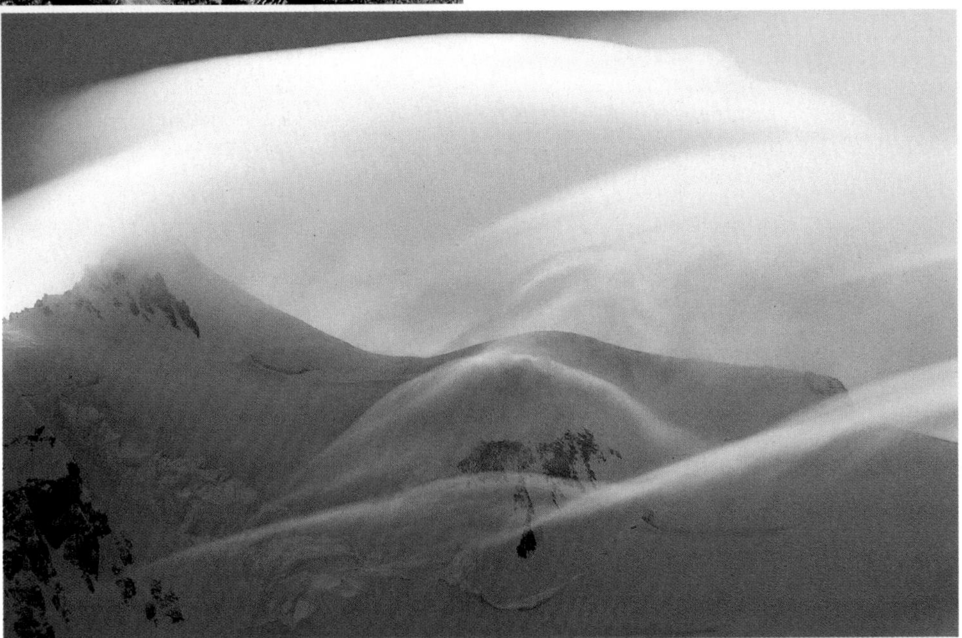

△ *Nuage orographique sur le mont Maudit (4 465 m), dans le massif du Mont-Blanc. Générés par les vents d'ouest, les nuages de ce type s'étirent d'ouest en est, légèrement à l'aval du sommet. Annonciateurs de mauvais temps dans les Alpes, les nuages orographiques sont facilement repérables, car isolés et de forme coiffante typique.*

◁ *Dans l'hémisphère Nord, une dépression provoque une rotation des vents dans le sens inverse des aiguilles d'une montre, donc une arrivée d'air froid à l'ouest et d'air plus chaud à l'est. La rencontre des masses d'air de température différente provoque des ascendances le long des surfaces de discontinuité, les fronts. L'ensemble du système se déplace d'ouest en est. Près du centre de la dépression, l'air chaud soulevé forme une occlusion.*

Le fœhn

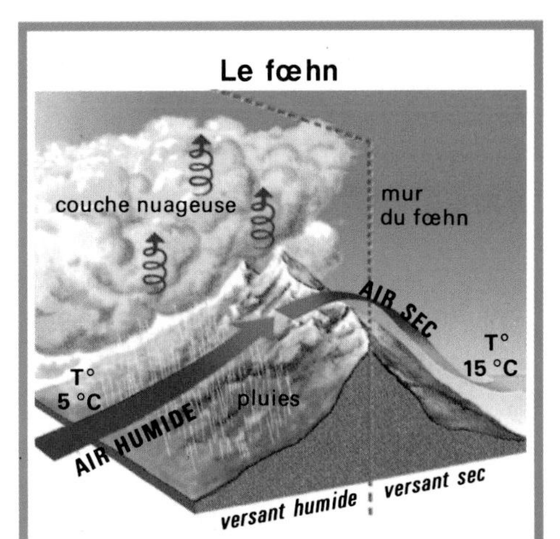

Le fœhn, vent sec et chaud, est bien connu dans les Alpes, où l'air humide de la plaine du Pô arrose abondamment le versant italien du massif, avant de déferler, asséché, dans les vallées suisses et autrichiennes.
En s'élevant le long d'un versant montagneux exposé au vent, l'air humide se refroidit, la vapeur d'eau qu'il contient se condense, forme des nuages et donne de la pluie ou de la neige. Sur le versant opposé, l'air asséché descend, se comprime et s'échauffe fortement ; c'est le fœhn, ce vent qui engendre un ciel très clair et des températures élevées. Le mur de fœhn marque la limite brutale des masses nuageuses.
Dans les Rocheuses, l'homologue du fœhn, le chinook, fut la terreur des organisateurs des jeux Olympiques de Calgary, en 1988, car cet air chaud fait bien sûr fondre la neige et provoque des risques d'avalanche. En été, il est souvent associé aux incendies de forêt.

Nuage inquiétant sur le mont Maudit

Sur les crêtes, un fin panache de neige est projeté vers l'est ; le soleil levant est froid, le ciel est glauque, d'une pâleur inquiétante, et surtout l'« âne » coiffe le mont Maudit et son voisin le mont Blanc. L'« âne », c'est ce nuage fin et transparent qui s'allonge d'ouest en est et épouse les hauts sommets comme une couronne. Il annonce que les vents d'ouest sont installés, et qu'ils amèneront dans quelques heures nuages de mauvais temps et tempête.

Les alpinistes partis pour une course sur les sommets n'ont plus alors qu'à rejoindre les refuges au plus vite. Dur retour : il leur faudra lutter contre les bourrasques de vent qui chassent la neige et déséquilibrent en les fouettant ceux qui s'aventurent sur les crêtes. Il leur faudra aussi combattre l'angoisse que font naître les hurlements du vent le long des parois et la disparition progressive des pointes environnantes, précieux repères. Perdus dans les nuages, ils tourneront en rond pendant des heures, risquant la chute fatale et la mort d'épuisement ou de froid.

Et pourtant, il faisait beau quelques heures auparavant et la course vers le sommet du mont Maudit s'annonçait longue mais belle. La météo prévoyait un changement de temps et il est arrivé peut-être plus tôt que prévu. C'est que le massif du Mont-Blanc, sentinelle à l'angle ouest des Alpes, reçoit le premier et de plein fouet les tempêtes océaniques... Heureusement, l'âne se forme, signe précurseur et, s'il est repéré à temps, protecteur.

Ce nuage n'est pas propre aux Alpes, bien sûr. Quand le vent aborde un relief important, et c'est d'autant plus net s'il a une direction perpendiculaire au massif, il s'élève mais ne redescend pas simplement de l'autre côté. La déformation de la trajectoire provoquée par le relief est compliquée car le vent effectue une série d'oscillations verticales après avoir passé la crête. Ces oscillations, qui peuvent se propager jusqu'à 20 km d'altitude et une centaine de kilomètres au-delà de l'obstacle montagnard, sont ce qu'on appelle des ondes de relief; leur sont associés des nuages d'aspect lenticulaire, les nuages orographiques, qui coiffent les plus hauts sommets et matérialisent le train d'ondes. Ils sont stationnaires, mais leur structure interne est en perpétuelle évolution. ■

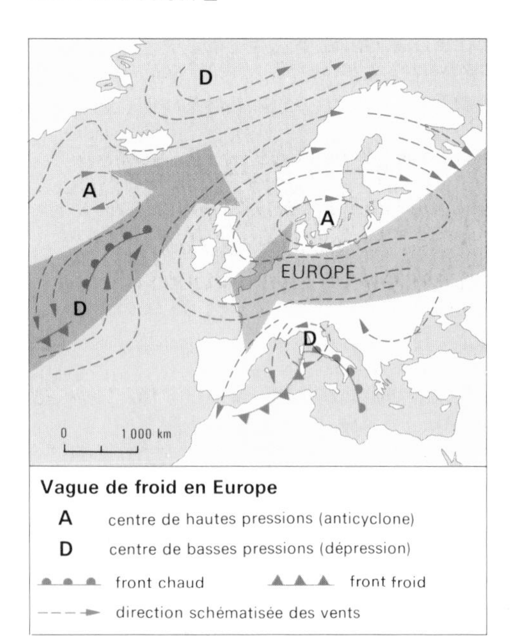

△
En hiver, l'installation d'un vaste anticyclone sur l'Europe du Nord a un double effet : il dévie vers le nord les dépressions mobiles d'ouest, qui épargnent alors l'Europe, et il amène sur les régions de sa bordure méridionale un vent d'est venant de Russie. Cet air continental est à l'origine d'un temps très froid et sec, mais généralement ensoleillé, sur toute l'Europe au sud de la Scandinavie.

Tempête sur l'Atlantique Nord

Fin février 1990, le ministère français de l'Environnement lance des appels à la population, conseillant vivement de dégager les balcons, de fermer les issues, de ne pas rester près des vitres ou sous les vérandas, de ne pas sortir...

Depuis la fin janvier, quatre tempêtes ont déjà frappé une grande partie de l'Europe du Nord, et une autre s'annonce. Cette série noire fait de février 1990 un mois exceptionnel dans les archives des services météorologiques, car ces tempêtes sont dévastatrices en raison de leur longueur et de leur caractère répétitif.

Après une longue période anticyclonique et chaude sur l'Europe de l'Ouest, à partir du 22 janvier, l'anticyclone se décale vers les Açores, sa position habituelle en hiver, et une dépression très profonde se creuse sur le nord de l'Atlantique et de l'Europe. L'air polaire qui s'est écoulé entre le Canada et le Groenland entre en contact avec l'air chaud local. Ce contraste thermique est à l'origine de vents d'ouest très violents dont la vitesse de pointe atteint 170 km/h sur les côtes et 150 km/h à l'intérieur du continent. Le bilan de la seule tempête du 26 février au 1er mars est considérable : 40 personnes tuées en Europe du Nord-Ouest, des dizaines de blessés, des poteaux électriques brisés, des fils arrachés et des pannes d'électricité prolongées, des toitures emportées, les voies de communication coupées, les aéroports fermés, des dizaines de milliers d'arbres arrachés... Au pays de Galles, une digue est emportée, et la ville de Towyn est submergée. De nombreuses régions côtières sont inondées car les effets du vent se sont combinés à ceux d'une mer haute de grande marée. En mer, la tempête a mis en sérieuse difficulté de nombreux navires.

Pourtant, ces tempêtes sont moins violentes que celle d'octobre 1987, au cours de laquelle on mesura des rafales dépassant 200 km/h; ou encore celle de 1953, qui dévasta les côtes anglaises et néerlandaises de la mer du Nord et fut à l'origine du plan Delta aux Pays-Bas. Dans ce dernier cas, la baisse de la pression atmosphérique engendra une élévation du niveau de la mer par une sorte d'effet d'aspiration, et cette « onde de tempête », similaire à celles levées par les cyclones tropicaux au Bangladesh ou au Mexique, détruisit les digues — qui ne suffisaient pas à contenir les flots — et inonda les régions côtières, tuant plus de 1 800 personnes aux Pays-Bas. ■

Une formidable tempête est à l'origine de la plus grande catastrophe de l'histoire des régates. En août 1979, 57 voiliers participent à la régate internationale du Fastnet, qui a lieu tous les deux ans entre l'Irlande et l'Angleterre. Alors que les concurrents sont déjà en haute mer, des vents de force 12 sur l'échelle de Beaufort et des vagues de 15 m mettent en déroute tous les bateaux. Le bilan est lourd : 23 voiliers coulent et l'on déplore la mort d'une quinzaine de marins. Mais il aurait été encore plus terrible sans l'intervention rapide des secours — notamment des hélicoptères de la Royal Navy —, qui, bravant les éléments déchaînés, sauvent de la noyade 136 personnes.

Le plan Delta

Le sud-ouest des Pays-Bas, situé légèrement sous le niveau de la mer, est depuis longtemps aménagé en polders et, malgré les digues, il a toujours été la proie des tempêtes. Celle de 1953 a incité le gouvernement néerlandais à lancer le plan Delta, qui vise, par une dizaine de barrages, à fermer les bras de mer de l'Escaut, du Rhin et de la Meuse, pour réduire les risques d'inondation. Ces ouvrages colossaux ont aussi permis de rompre l'isolement des îles de la région, puisqu'ils supportent des routes, et de lutter contre la salinisation des terres agricoles. Mais les ostréiculteurs, menacés par le dessalement des lacs constitués derrière les barrages, ont obtenu que la fermeture de l'Escaut oriental soit faite par un barrage muni de vannes qui se baissent uniquement en cas de danger. Et il a aussi fallu construire deux barrages secondaires en amont pour satisfaire les agriculteurs...

Les digues du barrage de L'Escaut oriental reposent sur 65 piles de béton supportant 62 vannes d'acier.

△
La tempête fait rage sur l'Atlantique, près des côtes françaises du Finistère. Du 26 février au 1er mars 1990, des rafales d'ouest à plus de 170 km/h, associées à une haute mer, mettent en péril de nombreux bateaux. Sur terre, 40 personnes sont tuées en Europe de l'Ouest, souvent à cause de la chute d'objets emportés par le vent, et les dégâts matériels sont considérables.

◁ *Les nuages de type cumulus humilis caractérisent les belles journées d'été en France, comme dans toute l'Europe de l'Ouest. Ils se reconnaissent à leur face supérieure bourgeonnante. Les parties éclairées par le soleil sont d'un blanc éclatant, tandis que leur base, horizontale, est sombre. Apparaissant en milieu de journée, ils ne donnent pas de pluie et disparaissent le soir.*

Ciel de beau temps en pays tempéré

Champs de coquelicots et cumulus de beau temps dans un ciel bleu évoquent l'été dans les régions tempérées. C'est le temps des moissons, des vacances, et des longues rêveries devant certains de ces nuages qui, déchiquetés, ont des contours qui se modifient continuellement et rappellent tantôt un dragon, tantôt un âne ou une trompette...

En cette saison, la présence fréquente de l'anticyclone des Açores, la longueur du jour et la hauteur du soleil sur l'horizon expliquent la prédominance des journées ensoleillées et chaudes. L'air échauffé à la base par le sol a tendance à s'élever, et des nuages de type cumulus se forment. Mais l'ascendance de l'air est bloquée par les mouvements descendants dans l'anticyclone, et ces nuages ne se développent pas suffisamment pour donner des précipitations. Ils se dissipent en soirée pour réapparaître aux heures chaudes le lendemain. À moins que ne passe une perturbation et qu'il ne se mette à pleuvoir...

Lorsque cette situation se prolonge et que l'anticyclone bloque longtemps le passage de dépressions porteuses de pluie, la sécheresse peut s'installer. Et, si elle fait le bonheur des viticulteurs, elle est redoutée par tous les gros utilisateurs d'eau.

Car les effets de la sécheresse concernent tous les domaines d'activité : l'agriculture, bien sûr, surtout si les plantes sont irriguées ; mais aussi, la production d'énergie, car l'eau manque dans les barrages des centrales hydrauliques et dans les rivières pour réfrigérer les centrales nucléaires. L'alimentation en eau potable est menacée, et ce d'autant plus que les nappes sont souvent polluées par les pesticides et autres engrais azotés.

Les archives historiques nous indiquent que, de tout temps, on a connu de grandes périodes de sécheresse. Ainsi, en 1540, le Rhin avait atteint un niveau si bas qu'on le traversait à pied ; en 1666, la batellerie fut arrêtée sur la Tamise et la sécheresse favorisa le grand incendie de Londres.

Depuis plus d'un siècle, les mesures de précipitations permettent de repérer les périodes de sécheresse. Les plus récentes, en Europe de l'Ouest, sont celles de 1921, 1949, 1976 et 1988-1990. Aux États-Unis, celle de 1988 fut la plus catastrophique depuis cinquante ans. Mais elles ne sont ni plus ni moins fréquentes que par le passé. ■

L'ATMOSPHÈRE

La Terre est entourée de gaz et de particules constituant une enveloppe mobile où le rayonnement solaire provoque des mouvements et des phénomènes lumineux. C'est dans l'atmosphère proprement dite — une centaine de kilomètres d'épaisseur — que se produisent les mouvements des gaz qui influencent la vie sur la Terre. Un des effets les plus spectaculaires des mouvements de l'atmosphère est la formation de nuages.

À mesure qu'on se rapproche de la Terre, la matière devient plus dense et réagit différemment aux rayonnements solaires d'ondes courtes. Entre 500 et 300 km d'altitude, des particules peuvent s'illuminer pour donner des aurores boréales ; vers 200 km, la matière est assez dense pour que les météorites se détruisent. Dans l'atmosphère proprement dite, les rayons solaires sont en partie absorbés. Ils échauffent fortement la couche située vers 50 km, tandis que les rayons ultraviolets décomposent l'oxygène pour donner naissance, à cette même altitude, à de l'ozone qui les empêche d'atteindre la surface. Une partie des radiations est réfléchie par les nuages. Mais l'essentiel des rayons atteignent le globe, et l'échauffent. À son tour, la Terre émet des rayonnements d'ondes longues absorbés par l'air, qui fournissent de la chaleur à l'atmosphère. Celle-ci étant échauffée par le bas, la température diminue de bas en haut, dans une couche inférieure, la troposphère.

Les apports d'énergie solaire et la rotation de la Terre provoquent des différences de pression atmosphérique et des mouvements organisés. Ceux-ci varient de l'hiver à l'été, et ne sont symétriques que sur les océans. ▽

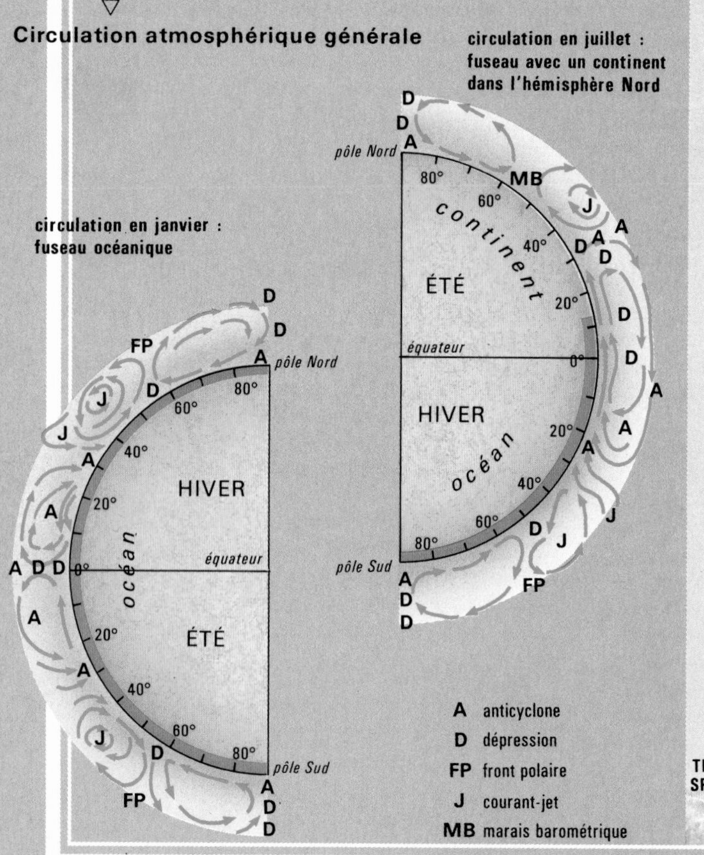

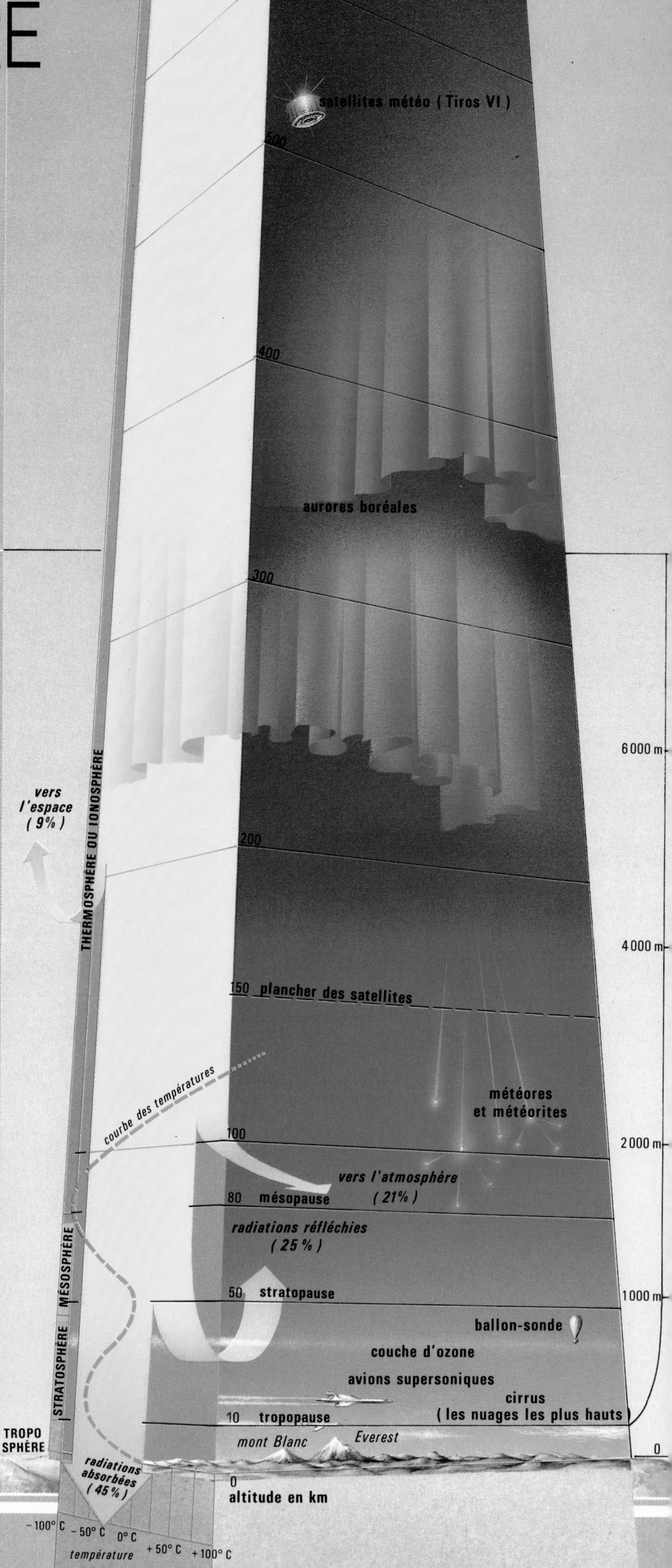

L'observation de l'atmosphère et la prévision météorologique

◁ *Des appareils simples, standardisés, effectuent les observations au sol : les thermomètres sont placés sous abri, le pluviomètre recueille les précipitations.*

Les observations au sol et en altitude, transmises dans le monde entier, sont traitées par de puissants ordinateurs pour réaliser des prévisions météorologiques. ▽

La prévision météorologique est essentielle pour des activités comme l'agriculture et l'aviation. Des observations sont recueillies dans des milliers de stations, par des ballons équipés de radiosondes et par les satellites météorologiques. Ces informations sont échangées dans le monde entier sous l'égide de l'Organisation météorologique mondiale. Des centaines de cartes sont élaborées, qui permettent de prévoir les mouvements de l'air en utilisant les connaissances acquises sur les mécanismes de la circulation. On se sert de plus en plus des formules mathématiques qui résument ces mécanismes. Ces équations sont traitées par de très puissants ordinateurs. L'atmosphère étant une machine complexe qui amplifie considérablement les moindres différences, la prévision pose de sérieux problèmes au-delà de dix jours.

cirrus

cirro-stratus

cirro-cumulus

Les nuages sont des amas de particules d'eau ou de glace qui restent en suspension dans l'air. Ils sont dus à une condensation de vapeur d'eau quand l'air se refroidit en montant. Si les mouvements ascendants sont modérés, les nuages sont plats (partie gauche du dessin), et leur aspect varie selon qu'ils sont composés d'eau (basse altitude) ou de glace (haute altitude). Les ascendances rapides et vigoureuses produisent des nuages à développement vertical, comme les cumulo-nimbus.

altostratus

altocumulus

cumulus

cumulo-nimbus

strato-cumulus

nimbo-stratus

stratus

PAYSAGES OPAQUES

Brumes et brouillard

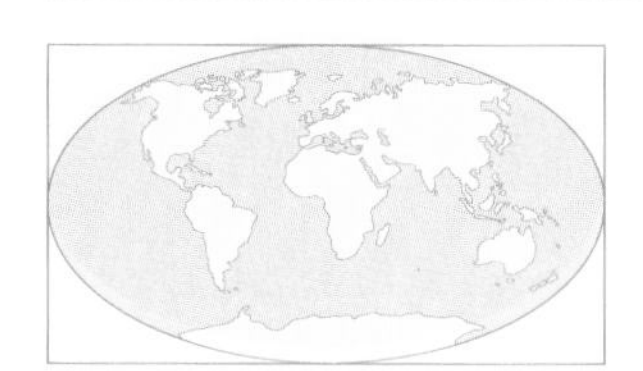

Le brouillard s'observe un peu partout dans le monde, avec une fréquence variable. Terre-Neuve détient un record, avec cent vingt jours de brouillard par an en moyenne.
Ses origines sont diverses et ses aspects différents : il peut prendre la forme de bancs espacés ou l'allure d'un voile blanchâtre et uniforme. Gênant, parfois dangereux, il favorise aussi les maladies respiratoires là où coexistent brouillard et pollution. Mais il peut être bénéfique, surtout pour les plantes, qu'il protège des risques de gelée.

Brouillard sur la rivière Saint-Maurice

Le voyageur qui arrive à Québec en avion découvre aujourd'hui un paysage d'aspect féerique : le brouillard serpente au-dessus de la rivière Saint-Maurice, donnant l'impression qu'elle fume. En effet, il épouse ses méandres de manière spectaculaire.

Ainsi, parfois, le brouillard recouvre un cours d'eau ou un lac lorsqu'un air plus froid que les eaux passe au-dessus d'elles. Cet air s'échauffe, s'humidifie, et un brouillard dense, mais rarement épais, se forme.

Ce type de brouillard, appelé brouillard d'advection, est fréquent aussi dans les régions côtières, où, en hiver, l'air chaud et humide de la mer arrive sur un continent plus froid. Il peut également être lié à la présence de courants marins froids. À l'est du Canada, par exemple, le courant du Labrador et le Saint-Laurent envoient dans les parages de Terre-Neuve des eaux froides, ou même glacées, qui entrent en contact avec les eaux locales échauffées par le Gulf Stream et font apparaître des brouillards particulièrement fréquents.

De même que les tempêtes ou les averses violentes, habituelles dans ces régions, ces brouillards, lorsqu'ils sont givrants, rendent pénible le travail des pêcheurs. C'est pourquoi autrefois, en Europe, les terre-neuvas se faisaient bénir avant leur départ vers ces eaux poissonneuses. ■

Inversion thermique en zone urbaine

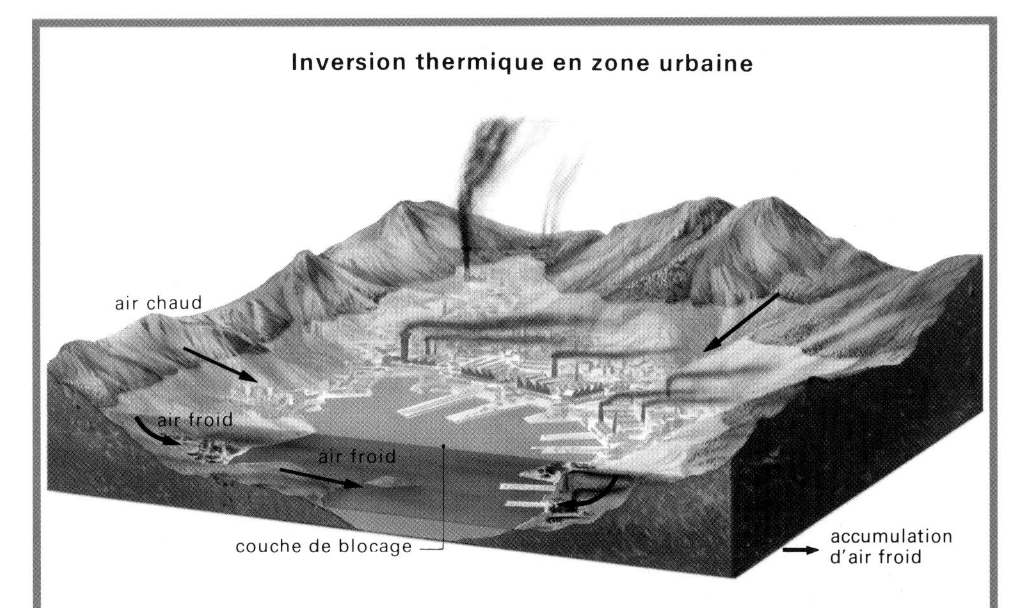

Par temps clair, la nuit, en hiver surtout, la surface du sol perd beaucoup de chaleur. L'air refroidit à son contact, devient de plus en plus dense et s'accumule alors dans les régions moins élevées. Les températures les plus basses se rencontrent dans la basse atmosphère : il apparait une inversion thermique.
Aucun mouvement vertical n'est possible dans l'atmosphère, et les polluants s'accumulent.

◁ *Brouillard d'advection sur la rivière Saint-Maurice près de Trois-Rivières, au Québec. L'air froid et sec des régions environnantes s'est échauffé et humidifié à son contact. Évaporation puis condensation ont donné naissance à des bancs de brouillard linéaires qui suivent le cours de la rivière.*

Brouillard de rayonnement en France, dans l'Ain. Au petit matin, en hiver, au contact du sol qui s'est refroidi pendant toute la nuit, la vapeur d'eau de l'air se condense, produisant du brouillard. L'humidité, signalée par la présence de peupliers, est un facteur particulièrement favorable au développement du brouillard.
▽

Campagne sous le brouillard du petit matin

« Le fond de la vallée s'enfume d'un brouillard blanc, qui s'effile, se balance et s'étale. » C'est ainsi que l'écrivain Colette décrivait ce phénomène qui s'observe un peu partout dans le monde.

C'est un matin d'hiver, à la campagne. En sortant de la maison, on emprunte le chemin qui mène hors du village, et le brouillard est là dès la dernière maison. En contrebas de la prairie, où l'air froid s'accumule, il voile les alignements d'arbres fruitiers, puis, plus près du ruisseau, ceux des peupliers. En descendant un peu, on pénètre dans cet air humide et froid et, lorsqu'on se retourne, le village a pris un aspect fantomatique.

Au retour de la promenade dans cet univers cotonneux, le brouillard s'est effacé du village, plus chaud que les alentours. Il a suffi d'une petite différence de température pour que ce brouillard, dit de rayonnement, se forme ou se dissipe. Et comme une légère modification du relief ou de la couverture végétale provoque une variation de la température, ce brouillard est discontinu. Il peut apparaître puis disparaître très brutalement; ainsi, combien d'automobilistes ont été soudain aveuglés par le brouillard en passant dans une cuvette ou dans la clairière d'une forêt!

Mais le brouillard a également un rôle protecteur contre le gel : comme un écran, il renvoie vers le sol l'énergie que celui-ci perd la nuit, et, issu d'un refroidissement, paradoxalement, il le limite. C'est pour cette raison que, pour protéger les cultures, l'on crée parfois artificiellement du brouillard en envoyant en l'air des fumées sur lesquelles la vapeur d'eau va se condenser. ■

Les différents types de brouillard

△
Quand de l'air humide stagne à la surface du sol et que celui-ci se refroidit parce qu'il émet des rayonnements vers l'atmosphère, des condensations se produisent dans l'air, et un brouillard, dit de rayonnement, apparaît.

△
L'air humide qui arrive de la mer se refroidit au contact du continent, plus froid. La vapeur d'eau qu'il contient se condense en gouttelettes et forme du brouillard. Comme celui-ci est dû au déplacement horizontal de l'air, on parle alors de brouillard d'advection.

Un nuage qui touche le sol

Dû à la présence de gouttelettes d'eau dans la couche d'air qui se trouve en contact avec le sol, le brouillard est en réalité un nuage qui touche le sol.

On parle de brouillard lorsque la concentration des gouttelettes réduit la visibilité à 1 000 m, de brume lorsque celle-ci est meilleure mais ne dépasse pas 5 000 m. Le brouillard se forme quand la vapeur d'eau de l'air se condense à la suite d'un refroidissement. Celui-ci est lié à une baisse de température du sol la nuit, en hiver par exemple, on parle alors de brouillard de rayonnement. Il peut aussi avoir pour origine l'arrivée — ou advection — d'air chaud sur un sol froid ou, au contraire, d'un air froid sur un substrat plus chaud. Dans tous les cas, l'air doit être animé d'un faible mouvement. En effet, s'il était immobile, la vapeur d'eau donnerait de la rosée ou de la gelée blanche, et s'il était trop agité, le refroidissement nécessaire à la condensation, diffusé dans une couche d'air trop importante, ne se produirait jamais.

Le brouillard se dissipe naturellement lorsque l'air se réchauffe ou lorsqu'il devient turbulent. S'il est peu épais, il disparaît totalement, dans le cas contraire, il peut donner des nuages bas du type stratus.

LES TOURBILLONS DU CIEL

Tornades et trombes

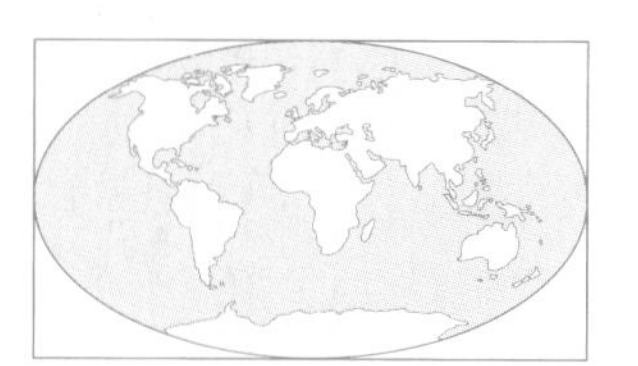

Tornades et trombes sont caractérisées par de violents tourbillons emportant tout sur leur passage. Leur prévision est très difficile, et chaque année, plusieurs dizaines d'entres elles provoquent des dégâts considérables.
Les plaines centrales des États-Unis et l'Australie sont les régions les plus touchées par ces perturbations qui peuvent se produire aussi bien sur terre que sur mer.

Une trombe sur l'océan

Apparemment inoffensive, cette trombe qui se déplace sur l'océan peut mettre en péril les petites embarcations. Sa base est constituée de gouttelettes aspirées à la surface de l'eau.

La trombe, comme la tornade, résulte de la rencontre d'un orage et de vents violents de la troposphère. Toutes deux naissent lorsqu'il y a de grandes différences de température entre l'air chaud et humide des basses couches et l'air très froid soufflant vers 10 km d'altitude. C'est la brutale élévation de l'air humide qui provoque son refroidissement. La vapeur d'eau que contient l'air se condense alors en gouttelettes, et le tourbillon nuageux se forme.

Il arrive que plusieurs trombes se succèdent rapidement. Ce fut le cas pour la grande trombe de 1896, observée par des milliers d'estivants de Martha's Vineyard, dans le Massachusetts. La trombe s'était formée sur les eaux du détroit de Nantucket vers 12 h 45, le 19 août ; elle dura environ douze minutes et se dissipa brusquement. À 13 heures, un nouvel entonnoir sombre se forma, plus large que le précédent. Cette nouvelle trombe se déplaçait avec une terrifiante majesté. À 13 h 18, elle commençait de se dissoudre. Mais, deux minutes plus tard, une troisième trombe apparaissait devant des milliers de témoins stupéfaits. Celle-ci s'arrondissait gracieusement dans l'air. Au bout de cinq minutes, la vitesse des vents diminua et la trombe disparut. La triple apparition avait duré une quarantaine de minutes, terrorisant les marins de la goélette *Avalon*, prise entre la trombe et la côte.

Il est rare que l'on puisse mesurer la vitesse des vents dans les tornades et les trombes. Mais celles qui sont détectées par les météorologistes sont classées à partir de la vitesse estimée des vents, selon une échelle établie par T. Fugita, de l'université de Chicago. On en distingue trois types : les faibles (vitesse comprise entre 1 et 3 km/min), qui atteignent rarement le sol ; les fortes (vitesse comprise entre 3 et 5,5 km/min), constituées d'un large tourbillon qui atteint le sol ; les violentes (vitesse supérieure à 5,5 km/min), qui se produisent uniquement sur terre. ■

△
Cette trombe, remarquablement formée, soulève des nuages d'embruns. Les trombes de ce type, de courte durée, sont en général plus curieuses qu'impressionnantes.

◁ *La tornade que l'on voit photographiée ici s'abattit sur les États-Unis le 13 mai 1989. La couleur d'une tornade varie du blanc sale au gris sombre en fonction de la nature des poussières aspirées à la surface du sol; l'entonnoir, ou tuba, peut prendre des couleurs plus originales, comme le rouge des argiles de l'Oklahoma.*

Des tornades dévastent le Midwest

Observées dans le monde entier entre 20° et 60° de latitude, c'est en Amérique du Nord que les tornades sont le plus fréquentes et le plus violentes. Aux États-Unis, on en dénombre entre 800 et 1 200 par an, et 3 % d'entre elles sont violentes. Nous voyons ici celle qui s'abattit sur le pays en mai 1989.

Le Midwest (nord du Texas, Oklahoma, Kansas et Nebraska) est la région la plus exposée. Au printemps — en avril en particulier —, les tornades violentes sont plus nombreuses et les dégâts matériels et humains plus importants. Chaque année, plusieurs personnes périssent au passage de ces tornades, mais le nombre de victimes varie fortement d'une année à l'autre. En avril 1974, il y eut dans cette région, en l'espace de deux jours, près de 150 tornades qui tourbillonnèrent à travers plusieurs États et provoquèrent la mort de 392 personnes et des dégâts estimés à environ 1 milliard de dollars.

Il est vrai qu'au printemps l'air tropical marin se déplace depuis le golfe du Mexique vers le centre des États-Unis. Au-dessus de cet air chaud circule un air glacial et très sec venant des régions polaires. Ce sont les fortes différences de température entre ces deux masses d'air qui créent une atmosphère instable et orageuse favorable à la formation de tornades.

Dans des conditions météorologiques similaires, tornades et trombes peuvent aussi se produire dans d'autres régions tempérées de la planète (Australie, Europe, Japon, Afrique du Sud). ■

De violents tourbillons

Les termes tornade et trombe ont un sens proche dans la langue française. Le mot tornade est plutôt réservé aux formes les plus violentes, qui se produisent presque toujours sur terre. Lorsque les vents sont moins forts, ou lorsque ce phénomène se produit sur mer, on parle plutôt de trombe.

Le tourbillon (le terme scientifique est vortex) se manifeste par une colonne, ou un cône nuageux — en forme d'entonnoir renversé — appelé tuba; il est surmonté d'un cumulonimbus et s'étend parfois jusqu'au sol. Sa base nuageuse contient aussi des poussières et des débris soulevés du sol, ou des gouttelettes d'eau aspirées à la surface de l'océan. Le diamètre du vortex varie de quelques dizaines à quelques centaines de mètres, sa hauteur d'une centaine de mètres à quelques kilomètres. Son axe peut être vertical, mais il est souvent incliné, surtout lorsqu'il atteint le sol.

Les tornades, comme les trombes, sont des phénomènes atmosphériques tourbillonnaires de dimension limitée. Elles éclatent sporadiquement et avec fureur, créant des vents qui tournent presque toujours dans le sens des aiguilles d'une montre dans l'hémisphère Sud et en sens inverse dans l'hémisphère Nord. Les vents tourbillonnent en s'élevant autour d'une zone où la pression atmosphérique est très faible.

Lors du passage d'une tornade ou d'une trombe, c'est la brutale variation de la pression qui provoque l'aspiration de l'eau ou des poussières du sol. Les plus violentes peuvent même faire exploser les structures légères car la pression à l'intérieur des constructions devient soudain très supérieure à celle qui les entoure.

La taille et la forme des tornades changent rapidement au cours de leur brève existence : de quelques minutes à plusieurs heures. Leur trajectoire est en général de quelques kilomètres, mais on a pu en observer qui parcouraient 300 km.

Les rescapés d'une tornade en font souvent des récits déconcertants. En témoigne l'histoire incroyable qui arriva à deux Texans du nom d'Al et de Bill. Le 9 avril 1947, les deux amis sont surpris par un grondement inquiétant venant de l'extérieur. Perplexe, Al ouvre la porte d'entrée pour voir ce qui se passe. Aussitôt, elle est arrachée de ses gonds et emportée dans les airs. Al et Bill sont happés dans la seconde qui suit. Ils «volent» au-dessus des arbres sur une soixantaine de mètres avant d'atterrir. Le pauvre Bill se retrouve entortillé dans du fil de fer. Al, indemne, parvient à le délivrer et ils se dirigent tous deux, en bravant le vent, vers la maison. Ils ont alors un nouveau choc : celle-ci a été littéralement soufflée et, à sa place, ils ne trouvent plus qu'un divan sur lequel se sont blottis la femme et les enfants d'Al, complètement terrorisés.

Formation d'une tornade

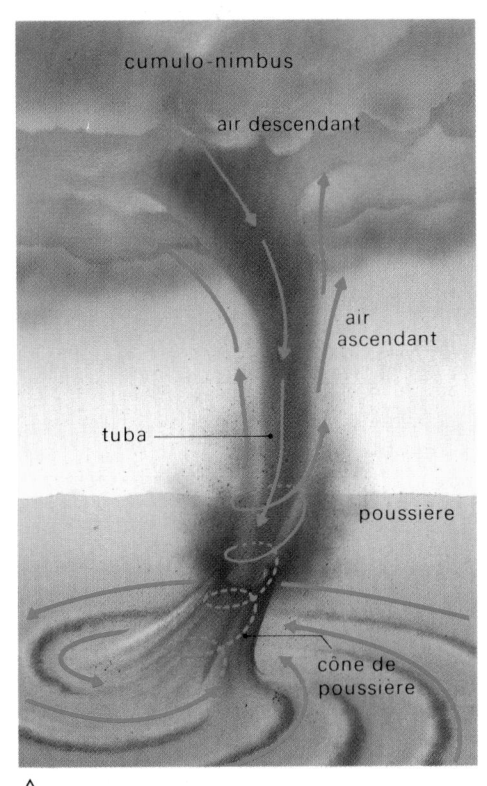

△
Dans les masses d'air fortement échauffées à la base peuvent se former de violents tourbillons ascendants qui aspirent les poussières, le sable ou l'eau, et provoquent parfois des destructions considérables. Le mécanisme de formation de ces tornades n'est pas encore totalement élucidé.

LUMIÈRE ET DOUCEUR

Les climats méditerranéens

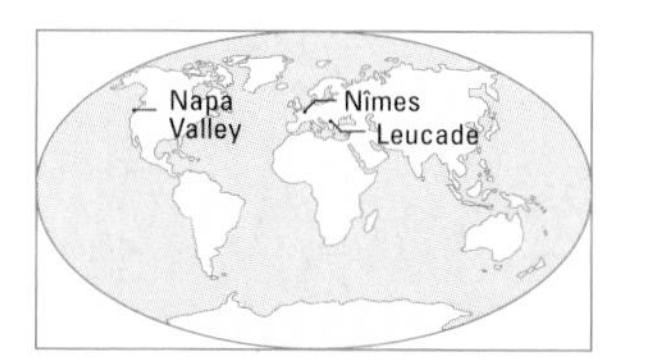

Soleil, luminosité, chaleur... la Méditerranée attire les foules. Elle est pourtant, à certains égards, bien inhospitalière! En été, la coïncidence, rare, entre chaleur et sécheresse est une calamité pour les plantes, qui ne survivent que grâce à des adaptations ou à l'irrigation. L'hiver aussi est parfois brutal, quand souffle le vent du nord ou quand des pluies intenses provoquent des inondations catastrophiques. Mais ces pluies sont peu fréquentes et laissent une large part au soleil.

Soleil et ciel bleu sur la fertile Leucade

Ulysse aborda-t-il sur l'actuelle Ithaque ou sur Leucade quand il acheva son long voyage? Des spécialistes débattent encore de ce problème. Mais peu importe. Il retrouva Pénélope, son royaume et, si c'était en été, le soleil devait briller sur l'une comme sur l'autre de ces îles Ioniennes.

Car, comme toute la Méditerranée, Leucade jouit en été d'un ciel bleu et lumineux, d'un ensoleillement généreux, de pluies très rares et de la chaleur de l'air.

Les maisons blanches réfléchissent une part de cette lumière et restent fraîches pendant les heures chaudes. On y fait alors la sieste, bercé par la stridulation lancinante des criquets et des cigales. Plus tard, on peut se replonger dans l'histoire mouvementée de l'île en visitant quelques vestiges grecs, turcs ou vénitiens. Ou simplement emprunter des chemins bordés d'oliviers, de cyprès ou d'orangers, gravir les collines où le blé dore sur les terrasses, parcourir les vignobles et s'emplir des odeurs d'origan et de cyste.

La mer atténue la chaleur de l'été par ses brises, en l'hiver, elle protège l'île des vagues de froid.

La Grèce continentale, en revanche, est soumise aux vents étésiens, venus des plaines balkaniques, au nord. Ces vents sont secs et torrides en été et la chaleur est alors étouffante. Froids en hiver, ils sont redoutables pour la végétation, et ces conditions climatiques éprouvantes excluent l'olivier des régions les plus septentrionales. ■

Les vignobles réputés de Californie

À 80 km au nord de San Francisco, la Napa Valley s'étire sur une quarantaine de kilomètres, couverts de plus de 10 000 ha de vignobles (Napa signifie «terre d'abondance» en indien). Cette vallée est, avec la vallée voisine de Sonoma, la région des grands crus californiens qui, en 1880 déjà, remportaient des prix en Europe. Ces vins renommés se vendent aussi cher que de grands bordeaux ou de grands bourgognes, mais ils ont souvent un caractère boisé trop affirmé pour les palais européens. En fait la Californie tout entière connaît, grâce à l'irri-

△
La Napa Valley, au nord de San Francisco, doit son développement viticole à un climat favorable, à l'introduction réussie de nombreux cépages et à un marché national amateur de vin.
Le contraste entre fond de vallée verdoyant et versants plus arides souligne l'importance des moyens mis en œuvre pour l'irrigation, indispensable à cause de la sécheresse estivale.

◁ *Ciel bleu sur l'île de Leucade, dans la mer Ionienne, à l'ouest de la Grèce centrale.*
Le soleil, les maisons blanches aux toits de tuiles des villages, le paysage dominé par les cultures en terrasses, les cyprès, les arbres fruitiers et la garrigue sont les composantes traditionnelles des régions méditerranéennes.

gation, une formidable activité agricole. Elle produit, transforme et exporte pêches, abricots, prunes, raisin, agrumes, dattes, noix, légumes, et même du coton et du riz. En effet, l'été y est chaud et sec pendant trois à quatre mois, et sans les aménagements hydriques commencés au siècle passé — car les chercheurs d'or avaient eux aussi besoin d'eau — régnerait le chaparral, une sorte de maquis riche en cactées.

L'eau nécessaire à l'irrigation provient du sous-sol et des rivières qui descendent de la sierra Nevada. D'orientation nord-sud et culminant à plus de 4 000 m, cette chaîne accentue l'ascendance des masses d'air humide venant du Pacifique et est abondamment arrosée en hiver.

Les agriculteurs californiens s'opposent aux vastes communautés urbaines et aux industriels de la région, qui, comme eux, sont de gros utilisateurs d'une ressource d'autant plus rare que la sécheresse se prolonge depuis 1988. Par ailleurs, pêcheurs et associations de protection de la nature attirent l'attention des pouvoirs publics sur les désordres hydriques et biologiques que génèrent barrages et canaux, et une agriculture intensive qui utilise à outrance engrais et pesticides. ■

Dépressions en Europe de l'Ouest

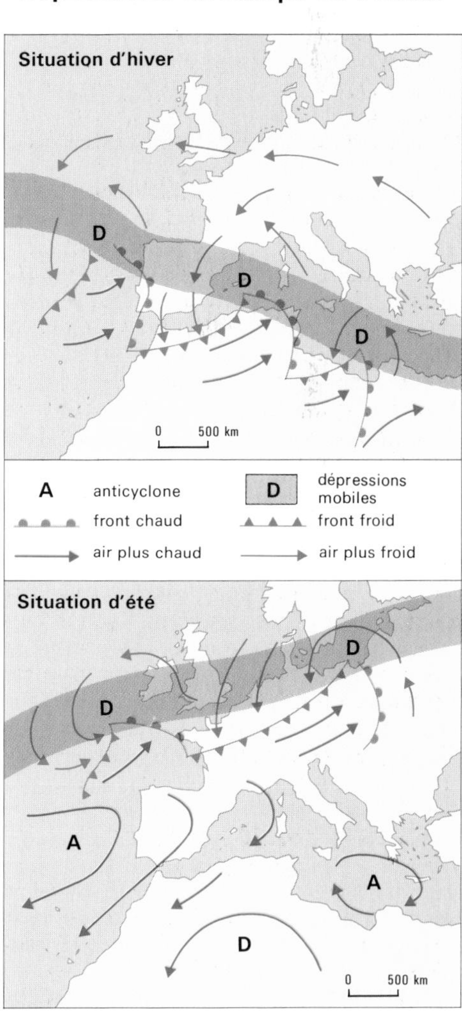

△
En hiver, les dépressions mobiles d'ouest atteignent la Méditerranée et provoquent des précipitations sur le sud de l'Europe et le Maghreb, car le contraste entre l'air chaud et l'air froid tourbillonnant autour d'elles génère ascendances et pluies.
En été, les dépressions mobiles circulent au nord de l'Europe et n'influencent plus le temps, qui reste sec sur les régions méditerranéennes.

△

La ville de Nîmes, dans le Gard, après les précipitations exceptionnelles du 3 octobre 1988. Nîmes est inondée environ dix fois par siècle. Cela s'explique à la fois par la topographie de la ville et par la nature des précipitations en milieu méditerranéen, peu fréquentes mais intenses.

Inondations à Nîmes

Le lundi 3 octobre 1988, à 9 h 45, un plan d'alerte est déclenché dans le département du Gard. Depuis plus de deux heures, des trombes d'eau s'abattent sur Nîmes et sa région, transformant les rues en torrents.

Depuis deux jours, la circulation dans l'atmosphère est telle que des masses d'air de températures très différentes se rencontrent. L'air très chaud et humide en provenance de la Méditerranée se trouve soulevé par de l'air très froid venant d'Europe du Nord. Des cumulo-nimbus se forment jusqu'à plus de 11 km d'altitude, et c'est l'orage. En six heures, il tombera près de 250 mm de pluie, soit le tiers de ce qui est mesuré en un an à Nîmes! Dix personnes se noient, une cinquantaine sont blessées et les dégâts matériels sont considérables.

Plusieurs facteurs autres que météorologiques expliquent l'ampleur de la catastrophe. Tout d'abord, ce déluge s'abat sur une ville, et les dommages sont bien sûr plus importants là où se concentrent personnes et biens. Par ailleurs, l'urbanisation imperméabilise le sol : l'eau ne s'infiltre plus et ruisselle sur les surfaces lisses. Hors de Nîmes, les sols sont saturés d'eau à cause des pluies des jours précédents. La topographie particulière de Nîmes aggrave le phénomène : la ville est traversée par des ravins (les cadereaux) qui collectent les eaux tombées sur les collines environnantes et convergent vers le centre-ville avant de se jeter dans la Vistre, petite rivière qui, très vite, déborde. Rues et cadereaux concentrent donc les eaux, qui emportent tout sur leur passage. ■

Des pluies rares, un soleil généreux

Le climat méditerranéen domine entre 30° et 40° de latitude sur les façades ouest des continents. C'est pourquoi la Californie, la province du Cap, en Afrique du Sud, le sud-ouest de l'Australie et le Chili central autour de Santiago bénéficient du même climat que celui qui règne sur tout le bassin méditerranéen, de Gibraltar au Moyen-Orient et du sud des Alpes au Moyen Atlas marocain. Ce dernier domaine est le plus vaste, mais toutes ces régions ont une position originale entre les domaines tempéré et tropical.

En saison froide, les dépressions mobiles des latitudes tempérées atteignent la Méditerranée, où elles sont régénérées. L'air froid qui les accompagne s'échauffe sur la mer et s'élève violemment, donnant de fortes précipitations. En saison chaude, ces dépressions ont une trajectoire plus septentrionale et la Méditerranée est alors, le plus souvent, sous l'influence des hautes pressions subtropicales des Açores. Les anticyclones sont des lieux de fortes pressions où l'air tend à s'affaisser vers le sol, à s'échauffer et donc à s'éloigner des conditions de la condensation. C'est pourquoi l'été est sec.

La sécheresse est globalement plus intense et plus longue vers le sud et vers l'est du domaine méditerranéen, au fur et à mesure que l'on se rapproche des tropiques et que l'on s'éloigne de l'Atlantique. Les reliefs, cependant, compliquent la répartition des pluies.

Les températures sont contrastées : l'hiver est doux, mais le nord du bassin méditerranéen connaît des coups de froid exceptionnels. L'été est très chaud; les 40 °C sont souvent atteints, sauf sur les régions côtières, plus tempérées.

L'olivier, un arbre typiquement méditerranéen.

La cueillette des olives en Turquie

Dans le monde romain, l'olivier était emblème de fécondité et symbole de paix et de gloire. L'huile, produit de base pour la cuisine, était utilisée également comme cosmétique, médicament, pommade pour les blessures et combustible pour les lampes. Elle servait aussi à hydrater la peau après le bain, et était essentielle dans les rites religieux de purification.

En Turquie, c'est sur les côtes de la mer Égée que les oliviers furent implantés car les risques de gelées hivernales étaient trop importants à l'intérieur des terres pour que les plantations fussent rentables, et, ainsi, olives et huile pouvaient être facilement exportées vers l'ouest ou vers l'Asie Mineure.

Aujourd'hui encore, la cueillette des olives se fait souvent à la main, au début de l'hiver. Une méthode plus rapide consiste à battre les branches pour faire tomber les olives sur de grands filets colorés étendus sur le sol.

UN CIEL SURVOLTÉ

Les orages

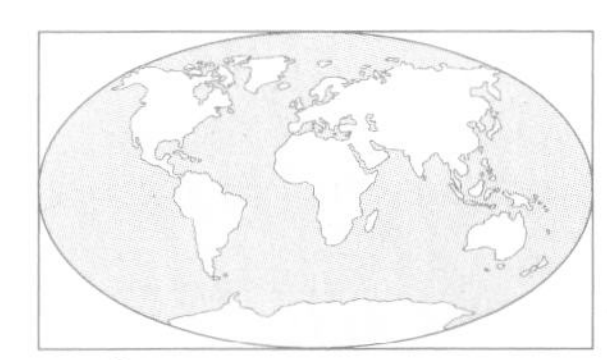

Grondements du tonnerre, illuminations des éclairs, violentes chutes de pluie ou de grêle, cieux brusquement obscurcis : les orages sont l'un des plus spectaculaires phénomènes atmosphériques; bien des mythologies les ont considérés comme des signes de la colère divine. On sait maintenant que toutes les manifestations orageuses dérivent de mouvements d'ascendance de l'air très violents. Particulièrement nombreux sur les continents tropicaux, les orages se produisent surtout l'été aux latitudes plus élevées.

◁ ***Les lumières de la ville de Tamworth, située dans le sud-est de l'Australie, en Nouvelle-Galles du Sud, paraissent bien faibles comparées aux traits de feu des éclairs. Les arcs lumineux saisis par l'objectif relient la base d'un nuage épais aux sommets des montagnes qui se détachent sur les rougeurs du couchant.***

De violents mouvements d'air ascendant

Les orages sont dus à des ascendances de l'air très fortes et localisées dans des «cheminées» assez étroites. La cause de ces mouvements est la même que celle qui fait monter une montgolfière : l'air échauffé par le brûleur tend à s'élever parce qu'il est plus léger que l'air ambiant. Dans l'atmosphère, une masse d'air fortement chauffée à la base amorce un mouvement d'ascendance qui peut se développer jusqu'à 10 ou 15 km d'altitude. C'est ce qui arrive aux latitudes moyennes sur les continents à la fin des après-midi d'été, et toute l'année dans les régions tropicales.

L'air ascendant se refroidit, ce qui provoque par condensation la formation de grosses gouttes d'eau et de particules de glace. De puissants nuages sombres apparaissent.

Fortement agitées par ces mouvements vigoureux, les particules d'eau et de glace prennent des charges électriques opposées, qui entraînent des décharges accompagnées d'éclairs et de roulements de tonnerre à l'intérieur des nuages, puis entre ceux-ci et le sol. Longtemps maintenues en altitude par les mouvements ascendants, les particules d'eau et de glace se réunissent, grossissent, et finissent par tomber en averses violentes de pluie ou de grêle.

Des éclairs sur la ville

Chacun des traits de lumière qui constituent la phase visible de l'éclair ne dure que quelques millionièmes de seconde. L'objectif photographique en enregistre plusieurs, qui se sont en fait produits à quelques centièmes de seconde d'intervalle. Ces arcs lumineux fourchus ne sont qu'une étape d'une évolution complexe. Les gouttes d'eau et les particules de glace composant le nuage prennent des charges électriques opposées, sous l'effet d'un champ électrique permanent qui existe dans l'atmosphère, et que l'on appelle le «champ de beau temps». Les mouvements de l'air vers le haut et la chute des précipitations séparent les charges positives et négatives, selon des mécanismes variés et encore assez mal connus. Les charges négatives tendent à s'accumuler à la base du nuage, les charges positives au sommet. Lorsque les contrastes entre les diverses parties du nuage dépassent un certain seuil, il se produit entre elles des espèces de courts-circuits, accompagnés de phénomènes lumineux et de tonnerre : ce sont les éclairs intérieurs aux nuages. Certains de ces éclairs projettent des particules chargées négativement vers le bas. Elles progressent par bonds, et créent une sorte de canal conducteur de l'électricité, qui prépare la voie aux éclairs majeurs : pour cette raison, on parle d'éclairs précurseurs. Lorsque l'un de ces précurseurs approche du sol, chargé positivement, un arc en retour suit le chemin qu'il a tracé, et relie la terre au nuage. C'est alors que se produisent les courants électriques les plus forts, accompagnés d'éclats lumineux aveuglants et de coups de tonnerre.

En général, la même voie est suivie par plusieurs décharges. Ces échanges électriques répétés suppriment les contrastes, et les éclairs cessent pour quelques minutes. Le cycle complet ne dure que moins de deux cents millièmes de seconde... ■

Le cumulo-nimbus, nuage d'orage

Toute la journée, le soleil a échauffé la surface de la mer ; comme le temps était calme par ce beau jour d'été, l'air a stagné au-dessus de l'eau, et s'est lui aussi fortement échauffé à son contact. En fin d'après-midi, le ciel s'est couvert brusquement et de gros nuages noirs ont fait leur apparition.

L'aspect du nuage photographié ici traduit le processus qui lui donne naissance. Sa base, à droite, est plate, car elle correspond au niveau où la température de l'air ascendant devient assez basse pour que la vapeur d'eau commence à se condenser. À gauche, son sommet prend une apparence de chou-fleur, traduisant la trajectoire du mouvement ascendant. Plus haut, au centre et à droite, l'air ne peut plus monter, et se déplace horizontalement, étalant des bandes noirâtres dues aux gouttes de pluie qu'il entraîne. Le nuage est formé en partie de gouttes d'eau et de petites particules de glace qui restent en suspension dans l'air. Mais, comme elles se déplacent rapidement, elles s'agglomèrent en grosses gouttes ou en grêlons, que la force de gravité finit par faire tomber en puissantes averses. Ces précipitations violentes entraînent avec elles de l'air des couches supérieures, et des courants froids descendants atteignent le sol. Ce refroidissement est encore accentué par l'évaporation des pluies et la fonte de la glace ; ainsi l'orage apporte un répit à la fin d'une journée torride ; mais la violence des pluies et les chutes de grêle peuvent aussi causer des dégâts considérables... ■

L'arc-en-ciel

Le dessin du bas montre que les rayons du soleil sont déviés par les gouttes de pluie **(A, A', B, B')** et renvoyés vers l'observateur en deux faisceaux qui composent les arcs primaire et secondaire, visibles au centre et à gauche sur la photo. Ils sont formés de bandes allant du violet au rouge dans un arc, et inversement dans l'autre.

Les dessins agrandis d'une goutte d'eau représentent les deux cas ; en **a**, un rayon lumineux pénètre au point **R1**, où il est dévié par la réfraction. Il est réfléchi en **R'1** sur la face interne de la goutte et sort en **R2** après une nouvelle réfraction pour composer l'arc primaire ; en **b**, un rayon de l'arc secondaire est réfléchi deux fois, en **R'1** et **R'2**.

Comme chacune des couleurs qui composent la lumière blanche ne subit pas la même réfraction, l'arc-en-ciel est en fait une juxtaposition d'arcs de différentes couleurs ; c'est ce qui fait sa beauté.

Arc primaire au centre, arc secondaire à gauche.

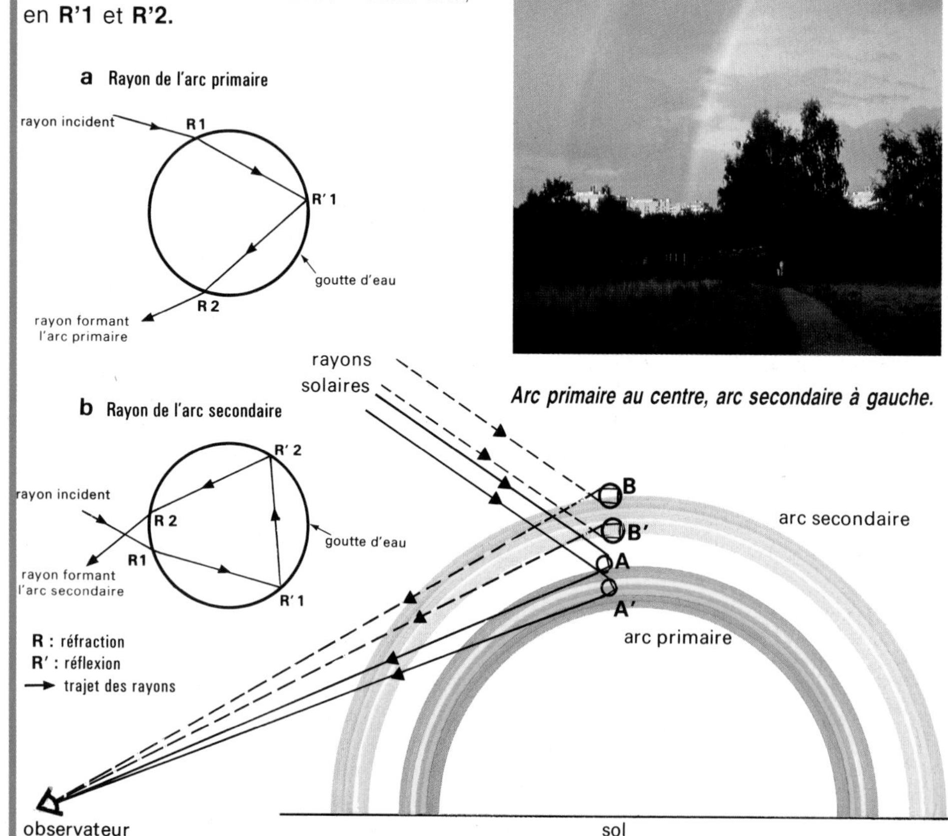

△ *Un après-midi d'été sur la mer : un gros nuage noir se développe sur une hauteur de plus de 10 km, en une cheminée de 7 km de diamètre environ. Son développement vertical lui a valu le nom de cumulo-nimbus, ou «nuage en tas». Il contraste violemment par sa couleur noire avec le ciel clair et les nuages moins épais éclairés par les rayons solaires.*

Les grêlons les plus lourds jamais tombés du ciel furent ramassés pendant un orage spectaculaire qui ravagea le district de Gopalganj, au Bangladesh, le 14 avril 1986. Certains, énormes, pesaient 1 kg ! Il avait fallu pour soutenir en l'air ces blocs de glace un courant ascendant de plus de 160 km/h.

Un petit village alpin baigne dans une étrange et inquiétante lumière, sous un ciel d'orage plein de menaces. ▷

Dans l'air instable, fortement échauffé à sa base, tous les mouvements verticaux sont amplifiés, et les ascendances peuvent se développer jusqu'à 8 000 ou 9 000 m d'altitude. Les condensations dans l'air ascendant donnent naissance à des nuages à développement vertical, les cumulo-nimbus. Le frottement produit des charges électriques négatives et positives, et les forces ainsi créées engendrent des éclairs.
▽

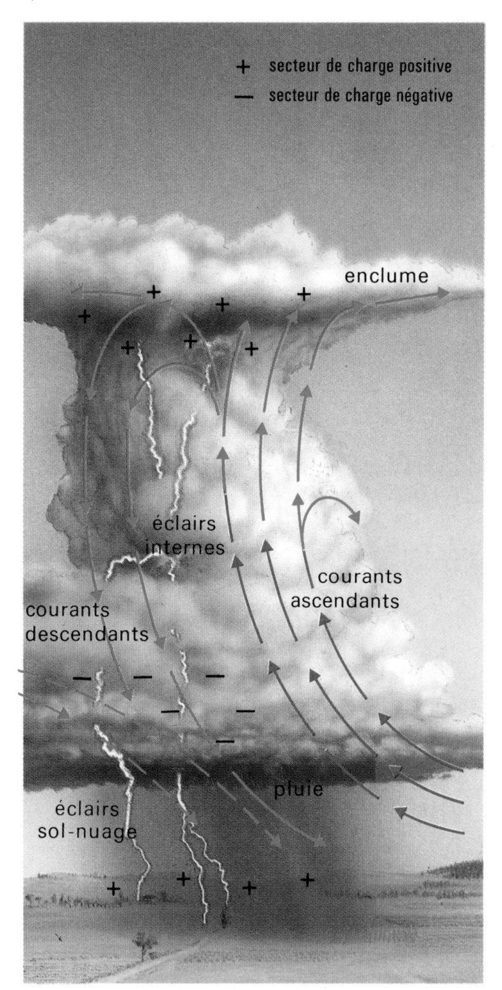

Un ciel d'orage plein de menaces

Sur une sombre toile de fond, à travers laquelle on aperçoit à peine les contreforts des Alpes qui surmontent les collines, se détachent avec une netteté spectaculaire les maisons, l'église, les prairies verdoyantes et les arbres encore dépouillés. Le rideau noir est formé par la base du cumulo-nimbus orageux et les averses violentes qui en tombent. L'éclaircie visible au premier plan est due à un de ces courants descendants qui se créent en bordure des nuages d'orage. Les averses qui viennent de se produire ont nettoyé le ciel de toute poussière en suspension, ce qui explique la netteté du paysage, éclairé par les rayons d'un soleil déjà bas sur l'horizon, qui allonge les ombres.

Les régions situées, comme celle-ci, en bordure de puissants reliefs sont particulièrement affectées par les orages, car l'air se soulève fortement en approchant des montagnes. Il n'y a pas de doute que les habitants de ce village sont habitués à des spectacles comme celui qu'a fixé l'objectif ici. ■

HIVERS RUDES, ÉTÉS CHAUDS

Les climats froids

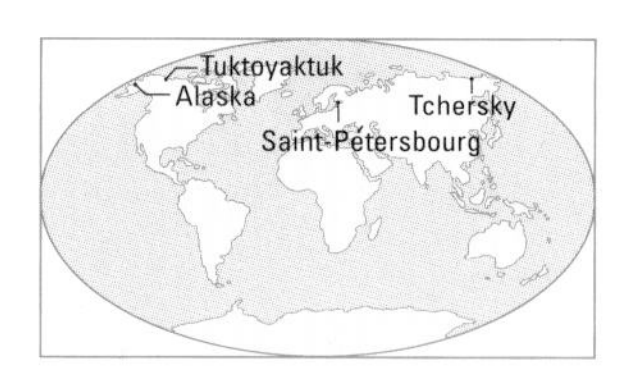

Le climat continental froid est celui de tous les extrêmes : sa rudesse et ses contrastes ont vaincu nombre de pionniers du Grand Nord. L'hiver est long, très rigoureux. Il donne une impression d'immobilité : le sol, l'air et l'eau sont gelés et la neige ensevelit tout. Il cède le pas sans transition à un été bref, très chaud et moite. C'est un été mouvant : la glace et le sol fondent, transformant de vastes régions en pataugeoires. L'automne est souvent long et beau. Mais, dès les premières neiges, le froid se réinstalle pour de longs mois.

△
Débâcle de la Neva à Saint-Pétersbourg. Depuis le pont du Palais et la Strelka, sur l'île Vassilevski, les amoureux de la ville contemplent la force de l'eau qui charrie la glace vers la Baltique. Au loin, la flèche de la cathédrale Pierre-et-Paul, qui abrite les tombes des tsars, met une note dorée dans cette ambiance bleutée.

La Neva en débâcle à Saint-Pétersbourg

L'hiver se termine à Saint-Pétersbourg. Les températures s'adoucissent brusquement. Nombreux sont alors les habitants qui viennent admirer depuis le pont du Palais les eaux bleues de la Neva, gonflée de glaçons blancs. Fascinante débâcle. Après des mois d'immobilité, la glace s'est mise à bouger et progresse en grondant vers la mer Baltique, par plaques entre lesquelles l'eau gargouille. Les blocs se bousculent, se chevauchent, se surélèvent, plongent dans l'eau, émergent à nouveau, se retournent, s'écrasent sur les piles des ponts et se disloquent avec fracas. Près des rives, des blocs de glace s'accumulent, formant une petite banquise. Ce ballet offre aux flâneurs un spectacle à la hauteur de la ville admirable de Pierre le Grand. Spectacle grandiose et un peu lugubre comme celui de la forteresse Pierre-et-Paul, construite au début du XVIIIe siècle, qui retint dans ses geôles le tsarévitch Alexis, Dostoïevski, Bakounine, les premiers bolcheviks, Gorki et tant d'autres. Mais spectacle chaotique, qui tranche avec le dessin géométrique de la ville, où canaux, lions de porphyre ou de marbre, parcs et palais aux couleurs tendres ont été disposés selon des lois impérieuses.

Des spectacles bien plus prodigieux se jouent plus à l'est, le long des gigantesques et puissants fleuves sibériens, notamment sur l'Ob, l'Ienisseï et la Lena. La débâcle y commence à la mi-avril en amont des fleuves, c'est-à-dire au sud, là où le réchauffement est plus précoce. Au nord, près de l'océan Glacial Arctique, où se jettent ces fleuves, elle ne se produit que vers le début du mois de juin. Elle est catastrophique : les blocs gigantesques stoppés par le fleuve encore gelé en aval labourent les rives, s'amoncellent, formant des tours qui s'effondrent dans un fracas épouvantable lorsqu'un passage se libère. Les eaux, ne trouvant pas leur issue vers l'aval, débordent, et les crues de débâcle dans les plaines qui portent ces grands fleuves sont encore plus redoutables que celles liées à la fonte de la partie superficielle du sol gelé en permanence, le permafrost. ■

Court été malgré tout. Un mois seulement sans gel mais trois mois avec de belles journées ensoleillées et chaudes, des journées très longues surtout, qui ont permis aux plantes de revivre, de croître un peu et de renouveler leurs réserves avant un hiver glacial et si long. Ne dit-on pas en Alaska qu'il y a quatre saisons : juin, juillet, août et l'hiver ?

Rudes immensités qui n'ont vu passer pendant longtemps qu'Aléoutes, Amérindiens et Inuits qui chassaient pour se nourrir et s'habiller, puis des trappeurs russes devenus américains après le rachat de ces territoires par les États-Unis en 1867. Pataugeant de longs mois dans la neige, plongés dans le silence et l'obscurité, ils piégeaient le grizzli, le renard ou le lynx, et massacraient les phoques près des côtes, pour les échanger contre du whisky, du rhum et des fusils.

Immensités qui ont vu le célèbre écrivain américain Jack London, auteur de *Croc-Blanc*, et tant de chercheurs d'or revenir du Klondyke en remontant le Yukon jusqu'à la mer de Béring. Ces prospecteurs acharnés avaient travaillé l'hiver en dégelant le sol avec des machines à vapeur. Mais beaucoup de ces hommes avaient péri de froid et de faim avant même d'arriver sur la « terre promise ».

Ces terres d'Alaska, parcourues par quelques routes et un oléoduc, long de 1 284 km et conçu pour résister aux variations de températures et aux tremblements de terre, accueillent désormais une nouvelle vague de pionniers. Des éleveurs, des bûcherons, des amateurs de pêche et de chasse, l'armée américaine et les techniciens du pétrole s'y sont en effet installés. Mais le climat rend l'homme et ses activités fragiles, l'immobilise souvent et, finalement, plus que les parcs qui occupent une grande partie du territoire, le froid est le meilleur protecteur des grands espaces alaskiens. ■

Végétation multicolore à la fin de l'été dans le parc national Denali (Alaska), à plus de 60° de latitude N. L'intensité du froid dans cette région du globe contraint les plantes à s'endurcir et à se déshydrater pendant l'hiver afin que les liquides cellulaires ne gèlent pas.

Couleurs d'automne en Alaska

L'été s'achève en Alaska. Les immenses collines du parc national Denali (nom indien du mont McKinley, le plus haut sommet de toute l'Amérique du Nord) se parent déjà de toutes les teintes chaleureuses qui annoncent l'automne : roux des airelles, des bruyères, des aulnes, jaune d'or des bouleaux, des peupliers ou des saules nains. L'épicéa, lui, conserve ses épines vert sombre. Le mélange des essences, des formes, des tailles rappelle que la taïga de conifères (qui exige une température moyenne de 10 °C durant un mois de l'année au moins) est proche, un peu plus au sud, et qu'il ne fait pas encore assez froid pour que seule persiste la toundra basse des régions polaires, essentiellement constituée de mousses et de lichens.

Motoneige au Québec.

Un mode de déplacement adapté

Pendant le long hiver du Nord canadien, Inuits et Amérindiens partaient autrefois chasser ou pêcher avec des traîneaux de bois tirés par une dizaine de chiens huskies. C'est ce qu'ils avaient trouvé de mieux pour s'adapter à des conditions climatiques difficiles, caractérisées notamment par un manteau neigeux durable. Mais la conquête du Grand Nord, riche en ressources naturelles, en introduisant dans ces régions des techniques modernes — l'homme se déplace désormais en motoneige — a sérieusement perturbé les civilisations traditionnelles.

△
Pingo sur la péninsule canadienne de Tuktoyaktuk, dans les Territoires du Nord-Ouest, au-delà du cercle polaire arctique. Haute de 50 m et dépassant 500 m de diamètre, cette forme est caractéristique des régions où règne le permafrost, hérité de la dernière grande glaciation.

Un pingo, colline de glace dans le Grand Nord canadien

Bleus des eaux et verts des lichens et des mousses de la toundra : le Grand Nord canadien, près de l'océan Glacial Arctique, se résume en ces teintes pendant les deux mois d'été. Décrire le relief est simple aussi : tout y est plat. Pendant la dernière grande glaciation, le Würm, qui a culminé il y a environ trente mille ans, la calotte glaciaire a raboté et nivelé le socle rocheux. Et le principal héritage visible de cette période sont les milliers de lacs et de rivières qui couvrent plus de la moitié des Territoires du Nord-Ouest, la plus septentrionale des provinces canadiennes.

Mais, de temps à autre apparaissent des accidents qui rompent la platitude du relief, tel ce petit cratère dénommé pingo près de l'embouchure du Mackenzie. Cette forme et d'autres sont liées à un héritage, caché celui-là, de la dernière période glaciaire : le permafrost, le sol gelé en permanence. Épais, selon les régions, de quelques dizaines à quelques centaines de mètres, il s'est maintenu là où la température moyenne annuelle est inférieure à 0 °C. Imperméable, il empêche l'infiltration de l'eau dans le sol et celle-ci ruisselle. Cela explique que les fleuves soient majestueux alors que les précipitations sont très faibles.

En été, le permafrost fond en surface, donnant un sol spongieux et gluant, le mollisol, sur lequel la végétation accomplit très vite son cycle vital avant d'être recouverte de neige pendant près de dix mois.

Bien que les Inuits l'appellent Nunassiaq, « le bon pays », le Grand Nord canadien est une terre hostile : pas de bois de chauffage, pas d'abri contre le blizzard, des records de – 60 °C en hiver... Se déplaçant en traîneau l'hiver sur le sol gelé et enneigé, en canoë l'été quand la terre devient impraticable, les Inuits ont survécu en pêchant et en traquant caribous ou bœufs musqués.

La découverte de pétrole, de gaz et de minéraux précieux, l'or notamment, attire désormais les « hommes du Sud ». Ils ont construit villes, routes, aérodromes et tours de forage sur le permafrost. À Inuvik, ville pétrolière près de l'embouchure du Mackenzie, au-delà du cercle polaire, les canalisations d'eau sont surélevées et protégées du froid par celles qui servent au chauffage... ■

Formation d'un pingo

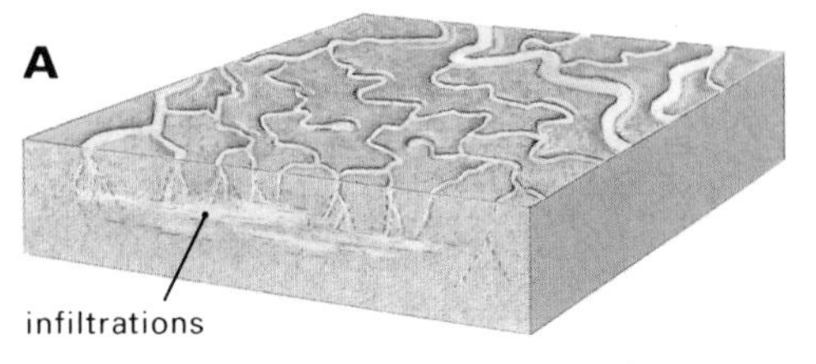

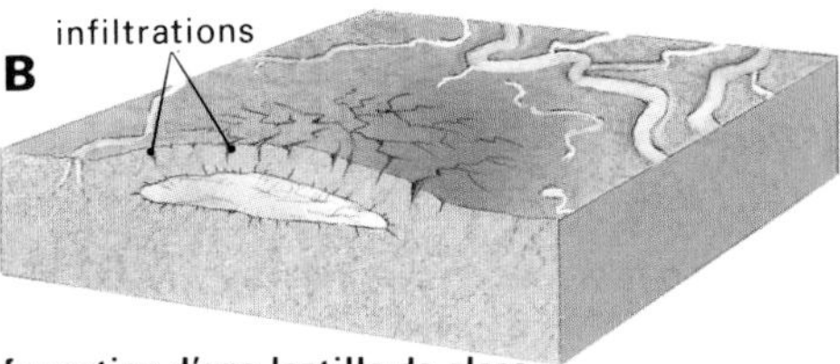

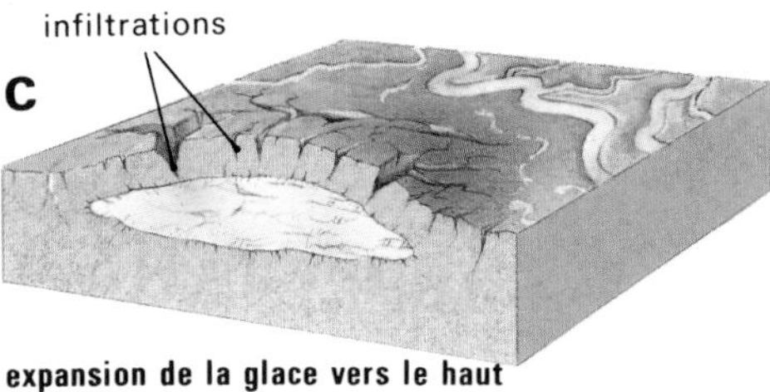

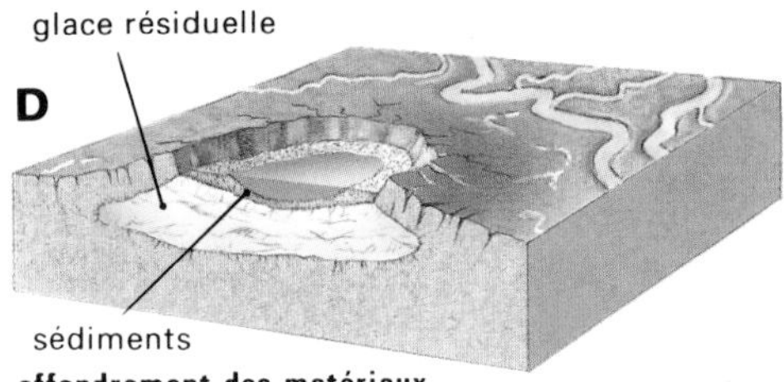

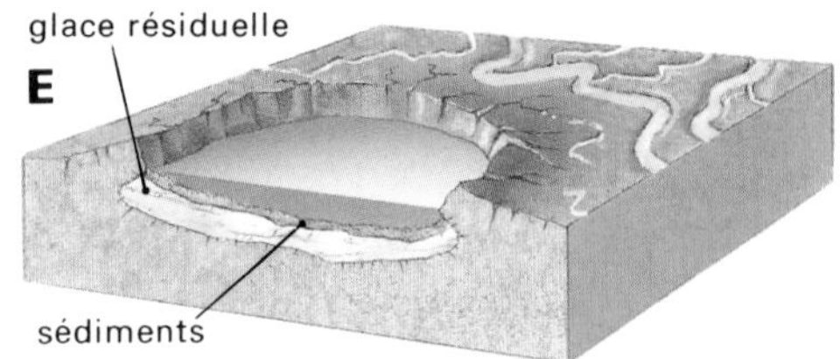

△
Les pingos sont des buttes qui apparaissent dans les zones marécageuses des régions où le sol est gelé en permanence en profondeur (permafrost). L'eau s'infiltre dans la couche superficielle, gèle et forme une lentille de glace qui déforme le sol meuble sus-jacent. La surface finit par se rompre et un cratère apparaît, qui abrite souvent un lac.

△
Hiver à Tchersky, au-delà du cercle polaire, au nord-est de la Sibérie. Cette région, de par sa position sur le continent eurasiatique et sa latitude, bat bien des records : de froid, si l'on excepte le continent antarctique, et d'écarts de température entre l'été et l'hiver.

Un jour d'hiver blafard en Sibérie du Nord

Emmitouflées, encapuchonnées, bottées, quelques silhouettes sombres se profilent dans le jour blême, attentives à ne pas avaler l'air glacial qui les fouette et à ne pas glisser sur cette neige sèche qui ressemble à de la farine. Mouvements lents mais hâte de rentrer chez soi, de fermer la porte sur ce dehors maudit, d'aviver le poêle, et de reprendre une semi-hibernation, dans la chaleur de l'isba.

Tchersky occupe une position stratégique sur la Kolyma, près de l'océan Glacial Arctique, dans le nord-est de la Sibérie. Autour s'étendent des marécages gelés et la toundra sur le permafrost, le sol gelé en permanence. Le brouillard givrant est fréquent, mais l'hiver est aussi le moment où le soleil, très bas sur l'horizon, peut rougeoyer pendant quelques heures. Au cœur de l'hiver, il disparaît complètement. La neige, peu abondante, recouvre le sol pendant plus de huit mois et la température peut descendre jusqu'à − 70 °C... Quand on sait que le thermomètre monte jusqu'à 20 °C pendant les longues journées d'été, ce sont donc des écarts de 90 °C entre l'été et l'hiver que les habitants de Tchersky doivent supporter.

Une légende russe raconte que, lors de la création du monde, Dieu acheva la Terre par la Sibérie ; il y déversa le fond de son sac de richesses minérales, mais, se ravisant, il les enfouit sous les glaces et les marécages pour les rendre moins accessibles...

C'est en partie pour exploiter ces ressources que le tsar Alexandre III ordonna la construction du Transsibérien en 1891, favorisant ainsi le peuplement de la Sibérie par des Russes, qui y construisirent des isbas. Mais ces maisons, comme celles de béton, plus récentes, s'édifient presque toutes sur des pilotis enfoncés dans le sol gelé, réchauffé à la vapeur. Si elles reposaient directement sur le sol, leur chaleur l'amollirait et elles s'y enfonceraient. Les poteaux inclinés rappellent combien ce sol qui dégèle superficiellement pendant le court été devient alors mouvant. Le Sibérien patauge huit mois dans la neige et quatre mois dans l'eau... ■

De forts contrastes saisonniers

Aux latitudes moyennes, quand on s'éloigne de l'ouest des continents, l'influence des vents d'ouest océaniques, pluvieux et tempérés, s'atténue progressivement, et l'on pénètre dans le domaine froid continental, comme en Eurasie et en Amérique du Nord.

En hiver, le sol enneigé réfléchit la faible radiation solaire et se refroidit considérablement. L'air se refroidit à son contact et, devenu très dense, il s'affaisse, donnant lieu à de vastes anticyclones. De ce fait, l'hiver est très rigoureux, long et extrêmement froid. Des records sont enregistrés dans le nord-est de la Sibérie, où l'effet de la latitude, qui écourte les jours et abaisse le soleil sur l'horizon, s'ajoute à celui de l'éloignement des côtes atlantiques : avec des moyennes de janvier qui atteignent − 47 °C à Verkhoïansk et des pointes de froid à − 70 °C, ces régions sont aussi froides que le cœur du continent antarctique. Les hautes pressions inhibent les précipitations, qui sont rares, sauf vers les côtes orientales des continents, où l'air est plus humide. Le manteau neigeux est donc mince mais permanent, et le brouillard, souvent présent.

La neige fond tard, entre avril et juin selon les régions : l'été « éclate ». Débarrassé de la neige, qui réfléchissait la radiation solaire, le sol, redevenu ce qu'on appelle un « corps noir », peut alors absorber cette radiation ; sa température s'élève rapidement, échauffant l'atmosphère ; l'anticyclone disparaît et permet le passage des perturbations venues de l'ouest et le déclenchement des orages. L'été, court, est pluvieux et chaud, 20 °C en moyenne. Et les très forts contrastes thermiques entre hiver et été — près de 100 °C d'écart parfois — constituent l'une des principales caractéristiques de ce climat. Quant à l'automne, il est souvent long et beau : c'est l'été indien des Canadiens.

Fête de la neige et de la glace à Harbin

L'hiver a son charme à Harbin, chef-lieu de la province de Heilongjiang, la plus septentrionale de la Chine. Chaque année, à partir du 5 janvier, la ville organise la fête de la neige et de la glace, profitant des froidures exceptionnelles de la région — il n'est pas rare que le thermomètre enregistre − 40 °C. Des artistes locaux travaillent à la scie, au rabot et au burin d'énormes blocs de glace provenant de la rivière Songhua Jiang. Ils les sculptent et les assemblent, s'inspirant du bestiaire traditionnel, des contes et légendes populaires, des monuments de l'ancienne Chine. Le visiteur du parc Zhaolin peut alors découvrir de somptueux palais de cristal, des paysages féeriques, des animaux et des personnages translucides, éclairés, à la nuit tombante, par des lanternes de glace multicolores.

Photo-souvenir du pont de glace.

DE NEIGE ET DE GLACE

Les climats polaires

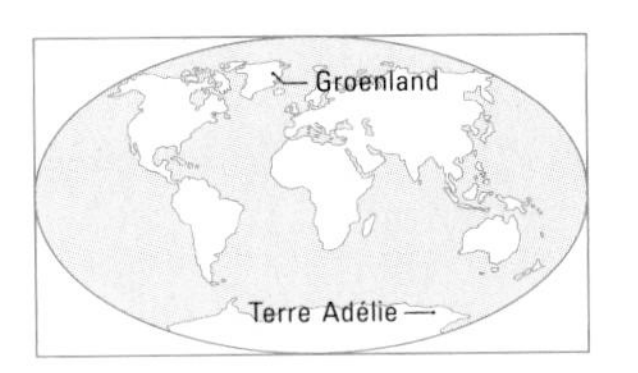

Le froid est le caractère dominant des climats des très hautes latitudes, car les apports d'énergie solaire y sont très réduits. Il permet le maintien de vastes surfaces englacées : calottes glaciaires sur le Groenland et le continent antarctique, grandes banquises océaniques. Sur les marges de ces glaces, des formes de végétation basse font leur apparition : les toundras des Grands Nords de l'Amérique et de l'Eurasie.

△
Dans l'île de Traill, comme dans tout le Groenland, la calotte glaciaire cède la place à la toundra dans une étroite marge littorale, où le climat est un peu plus modéré en raison de la proximité de la mer. L'hiver, la neige recouvre le sol, mais, l'été, une végétation basse apparaît. Les mousses et les lichens sont dominés par les houppes cotonneuses des linaigrettes.

Toundra sur l'île de Traill en été

La toundra recouvre de larges superficies continentales en bordure du domaine polaire. Elle est surtout caractéristique des Grands Nords de l'Amérique et de l'Eurasie. Les conditions climatiques y restent très rigoureuses : si l'été est assez marqué pour que la neige fonde, la période de dégel ne dure que de quatre à cinq mois, et les températures de la journée ne dépassent une moyenne de 10 °C que pendant deux à trois mois. De plus, les précipitations sont faibles : le manteau neigeux hivernal a rarement plus de quelques dizaines de centimètres d'épaisseur, et les pluies d'été sont peu abondantes. Ces conditions ne permettent pas la présence d'arbres, et la toundra est une formation basse : un tapis de mousses et de lichens qui peut subsister sous la neige hivernale, au-dessus duquel apparaissent au printemps les fleurs des plantes annuelles. Une couche de sol gelé subsiste en profondeur toute l'année; comme elle empêche l'infiltration de l'eau, malgré la faiblesse des précipitations, la toundra est émaillée de mares et de marais dans lesquels prolifèrent les moustiques.

Les hommes sont peu nombreux dans la toundra : pêcheurs inuits en Amérique et Lapons éleveurs de rennes en Eurasie forment des groupes dispersés. Cependant, les Grands Nords ont des ressources minérales et présentent une grande importance stratégique, puisque les États-Unis et l'ex-URSS se font face de part et d'autre des régions polaires. On y rencontre donc des villages de mineurs et des bases militaires. ■

L'*Astrolabe* et le passage du Nord-Est

*Le navire polaire français l'*Astrolabe.

Les navires peuvent contourner le nord de la Sibérie pendant trois mois, à condition d'être précédés de puissants brise-glace. Ce « passage du Nord-Est » a été réservé à la flotte soviétique depuis 1922, mais les nouvelles relations internationales permettent d'envisager son ouverture à la navigation internationale (la distance de Londres à Tokyo par cette voie est de 14 500 km, contre 22 000 km par le canal de Suez). L'*Astrolabe*, que l'on voit ici au milieu des glaces, a accompli un voyage symbolique entre Le Havre et le Japon du 27 juillet au 1er septembre 1991. Il était accompagné d'un brise-glace atomique russe, et guidé en partie par le satellite européen ERS1, qui venait d'être lancé.

Les manchots empereurs de l'Antarctique

Bien peu d'animaux peuvent vivre dans les climats extrêmes du monde polaire ! Les manchots empereurs que l'on voit ici, en terre Adélie, habitent les franges du continent antarctique et quelques îles qui le bordent. Ils tirent leur nourriture de la pêche, et présentent une remarquable résistance au froid. Lorsque celui-ci est aggravé par des vents violents, ils n'ont d'autre ressource que de se serrer les uns contre les autres, en changeant de position afin que les mêmes ne se trouvent pas toujours exposés aux morsures des bises glaciales. L'atmosphère des régions de très hautes latitudes est souvent calme, en raison de la présence de grands anticyclones, mais il arrive que des dépressions provenant des latitudes moyennes pénètrent dans le monde polaire, provoquant de redoutables tempêtes que les Canadiens appellent les blizzards. ■

Oiseaux nageurs et grands plongeurs, les manchots empereurs vivent sur la banquise antarctique. En terre Adélie, ils forment des colonies nombreuses, dont la solidarité est bien utile quand il s'agit de résister à une tempête de neige...
▽

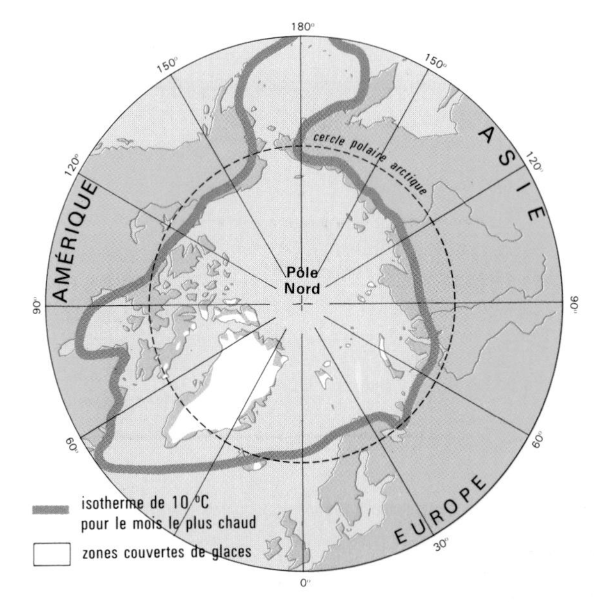

△
Au nord de l'isotherme, la température du mois le plus chaud reste inférieure à 10 °C. Cette limite atteint des latitudes plus septentrionales sur les continents américain et eurasiatique, qui se réchauffent davantage que les surfaces marines. Sur l'Atlantique et la mer du Nord, les températures estivales sont plus basses à l'ouest qu'à l'est, où se produit une remontée d'eaux chaudes vers le nord.

De faibles apports d'énergie solaire

Au-delà des cercles polaires, à une latitude de 66° 33', alternent des jours très longs en été et des nuits très longues en hiver (les pôles connaissent six mois de jour et six mois de nuit). Même pendant les périodes où le jour se lève, le soleil ne monte jamais bien haut au-dessus de l'horizon. Les apports annuels d'énergie solaire sont donc très faibles, et les grands froids règnent. Cependant, le rythme très particulier des jours et des nuits induit de grands contrastes entre l'hiver et l'été.

Sur les calottes glaciaires du continent antarctique et du Groenland, les températures de l'hiver accusent des chutes impressionnantes (le 21 juillet 1983, en plein hiver austral, on a relevé − 89,2 °C à la base russe de Vostok, en Antarctique ; et au pôle Sud, la température moyenne en juillet est de − 59 °C). Les températures estivales, en revanche peuvent atteindre 0 °C. Sur les océans proches de ces continents, la superficie des banquises varie considérablement au cours de l'année : 18 millions de km^2 de glaces dans l'Antarctique et 12 millions dans l'Arctique en hiver, tandis que les superficies se réduisent en été à 4 millions de km^2 dans l'hémisphère Sud, et à 8 millions de km^2 dans l'hémisphère Nord.

Des étés un peu moins froids permettent aux régions marginales du monde polaire d'être couvertes de formations végétales basses et médiocres, essentiellement composées de mousses et de lichens : les toundras.

Dans l'ensemble du domaine, les précipitations sont en général faibles, car l'air très froid n'est pas capable de transporter de grandes quantités de vapeur d'eau.

DRAPERIES CÉLESTES

Les aurores polaires

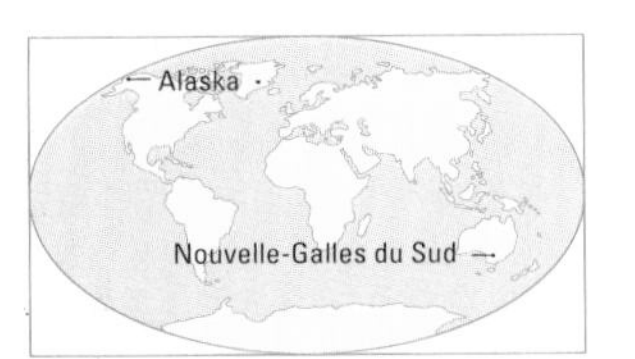

Le spectacle d'une aurore polaire reste, pour tous ceux qui y ont assisté, un moment d'une intense émotion. En juin 1911, un des conquérants du pôle Sud, Robert Scott, s'émerveille devant ces «arches et draperies aux luminosités vibrantes», ces lumières qui forment «une masse repliée en couronne [...] d'où rayonnent des banderoles éclatantes», et conclut : «Impossible de témoigner d'une telle beauté sans un sentiment infini de crainte et de respect.»

Aurore boréale en Alaska

Le spectateur d'une aurore complète voit en quelques heures défiler bandes, draperies, taches, qui envahissent le ciel au-dessus de sa tête ; leur succession est due à la fois au développement de l'aurore elle-même et à la rotation de la Terre «sous» l'ovale auroral. Selon son importance, une aurore peut présenter de simples bandes verdâtres, comme nous le voyons ici, puis un grand arc festonné et enfin d'amples draperies, ourlées de rose pour les aurores les plus actives, suivies exceptionnellement de taches nuageuses. Les bandes colorées s'étirent d'est en ouest sur des milliers de kilomètres, mais ne mesurent que quelques centaines de mètres d'épaisseur.

Les aurores se répartissent autour des pôles magnétiques terrestres, le long d'une zone en forme d'anneau, large de plusieurs centaines de kilomètres. Ces ovales auroraux polaires sont resserrés en période calme et s'évasent largement, descendant même jusqu'aux latitudes moyennes, en période de grande activité magnétosphérique.

Si les progrès des techniques photographiques ont permis d'étudier le déroulement d'une aurore, tant dans le temps que dans l'espace, malheureusement la pellicule trahit la palette des nuances; l'immobilisme trompe sur la fugacité, l'évanescence, l'impermanence du phénomène, puisqu'en réalité chaque aurore traduit avec précision l'évolution d'une bourrasque magnétosphérique, née dans les coulisses de l'environnement de notre planète. Ainsi, on peut dire que la magnétosphère se comporte comme un tube de télévision : la queue est le canon à électrons, le champ magnétique les déflecteurs, la haute atmosphère l'écran et les aurores polaires le spectacle. ■

Une aurore étend ses bandes de lumière douce derrière les arbres de la forêt boréale, en Alaska. L'intensité des aurores va de l'illumination d'une pleine lune à la faible lueur de la Voie lactée. La teinte vert pâle est la plus commune; elle est due aux atomes d'oxygène présents vers 100 km d'altitude. ◁

La Terre se comporte comme un aimant dont le champ enferme la planète dans une sorte de cocon protecteur : la magnétosphère. Un «vent» de particules solaires écrase le côté jour (face au soleil) de cette magnétosphère et étire son côté nuit, comme une écharpe ou une queue de comète, sur des millions de kilomètres.
Certaines lignes de force du champ terrestre s'enroulent sur elles-mêmes tout autour du globe, formant un piège à particules; leur essaim dessine des ceintures de radiations.
En revanche, les lignes magnétiques issues des hautes latitudes polaires sont emportées côté nuit par le vent solaire et restent presque parallèles sur de très longues distances.
Deux «cornets polaires» s'ouvrent vers le nord et le sud, véritables défauts de la cuirasse magnétique terrestre. Les particules solaires peuvent alors pénétrer par ces ouvertures dans la queue de la magnétosphère en donnant naissance à de puissants courants électriques; elles reviennent ensuite vers la Terre, où elles génèrent des aurores dans la haute atmosphère, le long d'un immense ovale visible de l'espace. ▽

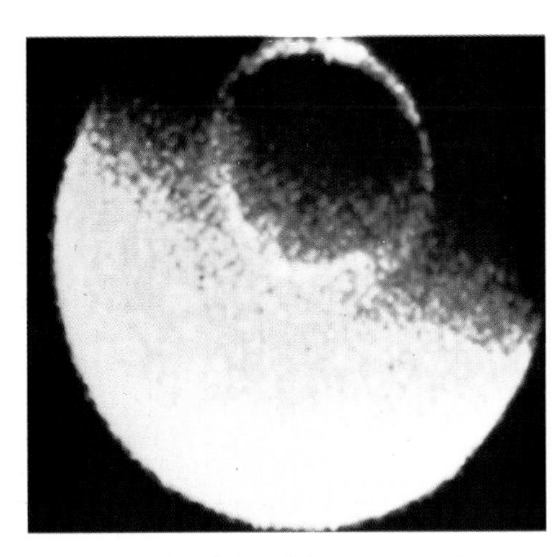

L'ovale auroral boréal vu ci-dessus du satellite Dynamics Explorer, à 22000 km d'altitude et représenté en dessin ci-dessous.

La magnétosphère : une écharpe qui s'étire dans le vent solaire

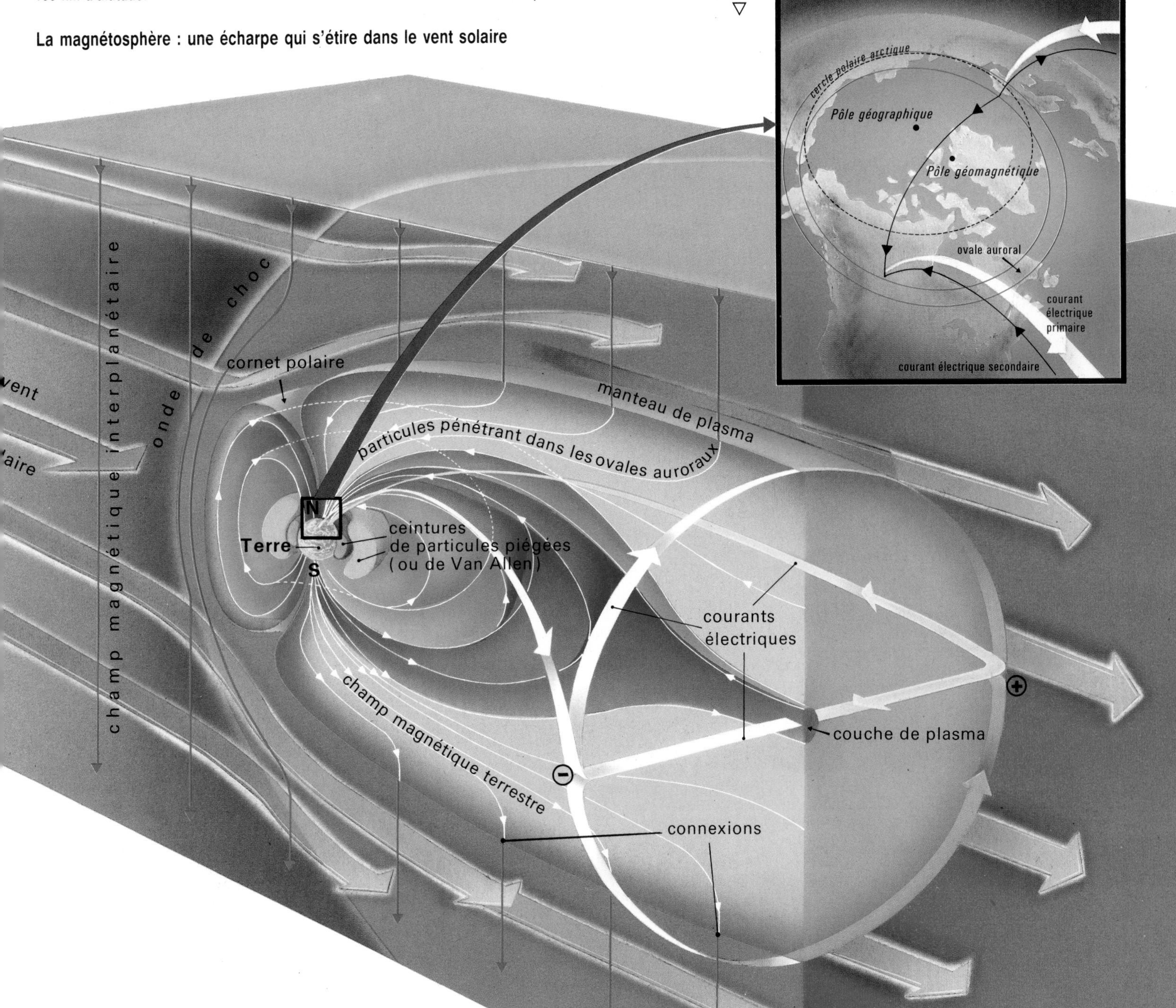

Aurore australe en Nouvelle-Galles du Sud

Si, aux antipodes, les aborigènes d'Australie ne s'étonnent guère de ces «danses des dieux» dans les cieux, on raconte qu'en l'an 37 une aurore rougeoyante particulièrement intense — rare à cette latitude — fit croire aux Romains qu'Ostie était en feu. Le ciel avait dû prendre une coloration proche de celle que l'on voit ici.

Les aurores polaires se produisent aussi bien dans les hautes latitudes de l'hémisphère Nord — où elles sont dites boréales — que dans l'hémisphère Sud — où elles sont dites australes. Malgré leur nom trompeur, elles n'ont aucune relation avec la naissance du jour, mais sont dues à l'arrivée de particules chargées dans les hautes couches de l'atmosphère.

Les couleurs des aurores sont liées aux atomes et aux molécules atmosphériques — neutres et ionisées —, excités par les chocs avec les particules venues de l'espace. Selon la violence de l'impact et l'altitude des couches gazeuses perturbées, les atomes d'oxygène émettront des teintes jaune-vert, plus rarement rouges en haute altitude (comme c'est le cas ici); les molécules d'azote ionisées, du violet ou du bleu, mais l'azote moléculaire neutre, du rose; l'hydrogène, un rouge différent. Seules les études spectroscopiques, extrêmement fines — car l'œil n'est pas assez fidèle —, permettent de démêler toutes ces teintes.

Les illuminations aurorales analysent ainsi pour nous les constituants de la haute atmosphère. ■

◁ ***Magnifique aurore photographiée dans le ciel australien, en Nouvelle-Galles du Sud. Les étoiles ajoutent à la magie du spectacle.***

Orage dans la magnétosphère

Voilà plus de deux mille ans, les auteurs de l'Antiquité décrivaient déjà ces lueurs étranges qui, parfois, illuminent le ciel nocturne des rives méditerranéennes ou de l'Atlantique Nord. Quinze siècles plus tard, Galilée nomme ces phénomènes *aurora borealis.* Chinois, Anglais, Russes, Scandinaves rapportent de semblables descriptions : dragons de feu, ciel de sang, miracle de Dieu ou colère de Bouddha. Les astronomes, les physiciens, les mathématiciens s'interrogent : est-ce un arc-en-ciel animé par l'agitation de l'air? une lumière zodiacale? En 1731, un Français, J.-J. de Mairan, écrit dans les mémoires de l'Académie royale des sciences : «Voudra-t-on que l'atmosphère solaire [...] se précipite dans la région inférieure de l'atmosphère terrestre [...]?» Une phrase étonnamment visionnaire.

En effet, au XIXe siècle, les scientifiques relèvent une coïncidence entre les éruptions solaires et les aurores qui brillent sur l'Europe; puis l'origine moléculaire des couleurs aurorales est reconnue, et l'hypothèse de «rayons corpusculaires» solaires guidés par le champ magnétique terrestre avancée. Toutefois, la description précise de ce champ — et l'explication des aurores qui en découle — date de la formidable campagne mondiale d'observation de la haute atmosphère en région polaire, menée en 1957-1958.

Aujourd'hui, nous savons que la Terre est entourée d'une atmosphère gazeuse de plus en plus ténue, formée d'atomes et de molécules neutres (azote, oxygène...); vient ensuite l'ionosphère. Au-delà, et avant que ne commence l'espace interplanétaire proprement dit, s'étend un domaine placé sous l'influence du champ magnétique terrestre : la magnétosphère. L'espace interplanétaire est balayé par le vent solaire, un flot de particules chargées électriquement, émises par le Soleil (protons, électrons). La magnétosphère constitue un obstacle, que le vent solaire frappe de plein fouet et étire sur une distance considérable en une longue queue cylindrique. Ce vent de particules emporte également dans son voyage une partie du champ magnétique solaire, créant ainsi un champ interplanétaire environ 10 000 fois plus faible que celui généré par la Terre. Lorsque les orientations des champs terrestre et interplanétaire sont favorables, leurs lignes de force se connectent. Les particules solaires qui pénètrent dans la magnétosphère par les cornets polaires suivent la surface de la queue magnétosphérique, tout en migrant progressivement vers la couche neutre. Cette circulation engendre de puissants courants électriques.

Comme un générateur qui se charge, la queue de la magnétosphère emmagasine ainsi une énorme quantité d'énergie : la vitesse des particules est convertie en une puissance électrique de plus de 1 million de MW, soit la consommation annuelle des États-Unis. Puis brusquement, un «orage magnétosphérique» éclate. Les lignes de champs rejettent vers l'espace une bouffée de plasma (c'est ainsi que les physiciens nomment un gaz de particules chargées) et injectent en même temps d'autres particules vers les régions polaires de la Terre. En fonction de leur énergie et de leur angle d'attaque, bon nombre vont descendre suffisamment bas — aux environs de 100 km d'altitude — pour percuter les atomes et les molécules de l'atmosphère; excités par les collisions, ces atomes et molécules émettent des lueurs aux couleurs caractéristiques : ce sont les aurores polaires.

DES TUNNELS EN PLEIN CIEL

Les vents dans les hautes sphères

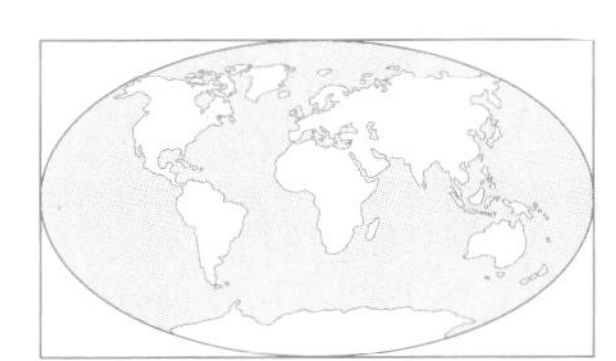

Plus rapides que ceux des basses couches, de puissants vents circulent dans l'atmosphère à plus de 10 km d'altitude. Leur vitesse peut dépasser les 400 km/h.
Connus depuis moins de cinquante ans, ces vents, nommés courants-jets ou plus communément jets-streams, sont aujourd'hui mesurés en permanence par les instruments modernes de la météorologie, car leur variation de trajectoire et d'intensité a des répercussions sur le temps. Ces vents sont aussi très importants pour la navigation aérienne.

Quand les cendres du Chichon perturbent le climat

Au-dessus des terres et des mers de la zone intertropicale, les alizés soufflent régulièrement de l'est vers l'ouest et changent de direction lorsqu'ils traversent l'équateur (mousson). Ces « vents du commerce », indispensables aux grands voiliers, ont joué un rôle fondamental dans la découverte du Nouveau Monde.

En altitude — à plus de 15 km de haut sur les régions équatoriales — apparaissent d'autres vents soufflant aussi vers l'ouest, à l'opposé du jet-stream subtropical. Ces vents sont présents au-dessus de l'océan Indien et de l'Afrique, mais de temps à autre ils soufflent bien au-delà de cette région. Plus forts mais moins réguliers que les alizés de surface, ils transportent les cendres émises par les volcans de la zone équatoriale.

Restant plusieurs mois en suspension dans la stratosphère, ces aérosols empêchent une partie des rayons solaires d'atteindre le sol, réduisant la quantité d'énergie reçue par la Terre. Dans les mois qui suivent les très fortes éruptions — comme ce fut le cas pour le Chichon, dans le sud du Mexique, en 1982 —, les températures diminuent légèrement à la surface de la planète.

Dès le XVIIIe siècle, Benjamin Franklin avait émis l'hypothèse d'un lien entre le refroidissement des températures et les éruptions volcaniques. Par la suite, on a établi, par exemple, que le retard dans la date des vendanges pouvait être imputable à des anomalies climatiques dues aux éruptions volcaniques. Depuis une trentaine d'années, grâce aux mesures effectuées depuis le sol ou en altitude avec les satellites et les ballons-sondes, on peut suivre le déplacement des aérosols. En 1982 et en 1983, après un trajet vers l'ouest au-dessus des régions équatoriales, les aérosols se sont principalement répartis sur l'ensemble de l'hémisphère

Déplacement des cendres du volcan Chichon en altitude après l'éruption du 4 avril 1982

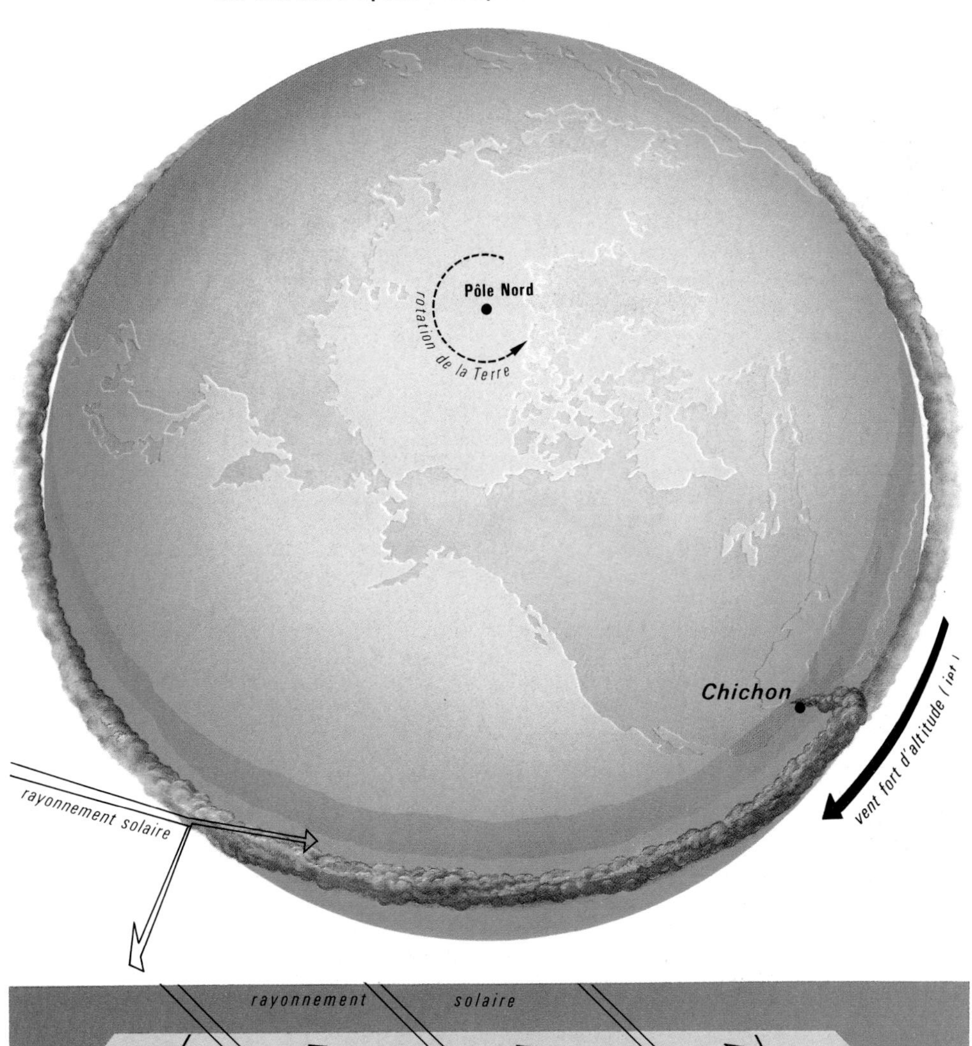

En avril 1982, migrant vers l'ouest sous l'action des vents de la stratosphère, les cendres volcaniques du Chichon (Mexique) se sont réparties en plusieurs couches entre 18 et 35 km d'altitude. Quelques mois après, ces aérosols se dispersèrent dans l'hémisphère Nord. Perturbant le rayonnement solaire, ils sont en partie responsables du record de froid de 1983. ▷

△
Cette image prise en 1966 d'un satellite américain montre une longue et fine traînée nuageuse au-dessus de l'Arabie, de la mer Rouge et du désert égyptien. Elle marque la limite inférieure du jet-stream. La netteté du tracé indique un vent rapide d'au moins 200 km/h.

Nord. Même les régions polaires ont subi un refroidissement imputable aux cendres volcaniques. Si le refroidissement moyen des basses couches reste inférieur à 1 °C, la circulation atmosphérique générale subit d'importantes perturbations pendant plus d'une année. ■

Les jets-streams : des vents violents

En novembre 1944, les avions américains se dirigeaient à 8 000 m d'altitude vers Tōkyō, pour effectuer un bombardement massif de la capitale japonaise. Arrivés au-dessus de la ville, les pilotes larguèrent leurs bombes mais ratèrent leur objectif et ne purent rectifier le tir, car la vitesse réelle des avions était supérieure de 140 km/h à celle prévue. Si l'opération militaire fut un échec, elle permit en revanche la découverte d'un grand flux d'altitude : le courant-jet subtropical, plus connu sous le nom de jet-stream. Depuis, les vents de la haute sphère ont dévoilé une partie de leurs secrets.

Le jet-stream souffle généralement de l'ouest vers l'est, en liaison avec les descentes d'air sur les régions tropicales. Son axe, où la vitesse du vent est maximale, a la forme d'un tube aplati. Il est souvent marqué par une étroite bande nuageuse bien visible des satellites météorologiques.

À ces hauteurs, l'air est beaucoup moins dense que près du sol et les effets de friction sur l'écorce terrestre sont très faibles. Le jet-stream souffle souvent à plus de 150 km/h, avec des pointes dépassant parfois 400 km/h. Lorsqu'il est très fort, sa trajectoire est rectiligne, et il y a très peu d'échanges nord-sud entre les masses d'air tropical et polaire. Dans ce cas-là, la circulation d'ouest domine dans les régions tempérées. Les masses d'air humidifiées sur l'océan apportent la pluie. Lorsque la vitesse diminue, le jet-stream décrit de larges ondulations qui entraînent les dépressions froides vers les tropiques, et les anticyclones chauds remontent vers le nord des régions tempérées. Les échanges d'air entre basses et hautes latitudes sont importants et la classique circulation d'ouest n'est plus possible. Le beau temps sec peut s'installer pour plusieurs jours. ■

Au sommet de la troposphère

L'inégale répartition de l'énergie apportée par le Soleil divise schématiquement notre planète en trois zones : l'une d'elles est excédentaire en énergie, elle se situe entre les parallèles 30° N et 30° S; les deux autres, au-delà, sont déficitaires. Des transferts d'énergie, essentiellement par les flux atmosphériques mais aussi grâce aux courants marins, tendent à rétablir l'équilibre entre ces zones.

Dans la couche inférieure de l'atmosphère — la troposphère —, les vents sont perturbés par les frottements sur les reliefs et par les différences de températures de la surface. C'est dans cette couche que se forment les phénomènes météorologiques.

Au sommet de la troposphère (la tropopause) et dans les sphères supérieures, la répartition des vents est plus simple. Le déplacement des nuages indiquant celui des vents en témoigne, et il suffit de regarder les animations satellitaires des bulletins météorologiques télévisés pour en avoir une idée. Les nuages hauts, souvent plus brillants que les autres, forment soit des lignes droites, soit des sinusoïdes de plusieurs milliers de kilomètres de long. Ils signalent la présence des vents hauts, les jets-streams.

Mais ces vents d'altitude n'ont ni la continuité ni la permanence des courants marins. Ils subissent d'importants changements de position et d'intensité d'une saison à l'autre. Le plus connu, le jet-stream subtropical, souffle globalement de l'ouest vers l'est. Il apparaît, en moyenne, entre 11 et 14 km d'altitude vers le 30e parallèle en hiver, entre 10 et 12 km vers le 45e parallèle en été. C'est en hiver qu'il est le plus vigoureux. L'été, il subit un déplacement d'ensemble vers le pôle et sa vitesse moyenne diminue notablement.

De l'utilité des ballons-sondes

Chaque jour, de 800 à 900 stations météorologiques lâchent de 2 à 4 ballons-sondes dans l'atmosphère. Gonflé à l'hydrogène ou à l'hélium, chaque ballon transporte une mini-station de mesure et un émetteur radio. Pendant son ascension, des mesures de pression, d'humidité et de vitesse du vent sont transmises à la station de réception. Elles sont ensuite envoyées aux centres de prévisions météorologiques.

C'est le physicien J.A.C. Charles qui, en 1783, effectua les premières mesures en altitude à partir d'une montgolfière. Les ballons-sondes ont largement contribué à l'exploration de l'atmosphère et à la sécurité de la navigation aérienne. C'est grâce à eux que L. Teisserenc de Bort découvrit la stratosphère en 1898, et que C.G. Rossby révéla l'existence du jet-stream en 1947.

◁ *Ballon stratosphérique prêt à être lâché.*

ÉOLE AU TRAVAIL

Des paysages façonnés par le vent

Vallée de la Mort
Hokkaïdo
Grand Erg Oriental
Lut

Les vents forts modèlent les paysages. Leur action est spectaculaire dans les déserts peu protégés par la végétation. Ils construisent des dunes monumentales au Sahara, sculptent d'étranges rochers-champignons dans la Vallée de la Mort, en Californie, découpent des buttes gigantesques — les yardangs — dans le désert iranien du Lut, creusent des dépressions salées — les sebkhas —, parfois au-dessous du niveau de la mer. Dans les régions littorales, très éventées, ils donnent aux arbres une courbure significative.

△
Aspects caractéristiques des dunes du Grand Erg oriental (Sahara algérien). À l'arrière-plan se dresse une chaîne de hautes dunes pyramidales accidentées par des cordons de barkhanes. On observe des rides sur la chaîne de dunes du premier plan. Un large couloir sablonneux sépare ces deux chaînes.

Champ de dunes dans le Grand Erg oriental

Les géographes utilisent le mot arabe *erg* pour désigner les champs de dunes, qui représentent l'un des paysages les plus spécifiques des déserts. Étendu sur quelque 80 000 km², aux confins de l'Algérie et de la Tunisie, le Grand Erg oriental est un bon exemple de ces énormes accumulations de sable, toujours strictement organisées en modèles variables selon les ergs, voire d'un secteur à l'autre dans le cas des plus vastes d'entre eux.

Dans cette partie de l'erg, le sable se concentre dans des chaînes qui s'allongent sur plusieurs dizaines de kilomètres. Elles délimitent de larges couloirs, appelés *feidj* par les nomades Chamba quand ils sont sablonneux, et *gassi* lorsqu'ils sont rocheux. Les chaînes sont constituées par de hautes dunes pyramidales reliées les unes aux autres. Ces *ghourds,* qui peuvent dépasser 200 m de haut, sont stables. À partir de leur sommet divergent des cordons de barkhanes correspondant à la partie vivante de l'édifice. Sur leurs flancs en pente douce, face au vent, des rides dissymétriques expriment le déplacement du sable.

À l'évidence, des massifs dunaires aussi monumentaux et régulièrement structurés ont une histoire longue et complexe. Au début de celle du Grand Erg oriental se place une accumulation considérable d'alluvions sableuses dans la vaste cuvette occupant le bas Sahara algéro-tunisien. De puissants oueds y parvenaient encore à la fin du Tertiaire à partir de reliefs périphériques (Hoggar, Tassili N'Ajjer). Avec l'aridification du climat au Quaternaire, le vent s'est substitué aux eaux courantes dans le façonnement du paysage. Au cours d'une évolution qui s'étale sur plus de deux millions d'années le sable prélevé aux alluvions est alors amassé en dunes. En témoigne le fascinant spectacle du flamboiement de l'erg aux vieux sables rougis par le temps à l'heure du soleil couchant. ■

La végétation s'adapte au vent

Les vents fréquents et forts exercent une action directe sur la végétation. C'est le cas surtout dans les régions littorales et en haute montagne. Dans les îles très éventées, comme ici, dans l'île d'Hokkaidō, la courbure des arbres est significative. Elle résulte de la contrainte persistante que le vent exerce dans la même direction sur les jeunes plants au cours de leur croissance. La proximité de la mer y ajoute les effets nocifs des embruns. La pénétration du sel dans les tissus s'effectue par les lésions provoquées par le bombardement des grains de sable. Dans les cas extrêmes, les pousses exposées au vent meurent. L'arbre présente alors un port en drapeau caractéristique.

Le nanisme est une autre forme d'adaptation de la végétation aux effets du vent, dont la vitesse diminue à proximité du sol. En montagne, il affecte les arbres à l'approche de la limite de la forêt. La végétation en coussinet y est une autre expression de la réaction des plantes aux vents forts. Les ligneux rabougris, parfois les herbacées, se regroupent dans des touffes hémisphériques.

Enfin, le développement de l'enracinement est une réponse des végétaux aux risques de déchaussement liés à l'affouillement du sol par le vent, en particulier dans les steppes des régions sèches. ■

Un rocher-champignon dans la Vallée de la Mort

Les rochers-champignons font partie des formes étranges que les paysages des déserts offrent au voyageur. Les plus typiques présentent un pédoncule très aminci, entre une tête et un pied beaucoup plus larges.

Ces grands champignons de pierre proviennent de l'érosion exercée sur les roches, même les plus dures, par les vents forts chargés de sable quartzeux, c'est-à-dire la corrasion. Tous les familiers du désert ont subi l'épreuve désagréable de leur mitraillage, capable de décaper la peinture d'un véhicule en quelques heures. L'efficacité maximale de l'usure se situe vers 1 à 1,50 m, hauteur limite susceptible d'être atteinte par la plus grande partie des grains de sable qui se déplacent par bonds successifs (saltation) sur des surfaces rocheuses dures. Elle diminue progressivement vers le bas, en raison du ralentissement du vent à l'approche du sol. Cette répartition verticale des vitesses explique la forme en champignon prise par les pitons rocheux attaqués par la corrasion éolienne. Dans le cas de celui représenté ici, la situation en bordure d'une zone d'alluvions — playa —, parsemée de cristaux de sel, a sans doute accéléré le processus ; car la roche a pu être ameublie par l'action corrosive de ces sels amenés par le vent. ■

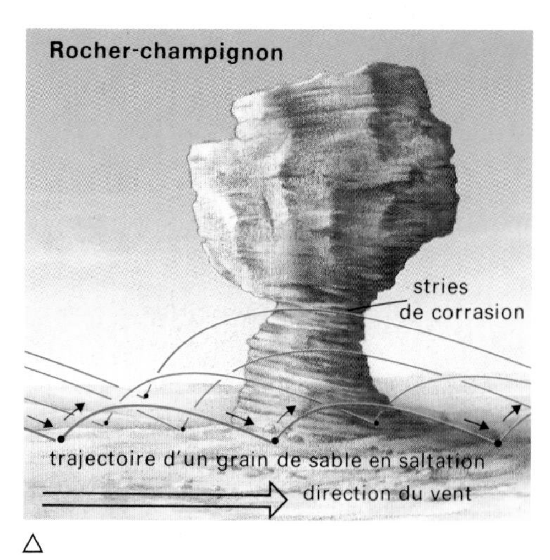

△ *Les grains de sable arrachés au sol par le vent effectuent d'abord un parcours presque vertical, qui s'infléchit progressivement, en raison de l'attraction de la gravité qui aboutit à leur retombée sur le sol : c'est la saltation.*

Rocher-champignon dressé en bordure d'une playa de la Vallée de la Mort, dans le désert du Nevada. La violence des vents est encore renforcée par leur canalisation entre des montagnes élevées. ▷

Arbres courbés par le vent dans l'île d'Hokkaidō (Japon). La déformation du sujet isolé est beaucoup plus accentuée que celle des arbres formant la première ligne de protection de la bande forestière. ▽

Trois caravelles dirigées par Christophe Colomb quittent le port espagnol de Palos le 3 août 1492, dans l'espoir de rallier par l'ouest l'Asie orientale, qui fait tant rêver les Occidentaux depuis les aventures de Marco Polo. Mais, au lieu de cingler droit vers l'ouest, elles font d'abord route vers le sud pour prendre le départ des îles Canaries. Christophe Colomb sait en effet que les navires portugais cabotent le long du continent africain sous des vents de nord-est, et il escompte qu'à cette latitude les vents forts pousseront sa flotte vers l'ouest. Son intuition se révèle exacte. Au bout de trente-cinq jours de navigation, les trois navires longent les récifs d'une petite île que l'on baptise San Salvador. Pour Christophe Colomb, cette terre n'est qu'un avant-poste de l'Asie. Il part alors à la recherche de la cour du grand Khan de Chine. Après plusieurs semaines d'explorations vaines, qui le mènent jusqu'à Cuba, il décide de rentrer en Europe. Comme il ne pourra pas lutter contre les vents d'est qui l'ont poussé à l'aller, il remonte vers le nord, espérant trouver un vent favorable. De nouveau, il a vu juste : de forts vents d'ouest le ramènent au Portugal. Outre des terres nouvelles, Christophe Colomb a donc découvert l'un des grands systèmes de circulation des vents du globe : les alizés. Ces vents furent dès lors mis à profit par tous les navigateurs avertis.

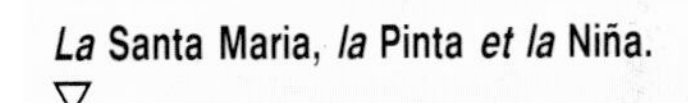

La **Santa Maria,** *la* **Pinta** *et la* **Niña.**
▽

La corrasion éolienne

Caillou facetté et poli par le vent ramassé sur une plage de l'Antarctique.

Les vents de sable des déserts exercent une abrasion efficace sur les roches. Dans les déserts très dénudés, l'érosion se déclenche quand les vents atteignent 4 à 5 m/s. Elle est favorisée à la fois par de vastes espaces plans et arides et par l'abondance des dépôts sableux où les vents peuvent s'alimenter en abrasif. Cette corrasion affecte aussi bien les affleurements rocheux que leurs fragments. Les cailloux à facettes, finement polis, sont l'expression la plus remarquable de cette action éolienne. On les trouve dans les déserts chauds et dans ceux des hautes latitudes. Celui-ci, façonné dans une roche volcanique, une diorite noire à grain fin, provient d'une plage de l'Antarctique soumise à l'assaut de vents incessants.

Des yardangs géants en Iran

Ce paysage exceptionnel occupe le centre d'une cuvette du désert du Lut, dans le sud-est de l'Iran. Les buttes monumentales se haussent jusqu'à 70-80 m et s'étirent parfois sur plus de 1 km. Leur originalité tient à leur disposition en files parallèles et à leur effilement systématique sous le vent. Entre ces alignements s'intercalent de larges couloirs troués par des dépressions éoliennes en entonnoir. Par endroits, des efflorescences salines trahissent leur ennoyage éphémère par de minces nappes d'eau salée, rapidement évaporées.

Le parallélisme de ces buttes et leur profilage prouvent le rôle fondamental de la corrasion exercée par de forts vents de sable. Ce processus est d'autant plus efficace qu'il s'attaque à des formations argilo-limoneuses, accumulées dans la cuvette à une époque où des crues importantes s'y déversaient. Avec l'aridification du climat, le vent a creusé de profonds sillons dans ce matériau tendre, à partir de fissures majeures orientées dans sa direction. Leur élargissement simultané n'a laissé subsister que ces buttes résiduelles effilées sous le vent. Il s'agit donc de yardangs, nom d'origine turque donné à des formes comparables de la cuvette du Lop Nor par les Ouïgours installés dans le bassin du Tarim, en Chine.

L'intense ravinement des versants de ces yardangs géants traduit l'intervention du ruissellement lors de pluies très rares dans ce milieu hyperaride. Elle aboutit à leur recoupement selon une crête sinueuse, tandis que la base, toujours soumise à la corrasion éolienne, conserve son caractère abrupt. ■

Ces yardangs géants sillonnent la plus vaste cuvette désertique du Lut iranien. Ils sont façonnés dans des formations argilo-limoneuses horizontales. ▷

L'utilisation du vent

L'utilisation de l'énergie éolienne est née dans des régions où la sécheresse du climat privait les hommes de celle fournie par les eaux courantes. Originaire du Proche-Orient, le moulin à vent fut introduit dans nos régions par les croisés. Pendant longtemps élément pittoresque de nos paysages côtiers, il a quasiment disparu, à moins d'avoir été aménagé en résidence secondaire.

L'énergie du vent n'est pas délaissée pour autant. Aujourd'hui, on la capte avec des éoliennes animant des générateurs d'électricité. Elles sont fréquentes dans les vastes plaines très éventées des États-Unis, de l'Australie et de la Nouvelle-Zélande, où leurs silhouettes squelettiques se dressent auprès des fermes isolées. Groupées en essaims, elles constituent des petites centrales, comme ici en Californie.

◁ *Éolienne dans le désert Mojave.*

L'érosion éolienne

Le vent est un déplacement d'air des centres de hautes pressions (anticyclones) vers ceux de basses pressions (dépressions). Ce principe simple explique les grands flux qui définissent les aspects essentiels de la circulation atmosphérique. Dans les latitudes moyennes, il s'agit des grands vents d'ouest, les westerlies des marins anglo-saxons; dans les basses latitudes, de vents d'est : les alizés. Ces vents constants ont joué un rôle décisif à l'époque de la marine à voile dans l'exploration de la Terre et le commerce maritime.

L'imposante masse de l'Asie introduit une perturbation majeure dans cette circulation latitudinale. En hiver, l'anticyclone sibérien dirige un air froid et sec sur l'Asie du Sud-Est. L'été, la dépression barométrique creusée en Asie centrale surchauffée aspire l'air maritime, chaud et humide, des océans Pacifique et Indien. Cette circulation méridienne, caractérisée par le renversement saisonnier de la mousson, balaye la façade orientale de l'Asie.

À ces flux s'ajoutent des vents locaux. Des perturbations circulant en Méditerranée déclenchent des vents de secteur nord, tels le mistral provençal, la tramontane languedocienne et la bora dalmate; ou de secteur sud, tels le sirocco nord-africain et le khamsin égyptien. Par ailleurs, les montagnes engendrent des vents descendants, chauds et secs, comme le fœhn des Alpes suisses et autrichiennes, le chinook des Rocheuses et le zonda des Andes argentines.

Grâce à son énergie cinétique, le vent érode les roches, transporte et accumule les sables et les poussières. L'intensité de son action dépend de sa vitesse et des entraves opposées par la végétation.

Formation d'une nebka et d'une lunette

△

Une nebka est une petite dune haute de quelques dizaines de centimètres à quelques mètres. Elle est formée de sables fins et de limons qu'une plante — graminée ou arbuste — a arrêtés dans leur course. Lorsque la plante meurt, la nebka, attaquée par la corrasion éolienne, disparaît rapidement.

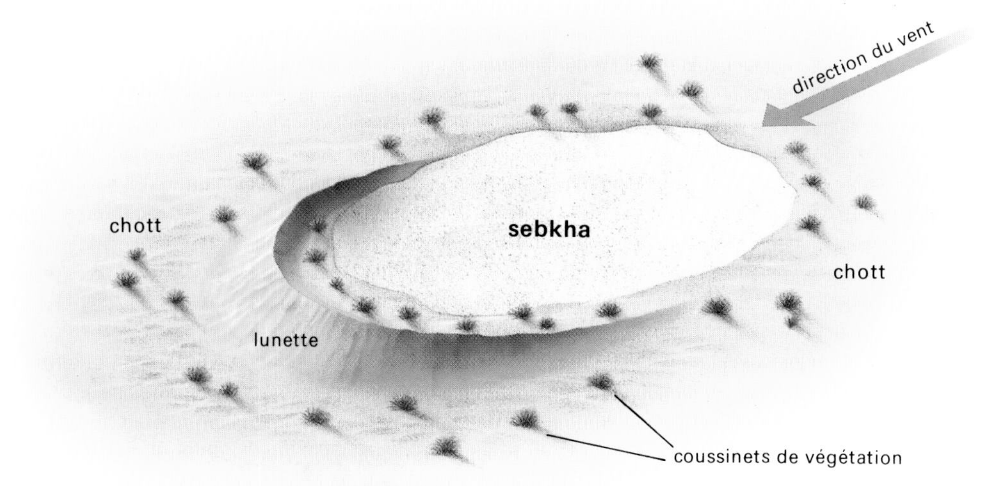

△

Lunette, constituée d'argile et de limon, bordant la rive sous le vent d'une dépression salée — sebkha. Les particules fines de la sebkha, agglutinées par les cristaux de sel, sont balayées par le vent et forment bientôt une dune.

Ces particules sont en effet piégées par les plantes halophiles (littéralement : «qui aiment le sel») poussant sur les terres alentour, appelées chott, dont elles constituent la frange. Plus la sebkha se creuse, plus la lunette s'élève.

LES CLIMATS DU MONDE

Des radiations en provenance du Soleil ou émises par la Terre et par l'atmosphère elle-même réalisent une série d'échanges, qui expliquent les températures de la surface du globe et de l'air qui l'entoure. Le bilan annuel de ces échanges reste à peu près constant pour l'ensemble de la planète, mais il varie d'une saison à l'autre en fonction de la position du globe par rapport à la direction des rayons solaires. Ces fluctuations expliquent en partie la répartition des climats dans le monde, mais celle-ci est aussi affectée par de puissants systèmes de vents qui constituent la circulation atmosphérique générale.

Des radiations émises par le Soleil, par la Terre ou par l'atmosphère circulent autour de nous: elles sont composées de particules animées de mouvements vibratoires dont la longueur d'onde est très variée. Ces radiations sont capables de provoquer l'élévation de la température des corps qu'elles rencontrent. Certaines d'entre elles sont perçues par nos yeux : ce sont les radiations visibles.

Notre planète reçoit un flux de rayons d'ondes courtes (A), dont une partie importante est réfléchie par les nuages et la surface du globe (B). L'essentiel du flux restant atteint la Terre (C), tandis qu'une fraction assez faible échauffe directement l'atmosphère (D). Ainsi échauffée, la Terre émet à son tour des radiations, d'onde longue cette fois (infrarouges). Une faible part de ces rayons traverse l'atmosphère pour retourner à l'espace intersidéral (I), alors qu'une très grande quantité d'énergie radiative sert à échauffer l'atmosphère (II). Celle-ci émet donc des radiations vers la Terre (III) et vers l'espace (IV). L'atmosphère est aussi affectée par de la chaleur qui lui est fournie directement par la surface du globe (V).

Bilan de l'énergie

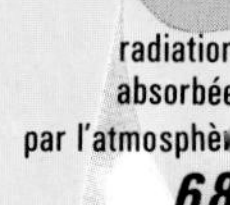

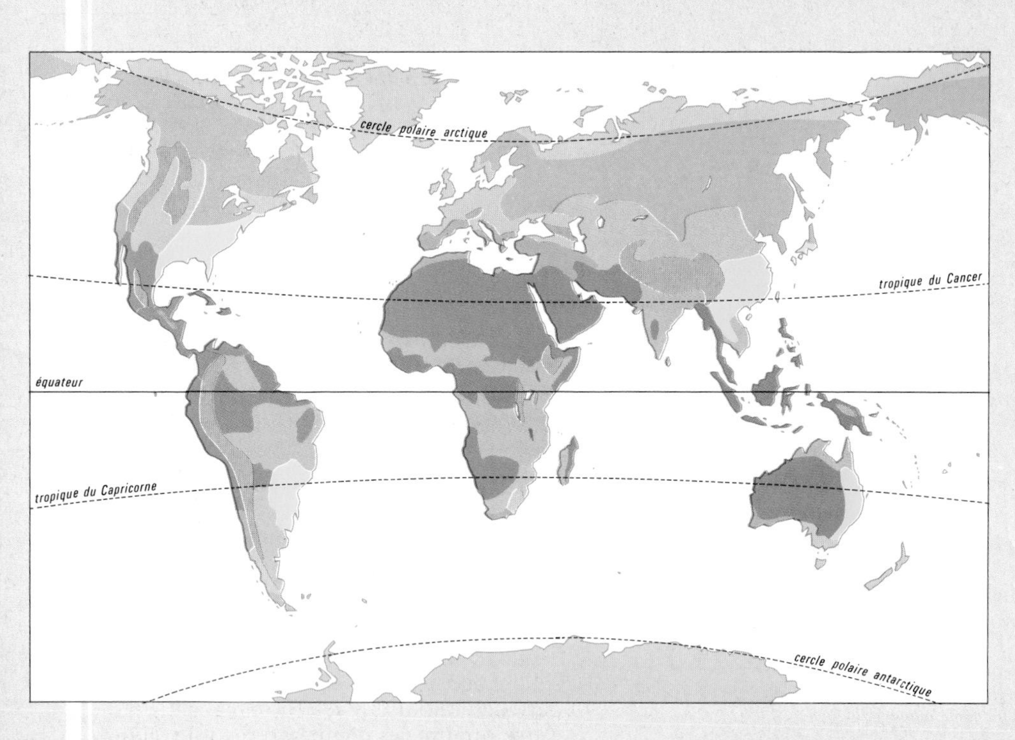

CARTE	CLIMATS	PRINCIPALES CARACTÉRISTIQUES		PRÉCIPITATIONS
		été	hiver	
	équatorial	chaud et pluvieux toute l'année		+ de 1 500 mm
	tropical	chaud et pluvieux	chaud et sec	500 à 1 500 mm
	aride et subaride chaud	chaud et sec	tiède et sec	10 à 500 mm
	aride et subaride froid	chaud et sec	froid et sec	10 à 500 mm
	tempéré océanique	tiède et pluvieux	doux et pluvieux	500 à 1 000 mm
	tempéré méditerranéen	chaud et sec	doux et pluvieux	300 à 1 000 mm
	tempéré de type chinois	chaud et pluvieux	frais et sec	1 000 à 1 500 mm
	froid «continental»	chaud et pluvieux	froid à très froid, sec	300 à 1 000 mm
	polaire	réchauffement faible	froid à très froid, sec	20 à 500 mm
	montagnard	très variable, souvent frais	très variable, souvent froid	jusqu'à + de 2 000 mm

△

◁ *Les climats de la Terre peuvent être définis à partir des caractères des différentes saisons. La répartition des climats est très influencée par les apports d'énergie solaire, qui varient avec la latitude. Mais la circulation atmosphérique, qui déplace de l'air chaud ou froid et provoque des précipitations inégalement réparties, perturbe largement les effets de la latitude.*

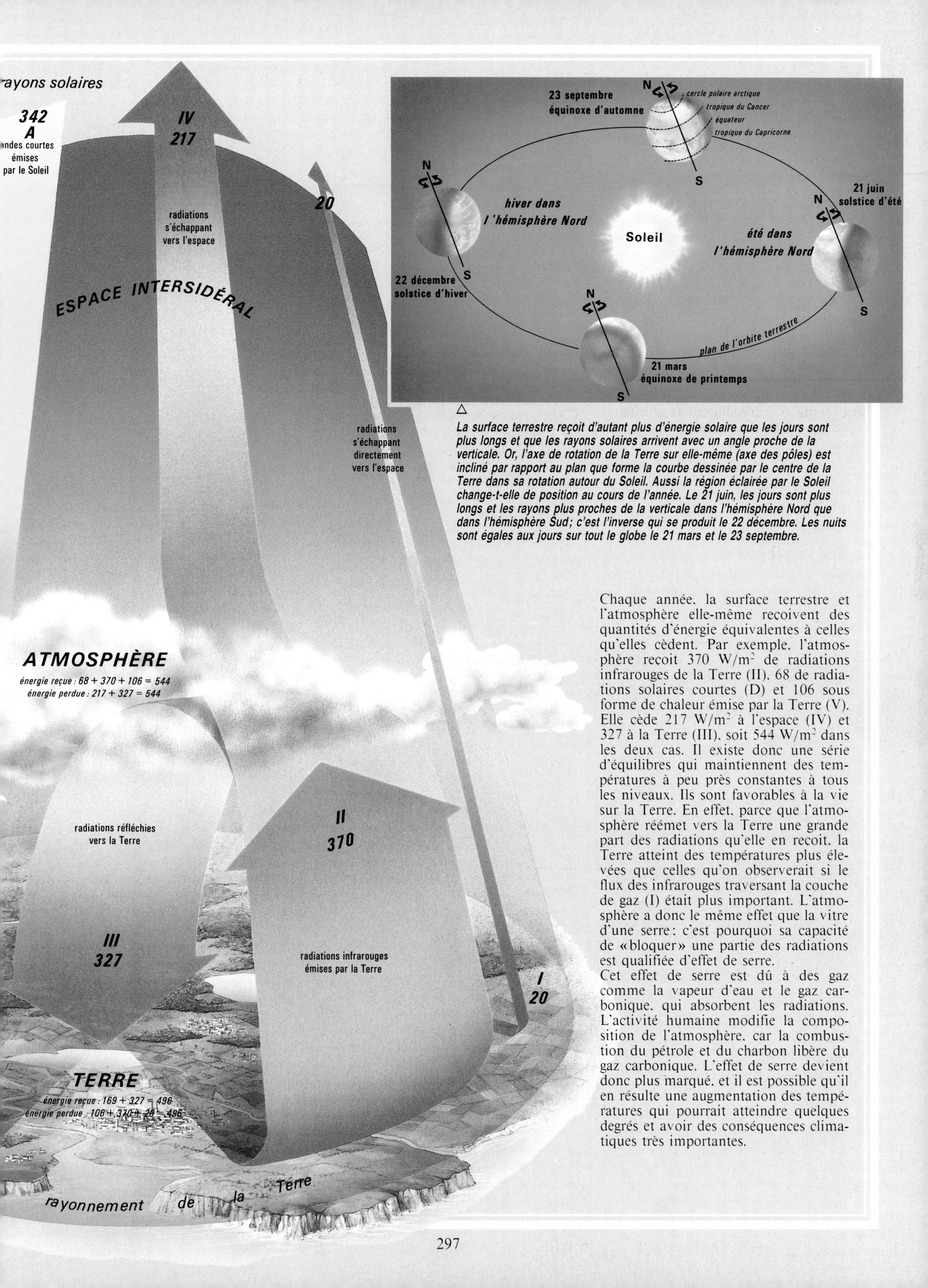

△ *La surface terrestre reçoit d'autant plus d'énergie solaire que les jours sont plus longs et que les rayons solaires arrivent avec un angle proche de la verticale. Or, l'axe de rotation de la Terre sur elle-même (axe des pôles) est incliné par rapport au plan que forme la courbe dessinée par le centre de la Terre dans sa rotation autour du Soleil. Aussi la région éclairée par le Soleil change-t-elle de position au cours de l'année. Le 21 juin, les jours sont plus longs et les rayons plus proches de la verticale dans l'hémisphère Nord que dans l'hémisphère Sud ; c'est l'inverse qui se produit le 22 décembre. Les nuits sont égales aux jours sur tout le globe le 21 mars et le 23 septembre.*

Chaque année, la surface terrestre et l'atmosphère elle-même reçoivent des quantités d'énergie équivalentes à celles qu'elles cèdent. Par exemple, l'atmosphère reçoit 370 W/m^2 de radiations infrarouges de la Terre (II), 68 de radiations solaires courtes (D) et 106 sous forme de chaleur émise par la Terre (V). Elle cède 217 W/m^2 à l'espace (IV) et 327 à la Terre (III), soit 544 W/m^2 dans les deux cas. Il existe donc une série d'équilibres qui maintiennent des températures à peu près constantes à tous les niveaux. Ils sont favorables à la vie sur la Terre. En effet, parce que l'atmosphère réémet vers la Terre une grande part des radiations qu'elle en reçoit, la Terre atteint des températures plus élevées que celles qu'on observerait si le flux des infrarouges traversant la couche de gaz (I) était plus important. L'atmosphère a donc le même effet que la vitre d'une serre : c'est pourquoi sa capacité de « bloquer » une partie des radiations est qualifiée d'effet de serre.

Cet effet de serre est dû à des gaz comme la vapeur d'eau et le gaz carbonique, qui absorbent les radiations. L'activité humaine modifie la composition de l'atmosphère, car la combustion du pétrole et du charbon libère du gaz carbonique. L'effet de serre devient donc plus marqué, et il est possible qu'il en résulte une augmentation des températures qui pourrait atteindre quelques degrés et avoir des conséquences climatiques très importantes.

GLOSSAIRE

A

Abrasion
Érosion par frottement et arrachage de matériaux par le vent, les glaciers ou les vagues.

Aérosols
Particules solides ou liquides en suspension dans l'atmosphère, par exemple les cendres émises par les volcans explosifs.

Aigue-marine
Pierre fine bleu-vert transparent, appartenant au groupe des béryls ; on la trouve dans les roches magmatiques (dessin p. 135).

Alcalin
Une roche alcaline est une roche riche en sodium et en potassium.

Alizés
Vents d'est réguliers des régions tropicales. Ils soufflent principalement du nord-est dans l'hémisphère Nord — alizés boréaux — et du sud-est dans l'hémisphère Sud — alizés austraux — (dessin p. 250).

Allochtones (terrains)
Terrains sédimentaires déplacés par les mouvements du sol de leur lieu de dépôt vers un endroit parfois éloigné : cela se produit dans une nappe de charriage (dessin p. 102).

Alluvions
Dépôts meubles laissés par les cours d'eau et les lacs, et composés de galets, de graviers, de sables ou de limons.

Altération chimique
Décomposition d'une partie ou de la totalité d'une roche par transformation chimique de ses minéraux.

Altocumulus
Nuage blanc ou gris d'altitude moyenne (vers 4 000 m), formé de gros flocons en bancs ou en nappes, ou parfois lenticulaire (dessins pp. 264, 269).

Altostratus
Nuage d'altitude moyenne (entre 3 000 et 4 000 m) formant un voile gris et pouvant apporter des pluies fines. Il ne donne pas de phénomène de halo (dessin p. 269).

Améthyste
Variété violette de quartz, dont les cristaux tapissent souvent des cavités rocheuses appelées géodes (dessin p. 135).

Andésite
Roche magmatique effusive, généralement gris violacé clair. Le volcanisme andésitique, souvent explosif, domine dans les zones de subduction et les arcs insulaires.

Andosol
Sol se développant sur des roches volcaniques (dessin p. 195).

Anhydride sulfureux
Combinaison de soufre et d'oxygène constituant un gaz incolore et suffocant appelé aussi dioxyde de soufre.

Anomalie magnétique
Différence entre le champ magnétique normal moyen dans une zone et celui que l'on mesure localement. Les anomalies magnétiques dans l'Atlantique ont permis d'y reconstituer la dérive des continents.

Anticlinal
Déformation d'une zone sédimentaire par un pli où les strates s'inclinent en sens opposé de part et d'autre d'un axe, l'axe anticlinal (dessins pp. 235, 236).

Anticyclone
Région de hautes pressions atmosphériques. Certains anticyclones permanents portent le nom de la région où ils se trouvent le plus fréquemment : anticyclone des Açores, anticyclone sibérien, anticyclones subtropicaux...

Appalachien (relief)
Relief issu de l'aplanissement d'une chaîne plissée, suivi d'un dégagement des roches dures, qui forment des lignes de crêtes à la suite d'une reprise de l'érosion.

Aquifère
Ensemble de terrains poreux et perméables dont les interstices sont remplis d'eau, au-dessus d'une couche imperméable (dessin p. 80).

Arc insulaire
Archipel volcanique en forme d'arc né du bourrelet bordant certaines fosses océaniques au-dessus des zones de plongée d'une plaque lithosphérique sous une autre. De l'océan au continent, on distingue un *arc externe*, non volcanique, pas toujours présent ; un *arc interne*, volcanique ; et une *mer marginale* (dessin p. 110).

Arc volcanique
Partie interne d'un arc insulaire.

Arène granitique
Sables granitiques grossiers, parfois enrobés d'argile, provenant de l'altération de roches cristallines comme les granites.

Argile
Roche sédimentaire à grain très fin qui a la propriété de devenir plastique lorsqu'elle est imbibée d'eau.

Asthénosphère
Partie du manteau supérieur située sous la lithosphère. Sa température très élevée la rend plastique, et elle est affectée par des courants dits de convection.

Atmosphère
Masse d'air entourant la Terre et divisée en différents niveaux : la troposphère, la stratosphère, la mésosphère et la thermosphère (dessins pp. 268-269, 296-297).

Atoll
Récif corallien annulaire enfermant un lagon qui communique avec l'océan par des passes.

Auge glaciaire ou vallée glaciaire
Vallée à fond plat et versants raides en forme de U, modelée par une langue glaciaire.

Austral
Qui se situe dans la moitié sud du globe terrestre.

Autochtones (terrains)
Terrains sédimentaires se trouvant toujours dans le site où ils se sont déposés, par opposition aux *terrains allochtones*, déplacés par des mouvements du sol (dessin p. 102).

Avalanche sous-marine
Chute brutale d'une abondante masse de sédiments gorgés d'eau dans la mer, au pied de la plate-forme continentale ou au fond d'un canyon sous-marin.

B

Badlands
Versants argileux ou marneux, creusés de profondes rigoles par le ruissellement, lorsqu'ils ne sont pas protégés par la végétation.

Ballon-sonde
Ballon libre transportant des instruments de mesure pour l'étude des phénomènes météorologiques de la haute atmosphère.

Banquise
Glace de mer autour des zones polaires.

Barkhane
Dune en forme de croissant, libre et mobile, à convexité tournée face au vent (dessin p. 260).

Barrancos
Ravins profonds dus au ruissellement sur un cône volcanique jeune, et composant un réseau dense et rayonnant.

Barre
Zone de déferlement des vagues en gros rouleaux pouvant constituer un obstacle à l'approche des côtes.

Barytine
Sulfate de baryum naturel fréquent dans la nature, en particulier dans la gangue des gîtes métalliques hydrothermaux. Ses cristaux, transparents, sont souvent colorés en jaune, brun ou rouge par des impuretés.

Baryum
Métal blanc argenté formant un sulfate avec l'acide sulfurique dans les sources hydrothermales sous-marines.

Basalte
Roche magmatique effusive de couleur gris-noir donnant des laves fluides en longues coulées. Les basaltes, d'origine profonde, sont caractéristiques du volcanisme sous-marin.

Bassin d'effondrement, voir *Fossé d'effondrement*

Bassin sédimentaire
Aire de sédimentation marine ou continentale, qui s'est enfoncée progressivement en même temps que les dépôts s'y accumulaient.

Batholite
Massif granitique né de la cristallisation en profondeur d'un magma injecté à l'état fluide à l'intérieur de l'écorce terrestre, et dégagé ensuite par l'érosion des terrains qui l'entouraient.

Bauxite
Roche sédimentaire de couleur rougeâtre contenant de l'alumine, des oxydes de fer et de la silice; c'est le minerai d'aluminium.

Benthiques (organismes)
Organismes aquatiques vivant sur les fonds marins.

Béryl
Minéral constitué de silicate d'aluminium et de béryllium, présent dans les roches métamorphiques; certaines variétés à qualité de gemme sont recherchées : émeraude, aigue-marine... (dessin p. 135).

Blast
Souffle violent projetant latéralement, lors d'une éruption volcanique de type explosif, des gaz et des débris fins, qui déferlent sur les pentes du volcan.

Blizzard
Nom originaire d'Amérique du Nord d'un vent violent et froid accompagné de tempêtes de neige.

Bloc erratique
Rocher, de taille parfois très importante, transporté par un glacier et souvent déposé à une grande distance de son lieu d'origine.

Bombe volcanique
Bloc de lave, généralement en forme de fuseau, projeté par les volcans à l'état visqueux; son volume peut aller du décimètre cube au mètre cube.

Bora, voir *Fœhn*

Boréal
Qui se situe dans la moitié nord du globe terrestre.

Brèche, voir *Conglomérat*

Brouillard
Concentration de fines gouttelettes d'eau en suspension dans l'air à proximité du sol : un *brouillard d'advection* est dû à l'afflux d'air humide sur une surface plus froide; un *brouillard de rayonnement* se forme par condensation au contact du sol refroidi par le rayonnement nocturne (dessins p. 271).

Butte-témoin
Relief isolé, formé d'une roche dure au-dessus de roches plus tendres, et témoignant d'un relief ancien. On trouve fréquemment des buttes-témoins à l'avant d'un plateau; elles montrent l'ancienne extension de celui-ci (dessins pp. 166, 186).

C

Calcaire
Roche sédimentaire contenant au moins 50 % de carbonate de calcium. Les calcaires sont formés par l'accumulation de squelettes ou de coquilles calcaires, construits par des organismes *(calcaires coralliens),* ou résultent de précipitations chimiques.

Caldera
Cratère géant plus ou moins circulaire, à bords verticaux et mesurant généralement plusieurs kilomètres de diamètre. Une caldera est due à l'effondrement du centre d'un volcan après le vidage de la chambre magmatique par des éruptions (dessin p. 65).

Calédonienne (chaîne)
Ancienne chaîne de montagnes plissée née dans la première partie de l'ère primaire, il y a 550 à 400 millions d'années environ, en Scandinavie, en Écosse, en Irlande et dans une partie des Appalaches. Son nom vient de Caledonia, nom latin de l'Écosse.

Calotte glaciaire
Glacier très étendu et très épais, recouvrant de vastes surfaces continentales.

Canyon
Vallée profonde et étroite aux versants abrupts, creusée dans des terrains perméables (calcaires, grès). Les canyons sont fréquents dans les paysages karstiques (dessins pp. 166, 260).

Canyon sous-marin
Longue dépression sous-marine en forme de vallée, creusée dans le plateau continental (dessin p. 199).

Carbonate de calcium
Minéral formé par la combinaison de l'acide carbonique et du calcium; c'est le constituant principal des coquilles de nombreux organismes et des calcaires (dessin p. 247).

Carottage
Extraction en profondeur d'un échantillon cylindrique dans un terrain ou dans la glace.

Caye
Îlot de sable corallien émergeant de larges bancs de coraux installés sur des hauts-fonds.

Cendres volcaniques
Fragments de lave de petite dimension (moins de 2 mm) projetés lors d'une éruption volcanique, parfois à de grandes distances (dessin p. 289).

Cercles de pierres
Dans les pays froids, rassemblement de pierres en cercles à la surface du sol, dû à l'alternance du gel et du dégel.

Cercles polaires
Lignes fictives correspondant aux points de la Terre situés sur le parallèle de 60° de latitude nord (cercle polaire arctique) et sud (cercle polaire antarctique).

Chambre (ou réservoir) magmatique
Cavité au sein de la croûte terrestre où se concentre le magma et où débute une éruption volcanique. Une chambre magmatique peut être temporaire ou permanente (sous les dorsales).

Champ géothermique
Zone où se concentre le flux de chaleur souterraine (dessin p. 86).

Champ hydrothermal
Zone où se concentre le flux de chaleur souterraine et où une circulation d'eau donne naissance à des sources thermales et à des geysers.

Champ magnétique
Domaine où s'appliquent des forces magnétiques : le *champ magnétique terrestre* enveloppe la Terre en passant par un axe dont les pôles sont différents des pôles géographiques; il existe aussi un *champ magnétique solaire* et un *champ magnétique interplanétaire* créé par le vent solaire en direction de la Terre (dessin p. 287).

Chaparral
En Californie, végétation d'arbustes à feuilles persistantes et adaptés à la sécheresse.

Cheminées de fées
Colonnes de sédiments hétérogènes sculptées par le ravinement, fréquentes dans les moraines. À leur sommet, des blocs les protègent de l'érosion pluviale (dessin p. 179).

Chevauchement
Superposition anormale d'un ensemble de terrains sur un autre dans des régions soumises à des forces de compression, généralement le long d'une faille inverse (dessin p. 102).

Chinook, voir *Fœhn*

Chott
Zone entourant la sebkha dans les régions arides et généralement couverte d'une maigre végétation adaptée aux sols salés (dessin p. 295).

Cirque glaciaire
En montagne, forme en creux au pied des crêtes ; il contient ou a contenu un névé et constitue l'unité d'alimentation d'un glacier.

Cirro-cumulus
Nuage à plus de 6 000 m d'altitude formant des petits flocons blancs alignés, en bancs ou en nappes (dessin p. 269).

Cirro-stratus
Nuage à plus de 6 000 m d'altitude, formant des voiles légers et blanchâtres, d'aspect fibreux ou lisse ; il donne généralement lieu au phénomène de halo (dessin p. 269).

Cirrus
Nuage formant des filaments blancs très fins, ou des bandes étroites, entre 6 000 m et 10 000 m d'altitude. Les nuages de la famille des cirrus sont constitués de paillettes ou d'aiguilles de glace (dessin p. 269).

Cisaillement
Plan de cassure et déplacement suivant ce plan dans une masse rocheuse. Une bande de cisaillement dans une roche peut entraîner un étirement et un aplatissement des cristaux, parfois recristallisés lors du mouvement.

Collines abyssales
Reliefs de quelques centaines de mètres de hauteur, couverts de sédiments fins, de part et d'autre des dorsales océaniques.

Collision
Convergence de plaques lithosphériques entraînant un affrontement de deux masses continentales et la fermeture d'un océan. Elle s'accompagne de la formation de montagnes (dessin p. 120).

Compensation isostatique
Mouvements verticaux très lents de l'écorce terrestre, rééquilibrant les masses de ses divers compartiments ; ainsi, la fonte des grands glaciers quaternaires a entraîné la lente remontée des régions scandinaves.

Concrétions
Accumulation de sels minéraux ou métalliques autour d'un noyau ou sur une surface. Il se forme des concrétions autour des sources thermominérales et des geysers, et au fond des océans.

Concrétions de sel
Dans les régions arides, accumulation par évaporation de sel, dont les cristaux gonflent et forment des granules lorsqu'il pleut.

Condensation
Passage de la vapeur d'eau à l'état liquide ou solide. Ce phénomène se produit par refroidissement de l'air en fonction de sa saturation en vapeur d'eau et de sa teneur en noyaux de condensation, poussières par exemple. Dans une masse d'air apparaissent alors nuages, brouillard ou brume ; sur une surface, rosée, gelée blanche, givre ; dans les régions volcaniques, des fumerolles.

Cône alluvial
Accumulation en forme de cône d'un dépôt meuble (galets, sable ou limon) laissé par un cours d'eau au pied d'un versant.

Cône d'éboulis
Accumulation de débris anguleux canalisés par un couloir au pied d'une pente.

Cône de déjection
Accumulation de sédiments abandonnés par un torrent de montagne lorsqu'il arrive dans la vallée principale, où la pente est plus faible, et qu'il n'est plus capable de les transporter (dessin p. 151).

Cône volcanique
Relief en forme de cône formé par les projections volcaniques et les coulées de lave autour du point d'émission. Selon sa composition, on parle d'un *cône de cendres* ou d'un *cône de scories.*

Conglomérat
Roche composée d'éléments anguleux *(brèche)* ou arrondis *(poudingue)* liés par un ciment siliceux ou calcaire (dessin p.179).

Convergence intertropicale
Ligne de contact entre les alizés boréaux et austraux à peu près au niveau de l'équateur, où se produit une ascendance de l'air venu des tropiques (dessin p. 250).

Coraux
Petits organismes coloniaux qui construisent les récifs coralliens.

Cordillère
Longue chaîne de montagnes, comme les Andes, formée par le soulèvement de panneaux de socle ancien et des grandes épaisseurs de sédiments récents qu'il supporte. Elle est due à la plongée d'une plaque lithosphérique océanique sous une plaque continentale, à l'origine aussi des volcans qui la traversent.

Cordon littoral
Accumulation de sables et de galets parallèlement à la côte par les courants côtiers (dessins pp. 219, 225).

Coriolis (force de)
Force due à la rotation du globe, qui dévie la trajectoire des vents et des courants marins vers la droite dans l'hémisphère Nord et vers la gauche dans l'hémisphère Sud.

Cornets polaires
Zones en forme de cornets formées par la magnétosphère à chacun des pôles géomagnétiques (dessin p. 287).

Corrasion
Érosion par le vent chargé de sable dans les régions désertiques (dessin p. 292).

Coulée de boue, voir *Solifluxion*

Coulées de boue volcaniques, voir *Lahars*

Coulissage
Déplacement horizontal des deux bords d'une faille l'un par rapport à l'autre (dessin p. 95).

Courant-jet, voir *Jet-stream*

Courants océaniques
Déplacement de masses d'eau dans les océans sur des distances variables. Selon leur température on parle de *courants froids* ou de *courants chauds* ; selon leur localisation, de *courants de surface* ou *de fond*, de *courants côtiers* le long des côtes et de *courants de contours* au pied de la pente continentale (dessins pp. 210-211).

Craie
Roche calcaire tendre et poreuse de couleur blanche, formée principalement de squelettes de micro-organismes du plancton, les foraminifères.

Crête algale ou récifale
Partie la plus élevée d'un récif corallien au sommet de la pente externe, en arrière de laquelle se trouve le lagon. Elle est surtout formée d'algues calcaires.

Cristal de roche
Variété incolore de cristaux de quartz que l'on peut trouver dans des cavités rocheuses appelées géodes, dans les roches métamorphiques (dessin p. 135).

Croûte terrestre
Partie la plus superficielle du globe terrestre. Dans la *croûte continentale* dominent les granites et dans la *croûte océanique* les basaltes (dessin p. 63).

Cryoclastie ou gélifraction
Fracturation des roches sous l'effet du gel.

Cuesta
Rebord de plateau formé par une couche de roche dure au-dessus d'une roche moins résistante, dans une série de couches sédimentaires légèrement inclinées (dessin p. 186).

Cuirasse latéritique
Sol tropical riche en fer et en alumine et dont les éléments forment des concretions et sont durcis.

Cumulo-nimbus
Nuage puissant et dense, à extension verticale considérable, en forme de grosse

tour. Sa partie supérieure est presque toujours aplatie et étalée en forme d'enclume ; sa base est souvent très sombre. C'est le nuage de l'orage ou de la grêle (dessins pp. 264, 269, 273, 279).

Cumulus
Nuage dense et à contours très nets en forme de mamelon ou de dôme. Au soleil, il est d'un blanc éclatant, mais sa base est relativement sombre.
Les *cumulus humilis*, peu développés en hauteur et comme aplatis, sont généralement associés au beau temps (dessins pp. 264, 269).

D

Débâcle
Dans les régions froides, dégel printanier des cours d'eau et rupture des glaces qui déclenchent des crues importantes charriant des glaçons. L'*embâcle* est l'amoncellement de ceux-ci avec des objets flottants dans un cours d'eau resserré.

Décrochement, voir *Faille*

Dégazage
Lors d'une éruption volcanique, expulsion des gaz, donnant lieu généralement à des projections de lave.

Degré géothermique
Élévation de la température du sol en fonction de la profondeur : en moyenne, une élévation de 1 °C correspond à une profondeur de 33 m, soit 3 °C pour 100 m.

Delta sous-marin
Accumulation de sédiments en forme de larges cônes sous la mer au débouché des grands fleuves, du plateau continental jusque dans la plaine abyssale (dessin p. 199).

Dépression ou dépression barométrique
Zone de basses pressions atmosphériques représentée sur les cartes par une série de lignes concentriques de même pression, ou isobares (dessin p. 264).

Dépression tectonique, voir *Fossé d'effondrement*

Dépressions mobiles
Série de dépressions barométriques se formant régulièrement dans les régions tempérées, principalement dans l'ouest de l'Europe où elles se déplacent d'ouest en est ; elles sont saisonnièrement décalées vers le nord ou le sud (dessins pp. 266, 275).

Dérive des continents
Théorie élaborée par A. Wegener au début du siècle, selon laquelle les continents dérivent comme des radeaux sur une matière plus dense et visqueuse. Elle voulait expliquer la séparation des continents autrefois soudés en un seul, la Pangée. Elle fut reprise et modifiée dans la théorie de la tectonique de plaques (dessin p. 62).

Dérive littorale
Courant créé le long de la côte lorsque la houle est oblique par rapport à celle-ci ; il entraîne les matériaux le long du rivage (dessins pp. 213, 219).

Détritique (roche)
Roche composée d'au moins 50 % de débris de roches cohérentes, meubles ou consolidés.

Diaclase
Fissure dans une roche dure. Les diaclases sont généralement perpendiculaires aux plans de stratification dans les roches sédimentaires, et courbes dans les roches cristallines, favorisant ainsi leur désagrégation en boules.

Diamant
Carbone pur cristallisé, généralement incolore, le plus dur des minéraux connus. On le trouve dans les kimberlites remplissant certaines cheminées volcaniques (dessin p. 134).

Diatomées
Algues unicellulaires entourées d'une coque siliceuse.

Diffluence
Division d'un cours d'eau en bras qui ne se rejoignent pas, caractéristique des deltas (dessin p. 225).

Diorite
Roche magmatique grenue cristallisée en profondeur, à éléments blanchâtres et verdâtres ou noirâtres.

Doldrums
Zones de basses pressions équatoriales situées principalement sur les océans.

Doline
Dépression fermée dans un relief karstique. Son diamètre varie du décamètre au kilomètre ; sa profondeur, du mètre à l'hectomètre.

Dolomie
Roche contenant plus de 50 % de dolomite (carbonate double de calcium et de magnésium). Son nom vient de celui du géologue français Dolomieu.

Dôme volcanique
Masse de laves trop visqueuses pour pouvoir s'écouler, empilées au-dessus de la bouche qui les émet. Celui de la montagne Pelée avant son éruption, en forme d'aiguille, a donné le nom de *dôme péléen* à ce type de dôme.

Dorsale océanique
Alignement de hauteurs sous-marines dans l'axe duquel s'épanchent des laves basaltiques. Cet axe est occupé par un fossé d'effondrement dans les dorsales lentes, et surélevé dans les dorsales rapides comme celle du Pacifique Est. Les dorsales océaniques peuvent avoir des dizaines de milliers de kilomètres de long, et une largeur de quelques centaines de kilomètres (cartes et dessins pp. 47, 48, 49, 62-63, 247).

Drift
Alluvions glaciaires laissées par le recul d'un glacier et composées d'argiles, de sables et de blocs de pierre.

Drumlin
Colline allongée formée de dépôts morainiques, caractéristique des régions autrefois couvertes par les glaciers.

Dune
Accumulation de sable par le vent, de quelques mètres à quelques dizaines de mètres de haut : les *dunes continentales* se trouvent dans les régions désertiques ; les *dunes littorales* sont formées par le remaniement du sable des plages.

E

Eaux souterraines
Eaux circulant dans les couches perméables du sol (aquifère), parfois à très grande profondeur. Ces eaux se chargent de sels minéraux qu'elles dissolvent dans les roches traversées (dessins pp. 80, 84, 86).

Eaux thermales et thermominérales
Eaux réchauffées en profondeur dans le sol, particulièrement dans les régions volcaniques. Ces eaux chaudes ont une grande capacité de dissolution et se chargent de sels métalliques. Elles remontent en surface dans les sources thermominérales (dessin p. 80).

Échelle de Beaufort
Échelle servant à mesurer la vitesse du vent, graduée de 0 à 12 en fonction de ses effets ou des dégâts qu'il cause.

Échelle de Mercalli
Échelle de mesure de l'intensité d'un séisme, graduée de I à XII en fonction des dégâts qu'il cause.

Échelle de Richter
Échelle de mesure de la magnitude d'un séisme, c'est-à-dire de l'énergie libérée par celui-ci.

Effet de serre
L'effet de serre est produit par le fait que l'atmosphère renvoie vers la Terre une partie de l'énergie que celle-ci rayonne, sous forme d'infrarouges qui s'ajoutent aux radiations solaires.

Électron
Particule élémentaire portant une charge électrique négative et qui entre dans la constitution de tous les atomes.

Embruns
Projection d'eau de mer pulvérisée par le déferlement des vagues sur la côte ou par le vent passant sur les vagues.

Émeraude
Pierre précieuse d'un vert limpide appartenant au groupe des béryls et présente dans les roches métamorphiques (dessin p. 135).

Enclume
Partie supérieure d'un cumulo-nimbus étalée en forme d'enclume, d'aspect lisse, fibreux ou strié (dessin p. 279).

Endogène
Qualifie un élément venu de l'intérieur de la Terre : roche ou fluide (eau, gaz).

Endoréisme
Caractéristique d'une région dont les cours d'eau ne s'écoulent pas vers la mer, mais aboutissent à un lac sans émissaire ou se perdent par évaporation.

Épicentre
Point de la surface du sol à la verticale du foyer sismique.

Équinoxe
Moment de l'année où le Soleil passe au zénith au-dessus de l'équateur et où les jours et les nuits sont égaux dans les zones tempérées. Les équinoxes de printemps et d'automne sont inverses selon les hémisphères (dessin p. 297).

Erg
Champ de dunes au Sahara.

Érosion
Ensemble des processus qui dégradent et modifient le relief. Les agents d'érosion peuvent être mécaniques (eau, gel, vent), chimiques (altération), ou biologiques (animaux, plantes). Le principal agent d'érosion mécanique est l'eau, liquide (ruissellement, cours d'eau) ou solide (glace). L'érosion par le vent s'appelle l'*érosion éolienne*; l'*érosion différentielle* est la dégradation inégale d'un relief en fonction de la résistance variable des roches qui le composent; l'*érosion karstique* se manifeste dans les calcaires.

Éruption volcanique
Émission de laves, cendres, blocs d'une chambre magmatique, par des fissures ou une cheminée sous l'effet de la pression des gaz (dessins pp. 88-89). Selon les modalités des éruptions, on distingue : les *éruptions effusives*, émettant en majorité des laves, en coulées ou en dômes; les *éruptions explosives*, qui projettent surtout des cendres, des scories et des bombes; les *éruptions phréatiques*, se produisant lorsqu'une nappe d'eau souterraine à plus de 100 °C est brutalement libérée car sa couverture imperméable est fracturée : la vapeur d'eau propulse alors des morceaux de roches anciennes et non de la lave; les *éruptions magmatiques*, alimentées par le magma d'un réservoir profond; les *éruptions hydromagmatiques*, où les deux types précédents se mêlent.

Évaporite
Roche sédimentaire provenant de l'évaporation de l'eau de mer : gypse, sel gemme...

Exfoliation
Détachement de grandes plaques courbes de roches cristallines à l'origine de la formation des «pains de sucre».

F

Faille
Cassure de l'écorce terrestre accompagnée d'un déplacement relatif des deux blocs qu'elle sépare. Une faille qui joue encore ou a joué récemment est dite *active*. Selon le déplacement, on parle de *faille normale*, de *faille inverse* ou de *faille décrochante* ou *décrochement* (dessins pp. 98, 99).

Faille transformante
Limite entre deux plaques lithosphériques, le long de laquelle les deux portions coulissent horizontalement (dessin p. 95).

Feldspath
Minéral essentiel de la plupart des roches magmatiques et métamorphiques, constitué de plaquettes ou de prismes pouvant atteindre plusieurs centimètres, blancs ou gris, parfois colorés en rose ou en vert.

Fjord
Vallée en auge creusée par un glacier et envahie par la mer après sa fonte.

Flèche littorale
Accumulation, due à la dérive littorale, de sable ou de galets en un cordon à peu près parallèle au rivage, auquel il est rattaché par une seule extrémité.

Fluides hydrothermaux
Eau chaude et vapeur d'eau souterraines circulant généralement dans les régions volcaniques en sommeil.

Flux géothermique
Flux de chaleur interne de la Terre, dû aux phénomènes nucléaires, physiques ou chimiques qui s'y produisent.

Fœhn
Nom, originaire des Alpes, d'un vent chaud et sec descendant d'une montagne. La bora de Dalmatie, le chinook des montagnes Rocheuses, le sirocco d'Afrique du Nord et la zonda des Andes argentines ont les mêmes caractéristiques (dessin p. 265).

Foraminifères
Micro-organismes unicellulaires marins de l'embranchement des protozoaires, à coquille calcaire.

Fossé (ou bassin) d'effondrement ou graben
Dépression allongée, à fond plat et à versants raides, limitée par des failles entre lesquelles un bloc de terrain s'est affaissé (dessin p. 236).

Fosse océanique
Dépression très profonde, de 5 000 à 11 000 m, et longue de plusieurs milliers de kilomètres, bordant certains continents ou des archipels volcaniques (dessin p. 110, carte p. 115).

Foyer sismique ou hypocentre
Lieu où se produit le premier ébranlement d'un séisme (dessin p. 95).

Front
Surface de séparation de deux masses d'air. Le *front chaud* est la surface de glissement sur laquelle s'avance l'air chaud succédant à l'air froid et le repoussant; le *front froid* est la surface sous laquelle l'air froid soulève l'air chaud auquel il succède. Un *front occlus* sépare deux masses d'air froid qui précédaient et suivaient un secteur chaud et qui ont fait leur jonction (dessin p. 264).

Fumerolles
Émission de gaz et de vapeur d'eau à haute température dans une région volcanique.

Fumeurs blancs, fumeurs noirs
Sources d'eau chaude dans les dorsales océaniques, colorées selon la nature des sels dissous qui précipitent au contact de l'eau de mer (dessin p. 201).

G

Gabbro
Roche cristalline, vert noirâtre moucheté de blanc, de même composition que le basalte, mais qui a cristallisé lentement en profondeur.

Galène
Sulfure naturel de plomb, qui en constitue le principal minerai.

Garrigue
Végétation buissonnante des plateaux calcaires méditerranéens.

Gaz volcaniques, gaz magmatiques
Les gaz volcaniques, émis par les volcans, sont composés de vapeur d'eau, de gaz carbonique, d'hydrogène, d'oxyde de carbone, d'anhydride sulfureux, d'hydrogène sulfuré et de divers gaz rares. Ils sont constitués des gaz issus du magma, les *gaz magmatiques*, auxquels s'ajoutent d'autres gaz, comme la vapeur d'eau et l'oxygène, au moment de l'éruption.

Gélifluxion
Coulée boueuse sur un versant à la suite du dégel de la glace formée dans le sol.

Gélifraction, voir *Cryoclastie*

Géodésiques (mesures)
Mesures concernant la forme de la Terre.

Géothermie
Chaleur de la Terre et énergie thermique qu'elle fournit (dessin p. 86).

Geyser
Source d'eau chaude jaillissant à intervalles plus ou moins réguliers lorsque la pression de vapeur dépasse un certain seuil en profondeur (dessin p. 84).

Geysérite
Roche déposée autour d'un geyser et composée principalement de silice.

Ghourds
Dunes en forme de pyramides créées par des vents de même force soufflant dans plusieurs directions.

Glace (carotte de)
Échantillon cylindrique de glace prélevé en profondeur dans les glaces polaires, et dont l'analyse permet de connaître les climats passés.

Glace (crêpes de)
Cristaux de glace de mer soudés, formant des glaçons plus ou moins circulaires aux bords relevés qui, en se soudant à leur tour, formeront la banquise.

Glaciation
Période pendant laquelle le climat a favorisé l'installation de glaciers plus étendus que ceux de notre époque et qui a correspondu à une régression marine. La dernière glaciation s'est terminée il y a environ 10 000 ans.

Glacier
Masse de glace accumulée sur un continent — *calotte glaciaire* —, sur un plateau, ou descendant une vallée montagnarde — *glacier de vallée* — (dessin p. 157). Un *glacier suspendu* débouche au-dessus de la vallée avec laquelle il conflue. Dans un *glacier rocheux,* la glace est ensevelie sous des masses de débris.

Glacis
Surface plane, en pente douce, généralement au pied d'un relief. On parle de glacis d'érosion lorsqu'il est taillé dans des roches tendres ; de glacis continental dans les océans, au pied de la pente continentale où s'accumulent des sédiments.

Glissement de terrain
Descente massive et assez rapide de matériaux le long d'un versant (dessin p. 147).

Gneiss
Roche métamorphique à structure feuilletée, où alternent des lits de micas très sombres et des lits de feldspaths et de quartz plus clairs.

Graben, voir *Fossé d'effondrement*

Graine, voir *Noyau*

Granite
Roche cristalline composée principalement de quartz et de feldspaths. C'est une roche magmatique ayant cristallisé en profondeur. Un *granite intrusif* provient d'un magma ayant traversé des terrains profonds dans lesquels il s'est cristallisé.

Grenat
Minéral brun-rouge composé de silicates et présent dans les roches métamorphiques ; certaines variétés sont des pierres fines (dessin pp. 134-135).

Grès
Roche sédimentaire détritique formée de sables généralement quartzeux, agglomérés par un ciment — siliceux ou calcaire — qui la rend plus ou moins résistante à l'érosion (dessin p. 166).

Gulf Stream
Courant océanique chaud et rapide de l'Atlantique Nord, né le long des côtes américaines du courant de Floride grossi par le courant nord-équatorial et par celui de Cuba. Au nord, il rencontre le courant froid du Labrador ; ses eaux chaudes dérivent alors vers le nord-est et baignent les côtes européennes (dessin pp. 210-211).

Gypse
Roche saline (évaporite) composée principalement de sulfate de calcium hydraté et cristallisé ; il donne le plâtre par cuisson.

H

Harmattan
Vent desséchant du nord-est en Afrique occidentale ; il provient du Sahara et souffle principalement de la fin de novembre à la mi-mars.

Hectopascal
Unité de mesure de pression remplaçant le millibar pour la mesure de la pression atmosphérique (environ 0,75 mm de mercure).

Herbu
Partie d'un marais littoral submergée seulement par les plus fortes marées et couverte d'un tapis végétal dense.

Hercynienne (chaîne)
Chaîne de montagnes plissées ancienne apparue au cours de l'ère primaire, du Dévonien au Permien, en Europe et en Amérique du Nord.

Hoa
Terme polynésien désignant une passe peu profonde, au-dessus du platier corallien, entre le lagon d'un atoll et l'océan.

Horizon
Couche du sol ayant des caractéristiques particulières de composition, de texture et de couleur. Un sol possède plusieurs horizons.

Horst
Bloc soulevé délimité par des failles, entre deux blocs effondrés (dessin p. 236).

Humifère
Qualifie un sol riche en humus.

Hurricane
Nom donné au cyclone en Amérique centrale et aux Antilles.

Hydrogène sulfuré
Gaz formé par une combinaison d'hydrogène et de soufre, incolore, très toxique et à forte odeur d'œuf pourri.

Hydromagmatique (éruption), voir *Éruption volcanique*

Hydrothermale (activité, circulation)
Circulation d'eaux chaudes souterraines contenant des sels métalliques dans une région volcanique (dessins pp. 80, 201). Voir aussi Champ hydrothermal.

Hydrothermale (oasis)
Zone de vie animale autour d'une source hydrothermale sous-marine.

Hydroxyde de fer
Combinaison de fer, d'oxygène et d'hydrogène, formant des éléments colorés du jaune au rouge et au brun foncé.

I

Iceberg
Bloc de glace d'eau douce détaché du front d'un glacier dans les mers polaires.

Inselberg
Relief rocheux isolé résiduel, haut de quelques dizaines de mètres à 500 m, dominant une surface plane dans une région désertique (dessin p. 260).

Inversion thermique
Inversion de température : la température croît avec la hauteur et la couche d'air froid, plus dense, reste bloquée en bas. Ce phénomène se produit surtout en montagne (dessin p. 271).

Ionosphère ou thermosphère
Partie de la haute atmosphère s'étendant de 80 à 1 000 km environ, caractérisée par la présence de particules chargées positivement ou négativement sous l'effet du rayonnement solaire (dessin p. 268).

Ions ferreux, ions ferriques
Atomes de fer ayant perdu des électrons et pouvant, par combinaison, former des sels de fer de couleur différente.

Isoséiste
Sur une carte, ligne joignant les points où les effets d'un séisme sont identiques.

Isotherme
Courbe reliant sur une carte les points d'égale température.

J-K

Jet-stream ou courant-jet
Courant atmosphérique d'altitude voisin de la tropopause, dont la vitesse maximale peut atteindre voire dépasser 300 km/h (dessin p. 289).

Karst, relief karstique
Relief résultant de l'action physique et chimique des eaux sur les roches calcaires, et caractérisé par des dolines, gouffres, grottes, lapiez, etc. La karstification est le processus de formation de ce relief, dont le nom vient de celui d'un plateau de Slovénie.

Khamsin
En Égypte, vent chaud du sud chargé de sable et analogue au sirocco.

Kimberlite
Roche magmatique pouvant contenir du diamant.

L

Lac de lave
Étendue de lave chaude occupant en permanence un cratère, et animée de mouvements de convection.

Lac glaciaire
Lac occupant un emplacement surcreusé par un glacier et fermé par un verrou, ou barré par des dépôts morainiques.

Lagon
Étendue d'eau enfermée dans un récif corallien annulaire ou entre la côte et un récif-barrière (dessin p. 238).

Lahars ou coulées de boue volcaniques
Coulées boueuses constituées principalement de débris volcaniques entraînés par l'eau, qui dévalent les pentes raides des volcans et sont aussi destructrices que les éruptions (carte p. 69).

Lapiez ou lapiaz
Surface creusée de rainures ou de rigoles profondes de quelques centimètres à 1 m, dues à la dissolution d'une roche calcaire par des eaux chargées de gaz carbonique.

Latérite
Sol tropical, rouge ou ocre, riche en fer et en alumine.

Latitude
Angle formé par la verticale d'un lieu considéré et le plan de l'équateur. Les latitudes sont mesurées de l'équateur (basses latitudes) vers les pôles (hautes latitudes). On parle de latitude nord dans l'hémisphère Nord et de latitude sud dans l'hémisphère Sud.

Lave
Roche d'origine magmatique émise en fusion (de 700 à 1 200 °C), à l'état liquide ou pâteux, au cours d'une éruption volcanique. Les laves provenant d'un magma granitique, assez pâteuses, donnent des roches claires comme les andésites ; celles issues d'un magma basaltique sont fluides et se consolident lentement en basaltes sombres.
Les laves se caractérisent aussi par leur aspect : *laves lisses* ou *pahoehoe* ; *laves cordées*, formant des bourrelets superposés ou entrecroisés ; *laves scoriacées*, ou *aa*, dont la surface est chaotique et hérissée d'aiguilles et de blocs ; *laves en coussins* ou *pillow-lavas*, émises sous la mer et dont le nom évoque bien la forme ; enfin *laves prismées*, qui peuvent constituer des *orgues basaltiques*.

Levée de berge
Amas d'alluvions accumulées sur les rives d'un cours d'eau dans une plaine alluviale (dessin p. 225).

Limon
Dépôt détritique meuble à grain très fin (de 2 à 20 µm), d'origine fluviatile, lagunaire ou éolienne.

Lithification
Transformation d'un sédiment meuble en roche consolidée (dessin p. 160).

Lithosol
Sol très peu épais, souvent caillouteux (dessin p. 194).

Lithosphère
Enveloppe superficielle rigide de la Terre, constituée par la croûte et le manteau supérieur, et limitée à sa base par l'asthénosphère. Son épaisseur varie de 70 km environ, sous les océans *(lithosphère océanique)*, à 150 km environ, sous les continents *(lithosphère continentale)*. Elle se subdivise en plusieurs plaques, séparées par des zones étroites où se produisent des déformations associées à des tremblements de terre et à du volcanisme (dessin p. 57).

Lœss
Dépôt sédimentaire déposé par le vent et composé de fines particules de quartz, d'argile et de calcaire ; on l'appelle aussi limon des plateaux.

Lunette
Bourrelet de sable fin ou d'argile formé sous le vent d'une sebkha et colonisé par la végétation dans les régions arides (dessin p. 295).

M

Maar
Lac occupant une ancienne caldera ou un cratère d'explosion.

Madréporaires
Petits organismes des mers chaudes à squelette calcaire, de l'embranchement des cnidaires ; ils sont constructeurs de récifs coralliens.

Magma
Masse en fusion saturée d'éléments gazeux issue du manteau de la Terre. Les roches magmatiques proviennent de la solidification du magma. Selon sa composition, on parle de *magma basaltique* lorsqu'il est pauvre en silice, fluide, et de composition proche de celle des basaltes ; ou de *magma andésitique* lorsqu'il est plus riche en silice, sodium, potassium et gaz, et plus visqueux.

Magnétosphère
Zone placée sous l'influence du champ magnétique terrestre et qui enveloppe la planète (dessin p. 287).

Magnitude
La magnitude correspond à l'énergie libérée par un séisme.

Manganèse
Métal grisâtre abondant dans les nodules polymétalliques des fonds océaniques.

Mangrove
Forêt caractéristique des marais littoraux des régions tropicales, où dominent les palétuviers, arbres ayant des racines-échasses et des racines à excroissances verticales aériennes.

Manteau
Couche interne de la Terre, entre la croûte et le noyau. Sa base se trouve à environ 2 900 km de profondeur. On distingue : le *manteau supérieur,* jusqu'à 700 km, dont la partie supérieure est la base rigide de la lithosphère, et le *manteau inférieur*, au-dessous et jusqu'au noyau (dessins pp. 57, 63).

Maquis
Végétation broussailleuse très dense des terrains siliceux méditerranéens.

Marais barométrique
Large zone de l'atmosphère aux variations de pression indécises entre anticyclones et dépressions.

Marbre
Roche métamorphique issue d'un calcaire ou d'une dolomie, et qui a été transformée sous l'action de la pression ou de la température.

Marge continentale
Bordure d'un continent où se fait la jonction avec les fonds océaniques. Dans une *marge continentale active*, une plaque océanique s'enfonce sous une plaque continentale (subduction) ; dans une *marge continentale passive*, la transition entre croûte continentale et croûte océanique se fait sur la même plaque lithosphérique.

Marge proglaciaire
Zone située à l'avant du glacier, où s'écoulent les eaux de fonte (dessin p. 157).

Marmite de géant
Cavité circulaire creusée dans le lit rocheux d'un torrent par le mouvement tourbillonnaire des galets.

Mascaret
Vague déferlante remontant dans un estuaire et refoulant l'eau du fleuve.

Masse d'air
Flux d'air ayant des caractéristiques de température, d'humidité et de pression bien tranchées par rapport aux zones voisines, dont il est séparé par des surfaces appelées fronts. Il peut s'étendre sur des millions de kilomètres carrés et plusieurs kilomètres d'épaisseur.

Massif hercynien, voir *Hercynienne (chaîne)*

Massif intrusif
Massif de roches mises en place à l'état fluide sous la surface de l'écorce terrestre, où elles se sont solidifiées (dessin p. 129).

Mégawatt ou MW
Unité de puissance correspondant à 1 million de watts.

Mer marginale
Mer située entre un arc insulaire et un continent.

Mesa
Plateau formé par une coulée de basalte dégagée par l'érosion. Le mot, d'origine espagnole, est parfois étendu à d'autres plateaux.

Mésopause
Niveau de l'atmosphère entre la mésosphère et la thermosphère (dessin p. 268).

Mésosphère
Couche atmosphérique entre la stratosphère et l'ionosphère ou thermosphère (dessin p. 268).

Métamorphisme
Transformation profonde de roches sédimentaires ou éruptives à l'état solide sous l'action d'une élévation importante de la température et de la pression (dessin pp. 160-161). Elle entraîne la cristallisation de nouveaux minéraux et l'acquisition d'une texture nouvelle. Exemples : schiste cristallin, gneiss, marbre.

Mica
Minéral noir et brillant se détachant en lamelles, commun dans les roches magmatiques et métamorphiques.

Microplis
Plis de petite dimension, allant du millimètre au centimètre.

Mistral
Vent violent, froid et sec, descendant la vallée du Rhône, en France, vers les dépressions du golfe de Gênes et affectant aussi la Provence.

Mofettes
Émanations gazeuses d'origine volcanique, par une fissure ou un évent.

Mollisol
Partie supérieure d'un sol gelé, gorgé d'eau de fusion pendant l'été.

Moraine glaciaire
Dépôt transporté par un glacier, arraché par lui ou tombé sous forme d'éboulis. Les moraines sont un mélange de galets et de blocs de tailles variées dans une matrice fine. On distingue les *moraines latérales*, en bordure du glacier; les *moraines médianes*, nées de la rencontre de moraines latérales; les *moraines de fond*, au contact du lit; et les *moraines frontales*, poussées à l'avant du glacier (dessin p. 157).

Mousson
Vent saisonnier des régions tropicales soufflant alternativement de la terre (*mousson d'hiver*, sèche) et de la mer (*mousson d'été*, humide), particulièrement en Asie méridionale (dessin p. 254).

MW, voir *Mégawatt*

N

Nappe de charriage
Ensemble de terrains déplacés lors de plissements importants, ou terrains allochtones, et recouvrant un autre ensemble, autochtone, dont il était très éloigné à l'origine (dessin p. 102).

Natron
Carbonate de soude naturel se déposant dans les zones d'activité volcanique.

Nebka
Mot arabe désignant une petite dune formée derrière une touffe d'herbe ou un buisson (dessin p. 295).

Neck
Ancienne cheminée volcanique remplie de roches magmatiques consolidées, et mise en relief par l'érosion.

Névé
Zone d'accumulation de la neige, tassée par son propre poids et consolidée. Le névé occupe un cirque glaciaire et peut alimenter un glacier (dessin p. 157).

Nimbo-stratus
Nuages formant une couche grise qui cache le soleil et accompagnés de précipitations (pluie ou neige) durables (dessins pp. 264, 269).

Nodule polymétallique
Concrétion minérale arrondie déposée au fond des océans et comportant de grandes quantités d'oxydes métalliques, en particulier de fer et de manganèse.

Noyau
Partie la plus centrale de la Terre composée de deux sphères emboîtées : la *graine* au centre, entre 6371 km (centre de la Terre) et 5100 km, constituée presque totalement de fer; le *noyau externe*, entre 5100 km et 2900 km de profondeur (dessins pp. 57, 63).

Nuage orographique
Nuage d'aspect lenticulaire accroché au sommet d'une montagne.

Nuée ardente
Grand volume de gaz brûlants transportant des débris de lave, expulsés par une violente explosion volcanique et dévalant à grande vitesse les pentes d'un volcan.

O

Occlusion
Processus de diminution progressive d'une masse d'air chaud de la surface terrestre quand un front froid rattrape le front chaud qui le précédait, lors du passage d'une perturbation; l'air chaud est alors rejeté en altitude (dessin p. 264).

Œil du cyclone
Aire de calme avec éclaircie au centre d'un cyclone (dessin p. 258).

Olivine
Minéral constitué de silicate de magnésium et de fer, composant des péridotites du manteau supérieur (dessin p. 135).

Ombilic glaciaire
Bassin surcreusé en dessous du lit normal dans une vallée glaciaire à l'amont d'un verrou rocheux.

Onde de tempête
Surélévation de la mer due à une dépression barométrique importante, associée à des vents violents et à une grande marée; elle déclenche un raz de marée.

Ondes courtes, ondes longues
Dans le rayonnement lumineux, les ondes courtes sont représentées principalement par les radiations ultraviolettes, et les ondes longues par les infrarouges (dessin pp. 296-297).

Ondes sismiques
Vibrations dues à un séisme et se déplaçant sous forme d'ondes dans le globe terrestre, à des vitesses variables, à la suite d'un ébranlement en un point de l'écorce terrestre. On distingue les *ondes de volume*, qui traversent la Terre, et les *ondes de surface*, qui se propagent en surface (dessins pp. 89, 117).

Opale, opale de feu
Minéral transparent et irisé, constitué de petits cristaux de silice hydratée, présent dans les roches sédimentaires. L'*opale de feu*, rouge sang, se trouve dans les zones de circulation hydrothermale (dessin p. 135).

Ophiolites
Roches issues de la lithosphère océanique (croûte ou manteau) et se trouvant sur un continent, souvent dans une chaîne de montagnes.

Orage magnétosphérique
Perturbation affectant le champ magnétique terrestre.

Orgues basaltiques
Laves basaltiques découpées en prismes de grande taille par les fissures de retrait ouvertes lors du refroidissement.

Oued ou wadi
Nom arabe d'un cours d'eau temporaire dans les régions arides.

Ovale auroral
Zone autour de chaque pôle magnétique de la Terre d'où sont émises les particules qui donnent naissance aux aurores polaires (dessin p. 287).

Ozone
Gaz de l'atmosphère composé de trois atomes d'oxygène et qui absorbe une grande partie du rayonnement ultraviolet du Soleil (dessin p. 268).

P

Pahoehoe
Mot hawaiien désignant une coulée de lave fluide à surface lisse.

Pain de sucre
Colline des régions tropicales à sommet arrondi et à versants courbes, dans des roches cristallines comme le granite.

Panache
Jet de matière chaude montant de la base du manteau et alimentant en surface les points chauds volcaniques après avoir traversé une plaque lithosphérique (dessin p. 55).

Pâté corallien
Petite élévation au-dessus d'un récif corallien, plus large et moins élevée qu'un pinacle, pouvant affleurer à la surface de l'eau (dessin p. 238).

Pédiment
En région aride, surface d'érosion locale en plan incliné dans des roches dures et massives (dessin p. 260).

Pélagiques (organismes)
Les organismes pélagiques comprennent les animaux marins qui nagent et le plancton.

Pendage
Pente des couches de terrain par rapport à l'horizontale.

Pente continentale ou talus continental
Pente importante rejoignant le plateau continental et les profondeurs océaniques et creusée çà et là de canyons sous-marins (dessin p. 246).

Péridotite
Roche magmatique du manteau supérieur contenant principalement de l'olivine, et généralement de couleur vert olive à vert noirâtre.

Permafrost ou pergélisol
Dans les régions très froides, niveau profond du sol gelé en permanence.

Pillow-lava
Lave en coussin caractéristique des éruptions sous-marines (dessin p. 201).

Pinacle
Rocher escarpé découpé par l'érosion. Un *pinacle corallien* est un pointement construit par les coraux dans le lagon (dessin p. 238).

Pingo
Dans les régions très froides, butte due à une lentille de glace formée en profondeur par infiltration de l'eau dans un sol poreux. Lorsque le climat se réchauffe, la glace fond et laisse une cuvette cernée par un bourrelet, avec ou sans lac (dessin p. 282).

Placer
Gîte de minéraux précieux dans des alluvions (dessin p. 134).

Plaines abyssales
Dans les océans, vastes surfaces horizontales à environ 4 000 à 5 000 m de profondeur (dessin pp. 246-247)

Plancton
Organismes, animaux ou végétaux, qui flottent sur l'eau des océans.

Plaque lithosphérique ou tectonique
Morceau de lithosphère, rigide et cassante. Les différentes plaques qui couvrent la surface de la Terre et constituent la lithosphère sont séparées par des rifts, des zones de subduction ou des failles transformantes (carte p. 62).

Plasma
Fluide composé de molécules gazeuses, d'ions et d'électrons, ayant des propriétés différentes de celles des gaz naturels (dessin p. 287).

Plateau continental ou plate-forme continentale
Prolongement submergé des continents, de 0 à 200 m de profondeur (dessin p. 246).

Platier corallien
Haut-fond sous-marin à surface plane construit par les coraux, et limité vers le large par la pente externe du récif corallien (dessin p. 238).

Playa
Mot espagnol désignant une dépression fermée où s'accumulent des alluvions, et où se trouve souvent un lac temporaire salé.

Pli
Couches de terrain ployées de part et d'autre d'un axe et présentant vers le ciel une convexité, l'anticlinal, et une concavité, le synclinal (dessin p. 102).
Suivant le degré d'inclinaison on distingue différents types de plis : pli en dôme, pli déversé, etc.

Pluton
Massif de roches magmatiques cristallisées lentement en profondeur : c'est le cas des batholites.

Podzol
Sol acide dont un horizon est cendreux (dessin p. 194).

Point chaud
Zone d'instabilité au contact du noyau et du manteau, provoquant la montée du magma dans une colonne ascendante, le panache. Le magma monte jusqu'à la croûte qu'il traverse en donnant naissance à un volcan. Les points chauds, à peu près immobiles, tracent des alignements de volcans sur les plaques qu'ils traversent (dessins pp. 55, 57).

Pôles géographiques
Points de la Terre situés aux extrémités de l'axe autour duquel elle tourne.

Pôles magnétiques ou géomagnétiques
Points d'intersection de l'axe magnétique de la Terre avec sa surface, à une légère distance des pôles géographiques (dessin p. 287).

Ponce
Roche volcanique de faible densité formée de magma non cristallisé et criblée de petites bulles.

Poudingue, voir *Conglomérat*

Primaire (ère)
Division des temps géologiques, appelée aussi Paléozoïque, qui a succédé au Précambrien, entre − 590 à − 530 millions d'années et − 245 millions d'années.

Prisme d'accrétion
Dans une zone où une plaque lithosphérique plonge sous une autre (subduction), superposition d'écailles formées par l'accumulation de terrains océaniques superficiels ne glissant pas dans la fosse.

Puna
Dans les Andes, végétation steppique clairsemée, entre 3 000 et 5 000 m.

Pyroclastiques (roches), voir *Roches pyroclastiques*

Pyroxène
Minéral ferromagnésien présent dans les roches magmatiques et métamorphiques.

Q

Quartz
Minéral constitué de silice cristallisée entrant dans la composition de nombreuses roches. C'est le principal constituant des sables.

Quartzite
Roche siliceuse extrêmement dure provenant de la transformation d'un grès à ciment siliceux par modification de ce ciment.

Quaternaire (ère)
Dernière période géologique, commencée il y a environ 2 millions d'années et qui se poursuit actuellement.

R

Radioactivité
Propriété de certains noyaux atomiques de se désintégrer en émettant des rayonnements électromagnétiques mesurés par un radiomètre.

Rampe de chevauchement
Faille inverse affectant une ou plusieurs couches de terrain qui glissent de part et d'autre en direction contraire. Elle relie la base des terrains faillés et décollés de la couche sous-jacente à la couche supérieure (dessin p. 102).

Raz de marée
Montée rapide et violente du niveau de la mer causée par des vagues de tempête associées à une marée haute, ou par d'énormes vagues dues à une onde produite par un séisme ou une éruption volcanique (tsunami).

Récif corallien
Dans les mers tropicales, relief sous-marin, ou à peine émergé, édifié par des organismes constructeurs, principalement des madréporaires associés à des algues. On distingue, selon leur forme et leur position par rapport à la côte : l'*atoll*, récif annulaire ; le *récif frangeant*, qui borde une côte ; et le *récif-barrière*, séparé de la côte par un lagon (dessin p. 238).

Réflexion
Phénomène par lequel les rayons lumineux se réfléchissent sur une surface (dessin p. 278).

Réfraction
Changement de direction d'un rayon lumineux passant d'un milieu dans un autre (dessin p. 278).

Réplique
Secousse secondaire qui suit la secousse principale d'un séisme.

Réservoir magmatique, voir *Chambre magmatique*

Rhyolite
Roche magmatique effusive de teinte claire, de même composition minéralogique que le granite. Les rhyolites forment des dômes dans les zones continentales et sont associées aux andésites dans les arcs insulaires.

Ria
Estuaire évasé d'une vallée encaissée envahie par la mer, et formant une baie plus longue que large, parfois ramifiée (dessin p. 240).

Rift
Dépression allongée de plusieurs centaines ou milliers de kilomètres de long. Ce peut être un *rift continental*, fossé d'effondrement comme les rifts est-africains ; ou un *rift océanique*, siège de volcanisme dans l'axe d'une dorsale active (dessins pp. 47, 48, 49).

Rimaye
Espace étroit et profond entre le névé et la paroi rocheuse (dessin p. 157).

Rocher-champignon
Rocher dont la base est plus étroite que le sommet sous l'action de l'érosion, comme dans les déserts où le vent transporte du sable usant la base des rochers (dessin p. 292), ou sur les côtes des mers chaudes sous l'action des vagues.

Roches aquifères, voir *Aquifère*

Roches cristallines
Roches formées de cristaux visibles à l'œil nu ; ce sont des roches d'origine magmatique, cristallisées lentement en profondeur.

Roches granitiques, voir *Granite*

Roches intrusives
Roches formées d'un magma ayant traversé des terrains profonds dans lesquels il s'est cristallisé (dessin p. 161).

Roches magmatiques
Roches résultant de la consolidation d'un magma provenant des zones profondes de l'écorce terrestre.

Roches métamorphiques, voir *Métamorphisme*

Roches moutonnées
Roches dont la surface est bosselée et porte des marques de polissage et de stries après le passage d'un glacier.

Roches océaniques
Roches provenant d'une ancienne croûte océanique.

Roches pyroclastiques ou pyroclastites
Débris de roches magmatiques éjectées par les volcans : cendres, lapilli, tufs, bombes volcaniques.

Roches sédimentaires
Roches provenant de la destruction mécanique ou de l'altération de roches à la surface de la Terre (dessin p. 161). Elles sont disposées en lits superposés, ou strates, et classées selon leur origine : roches détritiques (grès, conglomérats), chimiques (dolomie, calcaires), organiques (charbon, calcaires coralliens). On les classe aussi selon leur nature : roches argileuses, carbonatées, siliceuses.

Roches siliceuses
Roches sédimentaires composées d'au moins 50 % de silice (calcédoine, opale, geysérite).

Roches volcaniques
Roches magmatiques provenant d'un volcan : lave, bombes, lapilli, cendres... (dessin p. 161).

Rubis
Pierre précieuse transparente et rouge vif, variété colorée par le chrome d'un oxyde d'aluminium appelé corindon, que l'on trouve principalement dans les roches métamorphiques (dessin pp. 134-135).

S

Salar
Mot espagnol synonyme de sebkha.

Saltation
Mouvement de rebondissement sur le sol d'un grain de sable emporté par le vent (dessin p. 292).

Saphir
Pierre précieuse transparente et généralement bleue, variété colorée par le fer et le titane d'un oxyde d'aluminium appelé corindon, que l'on trouve principalement dans les roches métamorphiques (dessin p. 134).

Savane
Dans les régions tropicales, végétation d'herbes hautes, graminées principalement. La *savane arborée* est parsemée d'arbres isolés.

Schiste
Roche sédimentaire provenant de la compression et de la déshydratation d'une argile, ce qui lui donne son aspect feuilleté.

Schistosité
Feuilletage présenté par certaines roches, comme les schistes, sous l'influence de

contraintes, et permettant leur débitage en lames plus ou moins épaisses et régulières.

Scories
Fragments de lave projetés lors d'une éruption, à surface hérissée d'arêtes et de pointes.

Scrub
Végétation buissonnante épineuse des régions tropicales semi-arides.

Sebkha
Fond d'une dépression fermée sans végétation, et parsemée d'efflorescences de sel ou de plaques argileuses, durcies et craquelées en saison sèche. Quand il pleut, elle est inondée ou envahie par des remontées d'eaux souterraines salées (dessin p. 295).

Secondaire (ère)
Division des temps géologiques appelée aussi Mésozoïque, qui s'est étendue entre – 248 à – 245 millions d'années et – 65 millions d'années.

Sédiments
Dépôt d'origine détritique, chimique ou organique ayant subi un transport. Les sédiments donnent naissance aux roches sédimentaires (dessin p. 161).

Séisme ou tremblement de terre
Secousse ou ensemble de secousses se produisant dans une région de la croûte terrestre, et dont l'origine se trouve en profondeur dans le foyer (dessins pp. 88, 89, 95, 98, 116, 117).

Sel gemme
Sel cristallisé se trouvant dans le sous-sol ; il fait partie des évaporites.

Sempervirent
Qualifie un arbre qui garde ses feuilles toute l'année.

Séracs
Irrégularités séparées par des crevasses à la surface d'un glacier, dans les fortes pentes.

Serpentinite
Roche compacte, assez tendre, verte à plages sombres ou claires rappelant la peau de serpent. Elle provient de la transformation de certaines roches magmatiques.

Serra
Nom portugais d'une chaîne de montagnes.

Sidérite
Carbonate de fer blond à brun clair présent dans les filons métallifères.

Silex
Roche siliceuse d'origine biochimique, constituant un accident dans des couches calcaires. Les silex forment des concrétions irrégulières appelées rognons.

Silice
Oxyde de silicium (minéral gris ou brun) très abondant dans l'écorce terrestre sous des formes diverses, soit cristallines (quartz, calcédoine, opale), soit sous forme de *silicates* (micas, feldspaths).

Sirocco
Vent très chaud et sec soufflant du Sahara vers les côtes de l'Afrique du Nord et de la Sicile.

Sismique (activité), voir *Séisme*

Socle ancien
Terrains, souvent d'âge primaire ou précambrien, ayant subi des plissements et des aplanissements, et devenus plus ou moins cristallins sous l'effet des pressions subies.

Sol
Partie superficielle d'un terrain résultant de la transformation de la roche sous-jacente (roche mère) sous l'influence de processus physiques, chimiques et biologiques (dessin pp. 194-195).

Solfatare
Émission de vapeur d'eau chaude et de gaz riche en hydrogène sulfuré, donnant des dépôts de soufre au contact de l'oxygène de l'air.

Solifluxion
Déplacement sur un versant d'une masse boueuse ramollie par l'augmentation de sa teneur en eau et décollée du soubassement (dessin p. 147).

Solstice d'été, d'hiver
Dans l'hémisphère Nord, le solstice d'été est le moment de l'année où la hauteur du Soleil sur l'horizon est maximale ; c'est alors le solstice d'hiver de l'hémisphère Sud. La situation est inverse pour le solstice d'hiver (dessin p. 297).

Soufre
Minéral jaune citron à l'état natif, souvent présent dans les dépôts entourant les fumerolles ou les sources thermales.

Sources chaudes ou thermales et thermominérales
Sources ayant des eaux à une température supérieure à celle des eaux de surface locales, car elles ont circulé en profondeur ; elles sont souvent minérales car elles comportent des éléments minéraux en solution.

Sphérules cosmiques
Particules plus ou moins sphériques venant de l'espace.

Spinelle
Oxyde de magnésium et d'aluminium, qui se forme dans le manteau et dans certaines roches métamorphiques.

Stalactite, stalagmite
Concrétions de calcite cristallisée pendant de la voûte d'une grotte (stalactite) ou reposant sur le sol (stalagmite).

Stratification
Disposition des sédiments en couches ou strates, séparées par des plans de stratification.

Strato-cumulus
Nuages gris de l'étage inférieur (jusqu'à 2 000 m) en bancs ou nappes, composés de dalles ou de rouleaux apportant des pluies occasionnelles et limitées (dessin p. 269).

Stratopause
Limite entre la stratosphère et la mésosphère, où la température s'inverse et diminue (dessin p. 268).

Stratosphère
Zone de l'atmosphère entre la tropopause et la stratopause, dans laquelle la température croît avec l'altitude (dessin p. 268).

Stratovolcan
Volcan dont le cône est constitué par l'alternance de coulées de lave et de nappes de projections : cendres, lapilli.

Stratus
Nuage gris uniforme de l'étage inférieur (jusqu'à 2 000 m) ressemblant à un brouillard et pouvant descendre jusqu'au sol ; il peut donner de la bruine ou de la neige en grains (dessins pp. 264, 269).

Stries de corrasion
Traces rectilignes creusées dans les roches, par les grains de sable en suspension dans le cas de la corrasion éolienne.

Stromatolites
Constructions mamelonnées dues à des algues bleues qui font précipiter des carbonates.

Strombolien (volcan)
Stratovolcan en cône régulier où alternent laves et projections volcaniques, dont le nom vient du Stromboli (Italie).

Subduction
Enfoncement d'une plaque lithosphérique sous une autre plaque (dessins pp. 61, 115).

Subsidence de l'air
Mouvement descendant d'une masse d'air, soit d'origine dynamique par suite de l'afflux d'air par en haut, soit d'origine thermique au-dessus d'un continent froid.

Sulfure
Combinaison du soufre et d'un métal.

Surcreusement glaciaire
Creusement de son lit par un glacier au-dessous du niveau normal, avec création d'une contre-pente à l'aval.

Surface d'aplanissement ou d'érosion
Surface étendue, relativement plane, résultant de l'arasement d'un relief par l'érosion.

Swash
Mouvement alternatif de l'eau qui monte et se retire sur une côte lors du déferlement.

Synclinal
Pli dont la concavité est tournée vers le ciel (dessins pp. 235, 236).

T

Taffonis
Cavités arrondies, de plusieurs décimètres à plusieurs mètres, creusées par l'érosion dans les roches cristallines ou gréseuses, en climat sec ou sur certaines côtes.

Taïga
Forêt boréale de conifères au sud de la toundra, qui forme une ceinture presque continue au nord du continent eurasiatique et de l'Amérique.

Talus continental, voir *Pente continentale*

Tchernoziom
Sol très noir et fertile, possédant un horizon humifère épais (dessin p. 195).

Tectonique
Ensemble des mouvements bouleversant la disposition des terrains après leur formation, et faisant apparaître en particulier les plis et les cassures.

Tectonique des plaques (théorie de la)
Théorie selon laquelle la partie superficielle de la Terre est formée de plaques rigides, la lithosphère, flottant sur l'asthénosphère, visqueuse (dessin p. 62).

Terrasse alluviale
Étendue plane dominant la plaine d'inondation d'une vallée ; c'est une partie d'un ancien lit abandonné lors de l'enfoncement du cours d'eau (dessin p. 151).

Tertiaire (ère)
Division des temps géologiques qui a duré de − 65 millions d'années environ à − 2 millions d'années.

Thermoclastie
Fragmentation des roches sous l'action des variations de température.

Thermosphère, voir *Ionosphère*

Tombolo
Flèche de sable reliant la côte à une île (dessin p. 219).

Topaze
Pierre semi-précieuse, silicate fluoré d'aluminium dont la couleur va du jaune au bleu, présente dans les roches volcaniques (dessin p. 135).

Tor
Empilement naturel de blocs granitiques aux arêtes émoussées, dégagés par l'érosion des terrains environnants.

Toundra
Végétation buissonnante et herbacée des régions qui entourent les zones polaires de l'hémisphère Nord, entre la limite nord de la vie végétale et la zone de forêt de conifères (taïga).

Tourmaline
Minéral de coloration variée en prismes, baguettes ou aiguilles, commun dans les roches magmatiques et métamorphiques.

Tramontane
Vent du nord en bordure de la Méditerranée, entre Rhône et Pyrénées, ayant les mêmes caractéristiques que le mistral.

Transgression marine
Remontée du niveau de la mer qui submerge des zones plus ou moins vastes des parties basses des continents.

Travertin
Dépôt calcaire formé de concrétions grises ou jaunâtres, résultant de la précipitation de carbonate de calcium dans les sources karstiques ou dans de petits cours d'eau peu profonds à cascades. On l'appelle aussi tuf calcaire.

Tremblement de terre, voir *Séisme*

Trémors
Vibrations accompagnant la montée du magma lors d'une éruption volcanique.

Tropiques
Parallèles du globe à la latitude de 23° 26', au zénith desquels le Soleil se trouve au moment des solstices. Ils s'appellent tropique du Cancer dans l'hémisphère Nord et tropique du Capricorne dans l'hémisphère Sud.

Tropopause
Niveau de l'atmosphère entre la troposphère et la stratosphère où les températures s'inversent et augmentent (dessin p. 268).

Troposphère
Partie inférieure de l'atmosphère, jusqu'à environ 10 km d'altitude. Elle est affectée sur 2 ou 3 km de nombreux tourbillons dus à la présence de relief et de végétation. Les températures y décroissent jusqu'à la tropopause (dessin p. 268).

Tsunami
Onde affectant la surface de la mer et provoquant un raz de marée (dessin p. 216).

Tuf volcanique
Roche tendre formée par des projections de lave de petite taille consolidées.

Turquoise
Pierre semi-précieuse, bleu ciel à bleu-vert ; c'est un phosphate de cuivre et d'aluminium se formant dans certaines roches sédimentaires (dessin p. 134).

Typhon
Nom donné au cyclone en Asie orientale.

V

Vallée glaciaire, voir *Auge glaciaire*

Valleuse
Vallon suspendu au-dessus de la mer dans une falaise, dû à un recul rapide de celle-ci (dessin p. 238).

Varves
Couches sédimentaires très fines d'argile déposées dans les lacs à l'avant des glaciers. Leur structure feuilletée, alternativement sombre et claire, est un outil de datation des périodes postglaciaires.

Vents étésiens
Vents soufflant du nord et du nord-est en Méditerranée orientale.

Vent solaire
Flux de particules s'échappant de l'atmosphère solaire.

Vernis désertique
Enduit superficiel sur les roches des régions désertiques, d'un noir brillant dû à l'abondance des sels de manganèse.

Verrou glaciaire
Relief rocheux dans une vallée glaciaire entre deux secteurs en creux, ou ombilics, ou à la sortie d'un cirque.

Volcan
Relief résultant de l'accumulation de roches volcaniques et formant parfois un cône. Les différents types de volcans sont liés aux modalités de l'éruption et à la nature des produits volcaniques. Un *volcan-bouclier* a un cône aplati et très étendu formé de coulées de laves basaltiques très fluides. Un *cône volcanique* est constitué de projections volcaniques auxquelles se mêlent des laves. Selon le type d'activité ou le site, on parle de *volcan explosif* (dessin p. 61), de *volcan persistant*, de *volcan sous-marin* (dessins pp. 45, 46).

X-Y-Z

Xérophile (plante)
Plante adaptée au manque d'eau grâce à des modifications physiologiques ou morphologiques.

Yardangs
Dans les régions désertiques, buttes allongées sculptées par les vents de sable dans les argiles, les limons, ou certains grès

Zéolite
Minéral composé de silicates présent dans des roches volcaniques (dessin p. 135).

Zonda
Vent sec d'Argentine descendant des Andes et analogue au fœhn.

INDEX DES NOMS COMMUNS

Les chiffres en caractères gras **(142)** renvoient aux sujets développés dans un chapitre, ou à tout un chapitre ; avec l'astérisque **(142*),** ils signalent le sujet principal d'un encadré. Les chiffres en maigre (142) renvoient aux noms cités dans les textes, les chiffres en italique *(142)* à ceux cités dans les légendes des photos, cartes et dessins ; l'astérisque (142*) renvoie aux noms cités dans les encadrés.

A

B

D

E

F

I J K

L

M

P

S

T

VWYZ

INDEX DES NOMS PROPRES

Les chiffres en caractères gras **(142)** renvoient aux sujets développés dans un chapitre ; avec l'astérisque **(142*)**, ils signalent le sujet principal d'un encadré. Les chiffres en maigre (142) renvoient aux noms cités dans les textes, les chiffres en italique *(142)* à ceux cités dans les légendes des photos, cartes et dessins ; l'astérisque (142*) renvoie aux noms cités dans les encadrés.

A

B

D

E

F

G

I

L

M

Q R

S

T

U V

W X Y Z

PHOTOGRAPHIES ET DESSINS

Abréviations : h : haut, m : milieu, b : bas, g : gauche, d : droite.

Couverture : ACCESS/du Plessis; EXPLORER/J. P. Ferrero/K. Krafft; THE IMAGE BANK/L. Brown/M. Isy-Schwart/Mori; VLOO.

6h : FOVEA/ESA/P.L.I.; 6b : EXPLORER/K. Krafft; 7h : CEDRI/S. Marmounier; 7b : ANA/G. Deichmann; 8 : HOA-QUI/M. Jozon; 9 : DIAF/Pratt-Pries; 10/11 : FOVEA/E-SA/P.L.I.; 12h : CEDRI/J. M. Gauthier; 12b : POLAR and MOUNTAIN PICTURE LIBRARY/J. Lang; 12/13, 14 : FOVEA/SEQUOIA/F. Barbagallo; 14/15 : ALTITUDE/G. Delavault; 16/17 : GAMMA/E. Sampers; 17h : ANA/J. Rey; 17b : TOP/R. Mazin; 18/19h : A. MARTIN; 18/19b, 19h : DIAF/Pratt-Pries; 19b : THE IMAGE BANK/J. W. Banagan; 20/21 : DIAF/Ifa. Bilderteam; 22 : TOP/R. Tixador; 22/23h : A.B.P.L./D. Balfour; 22/23b : DIAF/R. Bouquet; 23 : EXPLORER/P. Tétrel; 24 : THE IMAGE BANK/J. P. Pieuchot; 24/25h : J. de VISSER; 24/25b : EXPLORER/A. Thomas; 25 : EXPLORER/J. P. Ferrero; 26/27 : STOCK IMAGE/J. Boorman; 27 : TOP/P. Hinous; 28h : EXPLORER/K. Krafft; 28b : EXPLORER-/Trapman; 28/29 : CEDRI/F. Joly; 30hg : RAPHO/G. Gerster; 30bg : HOA-QUI/M. Ascant; 30/31 : BIOS/A. Pons; 31g : RAPHO/G. Gerster; 31d : EXPLORER/A. Thomas; 32/33 : ERNOULT FEATURES/J. du Boisberranger; 34 : EXPLORER/Ribieras; 34/35h : RAPHO/G. Gerster; 34/35b : ODYSSEY/N. Viloteau; 35 : EXPLORER/Ribieras; 36/37 : ALTITUDE/A. Compost; 37h : P. Godard; 37b : THE IMAGE BANK/H. Carmichael; 38hg : THE IMAGE BANK/G. A. Rossi; 38hd : EXPLORER/G. Boutin; 38b : CEDRI/G. Sioen; 39 : EXPLORER/R. Harding; 40/41 : DIAF/E. Guillemot; 41 : TOP/J. Ducange; 42/43 : EXPLORER/K. Krafft; 44 : SYGMA/P. Vauthey; 45 : IFREMER; 46 : SYGMA/P. Vauthey; 47 : M. PIGNERES; 48 : CIEL et ESPACE/NASA; 49 : JACANA/S. de Wilde; 50, 51 : EXPLORER/K. Krafft; 52 : CEDRI/K. Muller; 52/53 : EXPLORER/K. Krafft; 53 : SYGMA/F. Origlia; 54/55 : EXPLORER/K. Krafft; 55 : IFREMER; 56 : EXPLORER/K. Krafft; 57h : SYGMA/J. Cachero; 57b : RAPHO/L. Boireau; 58 : RAPHO/M. Yamashita; 59g : FIGARO MAGAZINE; 59d : EXPLORER/K. Krafft; 60 : COSMOS/S.P.L./S. Lowtner; 60/61 : P. Vincent; 61 : S. HELD; 63 : EXPLORER/K. Krafft; 64 : EXPLORER/A. Thomas; 65h : CEDRI/K. Muller; 65b : CEDRI/E. A. Lapied; 66/67 : RAPHO/G. Gerster; 67 : C. MONTEATH; 68 : J. C. THOURET; 69h : SYGMA/R. Taylor; 69b, 70 : EXPLORER/K. Krafft; 71 : J. C. SABROUX; 72 : EXPLORER/K. Krafft; 72/73 : FOVEA/P. Desgraupes; 73 : EXPLORER/L. Girard; 74 : J. C. SABROUX; 75 : RAPHO/BLACK STAR/P. Turnley; 76 : HOA-QUI/D. Noirot; 76/77 : EXPLORER/K. Krafft; 77 : DIAPHOR/Photo BANK; 78 : S. HELD; 78/79 : CEDRI/G. Sioen; 79 : EXPLORER/C. Boisvieux; 80 : MAGNUM/I. Berry; 80/81 : CEDRI/G. Sioen; 81, 82h : EXPLORER/K. Krafft; 82b : CEDRI/C. Sappa; 83 : CEDRI/B. Morandi; 84 : EXPLORER/J. P. Ferrero; 85 : EXPLORER/K. Krafft; 86/87 : BRUCE COLEMAN; 87 : J. C. SABROUX; 88 : R. BENARD; 89 : J. L. CHEMINÉE; 90/91 : CEDRI/S. Marmounier; 92 : P. TAPPONNIER; 93g : J. C. RINGENBACH; 93d : S. HELD; 94h : P. TAPPONNIER; 94b : Y. GELLIE; 96 : ALTITUDE/Y. Arthus-Bertrand; 97 : SPOT IMAGE; 98, 98/99 : R. ARMIJO; 100 : COSMOS/S.P.L.; 101 : EXPLORER/CNES/Spot-Image; 102/103 : BIOS/J. P. Delobelle; 104 : F. MICHEL; 104/105 : R. LACASSIN; 105 : R. et S. MICHAUD; 106h : R. LACASSIN; 106b : CEDRI/S. Marmounier; 107 : ANA/J. Mounicq; 108 : DIAF/P. Benaich; 108/109 : DIAF/E. Guillemot; 109 : G. DAGLI ORTI; 111 : CEDRI/G. Sioen; 112 : JACANA/F. Schreider; 112/113h : MAHUZIER; 112/113b : TOP/J. Ducange; 114h : EXPLORER/K. Krafft; 114b : CEDRI/G. Sioen; 115 : FOVEA/W. Kaehler; 116h : NATIONAL EARTHQUAKE INFORMATION SERVICE; 116m : SIPA PRESS/Farnood; 116b : SYGMA/L'Illustration; 117hg : SIPA PRESS; 117hd : COSMOS/Yoav; 117bd : RAPHO/Lockman; 117bg : KEYSTONE/L'Illustration; 118/119 : SIPA SPORT/P. Tournaire; 119 : C. CHARLES; 120 : P. TOURNAIRE; 121 : NASA; 122 : RAPHO/R. de Seynes; 123 : R. LACASSIN; 124 : B. MEYER; 126h : S. HELD; 126b : J. P. AVOUAC; 127 : RAPHO/R. Everts; 128 : DITE/NASA; 128/129 : BRUCE COLEMAN; 129 : EXPLORER/J. Brun; 130/131 : ERNOULT FEATURES/C. Quentier; 131 : RAPHO/C. Fleurent; 132 (1) : JACANA/P. Pilloud; 132 (2) : BIOS/Barthelemy; 132 (3) : JACANA/R. Volot; 133 : PHOTOGRAPHIC RESOURCES/Burkhart; 134 : SIPA PRESS/G. Buthaud; 136/137 : ANA/G. Deichmann; 138 : R. COQUE; 139h : DIAF/J. P. Garcin; 139b : JACANA/F. Depalle; 140 : HOA-QUI/M. Renaudeau; 141h : CEDRI/S. Gutierrez; 141b : FOVEA/SEQUOIA/D. Ryan; 142 : HOA-QUI/J. Paoli; 142/143, 143 : SPELEO PROJECTS/U. Widmer/H. R. Ballmann; 144 : R. COQUE; 145g : M. KERAUDREN-AYMONIN; 145d : EXPLORER/C. Boisvieux; 146, 147 : R. COQUE; 148h : POLAR and MOUNTAIN PICTURE LIBRARY/Kim Westerskov; 148b : R. et S. MICHAUD; 149 : EXPLORER/M. Guillou; 150 : J. de VISSER; 152 : ALTITUDE/J. Wark; 152/153 : CEDRI/G. Sioen; 153 : B. BOMER; 154h : CEDRI/S. Gutierrez; 154b : RAID GAULOISE/SYGMA/S. Compoint; 155 : RAPHO/H. Gritscher; 156h : PIX/de Richemond; 156b : SYGMA; 157 : J. DEMANGEOT; 158g : C. CHARLES; 158d : RAPHO/Serraillier; 158/159 : F. MICHEL; 159 : R. VIVIAN; 160h : CEDRI/C. Sappa; 160b : ANA/V. Gippenreiter; 161h : PIX/M. Marcou; 161b : T. JOLY; 162g : B. COQUE-DELHUILLE; 162/163 : EXPLORER/A. Thomas; 163 : RAPHO/F. Le Diascorn; 164 : EXPLORER/S. Cordier; 165h : HOA-QUI/C. Pavard; 165b : EXPLORER/B. Guiter; 166/167 : EXPLORER/P. Vernier; 167 : IFA-Bilderteam/Jetter; 168 : EXPLORER/F. Gohier; 169 : BRUCE COLEMAN/G. Dore; 170 : C. MUNOZ-YAGUE; 170/171 : TOP/J. N. Reichel; 171 : EXPLORER/E. Valli; 172 : ACCESS/G.P.L. du Plessis; 173 : EXPLORER/Noailles; 174 : B. COQUE-DELHUILLE; 174/175 : R. ESTALL; 175 : T. JOLY; 176h : R. COQUE; 176b : R.M.N./H. Lewandowski; 176/177 : CEDRI/G. Sioen; 178h : RAPHO/Sarval; 178b : RAPHO/F. Le Diascorn; 179 : EXPLORER/J. H. Lelièvre; 180/181, 181 : RAPHO/L. Boireau; 182h : RAPHO/Deshayes; 182b : EXPLORER/K. Krafft; 183 : RAPHO/R. Michaud; 184 : BRUCE COLEMAN/P. Degginger; 185 : HOA-QUI/C. Valentin; 186 : RAPHO/G. Gerster; 187 : EXPLORER/A. Thomas; 188h : CEDRI/A. Pinsard; 188b : B. COQUE-DELHUILLE; 189 : PIX/M. Détrez; 190 : COSMOS/J. Azel; 190/191 : J. CASANOVA; 191 : COSMOS; 192 : J. THIBIÉROZ; 193h : HELGA LADE FOTOAGENTUR/E. Bergmann; 193b : J. THIBIÉROZ; 194h : E. ROOSE; 194b : TOP/G. Gleitz; 195 : ALTITUDE/J. Wark; 196/197 : HOA-QUI/M. Jozon; 198 : SCOPE/J. D. Sudres; 199 : SCORPIO; 200h : A. IATZOURA; 200m : I.F.P./CEMA-GREF/Ch. Ravenne; 200b : BIOS/M. Gunther; 201 : J. L. CHEMINÉE; 202, 202/203 : IFREMER; 203 : NATIONAL GEOPHYSICAL DATA CENTER; 204h : J. L. CHEMINÉE; 204b : IFREMER; 205 : RAPHO/G. Gerster; 206/207 : EXPLORER/L. Y. Loirat; 207 : SCORPIO FILMS/Minosa; 208, 208/209 : R. ESTALL; 209 : ALTITUDE; 212 : VANDYSTADT/S. Cazenave; 213 : FOVEA/C. Purcell; 214h : HOA-QUI/M. Huet; 214b : VANDYSTADT/S. Cazenave; 215 : SYGMA/Baldev; 216 : SIPA PRESS/W. Bocxe; 217 : HOA-QUI/C. Pavard; 218 : ALTITUDE/Y. Arthus-Bertrand; 219 : FOVEA/G. Arici; 220 : JACANA/Varin-Visage; 220/221 : HOA-QUI/Denis-Huot; 221 : HOA-QUI/M. Ascani; 222h : NASA; 222b : VANDYSTADT/J. P. Lenfant; 223 : ANA/L. Weisman; 224h : EXPLORER/CNES/Dist. Spot Image; 224b : SUNSET/G. Lacz; 226 : MARINA-CEDRI/C. Rives; 226/227 : JACANA/S. de Wilde; 227 : HOA-QUI/E. Valentin; 228g : TOP/B. Hermann; 228d : CEDRI/C. Rives; 229h : TOP/J. Ducange; 229b : SOTHEBY'S; 230 : BIOS/Seitre; 231 : DIAF/Ph. Kerebel; 232h : BIOS/Seitre; 232b : EXPLORER/A. Autenzio; 233 : RAPHO/M. Serraillier; 234 : EXPLORER/G. Boutin; 235 : HOA-QUI/M. Huet; 236/237 : DIAF/Pratt-Pries; 237h : CEDRI/G. Sioen; 237b : THE GRANGER COLLECTION, New York; 238/239 : POLAR and MOUNTAIN PICTURE LIBRARY/C. Potton; 239d : NASA; 239g : ANA/T. Domico; 240 : C. FÉVRIER; 240/241 : ANA/J. Bravo; 242 : DIAF/Ph. Kérébel; 243, 244/245 : COLIN MONTEATH; 244g : DIAF/Ph. Kérébel; 244d : C.N.R.S./L.G.G.E./R. Delmas; 246 : CEDRI/C. Rives; 247hg : JACANA/H. Chaumeton; 247hd : M. C. JANIN; 247bg : IFREMER; 247bd : M. C. JANIN; 248/249 : DIAF/Pratt-Pries; 250 : PIX/Bavaria-Bildagentur; 251h : JACANA/S. Cordier; 251b : BIOS/G. Renson; 252 : EXPLORER/F. Gohier; 253h : HOA-QUI/Arpaillange; 253b : FOVEA/B. Perousse; 255h : DIAF/J. C. Pironon; 255b : JACANA/Y. Arthus-Bertrand; 256/257 : COSMOS/S.P.L.; 257h : RAPHO/Gamazo; 257b : SIPA PRESS/C. Aral; 259 : COSMOS/P. Carmichael; 260/261 : V. DURAND-DASTÈS; 261g : EXPLORER/F. Gohier; 261d : EXPLORER/A. Bordes; 262 : HOA-QUI/C. Farhi; 263 : FOVEA/Oxford Scientific Film; 264/265 : CEDRI/D. Belden; 265 : EXPLORER/M. Koene; 266 : EXPLORER/J. P. Nacivet; 266/267 : SIPA PRESS/Ventou; 267 : KLM Aerocarto; 270 : EXPLORER/F. Jourdan; 270/271 : DIAF/Chanut; 272 : EXPLORER/Bluestein; 273 : RAPHO/Sosin; 274/275, 275 : CEDRI/G. Sioen; 276h : SIPA PRESS; 276b : BIOS/C. Thouvenin; 277 : COSMOS/S.P.L.; 278 : DIAF/Ifa-Bilderteam; 278/279 : EXPLORER/J. P. Nacivet; 279 : PIX/R. Hemon; 280 : ANA/N. Rakhmanov; 281h : BIOS; 281b : CEDRI/R. André; 282 : HARALD SUND; 283h : RAPHO/J. de Visser; 283b : EXPLORER/L. Girard; 284 : JACANA/S. Cordier; 285h : SIPA PRESS/J. Saint-Roch; 285b : BIOS; 286 : COSMOS/J. W. Warden; 287 : CIEL et ESPACE/NASA; 288 : COSMOS/S.P.L.; 290h : DITE/NASA; 290b : C.N.E.S./Toulouse; 291 : DIAF/J. P. Garcin; 292/293 : EXPLORER/F. Gohier; 293h : JACANA/D. Huot; 293b : EXPLORER/J. P. Courau; 294h : S.R.D./J. P. Germain; 294b : EXPLORER/A. Thomas; 294/295 : R. COQUE; 297g : EXPLORER/Ph. Roy; 297d : EXPLORER/A. Félix.

*Le dessin de la page 57hd est de V. COURTILLOT.

Illustrations spécialement réalisées pour Sélection du Reader's Digest :
— d'après les préparations d'Yves Gretener : pp. 95, 110, 120, 124-125, 225b, 234-235 Yves Gretener; pp. 250, 273, 279 Claude Lacroix; pp. 61, 84, 86, 95, 98, 99, 102, 110, 120, 124-125, 132-133, 134-135, 147, 151, 157, 160-161, 166, 186, 193, 194-195, 210-211, 231, 234-235, 246-247, 254, 261, 264, 26)-269, 271, 282, 289, 292, 295, 296-297, Régis Macioszczyk; p. 236 Jacques Sablayrolles; p. 265 Jacques Toutain; pp. 45, 55, 62-63, 65, 80, 88-89, 117, 122, 129, 179, 199, 213, 216, 219, 225h, 228, 240, 258, 271, 287 Jean-Louis Verdier; p. 260 Richard Villoria.
Les vignettes des textes techniques ont été réalisées par Jean-Pierre Magnier.
Les cartes ont été préparées par Yves Gretener et réalisées par la société EDITERRA et Catherine Robin.
La carte de la page 49 est d'Yves Gretener.

Légendes des photographies figurant en pages d'ouverture des six parties de l'ouvrage :

(pp. 10-11, Paysages de la Terre) Image de la Terre prise par le satellite Meteosat.

(pp. 42-43, Le Feu) Fontaines de lave sur le volcan Nyamuragira, au Zaïre.

(pp. 90-91, La Terre : naissance des reliefs) Paysage du massif du Queyras, dans les Alpes françaises.

(pp. 136-137, La Terre : transformation des reliefs) Le monolithe de grès rouge d'Ayers Rock, dans le Territoire du Nord, en Australie.

(pp. 196-197, La Mer) Une Acropora *géante colonisée par un nuage de barbiers orange* (Anthias squamipinnis).

(pp. 248-249, L'Air) Lever de soleil sur la presqu'île de Mullet, en Irlande.

LES GRANDS PHÉNOMÈNES DE LA NATURE

Publié par Sélection du Reader's Digest

Photocomposition : M.C.P. Orléans
Photogravure : Bussière Arts Graphiques, Paris
Station Graphique, Ivry-sur-Seine
Cartes : Bussière Arts Graphiques, Paris
Impression : Maury, Malesherbes
Reliure : Brun, Malesherbes

PREMIÈRE ÉDITION

Achevé d'imprimer : août 1993
Dépôt légal en France : septembre 1993
Dépôt légal en Belgique : D 1993.0621.78
Imprimé en France
Printed in France